Le Paysage à la Renaissance

Etudes réunies et publiées
par Yves Giraud

Editions Universitaires Fribourg Suisse

Publié avec l'aide du Conseil de l'Université de Fribourg

Les originaux de ce livre, prêts à la reproduction,
ont été fournis par les auteurs.

Imprimerie Saint-Paul Fribourg Suisse
ISBN 2-8271-0381-8

C'est déjà une tradition: tous les deux ans, l'Association d'Etudes sur l'Humanisme, la Réforme et la Renaissance (regroupant les équipes de recherche de la France du Centre et du Sud-Est) invite les seiziémistes à un colloque international, dont l'audience a été grande dès le début. Après *La Facétie* (1977), *La Littérature populaire (XVe-XVIe siècles)* (1979), *Les Relations entre les langues* (1981) et *La Catégorie de l'Honnête dans la culture du XVIe siècle* (1983), le choix des membres de l'association s'est porté, pour le cinquième de ces colloques (qui marquait également les dix ans d'existence de "R.H.R."), sur *Le Paysage à la Renaissance.*

Grâce à notre collègue Claude Faisant, professeur à l'Université de Nice, cette rencontre a pu se dérouler, dans des conditions optimales, au Collège International de Cannes, dont il est le directeur. Elle a rassemblé plus de cinquante participants, venus de dix pays différents. La trentaine de communications qu'on va lire ont été présentées dans ce même ordre lors des cinq séances de travail les 31 mai, 1er et 2 juin 1985. Sous l'égide du professeur Henri Weber, Président de l'association, auditeur attentif, bienveillant et stimulant dans chacune de ses interventions, la réflexion nourrie des spécialistes a débouché sur des échanges parfois animés, toujours enrichissants. Les baignades de grand matin, la contemplation du paysage de l'île Saint-Honorat et la visite du monastère fortifié de Lérins sous la conduite d'un religieux cistercien qui vouait au soleil un amour tout franciscain ont contribué à l'agrément et à l'atmosphère cordiale de ces quelques heures très laborieuses au seuil de l'été azuréen.

Je remercie très chaleureusement tous ceux qui ont contribué à l'organisation et à la réalisation de cette manifestation scientifique de grande qualité, en particulier Denise Alexandre-Gras et Jacques Chocheyras pour la mise au point du programme, ainsi que Claude Faisant, amphytrion efficace et souriant, et ses collaborateurs du Collège International. Je suis également très reconnaissant envers Colette Demaizière, qui a bien voulu se charger de la mise au net des discussions.

On trouvera à la fin de ce volume le magistral exposé de synthèse de Guy Demerson. Il me dispensera de longues considérations sur le sujet lui-même, là où tout est dit et bien dit. Quelques mots de présentation suffiront donc en liminaire. En préparant ce colloque, nous savions que chacun arriverait avec son idée du paysage et qu'il serait difficile de concilier tous les points de vue, alors même que ces divergences pouvaient favoriser l'intérêt des discussions. Nous nous étions cependant efforcés de placer quelques bornes, de façon à concentrer un peu les propos: une définition de travail générale et simple (est paysage une portion d'espace saisie par un regard) et une série de distinctions, puisque nous ne voulions aborder ni le sentiment de la nature, ni l'art des jardins, ni le genre pastoral, ni les extensions métaphoriques de la notion. Notre association se voulant un carrefour de disciplines, géographes et historiens, spécialistes de littérature ou d'art ont été invités à fournir leur contribution. Certes, le programme d'un colloque est toujours le résultat de choix, le fruit de concours de circonstances; il ne saurait épuiser sa matière. Toutefois, on regrettera comme nous que les littératures espagnole, anglaise ou allemande aient été absentes, cette fois, de notre horizon. En revanche, les travaux se sont orientés autour de quelques grandes sections:
- une approche plutôt historique: les nouveaux horizons révélés par les voyages de découverte (débuts de l'exotisme: Egypte, Indes, Canada; réceptivité à de nouveaux paysages; représentations cartographiques) en même temps que la perception toujours renouvelée de régions ou de lieux plus proches, célèbres ou "inévitables" (l'Italie, les montagnes), traduite dans des oeuvres qui sont dues à des amateurs sans préoccupations esthétiques ou à des écrivains "artistes";
- le regard littéraire, poétique, sur le paysage, à commencer par quelques-uns des plus grands noms de la littérature italienne, pour aller jusqu'en Pologne, sans oublier les néo-latins et en réservant la part du lion aux lettres françaises (de Scève à Sponde, de Ronsard à Montchrestien);
- enfin, la vision plastique des beaux-arts, domaine dans lequel les travaux ont été les plus abondants depuis un demi-siècle, mais où nos "communicants" apportent des éclairages nouveaux et passionnants.

Le champ était vaste, d'autres y travailleront encore avec fruit. Ils nous diront à leur tour ce que nous n'avons pu qu'entrevoir: comment évolue le topos du *locus amoenus* à la Renaissance, ce qu'est la notion de "pittoresque", quels rapports se nouent entre le paysage et le monde intérieur (par exemple la vision de lieux sauvages, déserts, solitaires, ruinés accompagnant la mélancolie désolée, la sagesse érémitique ou la félicité idyllique), ce que signifie la radicalisation d'une opposition entre la satire de la vie curiale et l'éloge des plaisirs de la vie rustique, et ce que sont tous ces paysages mythiques, merveilleux, visionnaires, imaginaires dont les oeuvres d'art sont pleines. Ils nous entraîneront à la découverte de l'*Araucana* ou des *Lusiades*, à la contemplation des "vedute" flamandes ou romaines, ils nous inviteront à reprendre les *Itinéraires de la Terre Sainte*, ils nous transporteront dans les paysages de rêve de la *Faerie Queene* et nous ramèneront sur terre avec tel livre de raison, qui serait comme une fenêtre ouverte sur un coin de terroir normand ou bourguignon. Et tant d'autres pistes s'offrent encore, qu'il sera utile d'explorer.

Notre promenade a son propre parcours et ses aboutissements: on jugera, chemin faisant, de son originalité et de son agrément. J'invite donc le lecteur à la refaire en compagnie de tous ceux qui n'ont pas ménagé leur peine pour son plaisir.

Yves GIRAUD

(Université de Fribourg)

Peu de temps après notre colloque, le 3 octobre 1985, disparaissait à Rome Enzo Giudici. On trouvera plus loin le texte de la communication qu'il avait présentée à Cannes et qui devait être son dernier travail. Nous saluons ici la mémoire de cet infatigable chercheur à l'esprit probe et curieux et de cet homme cordial autant que généreux.

DE LA COSMOG. Fo.IIII.

La Geographie. La Similitude dicelle.

La Chorographie de la particuliere description dung lieu.

Horographie (comme dict Vernere) laquelle aussi est appellee Topographie, consydere ou regarde seulement aulcuns lieux ou places particuliers en soymesmes, sans auoir entre eulx quelque comparaison, ou samblance auecq lenuironnement de la terre. Car elle demonstre toutes les choses & a peu pres les moindres en iceulx lieux contenues, comme sont villes, portz de mer, peuples, pays, cours des riuieres. & plusieurs aultres choses samblables, comme edifices, maisons, tours, & aultres choses samblables, Et la fin dicelle sera acomplie en faisant la similitude daulcuns lieux particuliers, comme si vng painctre vouldroict contrefaire vng seul oyel, ou vne oreille.

La Chorographie. La Similitude dicelle.

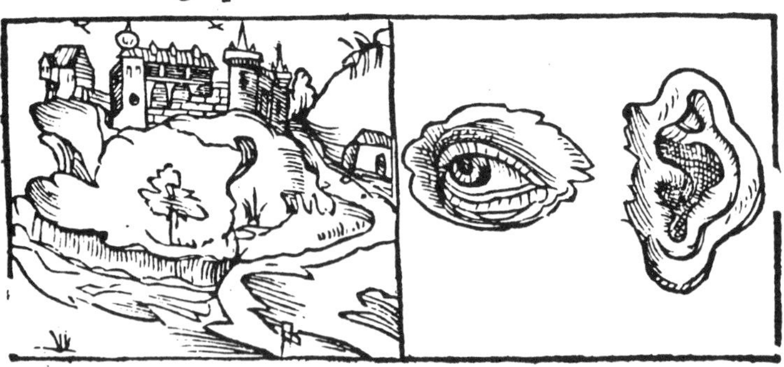

1. Pierre APIAN, *La Cosmographie*, Anvers, Grégoire Bonte, 1544, Ie partie, chap. 1: "Geographie, Corographie et la similitude d'icelles". (Serv. photo. B. N., Paris).

CHOROGRAPHIE ET PAYSAGE

A LA RENAISSANCE

Quantum et quale

De la chorographie au paysage, l'oeil scrutateur de la Philosophie naturelle assure le glissement insensible, si l'on en croit ces vers de Ronsard:

> Et d'avantage, à fin qu'il n'y ait chose
> Qu'elle ne sache en tout ce Monde enclose,
> La terre arpente, et du rivage ardent,
> De l'Orient jusques à l'Occident
> Et de la part de l'Ourse Boreale
> Sçait la longueur, la largeur, l'intervalle:
> Il n'y a bois, mont, fleuve, ne cité
> Qu'en un papier elle n'ait limité,
> Et, sans que l'homme avecques danger erre
> Vingt ou trente ans, ne luy monstre la terre
> D'un seul regard (...) (1).

Evoquant ainsi, dans son *Hymne de la Philosophie*, le patient labeur du cartographe, le Vendômois suggère une distinction implicite qui est restée, semble-t-il, inaperçue des commentateurs. Il ressort en effet de ce passage que la Philosophie appréhende successivement deux objets, ou plus exactement qu'elle applique au même objet qui est la terre deux grilles de lecture successives. D'abord elle envisage la connaissance géographique de l'univers du point de vue de la *quantité*. L'arpentage du globe commence par une distribution spatiale selon les quatre points cardinaux: "le rivage ardent", qui désigne, plutôt que le Sud, la zone torride réputée infranchissable et s'étendant au Midi, de part et d'autre de l'Equateur, l'Orient, l'Occident, et pour finir, au Septentrion, "l'Ourse Boreale". De cette manière s'explique le caractère quelque peu abstrait du vers 156. La géographie, qui "arpente" et mesure à l'intérieur du cadre spatial défini par les astres - le soleil passant du Levant à l'Occident par le Midi, et la constellation de la grande Ourse immobile au Nord -, permet de savoir "la longueur", c'est-à-dire la longitude, "la largeur", ou latitude, d'un lieu, et d'une manière plus générale "l'intervalle" existant entre deux lieux considérés.

Après cette vaste périphrase descriptive, qui est en réalité une définition précise de la *géographie* au sens mathématique du terme - et en cela l'on verra que Ronsard suit fidèlement la leçon de Ptolémée -, vient l'évocation d'une seconde technique de représentation. Celle-ci confine à l'exhaustivité, puisque:

Il n'y a bois, mont, fleuve, ne cité
Qu'en un papier elle n'ait limité (vers 157-158).

Une telle recension théoriquement infinie des éléments du paysage n'est possible qu'à la condition de considérer à présent un territoire de dimensions étroitement limitées. Tel est alors l'objet, non pas de la carte de géographie, comme le dit improprement une note de l'édition Laumonier sur ce passage (2), mais de la carte chorographique, qui enregistre en une sorte de mimésis partielle et minutieuse la *qualité* de l'espace terrestre. La cartographie rejoint à ce moment le paysage comme genre pictural ou littéraire, dans la mesure où, comme celui-ci, la chorographie borne son champ idéalement à ce que l'oeil d'un spectateur attentif peut embrasser dans l'instant. Les anciennes définitions du mot, notamment celle d'Antoine Furetière, donnent en effet comme équivalents de "païsage" "l'aspect d'un pays, le territoire qui s'estend jusqu'où la veuë peut porter" (3). Et Furetière ajoute, en toute logique chorographique et qualitative: "les bois, les collines et les rivières font les beaux païsages". Ronsard énonçait dans le même ordre les "bois, mont et fleuve" (vers 157).

Pour achever son illustration de la discipline cartographique, le Vendômois tente enfin de subsumer l'opposition entre la quantité et la qualité, autrement dit entre la géographie et la chorographie, pour atteindre à une vision directe, virtuellement élargie à la totalité du cosmos. Empruntant le regard aérien des Muses ou celui d'Icare, en vertu d'une fiction largement reçue par la science antique, ce dont témoigne l'éloquente caricature de l'*Icaroménippe* de Lucien (4), il prétend réconcilier les deux parts disjointes et complémentaires de la description du monde. Par ce regard divin qui saisit simultanément l'immensité de la géométrie céleste et la diversité locale de la très grande échelle, il devient capable d'embrasser dans une même vision les Américains et les Orientaux,

(...) ceux que le Soleil
Void, se couchant, et void à son reveil (vers 166).

En dépit de cette péroraison poétique où s'abolissent, dans le symbole d'un monde ramené à l'unité par la puissance de la métaphore, les contradictions d'une science duelle, il demeure, sous-jacente à toute entreprise de "cosmographie universelle", cette irréductible dichotomie du *quantum* et du *quale*.

Claude Ptolémée, au premier chapitre du Livre I de sa *Geographia*, établit cette distinction canonique que reprennent non seulement en ouverture les ouvrages cosmographiques de la Renaissance, mais aussi les liminaires d'un traité de théorie historique comme la *Methodus* de Jean Bodin (5). A la géographie ou description générale sur la carte de toutes les parties du monde (6) s'oppose la chorographie ou description régionale qui s'arrête à la peinture détaillée de telle ou telle partie du globe. La première considère la terre sous le rapport de la quantité (*quantitatim*), d'où les tables de coordonnées mathématiques (longitudes et latitudes) auxquelles se réduit à peu près la *Geographia* de Ptolémée, dans l'état du moins où elle nous est parvenue, alors que la seconde envisage plutôt la qualité des lieux pris individuellement (*qualitatim*).

Comme on le constate, la différence d'emblée n'est pas seulement d'échelle. La variation du tout à la partie qu'implique le passage de la géographie à la chorographie entraîne un changement d'objet et de méthode d'analyse. Là où la géographie relève de l'opération du mathématicien, voire même de l'astronome qui calcule les cercles du ciel à projeter sur la mappemonde, quand il s'agit de dresser le canevas cosmographique de la représentation, la chorographie est de la compétence de l'artiste - peintre ou graveur - qui "pourtrait" et "décrit" le détail concret, et pour ainsi dire visible à l'oeil nu, d'une région ou d'un lieu donnés. L'on sait du reste qu'à la Renaissance des artistes aussi divers que Hans Holbein le Jeune, Martin de Vos, Albert Dürer ou Léonard de Vinci firent oeuvre de cartographes et travaillèrent en étroite collaboration avec des géographes professionnels (7). Même si une telle division des tâches tend à se brouiller avec l'explosion cartographique qui caractérise le XVIe siècle, ainsi que l'a récemment rappelé Svetlana Alpers (8), il n'en reste pas moins qu'elle continue d'être opératoire. En tant qu'il conjugue toujours, dans une proportion variable il est vrai, le résultat du calcul mathématique et le savoir-faire mimétique du dessinateur, l'objet cartographique apparaît constamment dissocié entre ces deux pôles: la stricte mesure et la "description", au sens graphique et plastique que le mot revêt très souvent à la Renaissance. Nous reviendrons plus loin sur ce terme, qui à l'instar du grec *graphein* regroupe sous un commun vocable les actes d'écrire et de dessiner. Du reste, comme le note Svetlana Alpers, "quand le terme de *description* est utilisé par les géographes de la Renaissance", il désigne moins le commentaire ou le légendage textuel de la carte que le fait "que les images sont tracées ou inscrites sur le plan comme quelque chose d'écrit" (9): la chorographie est en cela une calligraphie, elle requiert qu'au compas du géomètre s'allient le pinceau et la plume de l'artiste.

La chirurgie chorographique

Avec la chorographie se pose la question préliminaire et fondamentale du découpage: comment séparer ce qui est lié dans le tout immédiatement donné de la géographie globale et théorique? Il y aurait au moins deux façons de procéder. En premier lieu, le découpage peut s'effectuer de manière géométrique et abstraite: telle était la technique adoptée par le géographe grec Eratosthène dont les "sphragides" délimitaient dans l'oekoumène des portions régulières aux contours parfaitement géométriques (10). A l'échelle plus restreinte de la cité, c'est également, semble-t-il, le projet de Rabelais concernant le plan de Rome, tel qu'il est exposé dans l'épître dédicatoire de la *Topographia antiquae Romae* de Jean Barthélemy Marliani (11). Pour dépeindre le visage de la Ville avec la plume comme avec un pinceau (*Vrbis faciem calamo perinde ac penicillo depingere*), Rabelais a songé à découper la topographie romaine selon un canevas orthonormé tracé sur les quatre directions fondamentales de l'espace: Est, Ouest, Sud, Nord. Le quadrillage ainsi obtenu permettrait en théorie de décrire, carré par carré, le territoire urbain dans son ensemble.

Mais Marliani, que Rabelais, pour finir, s'est borné à préfacer et à mettre à la disposition du public français, a adopté une seconde formule plus conforme au principe qualitatif de la chorographie. C'est celle d'un découpage suivant les articulations naturelles du corps terrestre: collines ou chaînes de montagnes, fleuves ou rivages maritimes qui dessinent par avance les limites de l'objet régional. Dans le cas de la Rome antique, il s'agira bien sûr des sept collines, structure originelle du paysage qui va produire la bonne forme chorographique (12). En se ralliant après réflexion à la *ratio scribendi* de son prédécesseur, Rabelais entérine le droit de la chorographie à se définir jusque dans sa "forme", au sens classique du terme, par la qualité concrète du lieu. Le canevas géométrique ne convenait décidément pas à un art de la "description" minutieux où le relief et la couleur entrent en ligne de compte.

En définitive, la chorographie attache la plus grande importance à la morphologie terrestre, à la fois dans son principe et dans son contenu. Qualitative, elle l'est d'emblée, puisqu'elle tient ses limites et son cadre d'exposition des contours irréguliers et tourmentés de la nature. Une comparaison, déjà présente chez Ptolémée et que le cosmographe flamand Pierre Apian va traduire au moyen d'images placées côte-à-côte, suggère l'équivalence entre la description de la terre et la peinture de la figure humaine. La géographie, qui représente la rotondité du globe en traçant les grandes masses continentales et océaniques, est à mettre en relation avec le portrait d'une tête entière. La chorographie qui découpe et isole telle ou telle région aurait pour "semblance" la peinture d'un oeil ou d'une oreille détachés de tout support. La chorographie devient par là-même assimilable à une opération chirurgicale, le verbe grec *apotemnomai* servant aux deux arts, comme l'a récemment souligné Christian Jacob (13). En donnant de la métaphore ptoléméenne une illustration littérale et sans doute naïve, Pierre Apian obtient une image involontairement absurde, mais dont l'efficacité didactique est indéniable. Elle permet en effet d'établir *de visu* que, tout comme dans une figure il est plus facile d'isoler l'oeil ou l'oreille que le front ou la joue, certains organes dans la physionomie générale de la terre sont plus aisés à circonscrire que d'autres. D'où, pour une part, la fortune que la Renaissance, après l'Antiquité, va réserver à deux types d'objets cartographiques en quelque sorte découpés par avance et donc tout prêts pour la recension chorographique, à savoir l'île et la ville. Les contours de l'une et de l'autre apparaissent d'emblée tracés avec netteté par rapport au territoire environnant. Il importe alors peu que les limites de l'île soient naturelles et que la ville doive son enceinte au travail de l'homme. L'important réside dans le caractère organique de l'unité ainsi livrée au scalpel du chorographe.

Dans les variantes que présentent les dizaines d'éditions de la *Cosmographie* s'échelonnant au cours du XVIe siècle, l'illustration d'Apian montre bien l'unité à la fois externe et interne du tableau chorographique. L'exemple choisi est à cet égard particulièrement éloquent puisque, dans l'édition latine de 1551 par exemple (**14**), le mur d'enceinte de la ville épouse exactement la base du mont rocheux sur lequel s'étagent ses différents quartiers et que couronne la masse imposante d'une citadelle. De plus, cette double limite, naturelle et culturelle, est encore soulignée par la ceinture liquide, au premier plan, d'un cours d'eau ou d'un bras de mer. Quant au relief abrupt de l'éminence couverte d'édifices, il indique une autre caractéristique formelle de la chorographie. Perçu en élévation et non en plan, saisi en perspective cavalière à partir d'un point de vue non pas vertical mais latéral et légèrement surélevé, l'objet chorographique échappe largement au système de projection orthogonal de la carte de géographie, qu'il crève pour ainsi dire de ses escarpements relevés d'ombres et marqués par des traits accusés. L'expression de la verticalité dans l'espace du plan implique alors le recours à un code de représentation hétérodoxe et non géométrique. Elle exige en outre, pour ce qui regarde l'échelle, la combinaison dans la même carte de deux échelles distinctes, l'une pour les distances et surfaces, l'autre pour les altitudes, la seconde étant inévitablement majorée, dans un rapport de un à quatre par exemple, au détriment de la première. L'on verra plus loin que dès le milieu du XVIe siècle le mathématicien Jérôme Cardan avait parfaitement théorisé ces questions de technique cartographique, qui reviennent en fait à poser l'articulation toujours problématique entre la chorographie qualitative et la géographie quantitative.

A partir de l'île et de la ville, dont l'image de la *Cosmographie* d'Apian offrait la synthèse instantanée, deux sous-genres cartographiques vont connaître un développement sans précédent au cours de l'âge classique: d'une part les livres de villes qui relèvent du genre de la "poligraphie", pour faire nôtre le concept employé par André Thevet dans l'épître de ses *Vrais Pourtraits et Vies des Hommes illustres* de 1584 (**15**); d'autre part les atlas d'îles ou Insulaires - de l'italien *Isolarii* - qui donnent lieu à une tradition chorographique ininterrompue depuis l'aube du XVe siècle jusqu'au terme du siècle des Lumières (**16**).

Historiquement, l'épanouissement de la poligraphie correspond à l'avènement des élites urbaines, ce qui explique que le genre ait été illustré plus précocement en Italie et en Allemagne qu'en France. Après l'essai, interrompu par l'exil, des protestants Balthazar Arnoullet (1552) et Antoine Du Pinet (1564), le catholique zélé François de Belleforest recueille les dépouilles de ses prédécesseurs dont il enrichit son édition augmentée et corrigée de la *Cosmographie Universelle* de Sébastien Münster (**17**). Mais l'intérêt principal de cette géographie mâtinée de poligraphie vient des dizaines de planches originales obtenues à partir d'une vaste enquête épistolaire menée auprès des autorités municipales de province, qui étaient courtoisement invitées à fournir plans et notices, pour l'"illustration" et la plus grande gloire de leurs cités respectives. Pourtant, c'est à l'étranger surtout, avec le recueil des *Civitates Orbis Terrarum* des Allemands Georg Braun et Franz Hogenberg (1572 et 1574) et le *Théâtre de l'Univers* d'Abraham Ortellius, que la chorographie urbaine, depuis la Rhénanie et les Flandres, impose la vision moderne d'une Europe des villes, prolongée sur les trois autres continents par les "descriptions" nécessairement plus schématiques des comptoirs arabes d'Ormuz, d'Aden et de Mombasa pour l'Orient, et par les portraits paradigmatiques des trois cités du Nouveau Monde, Mexico, Cuzco et Hochelaga pour l'Occident.

Quant à l'*Isolario*, dont nous avons retracé ailleurs les féconds avatars à la Renaissance (**18**), il s'agit d'un genre longtemps cantonné à la description des îles de la Méditerranée, et que les grandes découvertes vont brusquement élargir aux archipels océaniques lointains, des Antilles aux Moluques. La fabrique de l'Insulaire émane essentiellement des ateliers vénitiens, et passe par l'affirmation d'une thalassocratie encore prospère. Hors d'Italie, où la tradition culmine tardivement avec l'*Isolario dell'Atlante Veneto* du P. Vincenzo Coronelli à l'extrême fin du XVIIe siècle, il n'est guère que le *Grand Insulaire et Pilotage* du cosmographe des rois de France André Thevet (*circa* 1586) qui prétende rivaliser avec les productions des illustres chorographes de la Sérénissime République (**19**). Contrairement aux livres de villes, en constant renouvellement et qui procèdent, chez Braun et Hogenberg ou Belleforest, d'enquêtes précises, où la fonction encomiastique avouée du propos n'interdit pas le sérieux des relevés, les Insulaires tendent à fixer un état du monde archaïque, où l'oekoumène se restreint encore à l'orbe du bassin méditerranéen. Le caractère pittoresque de l'ornementation s'y maintient plus tardivement qu'ailleurs. D'où les grottes mystérieuses, les temples antiques ruinés, les retraites escarpées qui peuplent les îlots de Strongile, d'Anticlare ou du Caloier d'Andros, dans l'insulaire égéen d'André Thevet, et dont Coronelli, un siècle entier plus tard, hérite fidèlement. Etroitement solidaire à son origine de l'essor du portulan, à tel point qu'il pourrait être défini comme une carte-portulan pulvérisée et limitée aux îles, l'insulaire comporte comme celle-ci le canevas de lignes de rhumb ou "marteloio" permettant la navigation à latitude constante et offrant, selon l'expression du commandant L. Denoix, "un catalogue de directions à suivre entre des points remarquables" (**20**). C'est du reste en s'efforçant de réconcilier l'insulaire avec cette fonction instrumentale que Thevet, à l'extrême fin du XVIe siècle, tente de justifier son oeuvre, dont le titre associe, de manière significative, l'atlas d'îles au "Pilotage", c'est-à-dire à un manuel d'instructions nautiques disséminées dans ce cas parmi l'archipel universel. L'entreprise ayant avorté pour des raisons éditoriales, nul ne sait l'éventuel profit que l'homme du métier eût recueilli de cet *Isolario* paradoxalement enrichi par un retour aux origines techniques du genre, à une époque où seule sa valeur pittoresque et symbolique semblait devoir subsister.

La fabrique de la carte

L'aspect utilitaire semble présider d'emblée à la chorographie, ce qui suffirait à la distinguer de la simple peinture du paysage. Même si, comme le note Numa Broc (**21**), le cartographe de la Renaissance travaille aussi pour "le contentement de l'oeil", et qu'il recherche volontiers la figuration "au naturel" ou "pour l'effet", de préférence à l'exactitude mathématique, il demeure que très tôt la fabrique de la carte repose sur des règles extrêmement précises. Longtemps avant que des conventions universelles puissent être fixées et adoptées, la nécessité de disposer d'un langage sûr et univoque est parfaitement perçue par les dessinateurs de cartes.

La latitude laissée par exemple à l'hydrographe, lors d'un voyage de reconnaissance conduit par les Anglais en Amérique du Nord dans les années 1582-1583, n'est sans doute pas négligeable, ainsi qu'en témoigne un précieux recueil d'instructions aujourd'hui conservé à la British Library (**22**). Mais d'entrée de jeu un double impératif est assigné au dénommé Thomas Bavin, d'exactitude et de lisibilité. Celui-ci doit recourir à différentes marques pour exprimer sur le papier les différentes choses qu'il enregistrera "without alteration", comme il est précisé. Le critère de distinction interne est clairement spécifié: une marque représentera les bois, une autre les collines, une autre les rochers, une autre les écueils, une autre encore sera employée pour le chenal d'une rivière, etc. De plus, afin qu'un tel système de marques soit constant et homogène, le cartographe veillera à utiliser les mêmes conventions pendant toute la durée de la reconnaissance: "not altering his marckes untill he shall perfectly fynishe his whole discovery" (**23**). L'on comprend du reste que si toutes les cartes n'offrent pas à cette époque les mêmes signes conventionnels, il importe du moins qu'une même carte recoure à une grille cohérente, sans laquelle elle resterait d'un usage hasardeux. Enfin une série de mesures, en pieds pour la profondeur des hauts-fonds, en brasses pour celle des chenaux, une fois reportée sur la première esquisse ("in the first draughtes of this plottes"), achève de faire du relevé un document sûr, d'où la carte, une infinité de cartes nautiques pourront être tirées.

La lisibilité du document apparaît donc dépendre moins des signes utilisés, dont on a vu que le choix était laissé à la discrétion de l'hydrographe, que de la distinction des signes entre eux et de la cohérence de la grille générale. A l'instar d'un texte, dont l'intelligence est fonction non seulement des mots qui le composent, mais plus encore des relations syntaxiques existant entre ces mots, la carte, dès le stade initial de l'ébauche levée sur les lieux mêmes, peut se décrire comme un tissu de relations entre des signes. Ce caractère textuel de l'objet cartographique est ici directement lié à sa qualité informative, et partant à sa valeur d'usage.

La même remarque, qui devrait permettre d'en finir avec les jugements ayant cours parfois sur le caractère réputé préscientifique de la cartographie de la Renaissance, vaut *a fortiori* pour le chapitre du *De Rerum Varietate* de Jérôme Cardan consacré aux "Descriptions chorographiques", et qui est un véritable mode d'emploi à l'usage du dessinateur de cartes (**24**). Prenant place au Livre XII de ce traité publié à Bâle en 1557, et mise au rang des "artifices plus subtils", après la composition des éphémérides et avant les écritures cryptées, la fabrique de la carte chorographique requiert six choses nécessaires (*Corographiae sex necessaria*): la longitude et la latitude des lieux considérés; leur nature et leur salubrité; ensuite les "adresses des chemins", pour pasticher la *Guide* de Charles Estienne, fort nécessaires à celui qui veut voir ou parcourir une région. Cinquièmement, "les places fortes, les villes, les citadelles, les marchés, les forêts, les bois, les collines, les rochers, les montagnes, les lacs, les étangs, les fleuves, les torrents, les marais, la mer, et même les ruisseaux, et les lieux accidentés, et les plaines". Enfin, rassemblés pêle-mêle dans une catégorie ultime, "les moeurs, les lois, les animaux rares, les herbes mortifères...". L'on constate une fois de plus que le programme énumératif de la chorographie est virtuellement infini. Dans l'espace étroit qui lui est réservé, elle recense jusqu'à la moindre singularité naturelle ou humaine. La leçon qu'administre ici Cardan est que tout peut entrer en carte, y compris le droit, la médecine ou la botanique, pour peu que l'on s'en tienne au préalable à la dimension chorographique de l'espace.

Aussitôt, il est vrai, Cardan renonce à une partie de son ambitieux projet. Les moeurs et les institutions seront traitées à part, de même que les données de l'histoire naturelle. On peut alors supposer que ces éléments d'information, d'une importance secondaire pour le tracé de la carte, lui seront annexés sous la forme d'un commentaire ou d'une liste explicative de "légendes". Pour le reste, le plus grand soin devra être apporté au dessin (*descriptio*) des forteresses, des marécages, des fleuves, s'il y a lieu de la mer, et des montagnes. Toutes ces choses seront "décrites" par leur forme (au sens aristotélicien de structure), leur grandeur, leurs couleurs, et cette manière de peinture qui montre les ombres et représente à l'oeil les corps et les distances (**25**).

Une telle conception de la vue chorographique ressortit, semble-t-il, à la technique du trompe-l'oeil et serait dès lors à rapprocher de la perspective albertienne, le plan faisant office de fenêtre ouverte sur une région du monde nettement délimitée par un cadre. Mais on constate qu'il n'en est rien, puisque d'emblée les figures et les couleurs de la carte se trouvent prises dans un réseau signifiant à lire plutôt qu'à voir, et que l'on découvre simultanément de nulle part et de partout. Nul observateur occupant une position privilégiée face au tissu cartographique, et nul point focal où se rejoindraient au milieu de la ligne d'horizon les diagonales construisant le tableau. Si le plan chorographique offre bien une hiérarchie d'éléments, celle-ci n'est pas uniquement fonction du point de vue adopté par le regard du dessinateur, mais procède, de toute évidence, d'un code d'écriture expressément formulé et appliqué uniformément à la totalité du champ décrit. Ainsi de ces villes, marchés, places fortes et fermes qui seront représentées quatre fois plus grands qu'ils ne sont en réalité, afin de pouvoir être *lus* en toute clarté (26).

Les couleurs de la carte

La chorographie de Cardan, à l'instar du paysage de plate peinture, abonde en couleurs. Le bleu ferreux des citadelles dénote une pierre dure. La couleur rouge des briques convient aux places fortifiées, aux villes et aux marchés. Le bleu marine est tout indiqué pour la mer, alors que les lacs seront distingués par une teinte plus claire. Les marais emplis de roseaux offriront une surface bleue semée de vert pâle. Les montagnes pierreuses, les cimes enneigées et les collines couleur de terre mais cependant proéminentes seront représentées avec soin. Les champs seront figurés par une très légère moisson, et les prairies par du vert entremêlé de fleurs. L'usage des ombres permettra en outre de suggérer le relief, rendant cette impression de modelé que la cartographie de la Renaissance s'attache d'ores et déjà à exprimer. En effet, et contrairement à une idée reçue et quelque peu schématisée par les continuateurs du P. de Dainville (27), le relief est perçu à l'époque autrement que comme une barrière ou un obstacle à la pénétration. Les ombres soulignant montagnes et collines, celles qui plus loin dans le texte constituent avec les forêts, les bois et les roches dénudées les attributs iconiques d'une éminence, indiquent chez Cardan une préoccupation qui anticipe largement sur les prolongements ultérieurs de la cartographie, et qui revient à intégrer au plan en vue verticale des éléments ponctuels appréhendés en "vraie" perspective.

Mais l'aire que décrit et balise la *Chorographia* n'est pas, en dépit des apparences, un paysage, et le pittoresque en partie délibéré de la "description" représente tout au plus un effet secondaire, sinon accidentel. Placées uniformément sur les objets de même nature ou de même catégorie, les couleurs ont d'abord valeur de signes. Leur fonction référentielle initiale - le rouge pour la brique des maisons, le vert pour les prés, le bleu pour les étendues aquatiques - ne doit pas dissimuler l'arbitraire d'un choix qui, une fois adopté, revêt force de loi universelle et immuable. Comme déjà le prescrivaient les instructions destinées à Thomas Bavin, la validité de la carte repose sur l'application systématique et constante de procédés de notation fixés au départ. L'on n'imagine pas que le chorographe de Cardan puisse changer de conventions en cours de besogne.

De plus, les "notes", "marques" ou "signes conventionnels" utilisés ne valent pas pour eux-mêmes, pas plus que dans le langage le sens de l'énoncé global ne représente la somme des significations particulières des mots qui le composent. Le dessin et la peinture obéissent en fait ici aux impératifs de l'écriture (**28**). Ou plus exactement l'ensemble des pictogrammes qui trament l'étendue de la carte doit être lu à la manière d'un langage iconique, dans lequel le sens naît des rapports différentiels et oppositifs entre éléments. Le système linguistique de la "description" joue en effet de ces oppositions internes. Le moins comme le plus est un signe. Ce qui permet de distinguer par exemple le torrent du ruisseau est qu'il y a un pont sur l'un et non sur l'autre. L'absence de petits bateaux désigne quant à elle le torrent, par opposition au fleuve navigable, qui sera parcouru et semé de telles "marques".

Quand une marque - ou si l'on veut un attribut - est commun à deux réalités différentes, alors c'est par un autre caractère que celles-ci se distinguent. Les "naviculi" apparaissent simultanément sur le fond des lacs et des mers. Un degré d'intensité variable dans la couleur bleue utilisée, plus sombre pour la mer, plus claire pour le lac, permet de trancher sans équivoque. Par différenciations successives et dénotations secondaires, le signe est appelé à perdre de son ambiguïté primordiale, pour revêtir, dans le tout du texte chorographique, une parfaite univocité.

Le rapprochement mériterait d'être fait avec une technique fort voisine de l'art de la carte, et dont Jérôme Cardan a amplement traité dans un autre de ses ouvrages. La *Métoposcopie*, qui dresse en quelque sorte pour chaque individu la cartographie des lignes du front, et en déduit le caractère, la bonne ou la mauvaise fortune du personnage, obéit aux mêmes préceptes généraux que la chorographie (*fig. 2*). A la façon d'un vélin ou d'une feuille de papier, le front de chacun est en effet parcouru de lignes variées, qui se répartissent en "Incisures" étirées en longueur et en "toutes sortes de Marques et Characteres", telles que "Croix, Petits Cercles, Montagnettes, Clostures tachetées, petites Estoilles, Quarrés, Triangles, Lignes Capillaires, et autres de cette nature" (**29**). Ces lignes et marques, dont la dénomination est commune avec celle des traits de la carte et qui offrent avec eux une certaine parenté formelle, sont autant de signes, dont seule la combinaison fait sens. Car s'il existe en principe des signes néfastes, comme les "Characteres de Saturne, la Lettre X, les petites Grilles, et tout Signe irregulier", et au contraire des signes fastes *a priori*, comme les cercles, les étoiles, les croix, les lignes parallèles et autres figures régulières, l'"assiette" et la couleur peuvent en modifier du tout au tout la signification. Ainsi, "les Signes qui sont bons estant en la Partie Gauche, perdent quelque chose de leur bonté, à cause de leur Assiete" (**30**). De plus, la répartition des

H. CARDANI METOPOSCOPIÆ

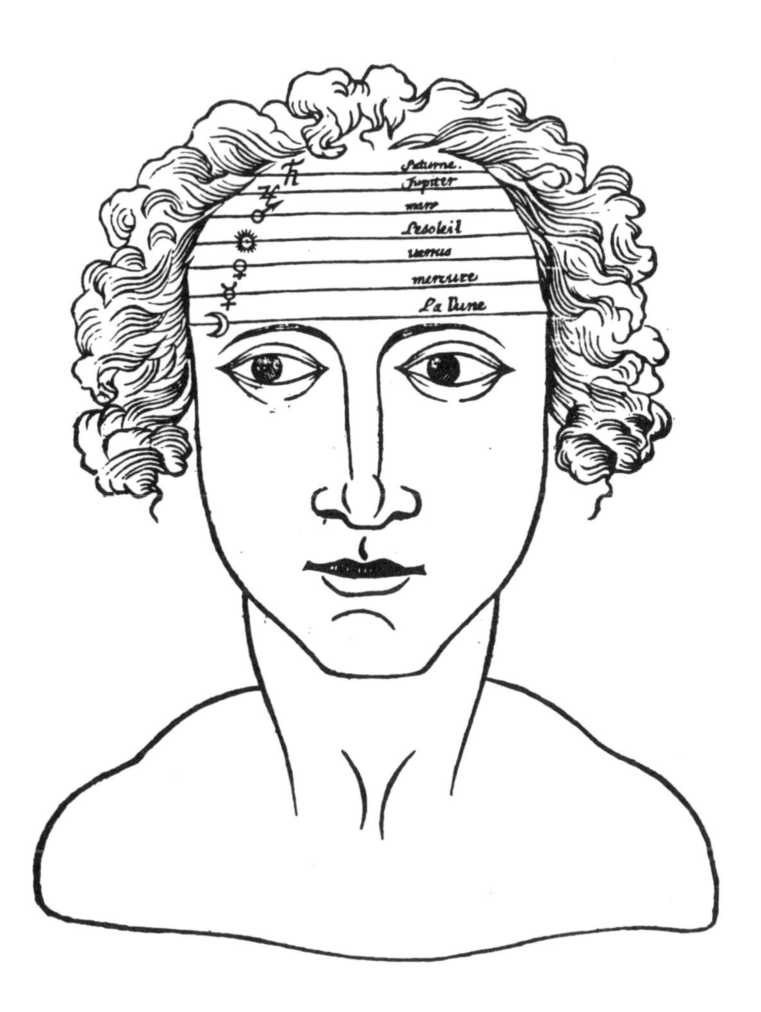

2. Jérôme CARDAN, *La Métoposcopie*, Paris, Thomas Jolly, 1658, livre II, p. 2. (Serv. photo. B. N., Paris).

marques et caractères sur la portée étagée en hauteur que tracent, de bas en haut et des sourcils aux cheveux, les sept lignes de la Lune, de Mercure, de Vénus, du Soleil, de Mars, de Jupiter et de Saturne, apparaît déterminante,

> parce qu'un *Cercle*, ou quelqu'autre Signe, signifiera autre chose estant en la Ligne de *Saturne*, et autre chose estant en celle de *Jupiter*, et ainsi des autres (**31**).

La lecture de la chorographie frontale suppose donc la connaissance précise des associations qui, de point en point, régissent l'accord de telle marque avec telle place particulière, telle couleur ou le voisinage de tel autre signe:

> Il faut donc faire le même jugement des *Fossettes, Montagnettes, Macules, Porreaux* et autre signes naturels qui paroissent au Front, lesquels prognostiquent du bien, ou du mal, à raison de leur *Situation*, et *Couleur* (**32**).

La question de l'orientation est donc capitale ici, plus encore que pour le voyageur égaré parmi le relief tourmenté d'un échantillon chorographique de la surface terrestre. Et surtout l'on s'aperçoit que la marque ou la "note" ne délivre une interprétation définitive et univoque qu'à la condition d'être référée à l'ensemble d'un texte à lire selon les lignes de la peau. Comme dans la carte encore, l'étendue naturelle d'un sol diversement bossué et modelé par les accidents du relief est décrite en fonction d'un canevas géométrique obtenu par la projection des cercles du ciel sur le front: lignes longitudinales des sept planètes qui remplissent un peu l'office des parallèles de la mappemonde. Mais l'on quitte à ce moment l'échelle de la chorographie, où la mention interne des longitudes et des latitudes est indifférente, étant donné l'espace restreint considéré, pour celle de la géographie ou cosmographie qui décrit, comme l'on sait, la terre par la trajectoire des orbes célestes.

Là devrait peut-être s'arrêter l'analogie entre la chorographie et la métoposcopie, analogie qui ne fait que prolonger en toute rigueur la métaphore illustrée de Pierre Apian assimilant la sphère du monde à la tête d'un homme. Une carte n'est pas divisée en deux moitiés latérales, faste et néfaste, et il est non moins évident qu'il n'existe pas de places privilégiées au sein de l'espace chorographique, la seule hiérarchie entre les signes étant déterminée à l'avance par l'acte d'institution du dessinateur ou graveur.

Un tel rapprochement permet du moins de mettre en lumière la relative modernité de Cardan qui, dans un cas comme dans l'autre, rompt avec une tradition pittoresque et anecdotique. En homogénéisant le contenu de la carte comme dans une moindre mesure la surface d'inscription d'un art divinatoire, Cardan se comporte, semble-t-il, en linguiste structural plutôt qu'en peintre ou en géomancien. Il est vrai cependant qu'il ne renonce pas tout à fait à l'antique catégorie de l'*eusunopton* (**33**), cette belle ordonnance agréable à l'oeil qui produit aussi bien la bonne forme chorographique que la physionomie avenante et promise aux lendemains heureux. C'est ainsi que l'on pourrait comprendre le semis de fleurs dont s'ornent les prairies de la *Chorographia* et la régularité des marques frontales qui donnent à lire les destins bénis des dieux. Mais l'harmonie ici et là reste indissociable d'une sémantique, et les détails colorés de la carte bien ordonnée ou de la face joviale font eux-mêmes partie intégrante d'une composition de signes.

Une question demeure ouverte au terme de ce rapide parcours de quelques textes de la Renaissance relatifs à la chorographie: dans quelle mesure ces recommandations théoriques ont-elles reçu un commencement d'application pratique? En d'autres termes, comment passe-t-on du programme hydrographique ponctuel, tel que peut aisément le remplir un technicien comme Thomas Bavin, à la chorographie idéale de Jérôme Cardan, qui conjugue, en une représentation exacte et pourtant conventionnelle de la réalité, la précision extrême à l'exhaustivité? La réponse, en cet automne de la Renaissance, et si l'on en juge par la production cartographique du temps (**34**), est encore à venir.

Frank LESTRINGANT

(Université de Haute-Alsace)

NOTES

1. Pierre de Ronsard, *Hymne de la Philosophie*, vers 151-161, in *Oeuvres complètes*, éd. Paul Laumonier, Paris, S.T.F.M., 1973, t. VIII, p. 94-95.
2. Ronsard, éd. cit., p. 95, note 1. La note 5 de la page 94 doit être également rectifiée, car l'"intervalle", au vers 156, ne peut en aucune manière désigner la "distance qui sépare le Sud du Nord, l'Est de l'Ouest", ce qui est un pur non-sens cosmographique. L'intervalle ne peut valoir que de deux lieux dont la longitude (la longueur) et la latitude (la largeur) sont par ailleurs connues.
3. Le *Dictionnaire* d'Antoine Furetière est de 1690. Le *Dictionnaire de l'Académie* (7e édition, 1879) reprend, en première acception du mot, la même définition: "Etendue de pays que l'on voit d'un seul aspect". Il semble que dès le XVIe siècle, si l'on en juge par certaines des occurrences données par Edmond Huguet, le terme ait revêtu ce sens classique: "Mais paisible il jouist d'un air tousjours serain, / D'un paysage inégal, qu'il descouvre lointain" (R. Garnier, *Hippolyte*, 1224); "Une large estendue / D'un paisage champestre où nostre oeil se deçoit" (Pierre de Brach, *Voyage en Gascongne*). Rappelons en outre que "paysage", au XVIe siècle, peut être équivalent de "pays" ou de "plat pays", comme l'attestent divers exemples tirés de la *Cosmographie Universelle* d'André Thevet (I,12; II,7; V,12; XIV,4).
4. Pour une lecture épistémologique de cette célèbre fiction lucianique, que l'on prend d'habitude à la légère, voir la pénétrante analyse de Christian Jacob, "Dédale géographe. Regard et voyage aériens en Grèce", *Lalies, Actes des sessions de linguistique et de littérature*, 3, Paris, Presses de l'Ecole Normale Supérieure, 1984, p. 147-164.
5. Jean Bodin, *Methodus ad facilem historiarum cognitionem*, Paris, Martin Le Jeune, 1556, ch. II: "De ordine historiarum". Cf. la traduction française de Pierre Mesnard, *La Méthode de l'Histoire*, Paris et Maison-Carrée, Belles Lettres, 1941, p. 12. Pour une lecture de ce préambule, voir notre communication, "Jean Bodin cosmographe", *Actes du Colloque Jean Bodin*, Angers, Presses de l'Université d'Angers, 1985.
6. Nous renvoyons ici à l'exposé méthodologique de François de Dainville, *La Géographie des Humanistes*, Paris, Beauchesne, 1940, p. 67.
7. Comme l'a récemment rappelé Jean-Pierre Nardy dans son article "Réflexions sur l'évolution historique de la perception géographique du relief terrestre", *L'Espace géographique*, 1982, 3, p. 226. Du même, "Cartographies de la montagne, de l'édifice divin au bas-relief terrestre", *Images de la montagne*, Paris, Bibliothèque Nationale, 1984, p. 77. Cf. Svetlana Alpers, article cité à la note suivante, 1983, p. 79.
8. Svetlana Alpers, "L'Oeil de l'histoire. L'effet cartographique dans la peinture hollandaise au XVIIe siècle", *Actes de la recherche en sciences sociales*, 49, sept. 1983, p. 81-82. Ce texte est la traduction du ch. IV, "The

Mapping Impulse", de l'essai du même auteur: *The Art of Describing: Dutch Art in the Seventeenth Century*, Chicago, University of Chicago Press, 1983, p. 119-168.
9. S. Alpers, art. cit., p. 83.
10. D'après Christian Jacob, "La Mimésis géographique en Grèce antique: regards, parcours, mémoire", *Sémiotique de l'architecture. Espace et représentation. Penser l'espace*, Paris, Ed. de la Villette, 1982, p. 58.
11. Lyon, Sébastien Gryphe, 1534. Nous citons l'épître liminaire de Rabelais à Jean Du Bellay d'après l'édition G. Demerson des *Oeuvres complètes* de Fr. Rabelais, Paris, Seuil, coll. "L'Intégrale", 1973, p. 955-959. Le passage considéré se situe aux pages 956, 2e col. et 957, 1ère col. de cette édition.
12. Rabelais, *op. cit.*, p. 957, 1ère col.: "Ille (= Marliani) a montibus graphicen maluit auspicari". Sur l'opuscule de Marliani, voir l'étude de Richard Cooper, "The *Topographia Antiquae Romae* of Marliani", *Etudes Rabelaisiennes* t. XIV, Genève, Droz, 1978.
13. Christian Jacob, art. cit., 1982, p. 57. L'illustration de la chorographie comme oeil ou oreille se trouve au 1er chapitre de la première partie: "Que c'est que Cosmographie, et en quoy elle differe de la Geographie et Corographie", du compendium de Peter Benewitz, dit Petrus Apianus, *La Cosmographie de Pierre Apian, Docteur et Mathématicien tres excellent*, Paris, Vivant Gaultherot, 1553 (*fig. 1 et 3*).
14. Planche reproduite par S. Alpers, art. cit., 1983, p. 82, fig. 18, d'après l'édition latine de Paris, 1551. La même gravure se retrouve dans l'édition en français de 1553. La planche, de facture soignée, est imitée d'un bois plus grossier que l'on rencontre dans les éditions anversoises de 1524 (*Cosmographicus Liber*; B.N. Rés. V.914), 1544 et 1581 (*Cosmographie, ou Description des quatre parties du monde*, J. Bellère; B.N. G.3091 et 4765).
15. André Thevet, *Les Vrais Pourtraits et Vies des Hommes Illustres*, Paris, G. Chaudière et veuve J. Kerver,1584, "Au tres-Chrestien Roy de France et de Poloigne": "La Poligraphie, qui vous représente une cité, avec les loix, ordonnances, moeurs et qualités des habitans". L'on verra plus loin que pour Cardan également les *mores legesque* sont indissociables de la description chorographique d'un pays ou d'une ville.
16. Voir sur ce point notre étude: "Fortunes de la singularité à la Renaissance: le genre de l'Isolario", *Studi Francesi*, 84, XXVIII/3, sept.-déc. 1984, p. 415-436, ainsi que notre notice sur les "Insulaires", *Cartes et figures de la Terre*, Paris, Centre Georges Pompidou, 1980, p. 470-475.
17. Sur l'entreprise de Belleforest et de ses éditeurs Michel Sonnius et Nicolas Chesneau, voir l'étude très dense de Michel Simonin, "Les Elites chorographes: de la "Description de la Gaule" dans la *Cosmographie Universelle* de François de Belleforest", *Actes du Colloque Voyages et voyageurs à la Renaissance*, Paris, Maisonneuve et Larose, 1986. On consultera également les notices "Belleforest (François de)", ch. II, "Du Pinet (Antoine)", ch. XI, et "Guéroult (Guillaume)", ch. XIV, de Mireille Pastoureau, *Les Atlas français (XVIe-XVIIe siècles)*, Paris, Bibliothèque Nationale, 1984.

montaignes, fleuues, riuieres, mers, & autres choses plus renommées, sans auoir regard aux cercles celestes de la Sphere. Et est grandement prouffitable a ceulx qui desirent parfaictement sçauoir les histoires & gestes des Princes ou autres fables: car la paincture ou limitation de paincture facilement maine a memoire l'ordre & situation des places & lieux, & par ainsi la consummation & fin de la Geographie est cōstituée au regard de toute la rondeur de la terre, a l'exemple de ceulx qui veulent entierement paindre la teste d'une personne auec ses proportions.

La Geographie. La similitude d'icelle.

LA MER OCEANE.
LAFRIQUE
LASIE
EUROPE

La Chorographie de la particuliere description d'vn lieu.

CHorographie (comme dict Vernere) est aussi appellée Topographie, elle considere seulement aucuns lieux ou places particulieres en soymesmes, sans auoir entre eulx quelque comparaison ou semblance a l'enuironnement de la terre. Car elle demonstre toutes les choses, & a peu pres les moindres en iceulx lieux contenues, comme sont villes, portz de mer, peuples, pays, cours des riuieres, & plusieurs autres choses, comme edifices, maisons, tours, & autres choses semblables, Et la fin d'icelle s'accomplit en faisant la similitude d'aucuns lieux particuliers, comme si vn painctre vouloit contrefaire vn seul oeil, ou vne oreille.

La Chorographie. La Similitude d'icelle.

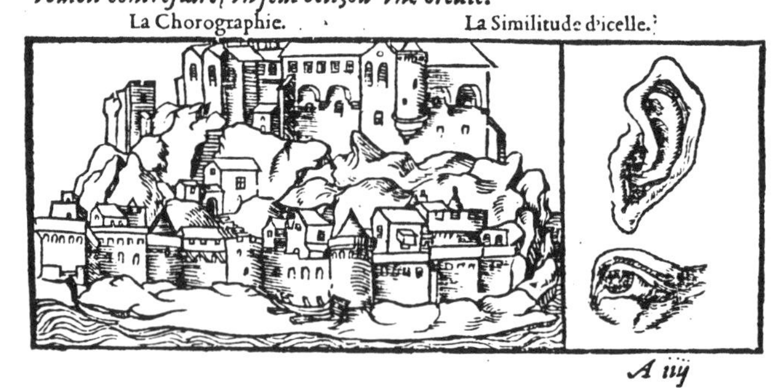

3. Pierre APIAN, *La Cosmographie*, Paris, Vivant Gaultherot, 1553, Ie partie, chap. 1. (Serv. photo. B. N., Paris).

18. Voir, outre les deux études citées plus haut à la note 16, notre article "Isolarii", publié dans *Hic sunt leones. Geographia fantastica e viaggi straordinari*, Milano, Electa, 1983, p. 62-72.
19. Voir notre notice sur *Le Grand Insulaire et Pilotage* d'André Thevet dans: M. Pastoureau, *op. cit.*, 1984, ch. XXX, p. 481-495.
20. Cité par Michel Mollat Du Jourdin, *Les Portulans, cartes marines du XIIIe au XVIIe siècle*, Fribourg, Office du Livre, et Paris, Nathan, 1984, "Introduction", p. 15.
21. Numa Broc, *La Géographie de la Renaissance (1420-1620)*, Paris, Bibliothèque nationale, 1980, p. 136.
22. British Library, Additional Manuscript 38823, ff. 1-8. Publié in extenso par David Beers Quinn dans *New American World. A Documentary History of North America to 1612. Vol. III: English Plans for North America*, London-Basingstoke, Macmillan, 1979, ch. 52, doc. 401, p. 239 sq. Ce document copié par Sir Edward Hoby serait à mettre en relation avec les projets d'expédition de Sir Humphrey Gilbert. Il commence par des instructions au capitaine, puis au maître d'équipage ("master"). Thomas Bavin vient en troisième position dans la hiérarchie du bord. Le quatrième alinéa concerne les "Choses connues par expérience dans les régions alentour de la Rivière de Norrinbergue qui est l'une des plus grandes rivières du monde". La *Cosmographie Universelle* d'André Thevet (1575, f.1008) est alors citée à titre d'autorité, au sujet de ces parages de l'actuelle baie de Penobscot.
23. David Beers Quinn, *op. cit.*, vol. III, 1979, p. 243.
24. *Hieronymi Cardani Mediolanensis Medici De Rerum Varietate Libri XVII*, Bâle, Henric Petri, 1557, Liber XII, ca. LX, p. 443-444: "Corographicae Descriptiones". Selon toute apparence, ce chapitre n'est pas connu des historiens de la géographie, et François de Dainville, *op. cit.*, 1940, semble l'avoir ignoré.
25. *Ibid.*, p. 444: "Describuntur maxime forma, magnitudine, coloribus, et ea ratione picturae quae umbras ostendit, corpora et distancias oculo repraesentat".
26. *Ibid.*: "Haec urbes, emporia, et oppida, villaeque, quadruplo majora quam sint, describantur: quoniam hoc ob parvitatem non impedit descriptionem, et ob magnitudinem, formam et situm referre potest". Pour ce qui est de la théorie de la chorographie à la Renaissance, laquelle ne paraît pas devoir être réductible à la perspective picturale définie par Alberti, on se reportera à l'analyse pénétrante de Svetlana Alpers, art. cit., p. 84, qui réfute notamment l'assimilation proposée par S.Y. Edgeton Jr, *The Renaissance Rediscovery of Linear Perspective* (New York, Harper and Row, Icon Ed., 1976, ch. 7 et 8) entre la troisième projection de Ptolémée et la perspective à axe de fuite.
27. Notamment par Jean-Pierre Nardy, art. cit., 1982, p. 225, et 1984, p. 77, dont les suggestions quant à l'histoire de la perception du relief demeurent par ailleurs très fécondes. L'exposé du Père François de Dainville, *Le Langage des géographes* (Paris, Picard, 1964, p. 167-171), tout en se fondant sur une information exhaustive et très sûre, se montre tributaire d'une analyse nécessairement subjective des documents cartographiques

plutôt que d'une lecture des traités théoriques - rares il est vrai - qui les accompagnent dans le temps.

28. Nous paraphrasons ici, mais en lui conférant un sens plus large, la formule de Christian Jacob, art. cit., 1982, p. 71, qui s'appliquait aux seuls caractères ou "mots" de la carte, dont la fréquence ou la rareté distend ou resserre au contraire l'espace de la représentation.

29. *La Métoposcopie de H. Cardan, Medecin Milanois comprise en treize livres, et huit cens figures de la face humaine, A laquelle a été ajouté le Traicté des Marques Naturelles du Corps, par Melampus, Antien Autheur Grec: Le tout traduit en françois par le sieur C.M. de Laurandiere Docteur en Medecine*, Paris, Thomas Jolly, 1658, livre I, ch. I, p. IV: "Regles Generales". Cette édition française procède de l'édition latine publiée chez le même éditeur: *H. Cardani (...) Metoposcopia libris tredecim, et octingentis faciei humanae eiconibus complexa*, 1658.

30. *Ibid.*, livre I, chap. III, p. VII: "Observations Notables".

31. *Ibid.*

32. *Ibid.*

33. Pour une définition de ce concept, dont le sens littéral est "que le regard peut embrasser aisément", voir l'article déjà cité de Christian Jacob, 1982, p. 67.

34. Pour l'exemple contemporain des cartes du *Grand Insulaire* d'André Thevet, où le pittoresque et plus encore la dimension symbolique informent le tracé chorographique, voir notre étude: "Fictions de l'espace brésilien à la Renaissance: l'exemple de Guanabara", *Arts et légendes d'espaces*, textes réunis par Christian Jacob et Frank Lestringant, Paris, Presses de l'Ecole Normale Supérieure, 1981, p. 205-256.

L'APPRÉHENSION DU PAYSAGE

DANS "LA GUIDE DES CHEMINS DE FRANCE"

En 1552, Charles Estienne, imprimeur à Paris, publiait *La Guide des chemins de France.* Le livre fut réédité dès la fin de l'année et un an plus tard paraissait une troisième édition, d'une mise en pages plus claire et plus élaborée, enrichie d'une description des *Fleuves du Royaume de France.* C'est cette version rééditée en 1936 par les soins de Jean Bonnerot que nous pouvons utiliser aujourd'hui.

Cette *Guide* - le mot est féminin au XVIe siècle - se présente sur le même modèle de la première à la dernière page, dans son aridité bienveillante. Région par région se succèdent les étapes des itinéraires qui rayonnent "en prenant Paris pour poinct milieu (...) de toutes parts jusqu'(aux frontières) du royaume". Chaque région est présentée par un commentaire général, essentiellement consacré à la description des limites et parfois enrichi de considérations historiques, économiques (remarques sur la fertilité des sols) ou linguistiques (tentatives d'étymologie). Cette simple liste, c'est en fait la première tentative de description verbale (à une époque où la carte de France en est à ses balbutiements) du territoire français dans son ensemble et pour lui-même; l'essai, pleinement original, de représenter comme appropriable un espace dont on veut éprouver l'identité et l'unité. Ainsi constitué en spectacle, il devient cette "étendue de pays qu'on peut voir d'un seul aspect": un paysage - pays, paysage se confondent encore dans la langue du XVIe siècle.

Cela suppose d'abord un *point de vue.* A partir du moment où les éléments naturels ne sont plus les étapes symboliques d'un chemin qui mène au ciel (ainsi apparaissent-ils toujours dans les *Saintes Pérégrinations de Jérusalem,* dernier des grands guides de pélerinage médiévaux), à partir du moment où le *motif* religieux n'est plus premier, voire disparaît tout à fait, à partir de là peut naître le paysage moderne. Une autorité problématique se substitue à l'autorité divine. On invente la perspective.

Encore faudrait-il savoir de quel regard il s'agit. Il doit être unifiant, sans quoi la vision se disperse en éclats. Il n'y a plus alors un seul aspect, mais de multiples points. Il doit savoir aussi se poser. Et, de là, se construire un parcours. Pour tenter d'en retrouver au moins le reflet, que l'on se place dans la *Guide* comme sur un chemin. Et là... on va voir ce que l'on va voir.

D'abord, on croit qu'on ne risque pas de se perdre. Estienne a pris soin de quadriller l'espace. Frontière par frontière, le territoire est rigoureusement délimité: "Le Royaume de France est *encloz* d'une part de la mer Oceane (...) qui le *sépare* d'avec les isles d'Angleterre, Islande et Escosse (...) et d'autre part (...) il est *fermé* de la mer Mediterranée, qui le *divise* d'avec l'Afrique (...). Entre lesquelles mers plusieurs grandes montaignes lui servent de *borne* et *rempart*: Asçavoir les monts Pirenées (...) qui le *separent* d'avec l'Espaigne (...) et les haultes Alpes qui le *divisent* d'avec le pays de Suisse et d'Italie. Le surplus de ses confins est *terminé* par fleuves". Le territoire ainsi isolé se constitue par sa séparation d'avec le reste du monde. On sait que "c'est à François Ier que l'on peut attribuer la préoccupation des frontières, simultanément avec celle des guerres extérieures" (1). Le réseau des fortifications imprime à même le sol le cadre du territoire. Mieux que la carte, toujours à interpréter, la descripton verbale nous donne à voir: fleuve, montagne, mer, convoqués un à un par leur nom, dessinent ce que les géographes ne manqueront pas d'appeler plus tard "le cadre naturel". Dans un même dessin le prince et le géographe ont tracé les marges du pré carré. Ils se partagent ainsi le privilège, jadis divin, d'"embrasser d'un seul regard" l'étendue de leur domaine et cette position, ici fictive, du Seigneur et Maître rend possible la description. Mais aussi, ils sont condamnés à ne plus vivre l'un sans l'autre.

A l'intérieur de ce cadre s'organise un quadrillage extrêmement rigoureux de régions dont le morcellement juridique et les fluctuations sont compensés par une tentative pour reconstituer verbalement un ordre, une unité: "La prevosté et vicomté de Paris, *soubs laquelle est comprise* l'isle de France (...). A ceste prevosté conjoindrons la duché de Valois (...) le pays de Heurepois (...). Au Heurepois *assembleront* les contez de Brye et Champaigne (...). Au pays de Gastinois *tiendrons* (...) la Beausse (...), à la haulte Beausse se trouveront adherer le pays de Perche, Anjou et Maine", etc. Sans doute faut-il à un certain moment revenir sur ses pas: le Berry servira de nouveau point de départ pour atteindre les régions du midi. Mais comme lui-même est "*rattaché*" à l'Ile-de-France... De proche en proche, tout peut ainsi se ramener à Paris.

Ce quadrillage- on pense au procédé du dessinateur établissant la grille où viendront se ranger les formes une à une - a pour fonction de faire coïncider le plus étroitement possible le réel et sa description. Mais travail, aussi, d'arpenteur et de notaire, il permet à celui qui cherche son chemin de savoir constamment où il met les pieds. Ce qui est, au sens propre, vital (du moins, si ce n'est pas toujours la vie, c'est la bourse qui est en jeu: péages et tonlieux doivent être acquittés au seigneur de qui dépend le territoire traversé).

Or, en un point précis de ce territoire, il y a un carrefour essentiel: un arbre, un orme, qui n'est pas comme les autres arbres parce qu'il plonge ses racines dans quatre régions à la fois; auxquelles il sert par là-même de frontière: "un grand orme ancien, faisant les bornes des pays de Berry, Limousin, Bourbonnais et Auvergne, en sorte que les quatre seigneurs desdits pays, selon le commun dire, peuvent ensemble deviser en cest endroit chacun estant sur sa terre". Si Paris est le point géographique d'où le regard peut balayer le paysage, cet orme en est le point symbolique. Il représente le pouvoir royal. Position privilégiée sur le plan juridique (arbre de justice) et sur le plan stratégique (ici on peut parlementer en restant sur sa terre, c'est-à-dire sans se mettre à la merci de l'ennemi voisin). Au reste, il y a là "une grande pierre que l'on monte à une marche, pour mémoire". S'agissant de nommer le lieu du point de vue, le discours symbolique se substitue au discours descriptif: Paris en effet n'est jamais mentionné, tant il est vrai qu'il est impossible de parler de cela d'où l'on parle.

Tous les lieux sans doute ne sont pas aussi hautement significatifs. Le plus souvent il faut se contenter de voir défiler les toponymes les uns à la suite des autres, épisodiquement assortis d'un commentaire ayant pour fonction apparente d'*ornamentum*.

Si l'on se réfère au nombre des mentions, c'est la forêt qui tient la première place. La simple indication "bois", "forêt", est la règle générale. Trois mentions seulement ont une valeur vaguement descriptive (2).

Puis vient la montagne: quarante-trois mentions, qui désignent sans les distinguer le coteau, la colline, et ce que nous appellerions aujourd'hui *montagne*. Mentions de plaines aussi, mais moins fréquentes, associées à la fertilité (Saussaie, Brie, Limagnes).

La mer est vue en tant que moyen de communication. La description géographique des estuaires occupe une place relativement importante, et une mention "touristique" peut être relevée dans la région de Provence: "Voy les isles Sainte-Marguerite" (les îles de Lérins).

Prairies, marécages, vallées sont irrégulièrement mentionnés. Parfois aussi, un "bel étang", celui de Gouvieux par exemple, le plus vaste de France, aujourd'hui disparu.

Le commentaire que l'on peut qualifier d'historique concerne les "Antiquités" dont, comme l'indique la Préface, les contemporains d'Estienne sont particulièrement curieux. Le Bassin parisien est largement privilégié. On ne s'en étonnera pas. Les vestiges médiévaux (la basilique de Saint-Denis, le château de Montjoie près de Saint-Germain) attestent la légitimité du pouvoir royal. Plus étrange pour nous est l'importance des mentions où apparaît le souvenir de Jules César, figure emblématique d'une époque obsédée par la recherche des origines, En tout état de cause, les monuments ne retiennent l'attention du guide que s'ils ressortissent au pouvoir suprême. Cela n'est pas aussi systématique lorsqu'il s'agit d'architecture contemporaine: s'il ne manque pas de signaler telle demeure seigneuriale ("Ecouen, lieu magnifique, à Monsieur le conestable"), Estienne sait aussi s'attacher à de moins prestigieuses caractéristiques. Une remarque telle que: "Neufville: commencent les maisons être couvertes de pierre dure et tenue" témoigne d'une réelle attention aux variations passagères, celles-là plus subtiles et moins arbitraires, qui séparent aussi radicalement que les aléas de la conquête une région d'une autre.

Cette organisation de l'espace, si elle semble aller de soi (et il est vrai qu'Estienne ne fait que nous frayer un chemin tracé bien avant lui) se révèle bientôt problématique: pourquoi tant de vides, d'espaces vierges - des pages où ne s'inscrit que la succession des étapes -, pourquoi certains lieux semblent-ils ainsi privés de signes distinctifs? On allèguera les lacunes de l'information. C'est ce que fait Estienne lui-même. Il semble toutefois que le guide comme le voyageur s'accommodent finalement fort bien de ces disproportions et, surtout, de ces manques: les éditions successives de la *Guide* ne sont guère enrichies, sur le plan descriptif, par rapport à celle de 1553, alors qu'Estienne pouvait compléter sa documentation; et lorsqu'en 1591 Turquet de Mayerne publie à son tour une Guide, intitulée pourtant *Sommaire et vraie description du Royaume de France*, il ne se montre en fait guère plus descriptif. Cette complaisance du lecteur aux insuffisances de la *Guide*, pour réelle qu'elle puisse être, a néanmoins de quoi étonner: ne faut-il pas, pour que la *Guide* ait une raison d'être, qu'elle apaise une angoisse fondamentale, celle du vide, de l'espace vierge, toujours susceptible de s'ouvrir sous les pas du voyageur? Aujourd'hui encore le touriste, éduqué de gré ou de force par le *Guide Michelin*, ne peut se résigner à ce qu'un espace, si *ingrat* soit-il, ne lui soit pas offert comme visuellement rentable, comme un paysage à consommer. De fait, la *Guide* répond bien à cette angoisse. Mais sa réponse est sensiblement différente du parti-pris, descriptif à outrance, des guides d'aujourd'hui, même si l'on considère à juste titre que l'ouvrage d'Estienne en est la véritable matrice. C'est d'abord dans l'énumération des toponymes, et l'effet d'inventaire qu'elle produit, qu'il faut chercher, je crois, une réponse. Chaque village, chaque ville devient, par la seule inscription de son nom, un lieu remarquable. La liste-inventaire est la nomenclature d'un patrimoine, en dernier ressort, celui du roi. Il n'y a donc pas lieu de s'égarer. Partout on est en terrain familier: dans ce pré carré qu'est la France, clos et quadrillé par le droit du propriétaire, rendu homogène par la langue (les mentions du breton et des langues germaniques sont clairement présentées comme marginales, et la langue d'Oc est tout simplement escamotée, mise à part une mention hâtive).

Seulement, il y a dès lors un autre risque: celui de l'uniformité. Dans le territoire unifié, rassemblé, il faut réintroduire la diversité, faute de quoi on se perd encore. Tel est le rôle du commentaire: élire des lieux privilégiés, points de repère où la mémoire trouvera son assise, "loci memoriae", comme l'a montré Frank Lestringant (3).

L'un de ces "aide-mémoire" est la re-sémantisation des noms de lieux par l'étymologie: "Terouenne, ainsi nommée pour l'inutilité du terrouer d'alentour, comme terre vaine". Par cette démarche de mémorisation, on invente des *lois*, qui rendent au réel sa diversité, mais c'est une diversité qui, du coup, perd son caractère inquiétant: privée du foisonnement de l'inconnu, elle acquiert un autre statut (4).

La *Guide* répond d'une autre manière encore à l'angoisse du vide. On remarque au Centre (régions du Limousin et surtout de l'Auvergne) un espace quasiment désert. Une seule mention descriptive, et encore, sommaire. Aucune remarque historique: à croire qu'il s'agit d'un pays sans passé. Pourtant, aux dires mêmes d'Estienne, "les chemins de ce pays sont assez notables, tant pour la commodité des villes dudit pays, comme pour la fertilité d'iceluy". Même absence pour les provinces de Languedoc-Gascogne, déjà laissées pour compte sur le plan linguistique. Ces territoires, pour des raisons d'ailleurs diverses, échappent plus que d'autres au contrôle et à la police royaux. L'Auvergne est réputée terre de brigands, et les territoires du Languedoc-Roussillon (dont une partie appartient encore au roi de Navarre) ne se soumettront jamais véritablement au pouvoir central. La référence au pouvoir devenant problématique (que l'on compare avec la "Beauce Vendômoise", région peu étendue mais "surmentionnée"), un effet de lointain dérobe tout un ensemble au regard comme à la mémoire. Si le pouvoir royal est bien le centre à partir duquel se hiérarchisent les éléments du paysage, et puisque l'homme, fût-il roi, ne saurait être Dieu - alors toute une partie de l'espace lui est cachée. Le paysage ne peut exister qu'à partir du moment où il y a conscience de ce retrait. C'est cela qui fait la différence entre la carte et le paysage. La force poétique de la *Guide* est de marquer la place de cette absence, de ne pas prétendre tout voir, tout offrir, de laisser vivre cette terreur - sacrée et non plus religieuse - qui masque certains espaces. Le spectateur ainsi confronté aux limites de sa propre vision découvre les mystères du relief. La montagne commence à devenir un objet d'émerveillement. Il est significatif, en effet, que le Dauphiné reçoive un traitement à part dans la description globale. Richesses historiques, économiques, et particularités du relief sont décrites avec une précision relative. Nous trouvons ici des mentions de "curiosités" très proches de celles qu'inventorient les Guides d'aujourd'hui: "la montaigne de Pontault, qui est pont entre deux roches, d'incredible hauteur, et admirable artifice", "Sainct Clement, village en croppe de montaigne, chose admirable", etc. On ira même jusqu'à attribuer aux éléments naturels une vertu magique: "Les tinnes de Sassonnaige, qui est un lieu cavé dans un roch à une lieue de Grenoble, duquel l'on dict, quand il est plein d'eaue, l'annee estre mauvaise; et au contraire, bonne; et trouve l'on plusieurs pierres fines au fond desdictes tinnes de toutes couleurs, ayans vertu de guarir de la gravelle et paille qui entre dans les yeuls" (je rappelle qu'Estienne était médecin). Mais il manque encore à ces descriptions une perspective qui puisse rendre compte des différences de grandeur: telle côte de la Brie, les monts du Forez aussi bien que les sommets des Alpes sont indistinctement qualifiés de "montagnes".

Pour que soient corrigés les erreurs ou les errements de la perspective, le tableau qui s'offre avec ses espaces surchargés et d'autres abîmés dans leur propre désert, ne peut véritablement exister qu'à la faveur du voyage. De Paris, point unique et immatériel, le voyageur peut aller où il veut: il peut franchir les frontières - la *Guide* fait à plusieurs reprises des incursions en territoire étranger -, jouer avec les marges, toujours il est ramené à ce centre rayonnant qu'est l'Ile-de-France. La *Guide* reçoit par moments comme un reflet de cette lumière qui est un élément constitutif du paysage moderne (voir par exemple la mention "belle et claire église", par opposition à la forêt qui n'est jamais présente autrement que comme danger). Quelle que soit sa stratégie (commerçante, studieuse ou militaire - "un paysage, ça sert d'abord à faire la guerre" -), le voyageur est sûr de pouvoir s'approprier l'espace. La succession des pays traversés s'ordonne dans ce paysage unique composé non seulement par la description, mais par l'enchaînement des instantanés qui ont jalonné la route.

Le voyageur se constitue ainsi un parcours à trois niveaux: prospectif, en utilisant l'itinéraire pour représenter le voyage à venir; actuel, en reconnaissant les lieux; mémoriel, en retrouvant grâce à la *Guide* la trace des visions passées. "Un paysage", dit Pierre Sansot dans *Variations paysagères*, "est un précipité d'espace et de temps" (5). Qu'on songe aux tableaux de Claude Gelée, dit Le Lorrain. A bien des égards ils représentent le paysage *idéal*: le temps, dans ses trois états, dans ses trois *extases*, y advient. Il n'y a pas de paysage sans cette mise en perspective du temps par le rapport du proche et du lointain. A la recherche des ruines, de ces *Antiquités* dont il est si avide, le voyageur sait bien qu'il est en route vers son utopie. Sans doute les strictes mentions de la *Guide* ne nous livrent-elles pas une grande abondance de ces détails "sensibles" que le XVIIIe et le XIXe siècles nous ont fait croire indispensables au paysage. C'est que le peintre ou le narrateur de ces époques nous offre le tableau avec son mode d'emploi. Mais la *Guide* est une "oeuvre ouverte". Si l'on accepte de se défaire de cette vision lyrique - et cela peut être un véritable arrachement - on appréhendera ce paysage grâce à une image à première vue *déplacée*: le voyageur qui a emprunté sur une certaine longueur l'autoroute du Sud se constitue presque malgré lui un paysage à partir de repères visuels que la prévoyante Société des Autoroutes a pris soin de sous-titrer pour lui: vallée de la Seine, paysages de l'Avallonais, voire, près d'Alésia, la mention: Gaulois et Romains; tout lui rappelle qu'il est ici chez lui, jamais autant chez lui peut-être que dans cette image multiple et une que lui restitue en fin de trajet sa mémoire. Il me semble qu'avec son agressivité lapidaire, l'autoroute désigne les paysages de la même façon que la *Guide*. L'espace et le temps se rejoignent. La description se fait récit. C'est l'échelle qui a changé.

Le paysage de la *Guide*, même en ses aspects les plus statiques, n'est pas fait pour qu'on s'y arrête - et pourtant, il est bien le lieu d'un *séjour*. Il est une demeure, en un temps où déjà, d'un double mouvement, le monde éclate et se dérobe sous les pas. Dans le quadrillage obsédant de ses limites, il offre des possibilités illimitées de parcours: ressassement et découverte. Il fait de la patrie une maison, de l'espace un jardin où cet enfant que demeure le voyageur trouve toujours matière à voir, sentir, apprendre. Et le temps devient un chemin.

Chantal LIAROUTZOS

(Paris)

NOTES

1. René Siestrunk, "La carte militaire", in *Cartes et figures de la terre*, Paris, Centre Georges Pompidou, 1980, p. 365.
2. "Le boys d'Ardenne, comme hault tailliz", la forêt de Torfou, "pour le jourd'hui détruite", et la forêt de Mallelièvre, "boccaiges et roches, mauvais pays".
3. Frank Lestringant, "Suivre la guide" (article consacré en majeure partie à l'ouvrage d'Estienne), in *Cartes et figures de la terre, op. cit.*, et "Rabelais et le récit toponymique", in *Poétique*, 50, avril 1982.
4. Sans doute peut-on également expliquer certaines mentions par des critères d'ordre pratique: fleuves et forêts par exemple ne sont indiqués qu'en raison des commodités ou des dangers qu'ils représentent. Alors, la règle est celle de l'exhaustivité.
5. Pierre Sansot, *Variations paysagères: invitation au paysage*, Paris, Klincksieck, 1983, chap. 3.

LE PAYSAGE CAMPAGNARD FRANÇAIS

DANS LA COSMOGRAPHIE DE FRANÇOIS DE BELLEFOREST

En décrivant les grandes principautés, royaumes et empires de ce monde, les cosmographes du XVIe siècle s'attardent avant tout sur les villes. Il leur arrive cependant d'accorder quelque place aux campagnes, même s'il s'agit d'une portion congrue. Parue en 1575, la *Cosmographie universelle* de François de Belleforest, "édition augmentée et corrigée de la cosmographie de Sébastien Münster", leur concède environ 5% du texte que l'auteur consacre au royaume de France. Il a néanmoins paru souhaitable de s'y arrêter quelques instants, car l'ensemble de ce texte, campagne et villes, mérite une attention particulière. En premier lieu, comme l'ont indiqué les travaux de Marc Vénard et surtout de Michel Simonin (1), il est bâti pour le royaume sur des rapports envoyés par les diverses autorités municipales à Belleforest, qui semble les avoir directement sollicités. Ensuite, une fois publié, l'ouvrage s'est trouvé abondamment résumé et pillé sans vergogne jusqu'à la fin du XVIIe siècle dans toute une série d'in-octavos fréquemment réédités. L'ensemble de la rédaction reflète ainsi une vision et une vision durable des élites citadines. Il n'est peut-être pas indifférent d'y rechercher comment celles-ci se représentaient alors ce que nous nommerions "le paysage rural". Pour y parvenir, il convient d'abord de recenser les traits essentiels qui le caractérisent à leurs yeux. Toutefois, une telle collecte risque de se résoudre en une simple énumération et ne livre qu'un amas apparemment disparate d'éléments difficilement interprétables. Pour rendre ceux-ci compréhensibles, il faudra les réintégrer dans le discours général de la cosmographie. Ils dessinent alors une "image urbaine" de la campagne et du paysage campagnard à notre avis cohérente et structurée. Cette étude comprendra donc deux parties. La première s'efforcera de dégager les traits constitutifs de cette image; la seconde essaiera ensuite de la recomposer.

Les traits constitutifs de l'image

La cosmographie de Belleforest ne vise pas à dépeindre un paysage, mais cherche à y repérer des qualités bien précises qui en constituent aux yeux de l'auteur les éléments fondamentaux. La seule exception à cette règle concerne ce que le texte nomme des "curiosités"; celles-ci relèvent de l'anormal, presque du monstrueux, au moins du difficilement explicable, contredisant à première vue l'ordre reconnu du monde. L'ouvrage signale ainsi "non guère loing de Grenoble (...) celle fontaine mémorable laquelle est sans cesse flamboyante et bouillante. et à laquelle tout ce qui attouche et en est approché, ne faut aussitost de brusler et d'estre consumé non sans merveille des miracles de la nature. Et ne sçache philosophe tant soit-il subtil et expert ès causes de la nature qui sçeut rendre raison de cest accord perpetuel qui est de si long temps entre choses si diverses entre elles qui sont l'eau et le feu, et lesquelles suivant l'ordinaire de la naturelle inclination ne peuvent estre longuement ensemble sans que l'une ou l'autre ne voye sa ruine; et toutefois icy on voit le feu sortir de l'eau et les bouillonnemens d'icelle engendrer des flammes ravissantes, et qui devorent toute matiere qui leur est offerte". Ailleurs, on parvient mieux à expliquer une autre "rareté", dont on s'est bien gardé cependant de vérifier l'authenticité. Cette "rareté" "advient quelquefois à un village près de Falaise nommé Arnes, lequel est en plaine campagne et propre pour produire bons bleds et esloigné de huit à neuf lieux de la mer, sèche au possible de son naturel et sans fleuve ny ruisseau quelconque et néantmoins souvent pour des conduits souterrains la mer y vient en telle et si grande abondance qu'elle y fait comme un lac ou un estang et y ameine bonne quantité de poisson, et l'eau se retirant le lieu demeure aussi sec qu'auparavant".

Ces curiosités mises à part, la *Cosmographie* ne décrit pas la campagne, au moins dans le sens où nous l'entendons aujourd'hui. Elle tente d'y retrouver trois qualités qui définiraient le bon plat-pays: d'abord la beauté du paysage assimilée d'ailleurs à un "caractère plaisant", ensuite les "commodités" offertes à l'implantation humaine, belles voies navigables et surtout "abondance" et "fertilité" de la contrée, enfin la salubrité de l'air capable de stimuler l'agilité de l'esprit et de porter au respect de la morale. Dans le premier cas, les qualificatifs les plus utilisés sont: *beau, plaisant, bien placé, donnant plaisir à la vue*; dans le deuxième: *riche, gras, fertile, plantureux, abondant, fécond, fructueux*, auxquels s'ajoute une énumération des principales productions; dans le troisième: *sain, bon, bien aéré, serein, doux*. Quand ces trois qualités se rencontrent dans une campagne, celle-ci devient le lieu d'éloges si dithyrambiques qu'elle en est proprement transfigurée.

Par exemple, Grenoble "est assise en la plaine, laquelle s'esloignant petit à petit du pied et racine des monts, s'estend tout bellement vers l'Orient et où le terroir est si gras qu'il n'y a païs qui le surpasse en fertilité et abondance de toute sorte de vivres necessaires à la vie humaine; et non seulement de ce costé est le païs fructueux, ains quelque part qu'ès entours de la ville vous sçachiez tourner la veuë, il ne s'offre rien que beauté, plaisir et abondance". Quant à la sénéchaussée de Quercy, elle est "renommée en Aquitaine entre les regions les plus belles et fertiles d'autant que si vous voulez considerer ce qui peult estre souhaité pour la beauté et richesse d'un païsage, vous ne verrez rien manquer au pays Quercinois (...). Car si vous demandez les bleds, ils n'y peuvent estre qu'en abondance, les meilleurs d'Aquitaine, sauf les Bourdelois, et encore ne sçais-je s'ils emportent l'avantage; le bestail y foisonnant, les bois n'y defaillans, le charbon naturel y croissant, les rivieres fertilians (*sic*) en poissons et le païsage ne respirant qu'un air doux, à cause qu'il est composé de vallons et de montaignes". D'un autre côté, "veu que comme le pays Tolosain est gras, riche, fertil et abondant en tout ce que l'on peut souhaiter pour le soustien de la vie, les hommes y estans civils et debonnaires, si est-ce que l'air leur a donné une severité telle que le vice y est severement puny et la vertu recommandée".

Ce processus de transfiguration du paysage basé sur la sélection de trois qualités apparaît encore mieux quand, obligée de composer avec la rumeur publique, la *Cosmographie* doit bien reconnaître quelques défauts, vite transformés en avantages grâce à un "encore" ou un "pourtant" suivant de près un "quoique" ou un "bien que" concédés à contre-coeur. Doit-elle faire allusion aux garrigues provençales, elle remarque que "quant aux landes et terres vagues de ceste contrée, encore ne sont-elles pas sans prouffit, veu qu'elles sont couvertes de Rosmarins, Myrtes, Genevriers, Sauges et autres arbrisseaux et plantes d'espèce semblable et qui ont une soefve odeur". Quant à l'Armagnac, "ce païs vers Lectoure, Auch et Vic est très fertil, mais depuis qu'il approche des Landes Bourdeloises, il ne porte que des Chastaigniers et autres arbres et puis rien que des pasturages et enfin ce n'est qu'une solitude". Aveu? Reconnaissance d'une désagréable réalité? Erreur: la *Cosmographie* enchaîne immédiatement: non pourtant telle qu'il n'y ait des lieux à l'écart et loing des chemins publics abondants et fertils".

En résumé, l'évocation normale de la campagne et du paysage qui lui est associé repose sur trois traits sélectionnés: caractère plaisant, commodités, salubrité de l'air. Ceux-ci, néanmoins, ne constituent pas d'eux-mêmes par leur simple juxtaposition un tout réellement cohérent, car ils n'offrent pas d'indications permettant d'établir des relations entre eux, en un mot, de dégager une structure. En revanche, parce qu'ils sont tous uniquement laudatifs et tous volontiers grossis jusqu'à l'hyperbole, ils impliquent une attitude sous-jacente présidant non seulement à leur choix, mais aussi à leur traitement. On peut, en première analyse, supposer que c'est au niveau de cette attitude qu'ils parviennent à s'articuler les uns par rapport aux autres pour offrir une image cohérente de la campagne. Cependant, comme cette attitude ne se discerne pas à travers le seul énoncé des traits recherchés et qu'elle ne se laisse deviner que par les caractères communs à tous ces traits, il y a de fortes chances qu'elle ne se limite pas à la campagne et qu'elle englobe un champ beaucoup plus vaste d'observation. Par voie de conséquence, l'image correspondante s'intègre vraisemblablement dans une vision qui la dépasse et dont elle n'est qu'une pièce constitutive. Si cette hypothèse est juste, il convient donc, pour retrouver l'image citadine de la campagne, de réintégrer les développements qui la concernent dans ceux qui sont tenus sur l'ensemble de la ville.

L'image citadine de la campagne et du paysage campagnard

Quand affleure la campagne dans le cours des descriptions urbaines, c'est uniquement pour les avantages qu'elle procure à la cité: voies navigables qui autorisent un commerce actif et un ravitaillement aisé, abondance et variété d'une production agricole qui assure l'alimentation quotidienne, vallons et collines qui favorisent le repos des citadins en créant un décor propice à leurs délassements. Ainsi, autour de Paris "vous ne sçauriez jecter voz yeux quelque part qu'on sçauroit dire que les villages ne vous donnent un plaisir à l'object de la veüe et que la campaigne revestue icy de prez, là de vignes, en ce costé de champs labourez et embladez, de l'autre de boscages et de taillis ne vous facent ressentir un air tel que les Poëtes faignent des jardins d'Alcinoë ou du verger des Hespérides". Ainsi, la campagne n'est plus que le terreau et l'humus dont se nourrit la ville. Elle tend de cette façon à se confondre avec ce que la *Cosmographie* nomme son "assiette", terme inlassablement répété tout au long de l'ouvrage. Cette "assiette" n'est d'ailleurs pas à proprement parler un "site" au sens géographique contemporain. Elle ne se réfère pas, en effet, à un espace topographique qui influence le développement urbain. Elle renvoie en réalité à l'environnement existant, naturel et humain, humain autant que naturel, plus précisément à ce qui, en lui, autorise moins la croissance de la ville que la satisfaction et l'épanouissement de ses habitants. Ainsi, "nostre ville de Rouen (...) est en assiette fort plaisante et bien placée, ayant à son Orient deux petites rivieres qui l'arrousent et passent à travers la ville à sçavoir Robec et Aubette et vers le Midy la grande et fameuse riviere de Seine, au septentrion une grande prérie qui s'estendant en une longue plaine avec plusieurs hautes montaignes chargées jadis de bois de haute fustaye et profondes forests, lesquelles on a depuis abattues tant pour descouvrir le pays et rendre sain l'air de la ville que pour les embuches qu'on y pouvoit dresser en temps de guerre. Et ce qui rend encor le pant de ceste ville plus agreable est qu'à l'entour d'icelle on voit plusieurs fertilles campaignes". Plus modestement, Falaise "est assise en bon air sain et en païsage très beau, à cause des prairies et collines qui y verdoyent en tout temps et pour le nombre des fontaines qui arrousent son terroir de toutes parts et les ruisseaux desquelles viennent laver et nettoyer la ville".

Les dessins, plus ou moins précis, tantôt fidèles, tantôt quelque peu fantaisistes qui accompagnent le texte de Belleforest et de ses correspondants, traduisent et commentent visuellement ces "assiettes" en incorporant autour de la ville qui occupe le centre de la gravure, ici quelques vallons et collines, là des champs labourés ou de beaux plants de vigne, ailleurs de plantureuses vaches paresseusement allongées dans de grasses prairies. Affirme-t-on qu'autour de Grenoble, "quelque part qu'es entours de la ville, vous sçachez tourner la veüe, il ne s'offre rien que beauté, plaisir et abondance", dans la représentation figurée, la ville est encerclée par des champs, des clos, des vignes qui escaladent même le pittoresque mont qui porte le fort de la Bastille, et toutes ces cultures recouvrent l'ensemble des terrains non bâtis, ne laissant place à aucune friche.

Dans ce contexte, l'image de la campagne et du paysage campagnard que nous renvoie l'ouvrage de Belleforest se trouve entraînée dans une dialectique avec la vision de la ville. Or examinée de près cette dialectique parvient à son terme et à son achèvement dans l'image d'une campagne sujette de la ville, dominée par elle, donc d'une campagne qui ne serait qu'un plat-pays dans le sens strict du terme. Le paysage décrit n'a en conséquence pour ambition que de montrer que cette campagne *est* un plat-pays. Cette représentation souvent suggérée est, en plus, ici ou là clairement proclamée.

Sauf rares exceptions, l'assiette prend toujours place aussitôt après une enquête étymologique sur le nom de la ville. Il ne s'agit vraisemblablement pas d'un hasard. En effet, au-delà des querelles scientifiques, des fantaisies cocasses et des tours de force "tortionnaires", cet exercice d'érudition vise à retrouver ou à inventer une origine au moins gallo-romaine à la ville et par ce moyen à la transformer en cité antique pour en revendiquer les attributs réels ou supposés. Or la cité antique comprenait un espace urbain et un espace rural, ou pour parler comme la cosmographie, une ville et un peuple. Cette référence permet donc de prétendre que la campagne et la cité forment un couple fondu dans une indissoluble unité et enchaîné par des liens indestructibles. Cependant, dans l'esprit de l'ouvrage, la relation qui existe entre les deux éléments de ce couple est fondamentalement dissymétrique. Certes, le développement d'une ville est entravé si son arrière-pays ne s'y prête pas. Mais, en revanche, celui-ci ne peut devenir riche et abondant que si la cité dont il relève est puissante et opulente; en un mot, il est incapable de lui-même et par lui-même de parvenir à la richesse et à l'abondance: il lui faut inmanquablement l'aide, la médiation d'une cité. Le rôle directeur de cette dernière et la relation dissymétrique qui en découle sont de temps à autre clairement exprimés.

Dans le cas de Paris, elle est rendue par une tournure grammaticale: "Comme Paris est une des plus rares et grandes villes de l'univers, la plus populeuse qu'on sçache, et autant bien assise, et bien airée qu'il y en ait au monde, elle a aussi son terroir aussi plaisant, fertil et plantureux qu'homme sçauroit souhaiter, (...) si bien que comme la ville est peuplée, le plat païs aussi abonde en païsans, et gros bourgs et villages, quelque costé que sçachiez regarder". Parfois cette relation dissymétrique intervient implicitement dans le raisonnement: "Je n'ay rien trouvé de l'antiquité de ceste ville" déplore-t-on à propos de Bayeux, "et neanmoins faut-il qu'elle soit grande puisque du temps de César, ce peuple (celui du Bessin) estoit en puissance". C'est admettre que la campagne ne saurait prétendre à quelque mérite, voire à quelque vie digne de ce nom sans la présence d'une ville.

Toutefois, la relation dissymétrique ne constitue qu'un aspect d'une réalité plus profonde cachée sous le voile de la fiction antique, c'est-à-dire qu'un aspect d'une domination assise sur une supériorité de la ville. Celle-ci vise à détenir le pouvoir, tout le pouvoir sur un district dont elle se veut le chef. Cette prétention, la *Cosmographie* la confesse ouvertement à propos de l'étymologie de Caen. Après s'être rendue à "la sentence et advis de ceux qui la nomment *Cadonum quasi Caii domum*, à sçavoir la maison et retraite de Caie", elle ajoute: "Et me plaist plus ceste orig(i)ne que de ceux qui la dient *Campodomensem*, ce qui diroit chef de campaigne, pour ce qu'elle commande sur le terroir voisin, entant qu'il n'y auroit cité qui meritast ce titre, pour le commandement que presque toutes ont sur un beau terroir et païsage". Dans cette perspective, les longs développements sur les villes ne se comprennent pas seulement par une véritable compétition entre elles, mais aussi par la volonté d'affirmer une supériorité, fondement et justification d'une suprématie locale ou régionale sur le plat-pays. Pour une ville, établir par le menu une liste des comtes ou des évêques qui y ont vécu, énumérer toutes les juridictions dont elle est le siège, c'est asseoir sa primauté politique; citer tous les poètes et les savants qui y ont vu le jour ou y ont séjourné, chanter les gloires de son université, voire détailler les "curiosités" architecturales qu'elle offre au visiteur, revient à soutenir son hégémonie intellectuelle. En effet, elle récapitule ainsi tout ce que le plat-pays, son plat-pays, est incapable de produire. Elle met, de cette manière, en évidence l'infériorité de ce plat-pays et le réduit au rôle d'un valet offrant les commodités et les agréments de son service. L'image de la campagne dans l'ouvrage de Belleforest, celle qui se dégage des développements sur les villes, est celle d'une campagne plus que commandée, plus que dirigée par ces villes, d'une campagne réellement et pleinement animée par elles.

Dans ces conditions, le paysage campagnard ne pouvait pas donner lieu à une description originale, car il est présenté en fonction de l'hégémonie à laquelle prétend toute ville. Il se devait de ne signaler que les curiosités qui participent à la gloire des cités et les éléments souvent stéréotypés (beauté assimilée à un plaisir, abondance des produits et salubrité de l'air) qui leur permettent d'affirmer leur grandeur et leur prépondérance. Au fond, avec un brin d'anticipation et un peu de transposition, la ville de la *Cosmographie* aurait pu déclarer: "La campagne n'est plus la campagne. Elle est toute où je suis".

Hugues NEVEUX

(Université de Paris X Nanterre)

NOTE

1. Travaux non publiés; je remercie les auteurs de m'avoir fait part de leurs conclusions.

LE PAYSAGE ANTHROPOMORPHE

La personnification de la nature prend chez certains maniéristes une forme extrêmement soutenue, qui semble être à la fois obsessionnelle et calculée. On connaît, par exemple, d'Arcimboldo un paysage avec au centre un pont et une montagne qui, ensemble, représentent également un visage de géant surmonté de la devise: "Homo omnis natura" (*fig. 4*) Ou encore, d'origine italienne, allemande et flamande surtout, des "Vexierbilder", représentations de presqu'îles, de promontoires, de montagnes qui, lorsqu'on les tourne de 90 degrés, se transforment en figures à forme humaine, le nez correspondant à un rocher, les yeux à des cibles, l'oreille à un embarcadère, les cheveux à un bois, etc. Ce n'est pas tel paysage anthropomorphe particulier qui nous occupera ici. Le but des pages suivantes n'est pas d'analyser tel contenu posé (même lorsque l'attention se focalise sur telle représentation précise), mais de décrire les grandes lignes de l'espace intertextuel au sein duquel prend signifiance l'ensemble de la pratique, telle oeuvre singulière pouvant fort bien n'être concernée que par une partie de ces complexes de présuppositions. L'intertexte ainsi mis en place peut être utile aussi à l'interprétation de la personnification de la nature en général, en dehors des cas extrêmes envisagés ici.

I. Les sources de l'imaginaire

L'imaginaire mythologique

La mythologie classique fournit de nombreux exemples de métamorphoses d'êtres humains en éléments d'un paysage: fleur, arbre, rocher... A propos de Daphné, Ovide insiste sur la correspondance de partie à partie entre le corps humain et le laurier, correspondance qui est la règle de base pour la construction de paysages anthropomorphes (*Met.*, I, 548-552):

> Sa prière est à peine achevée qu'un engourdissement accablant s'empare de ses membres; son sein délicat est entouré d'une mince écorce; ses longs cheveux se changent en feuilles, et ses bras en rameaux; son pied, naguère si agile, devient une racine qui se fixe dans le sein de la terre; et sa tête, la cime d'un arbre: son éclat seul lui reste.

Le même procédé intervient dans la métamorphose d'Atlas (*Met.*, IV, 657-661):

> Atlas est transformé en une montagne aussi grande qu'il était: en effet, sa barbe et ses cheveux deviennent des forêts; des crêtes, ses épaules et ses mains. Ce qui auparavant était sa tête, est le sommet, tout en haut de la montagne. Ses os deviennent pierres, puis grandissant de toutes les parties de son corps, il s'élève à l'infini.

Dans son sonnet sur les Pyrénées, Du Bartas évoquera une correspondance partielle de partie à partie (1):

> Passant, ce que tu vois n'est point une montagne,
> C'est un grand Briarée, un géant haut-monté,
> Qui garde ce passage et defend, indomté,
> De l'Espagne la France, et de France l'Espagne.
>
> Il tend à l'une l'un, à l'autre l'autre bras;
> Il porte sur son chef l'antique faix d'Atlas;
> Dans deux contraires mers il pose ses deux plantes.
>
> Les espaisses forests sont ses cheveux espaix,
> Les rochers sont ses os, les rivières bruyantes
> L'éternelle sueur que luy cause un tel faix.

Au-delà des mythes particuliers et de leur traitement littéraire, il y a lieu d'envisager la mythologie cosmogonique en général, telle qu'elle exprime des tendances semblables de l'imaginaire chez des peuples différents. Ainsi, dans le chapitre de son *Homo ludens* consacré à la personnification, Huizinga commence par citer l'hymne X.90 du *Rig-Véda*, d'après lequel la matière du cosmos provient du géant Purusha: tout a été formé à partir de son corps, notamment "les oiseaux dans l'air, dans la forêt et dans les villages"; "la lune provient de son esprit, le soleil de son oeil; de sa bouche proviennent Indra et Agni, de son haleine le vent, de son nombril l'air, de sa tête le ciel, de ses pieds la terre, de ses oreilles les cimes; ainsi les dieux firent le monde". Huizinga rapproche ce texte du récit cosmogonique de l'*Edda* de Snorri, où la création est également expliquée par le morcellement du corps d'un géant: de sa chair provient la terre, de son sang la mer et les lacs, de ses os les montagnes, de ses cheveux les arbres, de son crâne le ciel, etc. (2). Dans les deux cas, la logique de la décomposition en parties correspondantes et de l'application d'un ensemble sur l'autre est similaire à celle qui préside aux paysages anthropomorphes du XVIe siècle. Ceux-ci se révèlent par là raviver un fonds imaginaire très ancien.

Le travail du rêve

Dans l'*Interprétation des rêves*, Freud remarque à propos de la figuration par symboles: "...on reconnaît sans peine que dans le rêve beaucoup de paysages, ceux en particulier qui présentent des ponts ou des montagnes boisées, sont des représentations d'organes génitaux. Marcinowski a rassemblé une série d'exemples où les rêveurs expliquent leurs rêves par des dessins qui doivent représenter les paysages et les lieux où le rêve se déroule. Ces dessins montrent très clairement la différence entre le sens apparent et le sens caché du rêve. A première vue, ce sont des plans, des cartes, etc., mais un examen plus pénétrant y reconnaît des représentations du corps humain, des organes génitaux, etc." (3). Le texte attire particulièrement l'attention sur les paysages oniriques à ponts et à collines boisées, c'est-à-dire les éléments les plus fréquents dans les représentations artistiques d'un "campus anthropomorphus". En outre, l'extrait cité est suivi d'une référence aux "travaux de Pfister sur la cryptographie et les *Vexierbilder*" (*4*), c'est-à-dire sur le genre de représentations qui nous intéresse ici.

Ainsi que le remarque P. Larivaille à propos d'un portrait littéraire du Christ en paysage hivernal par l'Arétin, le paysage anthropomorphe maniériste s'impose cependant, à première vue, non comme un produit du rêve, mais comme "une vision cérébrale", où "la combinaison d'éléments on ne peut plus concrets aboutit à une représentation abstraite, à une pure construction de l'esprit dont la virtuosité se suffit à elle-même, faisant oublier la précision naturaliste des détails" (5). Dans la mesure où ces paysages n'en continuent pas moins à se nourrir de l'imaginaire sexuel, leur caractère cérébral, construit et dominé, implique un processus semblable à celui de l'"élaboration secondaire", qui "enlève au rêve son apparence d'absurdité et d'incohérence et finit par en faire une sorte d'événement compréhensible" (6) et qui "impose au contenu du rêve l'intelligibilité, le soumet à une première interprétation et l'amène par là à être tout à fait mal compris"... (7)

II. Thèmes artistiques

Le modèle de Dinocrate

La source antique d'ordre artistique la plus importante est bien sûr la préface du 2e livre de Vitruve, où est exposé le plan de Dinocrate pour "donner au mont Athos la forme d'un homme qui tient en sa main gauche une grande ville, et en sa droite une coupe qui reçoit les eaux de tous les fleuves qui découlent de cette montagne pour les verser dans la mer" (8).

Dès le XVe siècle, des architectes se réfèrent à Vitruve pour proposer de bâtir des villes à forme humaine; l'idée implique un transfert de l'image humaine de la nature à l'espace urbain, puisque dans le texte de Vitruve, la ville même n'est pas anthropomorphe, mais tenue dans la main gauche du mont personnifié. Voici Francesco di Giorgi (**9**):

> Adunque la rocca dé essere principale membro del corpo della città, siccome el capo è principale membro del corpo... Parmi di formare la città, rocca e castello a guisa sia, le braccia le sue aggiunte e ricinte mura, le quali circulando partitamente leghi el resto di tutto el corpo, amprissima città...

Outre les monts et les villes, il y a les jardins: dans sa *Magia universalis*, G. Schott mentionne un jardin anthropomorphe réalisé par le cardinal Montalti dans les années 1585-1599 (**10**). Dans les représentations picturales de paysages anthropomorphes, des éléments architecturaux fusionnent en général avec des éléments naturels pour former une apparence humaine: chez Arcimboldo, les cheveux du géant correspondent à une forêt, le nez à une tour, etc.

L'image due au hasard et l'anamorphose

L'histoire de Dinocrate racontée par Vitruve n'est pas le seul modèle ancien à avoir inspiré les paysages anthropomorphes. Le spectacle de paysages réels qui, d'un point de vue particulier, ressemblent plus ou moins à une forme humaine et qui s'intègrent dans le paradigme général des images dues au hasard (**11**), ont également joué un rôle. Dans son *Ars magna lucis et umbrae*, Kircher énumère toute une série d'exemples de ce type dont la plupart était bien connue antérieurement: un mont qui ressemble à une médaille contenant l'effigie d'un empereur, près de Palerme; un autre qui apparaît comme une tête humaine, près de Messine; un rocher qui a la forme d'un moine avec son habit, dans la "mer septentrionale"; une montagne représentant, vue d'un certain site, la Vierge tenant son Fils dans les bras, au Chili; etc. (**12**). Dans *La Chine*, il mentionne encore une montagne dans la province de Fukien, qui représente une idole de grandeur colossale (plus grande que le projet de Dinocrate) et dont on ne savait pas si elle résultait vraiment d'un caprice de la nature ou avait été sculptée par les hommes (**13**). Kircher propose, par ailleurs, de tels phénomènes comme des modèles à imiter par les artistes sous forme d'anamorphose: il réunit celle-ci et l'image due au hasard dans un même chapitre intitulé "De repraesentationem rerum fortuita et casuali, et quomodo ea arte rebus induci possit" (**14**). De cette façon, il ne fait qu'énoncer sous une forme technique, et à propos d'un cas particulier, ce que Léonard de Vinci avait déjà affirmé: la peinture existe, disait-il, comme les plantes et les pierres, dans la nature, sous forme d'images dues au hasard et en vue d'une intervention humaine; aux peintres de la cultiver, comme on cultive les herbes ou taille la pierre, explorant et ennoblissant les formes du visible (**15**).

III. Thèmes philosophiques

Cosmologie animiste

Deux philosophes importants du XVe siècle insistent sur une conception animiste de la nature qui a pu conduire à l'évocation de paysages sinon anthropomorphes, du moins pourvus d'une vie animale. Tous deux se réfèrent, à ce propos, à Platon.

Nicolas de Cuse écrit dans *De la docte ignorance*:

> La terre est, nous dit Platon, comme un animal qui a les pierres pour os, les rivières pour veines, les arbres pour poils, et les animaux qui se nourrissent entre ces derniers sont comme les bestioles entre les poils des animaux (**16**).

Marsile Ficin attribue, dans sa *Théologie platonicienne*, une âme à chacune des huit sphères célestes ainsi qu'aux sphères des quatre éléments. Il insiste en particulier sur l'existence d'une âme de la terre:

> Nous voyons la terre engendrer, grâce à des semences particulières, une multitude d'arbres et d'animaux, les nourrir et les faire croître; nous la voyons faire croître même des pierres comme ses dents, des végétaux comme une chevelure aussi longtemps qu'ils adhèrent à leurs racines, alors que si on les arrache ou on les déterre, ils ne grandissent plus. Pourrait-on dire que le sein de cet être femelle manque de vie, lui qui spontanément enfante et entretient tant de rejetons, qui se soutient de lui-même et dont le dos porte des dents et des cheveux? (**17**)

Ficin souligne par ailleurs le caractère spécifiquement platonicien de l'attribution de la vie aux éléments sublunaires: "Mais si pour les Platoniciens, il est absolument évident que les sphères des éléments vivent, les anciens Péripatéticiens, eux, n'ont pas traité de ce problème" (**18**). Le monde platonicien est vivant partout, et la terre ficinienne se prête à l'évocation d'un être animé.

Sans suivre le fil de cet animisme à travers toute la Renaissance, notons au moins qu'il est présent chez les deux grands responsables de la révolution cosmologique. La terre copernicienne "conçoit du soleil et devient grosse en engendrant tous les ans" (**19**). Kepler développe le thème en détail dans son *Harmonice mundi* : "La Terre n'est évidemment pas un animal tel que le chien, prompt à effectuer chaque mouvement, mais tel que le boeuf ou l'éléphant, lente à s'échauffer, mais d'autant plus violente lorsqu'elle est en colère. Quand cette analogie m'est apparue, elle a agi en sorte que je l'ai filée plus longuement". Le passage est trop long pour être cité en entier. Kepler continue en comparant les cheveux aux plantes, en montrant que la terre peut être enceinte, qu'elle possède un sens extérieur semblable au toucher et à l'ouïe, que des maladies peuvent agiter l'intérieur de son corps, qu'elle possède une respiration,etc. (20).

Anthropologie cosmique

Si le cosmos est conçu comme un être vivant, les êtres animés, et l'homme en particulier, apparaissent comme des microcosmes. Le thème est trop connu pour qu'on y insiste longuement. Notons seulement qu'il apparaît chez Léonard de Vinci dans un sens qui prépare la voie à la représentation de paysages anthropomorphes (21):

> Les Anciens ont appelé l'homme un microcosme; et le terme s'applique vraiment bien, car l'homme est composé de terre, d'eau, d'air et de feu, et le corps de la terre aussi. L'homme a une armature d'os pour support des chairs, le monde a les rochers pour support de la terre. L'homme enferme un lac de sang où, dans la respiration, se dilatent et se contractent les poumons; le corps de la terre a son océan qui croît et décroît toutes les six heures avec la respiration du monde.

La devise inscrite au-dessus du paysage anthropomorphe d'Arcimboldo ("Homo omnis natura") invite à tenir compte du microcosmisme. Mais en quel sens l'interpréter? B. Geiger, notant qu'Arcimboldo "est plus philosophe qu'on ne le dirait lors d'un regard superficiel", l'envisage de manière plutôt pessimiste: la forme humaine se révélerait ici être une forme éphémère, une illusion qui émerge comme telle de la nature. Emblème de l'*In pulverem reverteris*, le paysage anthropomorphe rappellerait le retour futur du corps humain à la matière inerte. Geiger continue cependant en citant un passage célèbre de Pic de La Mirandole qui évoque, de manière contradictoire, la dignité du microcosme humain: "Non esse homini suam ullam et nativam imaginem, externas multas et adventicias. Idest homo variae et multiformis et dissolutoriae naturae animal. Sed quorum haec? Ut intelligamus postquam hac nati sumus conditione, ut id simus quod esse volumus" (22). La représentation double renfermerait donc un double sens: elle serait signe à la fois de la faiblesse et de la puissance de l'homme. G. Hocke y distingue, en outre, un souvenir pythagoricien, la transformation des formes les unes dans les autres suggérant la réincarnation et la métempsychose (23). Notons enfin qu'il pourrait s'agir également moins d'une représentation de l'homme en général que de l'artiste en particulier, dont la métamorphose continuelle et l'identification à toute la Création constitue un thème important dans l'éloge fait d'Arcimboldo par son contemporain Comanini: le peintre comme le poète doivent être capables "comme un autre Protée de se transformer en des formes diverses et de se vêtir d'apparences autres autant qu'il convient à l'imitateur" (**24**); l'artiste se métamorphoserait toujours et *littéralement*, - la mimésis serait ou demanderait la métamorphose de ce microcosme protéen.

IV. Le "Fantastique"

Chez Platon, le *fantastique* s'oppose à l'*eicastique* comme le trompe-l'oeil, avec des raccourcis et d'autres déformations perspectivistes, à l'imitation fidèle de l'objet tel qu'il est en lui-même (**25**). Tout en se référant au *Sophiste* avant de traiter d'Arcimboldo, Comanini change profondément le sens de cette opposition. Le terme *fantastique*, en particulier, s'applique chez lui aux produits de la *fantasia*, "l'ufficio della quale è di ricevere le specia apportate dagli sensi esteriori al senso commune, e di ritenerle, et ancora di comporle insieme" (**26**). L'image fantastique ne correspond plus à des effets de perspective, mais à la représentation de "cose non esistenti" résultant de sélections et combinaisons inédites parmi les éléments de perceptions antérieures. Entendu en ce sens, le fantastique constitue une qualité éminente de l'oeuvre d'Arcimboldo, puisque "componendo insieme l'imagini delle sensibili cose da lui vedute, ne forma strani capricci et idoli non più da forza di fantasia inventati, quello che pare impossibile a congiungersi accozzando con molta destrezza e facendone risultar ciò che vuole" (**27**).

Du point de vue sémiotique, ce fantastique s'obtient grâce à ce que R. Barthes a appelé un "paradoxe structural" et qui consiste à pourvoir le signe iconique d'une double articulation" (**28**). Alors que l'analyse d'une langue produit d'abord des unités pourvues de sens (les mots), puis des unités non douées de sens (les phonèmes), un tableau se décompose d'habitude uniquement en unités (lignes, couleurs) qui ne signifient rien avant d'être assemblées. Or, le paysage anthropomorphe (tout comme les têtes composées) se découpe non seulement en lignes et couleurs, mais également en unités signifiantes: nez ou rocher, oeil ou cible, etc. Cette double articulation est réalisée à travers une rhétorique, ou plus précisément une tropologie. C'est la possibilité d'une double lecture qui produit la double articulation. Les unités signifiantes (les "mots" du tableau) ne s'imposent comme telles que grâce à leur polysémie, à leur statut de figures: Comanini explique dans le détail pourquoi, dans telle tête composée, le front est métaphorisé par un renard, la joue par un éléphant, l'oeil par un loup, le nez par un lièvre, la bouche par un tigre, la gorge par un boeuf, la poitrine par un lion (**29**)...

Le statut de cette rhétorique fantastique n'est pas immédiatement évident. La "fantasia" prépare-t-elle les données de la perception en vue d'une opération de l'esprit, dans une démarche de type platonicien? Ou s'agit-il d'un jeu gratuit où se manifeste l'ingéniosité du peintre? Comanini est ambigu dans son appréciation: il qualifie les oeuvres d'Arcimboldo aussi bien de "doctes allégories" que de "caprices" (30). Nous avons passé en revue les souvenirs philosophiques qui peuvent fonder une interprétation sérieuse. Mais, d'autre part, Arcimboldo peint à un moment où se développe aussi la critique de la ressemblance et où apparaît un doute dans la valeur cognitive des tropes, - critique et doute qui se généraliseront aux XVIIe et XVIIIe siècles. Dans cette optique, il est peut-être justifié de le lire également, comme une sorte de prolepse, à travers Vico et sa conception du langage tropologique.

A travers le paysage anthropomorphe se rejoue en quelque sorte la genèse même de la langue telle qu'elle sera décrite par Vico. Pour l'auteur de la *Science nouvelle*, la langue des origines est de part en part tropologique. Or, il est remarquable que parmi les exemples de métaphores primitives choisies par Vico, la plupart relèvent justement de la figuration anthropomorphe d'un paysage: *tête* pour *cime*, *bouche* pour *ouverture*, *langue de terre, gorge d'une montagne, bras d'un fleuve, veine d'une mine, entrailles de la terre* (31)...

Arcimboldo surmonte son paysage anthropomorphe de la devise "Homo omnis natura". Or, Vico ajoute aux métaphores anthropocentriques le commentaire suivant (32):

> ...*l'homme ignorant se prenait lui-même pour règle de l'univers*; dans les exemples cités ci-dessus, il se fait de lui-même un univers entier. De même que la métaphysique de la raison nous enseigne que *par l'intelligence l'homme devient tous les objets (homo intelligendo fit omnia)*, la métaphysique de l'imagination nous démontre ici que *l'homme devient tous les objets faute d'intelligence (homo non intelligendo fit omnia)*; et peut-être le second axiome est-il plus vrai que le premier, puisque l'homme, dans l'exercice de l'intelligence, étend son esprit pour saisir les objets et que, dans la privation de l'intelligence, il fait tous les objets de lui-même, et par cette transformation devient à lui seul toute la nature.

Si l'oeuvre d'Arcimboldo contient déjà une critique de la ressemblance, si elle se donne déjà, fût-ce de manière ambiguë, comme un caprice, c'est que la déformation grotesque du visage humain s'y découvre dans un éclairage ironique à force d'être cérébral. Pour Vico, l'ironie est une figure de l'origine, mais non à la manière des autres tropes. La métaphore, la métonymie, la synecdoque sont les outils des fables, mais l'ironie n'a pu "prendre naissance que dans les temps où l'on réfléchit" (33). Elle ne participe donc pas de la même origine que les autres tropes. Si elle est née aux temps où l'on réfléchit, inversement le temps de la réflexion n'a pu naître que de la distance ironique. Ce n'est, selon Vico, qu'à travers l'ironie que le mythe et le réel, le faux et le vrai, la figure et le littéral se différencient et que la métaphore, la métonymie et la synecdoque deviennent ce qu'elles sont par la suite, à savoir des tropes susceptibles d'être remplacés par des termes "propres". En un sens, tout en venant après les autres, l'ironie est aussi le premier des tropes. Elle est une figure d'origine en tant qu'elle implique la prise de conscience de la nature tropologique des mythes primitifs. Elle ne correspond pas d'abord à un schème opérationnel intervenant dans l'élaboration des fables, mais à une réflexion sur ces élaborations qui donne naissance à la notion même de "fable". L'ironie est conscience métatropologique avant d'être trope. Elle commande une attitude critique vis-à-vis du discours et de son rapport à la réalité. Ce n'est qu'après qu'elle devient un trope comme les autres, grâce justement à la conscience métatropologique du *jeu* possible entre les mots et les choses.

Si l'on accepte de considérer l'oeuvre d'Arcimboldo comme un "caprice", elle relève, bien sûr, de l'ironie. Mais on peut aussi y voir, ainsi qu'y invite la devise, une "docte allégorie", imprégnée de platonisme, d'hermétisme, de pythagoricisme. Comanini ne songe pas à choisir entre ces deux interprétations. Ce choix est-il d'ailleurs possible ou nécessaire? Probablement pas. L'effet persistant de cette oeuvre résulte sans doute de ce qu'elle est "fantastique" aussi au sens moderne, défini par Todorov: une hésitation.

Fernand HALLYN

(Université de Gand)

NOTES

1. Du Bartas, *The Works*, éd. U.T. Holmes, R.W. Linker, J.-C. Lyons, Chapel Hill, University of North Carolina, 1935 sq., t. III, p. 485.
2. J. Huizinga, *Homo ludens*, Haarlem, Tjeenk Willink, 1938, p. 195-197.
3. S. Freud, *L'Interprétation des rêves*, Paris, P.U.F., 1973, p. 306. Cf. également p. 314, 342-343.
4. *Ibid.*, p. 306. Dans la traduction française, je remplace le terme "images-devinettes" par le mot allemand, plus technique, "Vexierbilder".
5. P. Larivaille, *L'Arétin entre Renaissance et Maniérisme, 1492-1537*, Lille, Service de reproduction des thèses, Université de Lille III, 1972, p. 430-431. Dans la version italienne: *Pietro Aretino fra Rinascimento e Manierismo*, Rome, Bulzoni, 1980, p. 251-253.
6. *L'Interprétation des rêves*, p. 418.
7. *Ibid.*, p. 426.
8. Vitruve, *Les Dix Livres d'architecture*, trad. C. Perrault revue par A. Dalmas, Paris, Balland, 1979, p. 50. Le projet fit l'objet d'interprétations allégoriques: voir notamment E. Tesauro, *Il Cannocchiale aristotelico*, Venise, Milocho, 1682, p.53.
9. Cité dans: P. Marconi, *La Città come forma simbolica*, Rome, Bulzoni, 1973, p. 69. Rappelons que Platon avait déjà décrit l'homme comme une forteresse, image reprise notamment par L. Paccioli dans son *Divina proportione*.
10. Mentionné par J. Baltrusaitis, *Anamorphoses ou magie artificielle des effets merveilleux*, Paris, Perrin, 1969, p. 85.
11. Voir H.W. Janson, "The 'Image made by Chance' in Renaissance Thought", dans *De artibus opusculi XL. Essays in Honor of E. Panofsky*, New York University Press, 1961, t. I, pp. 254-266.
12. A. Kircher, *Ars magna lucis et umbrae*, Amsterdam, 1671, p. 710-711, qui voit dans le hasard même un effet de la Providence ("... nihil in rerum natura tam casuale ac fortuitum apparere posse, quod sub occulta divinae providentiae dispositione omnium moderatrice non lateat...").
13. A. Kircher, *La Chine*, Paris, 1673, p. 233. Il est précisé que la seule tête de l'idole suffirait à porter une grande ville et un grand fleuve.
14. *Ars magna...*, p. 710.
15. Dans P. Barocchi, *Scritti d'arte del cinquecento*, Milan-Naples, Ricciardi, 1971, t. I, p. 77.
16. Nicolas de Cusa, *De la docte ignorance*, trad. L. Moulinier, Paris, Alcan, 1930, p. 165.
17. M. Ficin, *Théologie platonicienne*, trad. R. Marcel, Paris, Les Belles Lettres, 1964, t. I, p. 144.
18. *Ibid.*, p. 163.
19. Copernic, *Des révolutions des orbes célestes*, trad. A. Koyré, Paris, Alcan, 1934, p. 116.
20. *Harmonice mundi*, IV, 7, dans *Gesammelte Werke*, Munich, Beck, 1938

sq., t. VI, p. 268-269.
21. Cité par Legrand et Sluys, *Arcimboldo et les arcimboldesques*, La Nef de Paris, 1955, p. 100.
22. B. Geiger, *Die skurrilen Gemälde des Giuseppe Arcimboldi*, Wiesbaden, Limes, 1960, p. 45.
23. G.R. Hocke, *Die Welt als Labyrinth*, Hambourg, Rowohlt, 1957, p. 158.
24. G. Comanini, *Il Figino* (1591), dans P. Barocchi, *Tratatti d'arte del Cinquecento*, Bari, Laterza, 1962, t. III, p. 268.
25. *Sophiste*, 235d-236c.
26. *Il Figino*, p. 270.
27. *Ibid.*.
28. R. Barthes, *L'Obvie et l'obtus*, Paris, Le Seuil, 1982, p. 126.
29. *Il Figino*, p. 267.268. Cf. R. Barthes, *o.c.*, p. 128: "Un coquillage vaut pour une oreille, c'est une *Métaphore*. Un amas de poissons vaut pour l'Eau - dans laquelle ils habitent -, c'est une *Métonymie*. Le Feu devient une tête flamboyante, c'est une *Allégorie*. Enumérer les fruits, les pêches, les poires, les cerises, les framboises, les épis pour faire entendre l'Eté, c'est une *Allusion*. Répéter les poissons pour en faire ici un nez et là une bouche, c'est une *Antanaclase* (je répète un mot en le faisant changer de sens). Evoquer un nom par un autre qui a même sonorité ("Tu es Pierre, et sur cette pierre..."), c'est une *Annomination*. Evoquer une chose par une autre, qui a même forme (un nez par la croupe d'un lapin), c'est faire une annomination d'images, etc."
30. *Il Figino*, p. 268 ("così dotte allegorie") et 270 ("strani capricci et idoli").
31. G. Vico, *Principes de la philosophie de l'histoire*, trad. J. Michelet, Paris, Renouard, 1827, p. 129 (= *Scienza nuova*, II, iii, § 2).
32. *Ibid.*
33. *Ibid.*, p. 132.

4. ARCIMBOLDO, Portrait-paysage

QU'EST-CE QU'UN PAYSAGE?

L'EXEMPLE DES ODES RONSARDIENNES

Dans le chapitre IV de sa *Poétique*, Aristote pose le principe de l'imitation, la *mimesis*, car "imiter est le propre de l'homme". Même si cette théorie n'exclut pas l'invention (1), elle conduit cependant à la description d'un donné préalable, une représentation où le sujet parlant ne serait même pas impliqué. Au contraire c'est à une saisie du sujet à travers le langage que mène la réflexion de la Pléiade sur l'inspiration, et dans cette perspective la poésie ne peut pas être répétition du réel. Il nous semble que le paysage poétique naît de cette prise de conscience du moi esthétique.

C'est dans les *Odes* de 1550 que figure le premier ensemble de poèmes paysages, onze odes réparties dans les quatre livres - même s'il y avait déjà dans les oeuvres de 1549 une présence de la nature, en partie sous l'influence de Peletier du Mans.

I. Paysage et prise de conscience du moi poétique

Dans chacune de ces odes, le paysage renaît de l'initiative poétique. Le lieu même est réel, il est souvent désigné avec précision, qu'il s'agisse de la forêt de Gastine, du Loir ou de la source Bellerie, et le terme *paternel* - ma terre paternelle, mon fleuve paternel - renforce cette localisation. Mais le paysage existe par le poète. Relisons le début de l'*Avantvenue du Printens* (I, 17), qui est une des premières grandes apparitions de la nature dans l'oeuvre de Ronsard. L'ode commence par une suite d'invocations, au signe du Taureau, au Temps, aux Nymphes, forces que cet appel met en branle. Par leur intermédiaire, la parole poétique suscite non seulement le printemps, mais un spectacle et un objet esthétique, le paysage printanier, comme l'indique le vocabulaire. Ouvre l'huis à la nature, dit Ronsard au Temps,

> Pour orner de sa *peinture*
> Les champs libéralement.

Il fait appel à ces divinités,

Affin que la saison verte
Se manifeste couverte
D'un tapis merqué de fleurs,

et que la terre montre sa face, en "fardant son teint de couleurs". Sous le regard du poète, le monde commence à exister comme spectacle, et le plus souvent ce phénomène est lié de façon explicite au pouvoir de l'inspiration. Ainsi l'ode *A la forest de Gastine* (II, 23) est encadrée par des allusions à la Muse, au début et à la fin. Les premiers vers marquent fortement la naissance de ce lieu à l'existence poétique:

Donque forest, c'est à ce jour
Que nostre muse oisive
Veut rompre pour toi son sejour
Aussi tu seras vive.

Le moi du poète s'affirme dans ces onze paysages, sauf dans l'ode *De la venue de l'esté* (III, 10) et dans *La defloration de Lede*, qui décrit simplement des scènes peintes sur un objet, dans un excursus alexandrin.

C'est donc bien la poésie qui donne à Ronsard le spectacle du monde extérieur, et l'ode *A Caliope* est à la fois une prise de conscience de ce mystère et une action de grâces:

C'est toi qui fais que j'aime les fontaines...
Si rien je compose,
Si rien je dispose,
En moi tu le fais (II, 2).

Dans l'ensemble du recueil, ces paysages alternent d'ailleurs avec des pièces où domine le thème de l'inspiration, et Ronsard n'a pas voulu les regrouper dans une même rubrique.

Si nous essayons de préciser cette démarche, il semble qu'elle s'opère surtout grâce à deux types de formules, l'apostrophe oratoire, et le recours à l'impératif ou à des verbes de volonté. L'apostrophe pose le moi poétique en même temps qu'elle fait apparaître le paysage, dans un mouvement qui anime le début de l'ode *A la fontaine Bellerie*. La première strophe, "O Déesse Bellerie...", déploie un monde bruissant de bois et de fontaines, et elle s'achève sur l'autre source, poétique, "Et de mes vers que tu ois". Ce trope joue en effet sur le pouvoir oral de l'appel, qui trouve des échos dans la nature, et qui éveille peu à peu un paysage constitué en bonne part d'éléments auditifs. Dans l'ode *A la fontaine Bellerie*, l'apostrophe se poursuit dans un dialogue où alternent le *je* et le *tu*, et l'on perçoit de mieux en mieux les masses végétales qui entourent la source. Mais la dernière strophe subordonne de nouveau l'existence du paysage à la parole de Ronsard:

Tu seras faite sans cesse
Des fontaines la princesse,
Moi celebrant le conduit
Du rocher persé, qui darde
Avec un enroué bruit,

> L'eau de ta source jazarde
> Qui trepillante se suit.

L'expression "ton poëte" a donc un sens plein. Elle résume ce processus, que l'on retrouverait dans l'ode *A la source du Loir* (IV, 15). L'invocation aboutit en effet dès la troisième strophe à l'apparition des Muses et du *je* poétique: rives fortunées, dit Ronsard,

> Que les Muses éternelles
> D'habiter n'ont dedaigné,
> Ne Phebus qui montre en elles
> L'art où je suis enseigné.

L'apostrophe est parfois renforcée par la tournure "Dieu te gard" (IV, 13).

L'autre forme d'expression qui fait dépendre le paysage du pouvoir poétique est le recours à l'impératif ou l'emploi de verbes de volonté. Nous avons déjà entendu Ronsard ordonner aux signes du Zodiaque ou au Temps de manifester la nouvelle saison, dans l'*Avantvenue du Printens*. De la même façon, les deux premières strophes de l'ode *De l'election de son sepulcre* esquissent un décor d'antres et de sources, et l'impératif "oiez ma vois" (v. 8) est bientôt prolongé par une série de verbes qui traduisent la volonté de l'auteur - "je veil", "j'enten", "j'ordonne", "je deffen". Or ces verbes introduisent peu à peu de nouveaux éléments, notamment la vision du tombeau enfoui dans la végétation. Les subjonctifs de souhait - "puisse", "embellisse" - achèveront l'oeuvre. A la limite, l'évocation du paysage peut être totalement subordonnée à une sorte de pacte entre le poète et le lieu qu'il décrit. Ainsi dans l'ode *Au fleuve du Loir* (IV, 6), le flot ne conquiert l'espace qu'après une entente avec Ronsard, dont il bruira le renom, et qui en échange l'immortalisera. On voit ces eaux se répandre dans leur cours soudain élargi:

> Là donc, chante moi, et me sonne
> En lieu du bruit que je te donne,
> Tu voiras desormais
> Ton onde brave et fiere
> S'enfler par ta riviere...

Cette volonté poétique et créatrice fait de chaque vision une petite genèse, qui souvent procède comme celle de la Bible par classes de vivants: par exemple, dans l'*Avantvenue du Printens*, "la gent emplumée", "la vagabonde armée" des animaux terrestres, et enfin l'homme, symbolisé par l'audace du navire. Ainsi l'ode paysage se constitue peu à peu, dans une durée que cette *Avantvenue* rythme d'adverbes de temps, et chaque strophe apporte un nouveau matériau. C'est précisément parce qu'elle fait naître ce monde que la parole poétique agit avec l'aide des préposés divins à la création, signes du Zodiaque, Temps, divinités de la nature telles que les Nymphes. Ces êtres mythiques auxquels s'adresse Ronsard le secondent dans son entreprise, et cette mythologie n'est pas purement décorative. Dans l'*Avantvenue*, l'Amour cosmique (v. 55 sq.) rend efficace l'appel du poète, en faisant surgir de toute part les êtres vivants. De là vient que certaines de ces pièces sont proches du voeu ou de l'hymne. Non seulement l'*Hinne à la Nuit* (III, 9) offre un des plus beaux paysages du recueil, bien que simplement esquissé, mais à ces deux genres l'ode emprunte souvent l'invocation ou le souhait, l'offrande et la promesse (2).

II. Voir à distance

Comme toute conscience, qui suppose une distinction entre l'objet et le sujet, cette affirmation du moi poétique a pour conséquence un recul par rapport au monde extérieur. Le moi du poète se détache de cette portion de réel, et c'est à cette condition qu'elle devient spectacle (3). Le paysage implique cet écart, non seulement parce que le rôle essentiel y revient à la vue et à l'ouïe, qui sont des sens à distance, mais surtout parce que cette sorte de béance, d'espace vide, est nécessaire pour qu'un lieu, la forêt de Gastine ou la fontaine Bellerie, deviennent cet objet esthétique qu'est le paysage. L'objet fonctionnel est utilisé ou consommé, et donc fait pour être saisi; l'objet esthétique est un appel aux significations multiples, et il cesserait d'être lui-même s'il pouvait être atteint. Un lieu se parcourt, un paysage est d'abord un horizon mental.

Cette distance indispensable pour que la présence du réel se fasse tableau est souvent amplifiée par le dialogue, qui oppose le *je* et le *tu*, par exemple dans l'ode *A la fontaine Bellerie*. Il faut bien voir que cet échange avec des choses muettes est en partie une simulation, qui permet à la conscience d'apprécier cet espace, et en définitive de concevoir ce monde tout en lui restant étrangère. Il a une fonction ambiguë, où nous retrouvons le caractère paradoxal de l'imagination, qui rend l'absence présente, mais ne s'engage pas totalement dans ces simulacres. Plus rarement, cet écart est obtenu grâce à l'emploi d'un vocabulaire pictural, qui transforme le lieu en spectacle en l'assimilant à une fresque. Ronsard fait par exemple appel à ce lexique dans les excursus alexandrins, l'ode *Des peintures contenues dans un tableau*, ou l'aurore qui orne le panier de Léda: "la mer est *painte* plus bas", nous dit le poète, et il précise que le soleil "tourne tout autour de l'anse". Ces détails ne signifient pas que l'auteur veut rivaliser avec le peintre - nous verrons plus loin qu'il ne lui emprunte guère ses couleurs. Ils soulignent plutôt le caractère fictif de l'évocation, pour briser l'adhésion primaire aux choses. Du même ordre un procédé plus simple, qui consiste à introduire un témoin de la scène:

> Et la lune d'un oeil prospère
> Voie les bouquins... (III, 7)

Mais ce rapport du moi au monde, qui consiste à s'écarter pour le constituer en paysage, apparaît surtout à la façon dont Ronsard parfois s'éloigne de la vision qu'il vient de créer. Il s'en dépossède à la fin du poème. Dans les derniers vers de l'ode II, 17, *Les Louanges de Vandomois*, c'est la pensée de la mort qui lui ôte ce coin de terre paternelle. La fontaine

Bellerie est une halte poétique, mais la strophe finale la voile soudain dans les brumes du songe ou du cauchemar:

> Comme je desire fonteine
> De ne plus *songer* boire en toi
> L'esté, lors que la fievre ameine
> La mort dépite contre moi (III, 6).

Tantôt le paysage glisse vers le futur. Le cours de l'eau se double d'un écoulement temporel dans les quatre pièces consacrées à des fleuves et à des sources; par exemple dans l'ode *De l'élection de son sepulcre*, les subjonctifs de souhait -"puisse", "embellisse" - font place à un futur - "là viendront ... les pastoureaus". Tantôt on voit apparaître dans la seconde partie de l'ode, comme une image un peu décalée par rapport à la première, une vision de l'âge d'or ou des Champs Elysées. Le début de l'*Avantvenue du Printens* est une grande fresque du renouveau, mais Ronsard constate ensuite que ce n'est pas le printemps éternel de l'âge d'or. Ce manque (v. 79 sq.) est révélé par la structure à première vue étonnante de cette ode, qui semble juxtaposer au paysage initial un développement plaqué, inspiré par le thème de l'âge d'or. Ainsi, bien que le paysage ronsardien ne soit pas hanté par l'absence comme celui de Du Bellay, il se constitue quelquefois par dépassement de plans successifs. Expression d'un tempérament mélancolique? Non, mais plutôt signe que le paysage, objet esthétique, est en perpétuelle reconstruction.

Cette distance entraîne en effet l'adoption d'un *point de vue* sur cette réalité externe. Comme le poète s'en est à peu près isolé pour mieux la voir, il lui faut bien déterminer sa position par rapport à cet objet, grâce au cadrage et à un ensemble de repères, ce qui l'amène à le reconstruire.

Aucune imitation de la nature, sauf dans la dernière strophe de l'ode *A la fontaine Bellerie*, qui reproduit le bruit de l'eau, dans une tentative analogue à certains essais de Janequin. Dans l'ensemble, l'évocation est peu précise, notamment pour les couleurs. Le vert est souvent mentionné, mais les autres teintes sont pauvres. Un peu de pourpre, "l'oeillet vermeil" et la "rouge fueille" de l'amaranthe (III, 25, v. 125 et 135), le vermeil et le cinabre de la rose (IV, 13, v. 5 et 9). Le jaune apparaît dans les blés, "le poil ... jaunissant" de Cérès, (III, 10) ou dans les "nuës dorées" (III, 25, v. 74). Le parfum est désigné dans l'ode *Des roses plantées près un blé* par le mot *odeur* (IV, 13). Il y a dans ces poèmes un désir de la matière, nous le verrons plus loin, et donc un poids de sensations, mais elles ne participent pas à une imitation du réel.

Ce point de vue est d'abord l'adoption d'un registre sensoriel, l'ouïe. Cette prédominance s'explique en partie par le rôle de la voix poétique, les sensations auditives étant un complément de cette voix, par exemple dans l'ode *A la fontaine Bellerie*. Ronsard précise le timbre de la source, "un enroué bruit". De même l'ode *Au fleuve du Loir* est un duo qui unit la rumeur des flots et la parole du poète. La moisson devient rythme et musique, dans l'ode *A la fontaine Bellerie* (III, 6), où "l'aire par compas résonne / Dessous l'épi de blé battu".

Ce point de vue est aussi perspective au sens large, c'est-à-dire construction d'un ensemble de lignes ou de formes. La plupart de ces pièces sont centrées sur un élément vital, assez souvent un cours d'eau qui peu à peu conquiert l'espace. Dans l'ode *A la source du Loir* (IV, 15), l'élan de la rivière est ranimé par une série d'impératifs, "fui donques...", "va donc", et dans la dernière strophe le Loir s'annexe la mer. Cette ligne de vie est le fleuve, parce que pour Ronsard l'eau constitue l'élément primordial, et son tracé est courbe. Ainsi le Vendômois est reconstruit dans une opposition entre le Loir sinueux, qui "les champs va tournoiant", et les "flancs durs et fors" des collines sur ses deux rives, les "deus longs tertres", c'est-à-dire la matière résistante et inerte (II, 17). Plus rarement, ce centre vivant est la végétation, par exemple la forêt de Gastine, elle aussi toute en rondeur puisqu'elle ploie ses cheveux vers le sol, et cette nervure, cette courbe médiane est soulignée par le pronom *toi* repris en anaphore. Tout autour s'organisent d'autres visions, par exemple la chasse de Diane, de même que dans l'ode *A la fontaine Bellerie* Ronsard aperçoit au passage des pasteurs et des troupeaux sous l'ombrage. Les deux éléments, eau et végétation, se succèdent dans l'ode *De l'election de son sepulcre*, qui est à double foyer. Dès le début, l'axe de mouvement est constitué par des sources qui dévalent, des ondes vagabondes par les prés, en opposition avec des éléments stables tels que les antres. Mais dans le cours du fleuve s'établit à partir du vers 17 un second carrefour, un lieu de résurrection, c'est-à-dire la tombe enfouie dans la verdure. Elle est située

...en cette isle verte
Où la course entrouverte
Du Loir, autour coulant,
Est accolant,

et le lierre mime les courbes de la rivière (v. 33 sq.). L'eau et la végétation s'uniront ensuite, parce qu'ils ont même fonction vitale (v. 73 sq.). Remarquons d'ailleurs que dans ces centres complémentaires nous retrouvons cette composition par plans imaginaires et successifs qui nous était apparue tout à l'heure comme un des caractères du paysage en tant qu'objet esthétique.

Dans l'ode *Des roses plantés près un blé*, ce coeur végétal est simplement une fleur. La rose est le foyer d'où émanent la couleur, "le vermeil", et l'odeur, et aussi des cercles concentriques. Le champ de blé en effet *redouble l'image* de la fleur, selon les termes employés par Ronsard dans la seconde strophe, et c'est ensuite le poète qui ressent sa beauté. Ainsi la rose devient "image", que la nature transmet à la proximité immédiate, puis à Ronsard pour qu'elle se prolonge dans une métamorphose poétique. La beauté se répand comme une onde. Le réel se refait à chaque strophe, le monde entier autour d'une rose silencieuse.

Dans cette exploration de l'espace à l'aide de jalons, l'élément retenu par le poète n'est pas toujours une ligne liquide ou végétale, mais quelquefois un cycle, parcouru par un regard circulaire. Dans l'ode *De la venue de l'esté* et dans l'excursus de *La Défloration de Lede*, c'est le voyage solaire qui détermine les différentes visions. Elan des cours d'eau et de la végétation, ou étapes du voyage diurne, dans tous les cas l'imagination rebondit sur des repères et explore l'espace le long de certains axes qu'elle s'est donnés, même s'ils correspondent à des sillages naturels. Autour de ce réseau vital s'agglomèrent des saynètes, un monde relativement discontinu, puisqu'il provient d'un tri, et intermittent, car nous avons vu que souvent ces tableaux ne sont pas simultanés. Ces lacunes, pourtant, nous ne les ressentons pas à la lecture de l'ode, parce que ce choix procède du moi poétique, auquel il doit une autre forme d'unité. Interrompu dans le temps et dans l'espace, il retrouve une cohérence grâce aux constellations d'images et de visions qui se forment de page en page, comme un ordre latent (**4**). Nous verrons plus loin que chez Ronsard cette sélection s'opère au profit d'une nature peu farouche, qui charme l'oeil par le brillant de ses apparences ou la douceur de son contact. Ainsi non seulement le poète ne perd pas son identité dans la nature, mais c'est la nature qui prend contenance grâce au moi poétique.

Ce point de vue et cette structure que Ronsard impose au monde extérieur sont une sorte de cadrage, et ils en ont les effets (**5**). Ils déterminent une limite imaginaire, les rives du fleuve, ou le cercle solaire, et donc une ligne qui relance le désir. Comme le note J. Starobinski, le regard n'est jamais rassasié, et va toujours au-delà (**6**).

III. Le miroir courbe

Mais que perçoit Ronsard, dans cette quête d'une vision à l'autre? A la fois lui-même et la masse du réel, dans le miroir déformant de l'ode.

Parmi les éléments constitutifs de ces paysages, il y a bien des éléments de nature, arbres, rivières, prés et troupeaux, mais dénaturés par la présence humaine, par les personnages que Ronsard comme les peintres contemporains place dans ce décor, et surtout par une nature humanisée. La forêt se courbe vers le sol pour écouter le poète, et la source lui répond. C'est une poésie qui apprivoise les masses liquides ou végétales, et qui les attire vers les hommes. Elle est médiatrice, et orphique dans sa visée, grâce à un langage métaphorique: Ronsard célèbre la "teste ombreuse des bois", leur "teste de verd painte" (III, 6 et II, 17).

L'ode paysage est donc pour le poète un moyen de soumettre le réel à ses fantasmes. Il détourne les fleuves à son profit, et se voit immortel. Dans l'ode *De l'election de son sepulcre*, le lieu réel, l'île du Loir, cède peu à peu à une vision irréelle, dont le centre vivant est un mort, et Alcée apparaît à la fin comme le double transfiguré de Ronsard.

Car c'est son vrai moi qu'il retrouve dans le paysage, non plus l'individu Ronsard, mais le créateur. "Voi ton poëte", dit-il à la source Bellerie. Vers le milieu du texte apparaît l'image de l'ode (7), comme si le poème se recourbait sur lui-même: là je compose, dit Ronsard,

> Je ne sçai quoi, qui ta gloire
> Envoira par l'univers
> Commandant à la mémoire
> Que tu vives par mes vers.

Cette strophe est comme un centre qui réfléchit le mystère poétique - le "je ne sçai quoi" - la source et le poète, et qui renvoie cette image tout autour, "par l'univers".

Ainsi celui qu'il voit au creux de l'ode est à la fois lui-même et "l'autre", un être "ravi d'esprit", dit-il à la forêt de Gastine (II, 23), comblé par la nature et par la poésie. Ce Ronsard heureux savoure les haltes dans les asiles de verdure (II, 9). Ce sont des temps d'arrêt, d'échange sans effort:

> Bref c'est toi qui de tout esmoi
> M'alèges et desfaches,

et de détente:

> Sus ton bord je me repose... (II, 9).

Ronsard contemple son bonheur au sein d'une nature abondante, un pays "bon et fertile" (II, 17, et IV, 4). Dans ces odes paysages il se voit percevant cette force généreuse.

Cette vision satisfait en particulier son goût pour la matière humide et molle. Le Loir fertilise le "gras limon" (**8**). Le vocabulaire assimile ce terroir et ses sucs à un aliment ou à une boisson, tel le vin du Vendômois (II, 17, v.17 sq.). La rosée elle aussi peut être une "manne", qui abreuve le tombeau (IV, 5), et cette métaphore confond le désir de boisson avec le désir d'immortalité, comme le mythe de l'ambroisie. Ces humeurs sont également en rapport avec le cycle de la reproduction, car dans l'*Avantvenue du Printens* la "rousée eternelle" du ciel est la semence de Zeus. Aussi les moissons nées de ces terres grasses évoquent-elles à la fois la nourriture - dans l'ode *De la venue de l'esté*, Ronsard consacre une strophe au repas des moissonneurs - et une image maternelle, le "sein de Ceres devétu", dans la deuxième ode *A la fontaine Bellerie*. Le Loir à la "rive velue" (IV, 15, v. 13) engrosse les plaines. Ainsi se constitue un réseau de termes et de métaphores obsédantes, qui associe par exemple les mots *humeur*, *distiller*, *fertile*, *sein*, et dont la tonalité générale est donnée par les adjectifs *doux*, *tiède* et *mou* (**9**). Ce lexique sera complété dans les *Continuations des Amours* en 1555 et 1556 par le registre du sucré. Plus qu'une consistance ou une température précises, il désigne un contact aisé avec le monde extérieur. De même l'ombre n'est pas seulement source de fraîcheur: elle est un asile, l'expérience d'une matière où rien n'accroche et ne heurte. "Epaisse et drue" (II, 9), elle protège, et même dans la mort, car l'ombre de la vigne s'étend sur le tombeau (IV, 5). Cette mollesse caractérise aussi le vent, dans un monde allégé par le passage, de branche en branche et de note en note:

> Mais bien les vents y sonnent
> Je ne sçai quoi de dous,
> Et les lauriers i donnent
> Petits ombrages mous... (II, 25).

Ce paysage des *Odes*, qui fond sous les sens, donne au poète une impression de plénitude. Cet épanouissement physique est indissociable d'une autre allégresse, celle de l'inspiration, et l'ode paysage renvoie à Ronsard l'image d'un être gorgé d'aise et de poésie, comme le révèle la rime *odeur /ardeur*:

> Et moi en sentant ton odeur
> Plein d'ardeur... (IV, 13)

Ce n'est donc pas la nature, mais une nature bienheureuse, que l'on peut mettre en relation avec le décor totalement imaginaire d'une ode à Cassandre (II, 25), où le tableau élyséen joue sur les mêmes sensations. Ainsi cette vision fantasmatique recourbe l'univers autour du poète, les saules de la fontaine Bellerie, ou la "sime ployante" de Gastine, mais elle est aussi le meilleur moyen de fuir le réel. Que reste-t-il de la source Bellerie, si l'on excepte le timbre de sa voix? Une nymphe, et qui est vue au futur - "tu seras faite sans cesse...". Ronsard est comblé, mais dans le miroir poétique, c'est-à-dire nourri d'apparences. L'ode *Des roses plantées près un blé* est un poème de la carnation brillante, où la fleur manifeste ses "beaux tresors desur la branche", et "decouvre au Soleil" son teint vermeil. Le paysage des *Odes* en effet n'est pas volume, mais reflet lumineux. C'est le "teint de nacre et d'ivoire" de l'Aurore, ses "roses" et ses "nuës dorées" (III, 25 et IV, 16), les nombreuses fontaines d'argent et de cristal. Cette émotion du poète devant le chatoyant, le velouté, le nacré, n'est qu'une approche superficielle de l'objet, une convoitise sans possession. Elle est limitée à la transparence, à la périphérie de l'être. Les rapports de Ronsard avec la nature seraient-ils les mêmes qu'avec la femme aimée, de désir inassouvi, mais compensé par l'imaginaire?

Le paysage naît d'une prise de conscience du moi poétique, et c'est pourquoi les prédécesseurs immédiats de Ronsard -sauf Lemaire de Belges- produisaient tantôt des compositions allégoriques, tantôt des descriptions (**10**) plutôt que des paysages. On perçoit dans ces odes paysages de Ronsard l'image même du poème, image idéale, et à certains égards cet écho rend l'oeuvre inachevée, comme l'appel d'un nouveau sens. La littérature n'a donc pas attendu Mallarmé pour devenir son propre sens, et pour n'aborder le monde qu'à travers l'intuition de son propre pouvoir.

Le paysage n'est en somme qu'une des manifestations de la conscience créatrice, qui sépare le moi des choses, et qui en creusant cette distance nous oblige à construire une vision. Le paysage est en effet contemplé à distance, et notre voyage mental vers ce monde qu'est l'oeuvre d'art ne nous y fait pénétrer que de façon passagère: car le poète et le lecteur savent que ce monde est fictif, qu'il est le produit d'un jeu esthétique et qu'il est fait de signes. Or cet écart - qui explique le caractère presque douloureux de l'émotion esthétique, puisque Ronsard est partiellement dépossédé de cette vision, nous l'avons constaté - a pour effet de structurer l'objet de cette contemplation. Par d'autres voies, le poète procède donc comme le peintre de la Renaissance, qui rêve parfois d'ériger le paysage pictural en objet scientifique, partiellement déterminé par la perspective (11). Il s'agit bien d'une élaboration, et ce paysage de bois et de rivières, feuillu et ramifié, même s'il est constitué de fragments du réel, ne reproduit pas un site. Ronsard invente une vision où l'être humain ne soit pas égaré: il la regagne sur le chaos, et le tourbillon des mots couvre le surgissement de la vie. Le paysage est un exemple de choix pour la thèse hegelienne que l'art est inspiré par du négatif, par l'indigence du beau naturel, thèse longuement examinée par Adorno dans sa *Théorie esthétique.* Ou tout au moins il instaure - notion chère à E. Souriau - ce qui n'était qu'ébauché, il achève la présence en suscitant des formes qui permettront de voir.

Cette création est cependant ambiguë, parce que tout en manifestant la présence de l'esprit et sa victoire sur la naturalité, le parc ou le paysage conserve un peu de la liberté irréductible de la nature. Il constitue pour l'homme à la fois un lieu autre et un chez soi. Tension qui selon Hegel révèle la contradiction de l'art, c'est-à-dire une adéquation impossible entre des formes empruntées à la nature et un contenu spirituel (12). D'une part les *Odes* sont animées par des forces élémentaires et végétales, et c'est même une des nouveautés historiques du paysage ronsardien, où la nature est moins souvent transformée en signes par le symbole ou l'allégorie. L'oeuvre d'art n'élimine pas cette sauvagerie, et Rousseau à son tour refusera de "niveler" le jardin de Julie de Wolmar, "le lieu le plus sauvage", un "désert", terme étonnant parce qu'il pourrait signifier qu'une des visées de l'oeuvre d'art est de représenter un monde sans l'homme. Mais d'autre part ce lieu clos recréé d'ode en ode est un abri, une sorte de *templum* découpé dans le réel (13), et cette nature en réduction, à la façon du jardin japonais, cette partie, est en fait un tout autonome, qui crée son propre espace, comme le montrent la prédominance de certains axes et le rôle des courbes. Le paysage manifeste donc la suffisance de l'oeuvre d'art, monde fermé sur lui-même -ode courbée sur son image- parce qu'il est plénitude.

Ainsi le paysage est d'abord un rapport du moi au monde, et de là vient qu'il constitue un langage métaphorique, qui se réfère au nôtre, une voix intérieure (14). Le fameux "livre de la nature", c'est nous qui l'écrivons. L'homme aide les choses à devenir, et elles l'aident à se constituer. "Toutes ces choses pensent par moi, ou je pense par elles", dit Baudelaire dans le *Confiteor de l'Artiste.* Ce rapport est caractérisé par cette présence dans l'absence qui est le propre de l'imagination. L'argile grasse des paysages ronsardiens est faite pour le contact, mais ces sensations correspondent à une nature dénaturée, refaite pour le bonheur du poète. Leur source est dans une nécessité obsessionnelle qui leur donne une forte unité. Le paysage, ce rêve que le poète fait les yeux ouverts, est le lieu de tous les fantasmes, et il atteste le besoin qu'a l'être humain de regarder ailleurs. C'est un trajet métaphysique, parce qu'il nous fait naître à un monde différent, et nous éveille à une autre qualité d'existence. Cette importance du désir atténue donc la distance qui nous a semblé nécessaire pour que le paysage se constitue en objet esthétique. Hegel nous a appris que le désir nie l'objet dans son altérité, et l'introduit dans le sujet connaissant. Dans cette perspective, l'élaboration du paysage présenterait les deux grands moments - division et unité reconquise - du processus selon lequel s'articule la conscience du moi (**15**).

En définitive, le paysage poétique - bien différent du pictural ou de la séquence cinématographique - est surtout la possibilité de se dire: mais c'est moi, cet être comblé qui contemple la forêt, ou qui écoute cette source... Ce mouvement par lequel le poète se voit regarder le monde change tout, le lieu et l'individu. C'est un passage par l'illusion, mais accompagné de l'étonnement et de l'évidence troublante des révélations authentiques.

Françoise JOUKOWSKY

(Université de Rouen)

NOTES

1. Cf. P. Somville, *Essai sur la poétique d'Aristote*, Paris, 1975.
2. V. les souhaits dans les odes II, 23, *A la forest de Gastine*, et III, 6, *A la fontaine Bellerie*; l'offrande et le voeu dans l'ode IV, 15.
3. Cf. les analyses de Chr. Metz, *Le Signifiant imaginaire*, Paris, 1977.
4. Sur ces réseaux de relations, relativement constants, v. Ch. Mauron, *Des métaphores obsédantes au mythe personnel*, Paris, 1962.
5. Sur cette fonction complète du cadrage, qui est à la fois sélection et ouverture, v. G. Matoré, *L'Espace humain*, Paris, 1962.
6. *L'Oeil vivant*, Paris, 1971, p. 12-13.
7. De même, dans *Les Louanges du Vandomois* (v. 49 sq.), "les Muses honorées" figurent au milieu du poème, et le poète dans son rôle encomiastique, avec une strophe à la louange des Bourbon-Vendôme.
8. Le mot humeur reparaît dans l'ode *De l'election de son sepulcre*, et le verbe distiller dans l'ode *Au fleuve du Loir* ("Loir, dont le cours heureux distille / Au sein d'un païs si fertile...").
9. *Doux* (II, 23; III, 10; IV, 5); *tiède* (I, 17) et le vocabulaire de la fraîcheur tempérée (II, 23 et III, 10); *mou* (II, 25).
10. Il ne semble guère possible de relever dans le paysage des signes linguistiques analogues à ceux qui caractérisent la description (prédominance de certains temps, de certaines formes de syntagme nominal... Cf. Ph. Hamon, "Qu'est-ce qu'une description?", *Poétique*, 12, 1972, p. 465 sq.). Impossibilité qui est sans doute à mettre partiellement en rapport avec cette prise de conscience du moi.
11. Cf. E. Carli, *Le Paysage dans l'art*, trad. fr., Paris, 1980. Sur la peinture comme représentation véridique et scientifique du réel, v. A. Blunt, *La Théorie des arts en Italie de 1450 à 1600*, trad. J. Debouzy, Paris, 1983, p. 45.
12. Hegel, *Esthétique*, trad. S. Jankélévitch, Paris, 1944, t. I, p. 36.
13. Cf. A. Roger, "Ut pictura hortus", dans *Mort du paysage? Philosophie et esthétique du paysage*, Actes du Colloque de Lyon, sous la direction de Fr. Dagonet, Paris, 1982, p.95 sq.
14. Cf. N. Grimaldi, *L'Esthétique de la belle nature*, Actes cités, p. 113 sq.
15. Sur cet aspect de la négativité, cf. J. Kristeva, *La Révolution du langage poétique*, Paris, 1974, p. 122 sq.

JACQUES CARTIER ET LE PAYSAGE CANADIEN:

RÉALITÉ ET IMAGINAIRE DANS LES RELATIONS DE 1534, 1535 ET 1540

Après avoir, il y a quelques années, consacré une étude à l'impact des relations de voyage de J. Cartier sur la littérature de la Renaissance (1), il est apparu à l'évidence que l'oeuvre écrite de ce découvreur méritait d'être étudiée pour elle-même. Sans doute, destinés au roi François Ier, ce sont d'abord des rapports, de caractère nécessairement technique et écrits dans un but politique: il s'agit en effet de mettre en valeur l'intérêt des nouvelles contrées découvertes. Mais on se tromperait à n'y voir que de simples relations de voyage - la description des contrées et de leurs habitants; les talents littéraires du conteur, sa personnalité, son humanisme surtout, donnent à ces relations une dimension toute nouvelle et une richesse qui méritent l'attention.

Dès le début de son récit, le narrateur met l'accent sur les contrastes qu'offrent les îles rencontrées. Une des premières îles n'offre qu'un spectacle de désolation: comme on n'a trouvé dans l'île de Blanc Sablon "autre chose que mousse, petites épines et buissons çà et là séchés et demi-morts", on pense que cette terre "est celle que Dieu donna à Caïn" (2). Mais pour une île aussi désolée, que de terres opulentes, qui regorgent de végétation, d'animaux et de richesses de toutes sortes! Il faudrait évoquer l'île de Brion: "Nous la trouvâmes pleine de grands arbres, de prairies, de campagnes pleines de froment sauvage (...); l'on y voyait grande quantité de raisins, de fraises, roses incarnates, persil et autres herbes de bonne et forte odeur" (3); l'île de Bacchus, ainsi nommée parce que nous "la trouvâmes pleine de fort beaux arbres, comme chênes, ormes, pins, cèdres (...) et pareillement y trouvâmes force vignes, ce que nous n'avions pas vu par ci-devant en toute la terre" (4). La région d'Hochelaga (Montréal) offre "les plus belles et meilleures terres qu'il soit possible de voir (...) pleines des plus beaux arbres du monde, et tant de vignes chargées de raisins le long du fleuve, qu'il semble (...) qu'elles y aient été plantées de main d'homme" (5).

Mais comment ne pas penser au mythe de l'âge d'or, lorsque Cartier, décrivant les rives de Charlesbourg Royal, signale, non seulement "des vignes, chargées de grappes aussi noires que ronces", mais aussi "une grande quantité de chênes les plus beaux que j'aie vus de ma vie, lesquels étaient tellement chargés de glands qu'il semblait qu'ils allaient se rompre"? (**6**)

Cette richesse se retrouve dans la faune rencontrée. Présentant les oiseaux, les quadrupèdes, les poissons, J. Cartier met l'accent sur leur *nombre*: ainsi, dans l'île des Oiseaux "desquels il y a si grand nombre que c'est chose incroyable à qui ne le voit" (**7**). Ailleurs, on découvre "force loutres, bièvres, (castors), martres, reynards..."; leurs *couleurs* et leur forme: "desquels les uns sont grands comme pies, noirs et blancs, ayant le bec de corbeaux" (**8**); ailleurs, on présente "les godets (cormorans) qui ont le bec et les pieds rouges, et font leurs nids en des trous comme conils (lapins)" (**9**).

Comme chez Rabelais, on trouve le goût des longues énumérations, qui sont là pour renforcer l'idée d'exubérance. Evoquant la richesse de la région d'Hochelaga, après les quadrupèdes, l'auteur nous présente les oiseaux, "savoir grues, outardes, cygnes, oies sauvages blanches et grises, cannes, canards..., serins, linottes, rossignols, et autres oiseaux comme en France" (**10**).

Un autre aspect des descriptions qui annonce curieusement Rabelais est, chez Cartier, le goût des comparaisons. Dès la deuxième page de la relation, il nous présente un ours "grand comme une vache, blanc comme un cygne, lequel sauta en mer devant eux". La présentation du poisson nommé *adhothuis* offre les mêmes caractères: "Ils sont blancs comme neige, grands comme marsouins, et ont le corps et la tête comme lévriers..." (**11**).

Si la présentation des paysages a pu, à travers certaines descriptions, évoquer le mythe de l'âge d'or, la prétendue découverte de pierreries et de métaux précieux montre à quel point, chez J. Cartier, l'imagination a pris la place des réalités. Il prend pour argent comptant les descriptions de Taiguragny, le seigneur de Stadaconé (Québec). Il est même "délibéré à le mener en France, pour conter et dire au roi ce qu'il avait vu ès pays occidentaux des merveilles du monde. Car il nous a certifié avoir été à la terre de Saguenay, où il y a infini or, rubis et autres richesses" (**12**).

Mais c'est dans la relation du troisième voyage que J. Cartier fait part de ses merveilleuses découvertes. C'est dans la région de Charlesbourg Royal que près d'une montagne "nous trouvâmes bonne quantité de pierres, que nous estimions être diamans. De l'autre côté de ladite montagne, et au pied d'icelle, se trouve une belle mine du meilleur fer qui soit au monde... et sur le bord de l'eau, trouvasmes certaines feuilles d'un or fin, aussi espaisses que l'ongle". Enfin, "au bout du dit pré, l'on voit des veines de l'espèce des minéraux, qui luisent comme or et argent - et en quelques endroits, nous avons trouvé des pierres comme diamans, les plus beaux, polis et aussi merveilleusement taillés qu'il soit possible à homme de voir, et lorsque le soleil jette ses rayons sur iceux, ils luisent comme si c'étaient des étincelles de feu" (**13**). Malheureusement pour Cartier, or et diamants se révèlent faux: l'or n'était que du minerai de cuivre, et les diamants du cristal de roche.

D'ailleurs, tout ce deuxième chapitre du IIIe Livre présente les mêmes caractères. C'est là que J. Cartier nous parle de l'*anneda* (épine blanche), "lequel a la plus excellente vertu de tous les arbres du monde": on verra ses vertus curatives à propos de l'épidémie du scorbut; ces chênes "tellement chargés de glands qu'ils s'allaient rompre" sont justement ceux qui tiennent une si grande place dans les descriptions de l'âge d'or (**14**). Si la terre, couverte de vignes, produit en quantité des "grappes aussi noires que ronces", Cartier précise qu'au-delà de ces vignes, la terre "donne abondance de chanvre lequel croît naturellement, et qui est aussi bon qu'il est possible de voir, et de même force" (**15**). On sait l'usage que fera Rabelais de ce chanvre, devenu, sous le nom de Pantagruélion, la plante miracle des navigateurs de la Dive-Bouteille. Mais déjà dans la relation du 2e voyage, il avait évoqué ces pays occidentaux, et particulièrement la terre de Saguenay, "où il y a infini or, rubis et autres richesses". Le même chef dit "avoir vu autre pays où les gens ne mangent point, et n'ont point de fondement, et ne digèrent point, ains font seulement eau de la verge... Plus, dit avoir été en un autre pays de Piquemains, et autres pays où les gens n'ont qu'une jambe, et autres merveilles longues à raconter" (**16**).

Plus encore que les paysages rencontrés et décrits, c'est la présentation des indigènes qui fait apparaître les qualités et les richesses des relations de J. Cartier. La présentation physique est d'une grande précision: "de belle taille et grandeur", dit-il. Leur coiffure? "Ils portent les cheveux liés au sommet de la tête, et étreints comme une poignée de foin, y mettant au travers un petit bois, comme clou, et y tient ensemble quelques plumes d'oiseaux". Enfin, il y ajoute une touche de couleur: "Ils se peignent avec certaines couleurs rouges..." (**17**).

Mais il met en même temps l'accent sur leur résistance au froid: "Et sont, tant hommes, femmes qu'enfants plus durs que bêtes: car de la plus grande froidure que nous ayons eu, laquelle était merveilleuse et aspre, venaient par dessus les glaces et neiges tous les jours à nos navires, la plupart d'eux quasi tout nus, qui est chose incroyable qui ne le voit" (**18**). A cette résistance s'ajoute, à l'occasion, une force exceptionnelle: "L'un d'iceux hommes prit le dit capitaine entre ses bras, et le porta à terre ainsi qu'il eust fait un enfant de six ans, tant était icelui homme fort et grand" (**19**).

A ces qualités physiques s'ajoutent des qualités morales, une innocence, une générosité, un heureux caractère, qui forment la parfaite réalisation de la vertu des hommes de l'âge d'or, incarnée à partir du XVIe siècle par le *bon sauvage*. Les indigènes réservent en effet aux découvreurs le plus souvent un accueil festif: "Et tout soudain s'assemblèrent toutes les femmes et filles de la dite ville (...) et nous vinrent baiser le visage, et autres endroits de dessus le corps (...) pleurant de joie de nous voir, nous faisant la meilleure chère qu'il était possible, et nous faisant signe qu'il nous plust toucher leurs enfants" (20). Ils se réjouissent des menus cadeaux qu'on leur fait (couteaux, patenostres et autres menues hardes) et marquent leur reconnaissance "apportans peaux et autres choses qu'ils avaient (...) et tellement s'assurèrent avec nous qu'enfin ils trafiquaient de main à main tout ce qu'ils avaient, de sorte qu'il ne leur resta autre chose que le corps tout nud, parce qu'ils donnèrent tout ce qu'ils avaient..." (21). Même générosité à Hochelaga, où "hommes, femmes, enfans nous apportèrent force poissons, et de leur pain fait de gros mil, lequel il jetait dedans nos barques, en sorte qu'il semblait qu'il tombast de l'air" (22).

Générosité, innocence, joie de vivre surtout, car l'accueil des étrangers, c'est d'abord l'occasion de chants et de danses "comme ils avaient de coutume...". Chants et danses précédés de trois cris et hurlements, qui est leur signe de joie. Danses qui se prolongent tard, ainsi, "au plus près des barques (ils firent) toute la nuit plusieurs feux et danses, et disant à toutes heures *Aguiazé*, qui est leur dire de salut et joie" (23).

Mais, autant que sur les indigènes, les relations de J. Cartier nous renseignent sur les découvreurs, et montrent que leur attitude n'est pas étrangère à l'esprit humaniste qui a marqué si profondément les meilleurs esprits du XVIe siècle. Sans doute, ils viennent avec des visées politiques. François Ier veut s'établir au Canada, à cause des richesses qu'il en espère, et Jacques Cartier fera acte de conquérant en plantant, sur le rocher de Gaspé, une grande croix fleurdelisée au nom du roi. Mais si l'on a mis en avant la conversion des indigènes et "l'augmentation de nostre sainte Foy", c'est aussi, il faut le dire, pour permettre à François Ier de se faire non pas le rival, mais l'émule de Charles Quint, la bulle d'Alexandre VI ayant attribué le Nouveau Monde aux Espagnols (et aux Portugais). De fait, les préoccupations religieuses ne sont pas absentes des relations; elles occupent même une place importante. Sans doute, les noms donnés aux contrées ou aux îles correspondent souvent aux fêtes du calendrier liturgique, ainsi l'île de l'Assomption (24): mais les références antiques ne sont pas ignorées, puisque l'île la plus plantureuse recevra le nom d'île de Bacchus.

L'épisode de l'épidémie de scorbut, qui a gravement menacé l'équipage pendant l'hiver de 1535, fait apparaître ce qu'il y avait de traditionnel, mais aussi d'humaniste dans l'attitude religieuse de J. Cartier. A l'opposé de Rabelais, qui tournera en ridicule les invocations à la Vierge pendant la tempête, le capitaine "fit mettre le monde en prières et oraisons, et fit porter une image et remembrance de la Vierge Marie contre un arbre". On fera célébrer une messe, on chantera les sept psaumes de David, et le capitaine promet de se faire pélerin à Notre-Dame de Rocamadour. On notera cependant que ce n'est pas à la Vierge qu'il demande un miracle, mais on la prie "qu'il lui plust prier son cher Enfant qu'il eust pitié de nous" (**25**). Voilà une démarche qu'Erasme n'eût pas désavouée. Après la prière, le capitaine se fait médecin, et médecin humaniste. On n'hésite pas, en effet, dans un premier temps, à pratiquer l'autopsie des cadavres: "Et fut trouvé qu'il avait le coeur tout blanc et flétri; environné de plus d'un pot d'eau, rousse comme datte; le foie beau, mais avait le poumon tout noirci et mortifié" (**26**). La maladie continuera ses ravages de décembre jusqu'en avril. C'est à ce moment que la rencontre fortuite d'un indigène guéri permet de découvrir le remède: c'est l'anneda, ou épinette blanche, que Domagaya envoie au capitaine, avec l'indication de l'utiliser en compresses ou en décoction. Cette nouvelle médication fait merveille: non seulement elle guérit tous les malades du scorbut, mais "tel compagnon, qui avait la vérole depuis cinq ou six ans, a été par ladite médecine curé nettement" (**27**). Cet éloge, peut-être outré, de la médecine hippocratique, tout à fait dans le sillage de la pensée humaniste, s'accompagne naturellement d'une diatribe contre les médecins de Louvain et de Montpellier, et la médecine arabe. Cet arbre, dit J. Cartier, "a fait telle opération que si les médecins de Louvain et de Montpellier y eussent été avec toutes les drogues d'Alexandrie, ils n'en eussent pas tant fait en un an que le dit arbre en fit en huit jours. Car il nous a tellement profité que tous ceux qui en ont voulu user ont recouvré santé et guérison. La Grâce à Dieu" (**28**).

Faut-il faire une place à la célèbre lettre à François Ier qui ouvre la deuxième relation? On ne sait si elle est de la plume de Cartier, mais le style adopté comme les idées exposées en font un morceau de bravoure de pur style humaniste. Le préambule d'abord: "Considérant, ô très redouté prince, les grands biens et dons de grâce qu'il a plu à Dieu le Créateur faire à ses créatures, et entre autres de mettre et asseoir le Soleil, qui est la vie et connaissance de toutes icelles..." (**29**). Par le ton, par l'élévation de la pensée, on croirait retrouver les premières lignes de la lettre de Gargantua à Pantagruel. Ce style tout cicéronien, qui caractérise si nettement les lettres de Rabelais dans son *Pantagruel*, se retrouve tout au long de cette lettre et s'appuie largement sur la culture antique. Ce qui n'empêche pas, là encore, J. Cartier de faire preuve, em même temps que de culture humaniste, de cet esprit critique qui a caractérisé la première moitié du XVIe siècle. L'auteur évoque en effet les dits "des antiques philosophes et sages du temps passé: divisant la terre en cinq zônes, ils ont dit et affirmé trois inhabitables, c'est à savoir la zône torride (...) et les deux zônes arctique et antarctique (...) mais je dirai en ma réplique que le prince d'iceulx philosophes a laissé parmi ses écritures un bref mot de grande conséquence, qui dit que "experientia est rerum magistra": de fait, les simples mariniers de présent ont connu le contraire de cette opinion des dits philosophes par vraye expérience" (**30**).

Cette première adresse était suivie d'un deuxième propos concernant "l'augmentation de nostre très sainte foy chrestienne", ce qui, nous l'avons noté, permettait à François Ier de pénétrer sur un domaine que revendiquait

Charles Quint. Mais l'attitude de Jacques Cartier est bien différente de celle des conquérants espagnols: à aucun moment il ne songe à ces conversions forcées qui ont été le fait de certains colonisateurs.

Dans un premier temps, le découvreur doit accueillir plusieurs malades "comme aveugles, borgnes, boiteux, impotents, et gens si très vieux que les paupières de leurs yeux leur pendaient sur les joues". La réaction du capitaine est d'abord de prier pour ces malades: "Le dit capitaine, voyant la piété et foy de ce dit peuple, dit l'Evangile de saint Jean, à savoir "in principio", faisant le signe de la croix sur les pauvres malades, priant Dieu qu'il leur donna connaissance de nostre sainte Foy, de la passion de nostre Seigneur, et grâce de retrouver chrestienté et baptème" (31).

Même mouvement au Hable de Sainte-Croix. Aux chefs Domagaya et Taiguragny, à tout le peuple qui réclame le baptême, Jacques Cartier le refuse, parce que, dit-il, "nous ne savions leur intention et courage, et qu'il n'y avait personne qui leur remonstrât la Foy". Et, pour s'excuser, il leur fait entendre qu'à un prochain voyage, il reviendra "avec des prêtres, et du chrême, nécessaire pour le baptême" (32). On ne peut que relever le respect des découvreurs et leur souci de ne pas hâter les conversions. Cette tolérance, ce respect sont assez rares au XVIe siècle pour être signalés.

On peut dès lors s'étonner des jugements portés sur les récits de Jacques Cartier. Peut-on affirmer, comme l'écrit Ch. A. Julien, que c'est "la simplicité du style et l'exactitude des détails" qui font les (seuls) mérites de ce livre? (33) Le goût des oppositions et des couleurs dans la présentation des paysages, l'étude des caractères et du comportement des indigènes, l'attitude même des découvreurs où délicatesse et respect vont de pair avec une attitude religieuse et humaine plus proche de Montaigne que de la tradition médiévale, toutes ces qualités nous mettent bien loin d'un Gonneville ou même d'un Verrazano, et expliquent à eux seuls le profit qu'un Rabelais, c'est notre opinion, a pu tirer des récits de Jacques Cartier.

Charles BÉNÉ

(Université de Grenoble)

NOTES

1. Congrès de Littérature comparée, *Le Voyage* , Grenoble, 1978.
2. Plutôt que dans l'édition excellente de Ch.A. Julien, P.U.F., 1946, malheureusement épuisée, nous ferons nos renvois dans l'édition de René Maran, Paris, Anthropos, 1968, que l'on peut encore se procurer: J. Cartier, *Voyages de découverte au Canada*, p.6.
3. J. Cartier, *op. cit.*, p.9.
4. *Ibid.*, p.35.
5. *Ibid.*, chap. V, p.39.
6. *Ibid.*, 3e Voyage, ch.II, p.73.
7. *Ibid.*, ch.II, p.1.
8. *Ibid.*, ch.II, p.2.
9. *Ibid.*, ch.VI, p.4.
10. *Ibid.*, ch.XIII, p.55.
11. *Ibid.*, ch.III, p.2 et ch.XIII, p.55.
12. *Ibid.*, ch.XIX, p.62.
13. *Ibid.*, 3e Voyage, ch.II, p.74-75.
14. *Ibid.*, ch.II, p.73.
15. *Ibid.*, ch.II, p.74.
16. *Ibid.*, ch.XIX , p.62.
17. *Ibid.*, ch.VIII, p.6.
18. *Ibid.*, ch.X, p.51.
19. *Ibid.*, ch.V, p.41.
20. *Ibid.*, ch.VIII, p.45.
21. *Ibid.*, ch.XVIII, p.15.
22. *Ibid.*, ch.VI, p.42.
23. *Ibid.*, ch.III, IV, VI, p.37, 39 et 42.
24. L'île de l'Assomption est découverte le 15 août 1535 (ch.I, p.29); de même, le détroit rencontré le jour de la fête de saint Pierre sera appelé Détroit de saint Pierre (ch.XXIII, p.21).
25. *Ibid.*, ch.XV, p.57. J. Cartier accomplira ce voeu fait solennellement à Sainte-Croix en faisant le pélerinage de Rocamadour.
26. *Ibid.*, ch.XV, p.57.
27. *Ibid.*, ch.XVII, p.60.
28. *Ibid.*, ch.XVII, p.60.
29. *Au Roy très-chrétien*, p.24.
30. *Ibid.*, p.25.
31. *Ibid.*, ch.VIII, p.46.
32. *Ibid.*, ch.X, p.50.
33. *Les Français en Amérique pendant la première moitié du XVIe siècle*, édité par Ch. A. Julien, R. Berval, Th. Beauchesne, Paris, P.U.F., 1946, p.16.

LE LITTORAL CANADIEN VU PAR ANDRÉ THÉVET

La renommée d'André Thévet est loin d'avoir atteint celle de Jacques Cartier, et, de son vivant même, nombreux furent ses critiques et ses détracteurs. On l'accusa de plagiat, et nous savons puisqu'il l'avoue lui-même qu'il lui est arrivé en effet de s'inspirer des récits de Jacques Cartier (1).

Né d'une famille modeste, Thévet n'eut pas la chance de poursuivre une éducation qu'il aurait pourtant désirée: il en conserva un certain complexe toute sa vie, et dans ses écrits, il essayera de pallier son ignorance par une apparence d'érudition et de connaissances, citant plus ou moins à propos, et pas toujours avec la plus grande exactitude, certains auteurs anciens (2). Cependant Thévet était dévoré par le goût des voyages et il eut le bonheur de rencontrer les protecteurs qui allaient lui permettre d'assouvir cette soif de découverte de nouveaux pays et de pouvoir se livrer ainsi à sa manie de collectionneur; c'est cette dernière qui lui valut sans doute, lors de son retour en France, d'obtenir, en plus de son titre d'historiographe et cosmographe du roi, celui de garde des curiosités du roi (3).

Parmi ses écrits, j'ai retenu l'*Histoire de deux voyages aux Indes Australes et Occidentales* que je complèterai parfois avec *Les Singularités de la France Antarctique*. Le premier est le récit du voyage que Thévet entreprit le 6 mai 1555 en compagnie du chevalier de Villegaignon; ce texte comporte de nombreuses observations de pilotage destinées aux futurs navigateurs, à partir de la description du littoral que l'on retrouve en partie dans *Les Singularités*; cette dernière oeuvre contient davantage de renseignements sur leur apparence, leur mode de vie, leurs coutumes, leur habillement. Cependant, dans cette brève étude, je laisserai de côté toute la partie du voyage depuis la France jusqu'au Brésil pour me consacrer uniquement à celui qui commence depuis les côtes de la Floride péninsule jusqu'à la Terre de Canada, comme les appelle Thévet; il semble en effet, qu'à l'exemple de Verrazano, Thévet ait été l'un des premiers à effectuer le voyage sud-nord le long de cette côte nord-américaine, jusqu'au fleuve Saint-Laurent. Il eût peut-être été logique d'établir un plan rigoureux, mais j'ai préféré me contenter de suivre pas à pas le déroulement du récit de Thévet; et ce que j'ai l'intention de faire c'est, dans la mesure de mes connaissances du pays, de comparer ses descriptions et ses remarques sur les pays rencontrés avec la réalité contemporaine.

Les aventures commencent dès le départ de la Floride car, en effet, Thévet et ses compagnons voient approcher des navires prêts à les aborder: ils se trouvent dans l'obligation de tourner "bride droit au cap de St.-Jean, dans une baye dangereuse, pour les six petites isles, qui sont à son entrée, et plusieurs rochers à fleur d'eau". Après cette alerte, le voyage se poursuit le lendemain, jusqu'aux rivières Grande et de Doué-Madre entre lesquelles se situent les montagnes vertes; et c'est là qu'ils découvrent "le plus beau marbre jaspé de vert, et de plusieurs autres couleurs que l'on pourrait trouver au monde". Il est reconnu que cette région dont le marbre avait émerveillé Thévet continue à produire de nos jours le marbre le plus beau des Etats-Unis.

C'est alors que les navigateurs, continuant vers le nord, atteignent la "terre de Canada", abordant ainsi la côte sud de la Nouvelle-Ecosse actuelle. Cette région "est habitée de plusieurs gens d'assez grande corpulence, fort malins et portans ordinairement visage masqué et déguisé par linéaments de rouges et pers: lesquelles couleurs ils tirent de certains fruits" (4). Plus loin, il décrira ces sauvages comme un peuple autant obéissant et amiable qu'il est possible", qui se déplace, en hiver, en chaussant des raquettes, méthode qui subsiste de nos jours, en particulier pour la traversée des forêts, lorsque la neige est trop épaisse. Ce peuple est revêtu de peaux de cerfs et sait fabriquer un breuvage, soit à partir du sapin du Canada, soit à partir de l'épinette, breuvage qui aurait l'art de guérir toute maladie et qui fera d'ailleurs merveille chez les marins de Jacques Cartier atteints du scorbut (5). Il serait facile, pense Thévet, de peupler ce pays et d'en devenir les maîtres: non loin de l'embouchure de ce qu'il nomme la plus belle rivière de toute la terre, - je pense qu'il s'agit de la rivière St-Jean à l'entrée de la baie de Fundy - se trouve une petite île; dans cette île "on pourrait faire une forteresse très belle pour tenir en bride toute la coste... nul ne serait si hardi d'en approcher". N'est-ce pas là ce que tentera de faire, au siècle suivant, le Seigneur de Monts à l'île de Ste-Croix? Ce projet échouera d'ailleurs, l'île n'offrant que peu de ressources et ne présentant, alors, qu'un séjour peu attrayant (6).

Ce que Thévet semble avoir réellement pressenti cependant, lors de son voyage, c'est la richesse incroyable de toute la côte de ce pays du Canada, et les immenses possibilités que ce dernier pourrait offrir. Envisageant l'établissement de la France sur ces terres, Thévet mentionne un avantage important sur un établissement au Brésil: la durée du voyage à partir de la France serait diminué de moitié. Lorsqu'il atteint la limite canadienne, Thévet se demande, et c'était là la préoccupation de tous les explorateurs de l'époque, si toute cette région ne renfermerait pas des richesses en métaux et minerais; même si la réalisation n'en sera pas immédiate, son espoir ne sera pas vain: au cours du XVIe siècle, une mine de fer fut mise en exploitation dans la région de Boston (à Sangus), mais ne se révélant pas très riche, elle dut être fermée au cours du XVIIe siècle. Par contre, il existe toujours des mines de charbon dans l'île de Cap Breton en particulier; tout le long de la côte qui s'étend de Boston jusqu'au Labrador se trouvent nombre de mines isolées de plus ou moins grande importance, mais il ne fait aucun doute que le Labrador est devenu une riche région industrielle grâce à l'exploitation du minerai de fer entre autres. De plus, le fond de la baie de Fundy est appelé Minas Basin, le Bassin des Mines, et là de riches mines de gypse sont toujours extrêmement prospères. Le sol de la Nouvelle-Ecosse continue d'attirer les prospecteurs dont les efforts aboutissent parfois: l'exploitation d'une mine de zinc et d'étain, dans la région de Yarmouth, et la découverte de gisements d'or viennent d'être annoncés tout récemment. Quant à la production possible de sel qu'entrevoyait Thévet, elle se réalisera elle aussi, puisque c'est toujours à Pugwash, en Nouvelle-Ecosse, une source de revenus importante.

Thévet imagine aussi la richesse que pourrait apporter le trafic de peaux "car le pays renferme nombre d'animaux de toutes grandeurs et fort rares", dit-il: là encore ses prévisions se révèleront justes, même si ce n'est qu'à la fin du siècle que le trafic de peaux prendra de l'extension et deviendra une industrie prospère. Cependant, dès 1550, donc à l'époque même du voyage de Thévet, les Indiens du littoral de l'actuelle province de Nouvelle-Ecosse s'étaient rendu compte du profit qu'ils pourraient tirer de cette exploitation: très vite, ils se transformèrent en trappeurs et commencèrent à échanger, avec les pêcheurs, leurs vêtements de peaux contre couteaux, haches, flèches de métal et pots. Ils étendirent même plus tard ce troc avec les Indiens de l'intérieur du pays: c'est à cette date qu'ils abandonnèrent les outils de pierre et renoncèrent à la fabrication de poteries qui leur était propre (7). Comme de nombreuses régions du Canada, la Nouvelle-Ecosse n'est plus, de nos jours, le repaire de bêtes sauvages, mais il serait peut-être intéressant de noter que les élevages de cette province ont la réputation de fournir, entre autres fourrures, les plus beaux visons canadiens: je n'irai pas cependant jusqu'à prétendre que les prévisions et la perspicacité de Thévet avaient une telle étendue!... Et pourtant, lorsqu'il est impressionné par la beauté des forêts et la qualité des bois, envisageant combien la construction de navires pourrait devenir prospère et prendre de l'extension, là encore, l'avenir lui donnera raison: sur la côte sud de la Nouvelle-Ecosse se trouvent de nombreuses entreprises - familiales pour la plupart et remontant à fort loin - de constructions de voiliers; elles sont toujours extrêmement prospères et ont atteint une renommée mondiale avec, en particulier, la construction du "Blue Nose", grand voilier qui est devenu en quelque sorte l'emblème de la province, et figure même sur l'une des pièces de monnaie canadienne. Une autre industrie possible que Thévet avait encore pressentie est celle de la pêche car, dit-il, "la mer fourmille en morues", et il ajoute que cela pourrait permettre la création de nombreux magasins de poisson salé. Toutes les provinces maritimes tirent effectivement une grande partie de leurs ressources du produit de la pêche, et en Gaspésie, région du nord du Québec, on peut toujours voir les filets de morue séchant sur des claies en plein air, selon une méthode artisanale qui n'a pas dû évoluer beaucoup depuis l'époque de Thévet.

Au cours de son premier voyage, Thévet avait eu l'occasion, en allant à terre, de rencontrer un "roytelet" et sa suite; il raconte la journée passée avec ces indigènes qui ont invité les voyageurs à manger et à boire, et avec qui de menus présents furent échangés. Ces "sauvages" sont vêtus de peaux de bêtes de la tête aux pieds et ceci s'explique puisque "toute cette terre est entourée par la mer glaciale, elle est très septentrionale et proche du pôle, ce qui explique combien elle est froide". Ce peuple chez lequel l'homme prend deux ou trois épouses, sans cérémonie particulière, semble supposer qu'il existe un Créateur plus grand que le soleil, la lune et les étoiles et croit que "l'âme est immortelle, et que si un homme verse mal, après la mort un grand oyseau prend son ame et l'emporte; si au contraire, l'ame s'en va en un lieu décoré de plusseurs beaux arbres, et oyseaux chantans melodieusement". Ces "pauvres gens sont universellement affligez d'une froideur perpétuelle, pour l'absence de Soleil". Leurs maisons sont construites en demi-cercle, couvertes d'écorce d'arbres ou de joncs marins. Elles sont inconfortables, et il arrive qu'elles s'écroulent sous le poids de la neige. Cependant, malgré ce froid intense - ou plutôt grâce à ce froid - à l'inverse des habitants des pays chauds, les Canadiens sont "puissans et belliqueux, insatiables de travail! Thévet s'explique: les peuples septentrionaux ont "la chaleur naturelle serrée et contrainte dedans par le froid extérieur qui les rend ainsi robustes et vaillans" (**8**). Toujours en raison du climat, ce sont de gros mangeurs, ce qui est cause de nombreuses famines, d'autant plus que tout étant gelé en hiver, y compris lacs et rivières, ils ne peuvent trouver ni fruits ni racines pour se nourrir.

Continuant leur route vers le nord, les voyageurs sont impressionnés par "l'énorme et effroyable grandeur des baleines" et Thévet profite de cette constatation pour disserter sur l'ineptie de son rival, Belleforest, qui fut lui aussi historiographe du roi, et qui prétend avoir vu des baleines en Méditerranée ou en mer Caspienne. "Voilà que c'est que se persuader chose non seulement difficile à croire, mais du tout fausse", conclut Thévet. Le navire atteint, dans l'estuaire du fleuve Saint-Laurent, l'île de l'Assomption, actuelle Anticosti. Cette île à la roche blanche "comme fin albâtre" est peuplée d'animaux sauvages, ours et loups cerviers entre autres. Au sud de l'île se trouve le cap du Mont-Notre-Dame, formant l'actuelle Gaspésie. En opposition frappante avec la contrée glacée dont il avait parlé auparavant, Thévet décrit cette région presque comme un paradis terrestre: la verdure et les arbres fruitiers y abondent, car le climat est tempéré. Cartier n'a t-il pas baptisé cette baie, baie des Chaleurs? Thévet décrit cette végétation composée de rosiers, framboisiers, noisetiers, poiriers, noyers, tous arbres de pays tempérés; il note que si la terre était cultivée, elle produirait "d'aussi bons fruits que ceux de par deçà (car) il fait là plus chaud qu'en beaucoup d'endroits dela France".

Jacques Cartier avait fait lui aussi une remarque absolument identique, établissant une comparaison avec le climat de l'Espagne (**9**). Là encore la pêche est extrêmement fructueuse, bien plus qu'à Terre-Neuve, et un grand nombre d'oiseaux, canards, oies sauvages, cygnes, cormorans, fréquentent ces lieux. A partir de l'île de l'Assomption le voyage se poursuit jusqu'à l'embouchure de ce fleuve Saguenay qui semble avoir exercé une si grande attraction sur tous les premiers voyageurs. Thévet décrit cette embouchure comme étroite et dangereuse, avec de nombreux rochers, mais le fleuve s'élargit jusqu'à ressembler à un grand bras de mer: d'après les sauvages, la rivière aboutirait à la mer pacifique, mais Thévet se rend compte qu'ils se trompent vraisemblablement; sans doute pouvons-nous comprendre, de nos jours, l'erreur de ces indigènes, car, en remontant le Saguenay, on aboutit au lac St.-Jean, et à travers lacs et rivières on peut atteindre la baie d'Hudson, cause probable de leur méprise. Aux abords du Saguenay les voyageurs sont encore une fois frappés et effrayés par la prolifération des baleines: de nos jours on peut toujours voir des baleines batifoler dans ce large estuaire dont la traversée se fait en bac et c'est cet estuaire que Jacques Cousteau a choisi pour faire ses recherches sur les baleines qui, selon l'expression qu'aurait employée Thévet, y "fourmillent". Des marins français, espagnols, basques, anglais et portugais venaient régulièrement pêcher la morue sur les bancs de Terre-Neuve; dès 1504 on a signalé la venue de marins bretons qui faisaient sécher le poisson sur place, utilisant vraisemblablement pour cela une méthode identique à celle qui se pratique toujours en Gaspésie. Mais poussant plus loin, chaque année, les Basques remontaient jusqu'au Saguenay pour pratiquer la pêche à la baleine: Thévet nous apprend que, pour se protéger de leurs ennemis, ils descendaient sur l'île de Minigo (identifiée depuis comme l'île aux Basques). Là se trouvait la plus belle pêcherie de baleines que Thévet et ses compagnons aient jamais vue. Pour faire fondre la chair des cétacés, les Basques avaient construit sur l'île des fours dont trois ont depuis été mis à jour (**10**).

A partir de l'estuaire du Saguenay, il semble que le voyage se soit poursuivi vers le nord, en direction de Belle-Isle. La mer devient dangereuse, car assez herbeuse, et Thévet précise qu'il ne faut naviguer qu'en plein jour; de plus, cette mer est souvent prise par les glaces "hautes comme maisons, larges à la même proportion", qui sont souvent cause de naufrages. Il est bien reconnu que, pendant de longues années, jusqu'à la création récente de la voie maritime, le Saint-Laurent n'était pas navigable en hiver, et de nos jours, avant d'atteindre la ville de Québec, les vaisseaux devaient être guidés par le pilote pendant toute une journée en raison de l'étroitesse du chenal navigable. Poursuivant son récit, Thévet nous apprend que, proche de Belle-Isle, se trouvent les Trois Châteaux, hautes montagnes à l'extrémité du Labrador et que la côte redevient ensuite basse et sablonneuse. C'est à proximité, à France-Roy, que Robertval construisit un petit fort, non loin de l'île des Démons - rebaptisée depuis l'île de la Demoiselle - où avaient été exilés la nièce de Robertval et son amant. Thévet relate cette tragique histoire qui formera la trame du 67e conte de l'*Heptaméron* de Marguerite de Navarre, premier roman exotique autour d'une aventure survenue au Canada (11). De cette ile des Démons il est facile aux navigateurs d'atteindre Terre-Neuve puis l'île du Cap-Breton où abondent ports et rades; aux alentours se trouvent nombre de petites îles. Le seigneur de Robertval en fit défricher une dans l'espoir d'y établir un fort, mais le vaisseau transportant les soldats fut pris dans la tempête et perdu corps et biens. Thévet raconte également qu'une barque de pêche avec sept matelots et trois sauvages à bord avait subi le même sort deux mois auparavant. Mais cette fois, la barque avait heurté une baleine qui l'avait soulevée et projetée à la mer.

Thévet arrive ainsi à la fin de son récit et il précise à nouveau, dans l'*Histoire des deux voyages*, que le seul but de cet ouvrage était de servir de manuel de pilotage aux matelots qui entreprendraient le voyage le long des côtes canadiennes. En tant que tel, il est à noter que son récit est utile et précis, car il a bien signalé les abords dangereux des côtes, dont ceux qui sont toujours réputés pour l'être: des amateurs de navigation à voile m'ont confirmé, par exemple, que la côte est de l'île du Cap-Breton est extrêmement dangereuse, tout comme l'avait fait remarquer Thévet.

L'*Histoire* se termine par un "petit dictionnaire de la langue des Canadiens" qui présente pour nous l'intérêt de préciser certains détails de l'habillement, mais davantage encore, celui de nommer certains animaux, fruits ou légumes qui devaient par conséquent être connus des indigènes: ce n'est pas sans étonnement en effet que nous relevons les équivalents pour les amandes, les figues, les pruneaux, les grappes; mais nous savons que les premiers voyageurs avaient trouvé des vignes poussant à l'état sauvage. Thévet a noté que les indigènes se nourrissaient, entre autres, de fèves et de courges: de nos jours fèves au lard et tartes à la citrouille sont partie de mets typiquement canadiens. A propos de la nourriture, Thévet avait aussi mentionné l'existence "d'une petite graine fort menue, ressemblans à la graine de Marjolaine, qui produit une herbe assez grande. Cette herbe est merveilleusement estimée", ajoute-t-il: il s'agit du tabac. Thévet revendique l'honneur d'avoir été le premier à introduire cette plante en France, et il s'élèvera contre l'imposture de Nicot. Pourtant, si Thévet a conservé l'anonymat à ce sujet, peut-être les nombreuses campagnes anti-tabac modernes apaiseront-elles son ressentiment?...

Enfin, notant les coutumes des indigènes, Thévet décrivit la chasse au cerf, sport toujours extrêmement populaire à notre époque. Les indigènes dépeçaient l'animal sur place, sans doute pour des raisons de facilité de transport; à présent, les chasseurs se contentent d'éventrer et de vider l'animal sans le dépecer, préférant exhiber leur trophée dans un retour triomphant!

Au terme de cette brève étude, j'espère être parvenue à réhabiliter quelque peu la mémoire de Thévet. Je suis d'accord avec ses détracteurs sur le fait qu'il n'était pas un grand écrivain et que bien des détails qu'il donne sont sans importance. Mais il a laissé entrevoir cependant ce que pouvait devenir ce pays qu'il découvrait. En lisant son texte, il semble parfois qu'il nous parle du Canada moderne...

Renée LEDWIGE

(Université de Wolfville)

NOTES

1. *Les Singularités de la France Antarctique*, éd. par Paul Gaffarel, Paris, Maisonneuve et Cie, 1878, p.397.
2. *Ibid.*, Introduction, p. XIX.
3. *Ibid.*, Introduction, p. XXII.
4. *Ibid.*, p. 400.
5. *Ibid.*, p. 404.
6. *Nos racines*, Robert Laffont, Montréal, 1980, t. I. p.78.
7. *The French period of Nova Scotia 1500-1758*, John E. Erskine, 1975.
8. Près de deux siècles plus tard, Montesquieu exposera exactement la même théorie: *Esprit des lois*, Livre 4, chap. 2 (éd. Garnier, p. 222).
9. *Singularités, op. cit.*, p. 401.
10. *Nos racines, op. cit.*, t. 1, p. 69.
11. *Ibid., op. cit.*, t. 1, p. 73.

NATURE ET CULTURE

DANS LES PREMIÈRES DESCRIPTIONS DE LA NOUVELLE-FRANCE

Les textes que je vais analyser synthétiquement ont été écrits pendant les premières décennies du XVIIe siècle, à une époque, donc, qui n'appartient plus, à proprement parler, à ce qu'on pourrait appeler l'été de la Renaissance mais plutôt à son automne, si l'on accepte la périodisation proposée, sous forme métaphorique, par les participants du XIIIe Colloque International d'études humanistes de Tours (1). Ce Colloque, nous le savons, a porté sur la culture littéraire et artistique des années 1580-1630. Mais rassurez-vous, je ne vais pas reprendre ici une discussion terminologique; je veux simplement justifier le choix de textes d'une période aussi tardive: d'une part, les années 1600-1630 marquent une étape stratégique dans l'évolution de la description, d'autre part, après les voyages de Gonneville, Verrazano, Cartier et Roberval (1502-1543), la France, empêtrée dans les guerres de religion, abandonnera pendant environ soixante ans l'exploration des terres canadiennes.

Au cours des premiers lustres du XVIIe siècle, un nombre important de *Relations* ou d'*Histoires* consacrées à ces contrées lointaines et encore très peu connues paraît en France: celles de Champlain, Lescarbot, Biard, Sagard, puis celles des Jésuites qui s'échelonnent de 1632 à 1672. Leurs auteurs appartiennent à divers groupes sociaux-professionnels et poursuivent des objectifs différents. L'explorateur Champlain cherche le passage du Nord-Ouest vers la Chine et tente d'installer une colonie sur les bords du Saint-Laurent; intellectuel déçu par son pays et à la recherche de nouvelles expériences, l'avocat Lescarbot chante les vertus de la colonisation à la Française, mais ne séjourne qu'un an en Acadie. Biard et Sagard appartiennent à des ordres concurrents en Nouvelle-France: le premier est un frère récollet et le second un jésuite, dont la compagnie obtient le monopole de l'évangélisation au Canada à partir de 1632. Mais par delà cette diversité d'appartenances et de tempéraments, une expérience commune rassemble ces écrivains, ou pour mieux dire, ces scripteurs: tous ont observé "oculairement" (selon l'expression de Lescarbot) les mêmes paysages.

J'analyserai donc les textes des trente premières années du XVIIe siècle; toutefois je ne suivrai pas l'ordre chronologique, car l'écart entre les auteurs ne vient pas d'une évolution des mentalités ou de la technique de la description, me semble-t-il, mais de la perception individuelle de l'impact de la nature sur chacun des observateurs. Perception qui est à son tour conditionnée par les différents buts qui ont déterminé ces personnes à traverser l'océan.

Dans la *Relation de la Nouvelle France* du jésuite Pierre Biard (écrite en 1614) (**2**), le paysage est pratiquement absent (**3**). Ce missionaire ascétique et intransigeant, citadin déraciné, gomme le milieu naturel difficile où il vit, car son seul but est de "faire une moisson plantureuse" (**4**) de conversions. Après avoir affirmé hâtivement: "le pays n'est qu'une forêt infinie" (**5**), il passe aux problèmes de l'implantation des Français et décrit minutieusement les rapports avec les Amérindiens. Sa Relation constitue un des premiers documents ethnographiques touchant les indigènes installés sur les côtes du Nouveau Brunswick et du Maine actuels.

L'aventure évangélisatrice américaine se déroule dans un espace dépourvu de toute caractérisation précise. Parce que la grâce de Dieu ne l'a pas encore éclairé le territoire acadien n'est, selon la formule métaphorique de Biard, qu'un "horrible désert". Le paysage n'arrête donc pas le regard ni ne stimule la plume de ce soldat de la croix, tout engagé dans son combat "pour dompter les monstres infernaux et introduire la police et la milice du ciel" (**6**) dans un pays lointain.

Le second missionnaire, Gabriel Sagard, est lui aussi beaucoup plus intéressé par la réalité ethnographique que par le cadre naturel. Dans son *Grand Voyage au pays des Hurons*, publié en 1632, mais relatant un séjour fait huit ans auparavant (**7**), il s'attache à décrire avec sympathie la vie et les moeurs des Hurons qu'il admire dans la mesure où sa vision du monde pouvait lui permettre de comprendre une culture si éloignée de la sienne. Cependant, le paysage n'est pas tout à fait absent de son oeuvre; il y apparaît de manière épisodique et morcelée. Ainsi que l'a déjà souligné fort à propos Réal Ouellet (**8**), pas de vastes horizons chez Sagard, pas de réactions face à l'immensité de la forêt canadienne. Il ne prend pas de recul pour dominer un panorama et en organiser la description, il ne campe pas des ensembles. Le paysage est atomisé, vu comme à travers un téléobjectif. Sagard semble incapable d'utiliser le grand angle qui permettrait d'avoir une vision d'ensemble. Son regard myope se pose sur les détails (un oiseau, une fleur, une mouche...), sans les situer dans un décor. Sa technique descriptive rappelle celle d'un pointilliste. Sa sensibilité est éveillée par les "curiositez" naturelles: les évolutions des baleines et des baleinots, les couleurs vives de la dorade, les fruits et les baies exotiques, les animaux inconnus, etc.

Son observation naît de l'étonnement constant face à tout ce qu'il considère "merveille de Dieu". Le missionnaire, perdu dans son regard admiratif, voit partout le signe de la Providence, les marques de la gloire de Dieu (9).

Dans ses descriptions euphoriques l'émotion esthétique (soulignée par les formules comme "je prenais plaisir à voir"), prime généralement sur l'information fonctionnelle. Le frère récollet s'abandonne au hasard des trouvailles qui retiennent son attention et ne cherche pas à établir de liens entre les objets ou entre les données d'un paysage. Comme un enfant fasciné il se livre à l'énumération: "et puis il y a (...) et puis il y a (...) et il y a encore (...)" (10), procédant par accumulation paratactique où le foisonnement des détails l'emporte sur les capacités organisatrices. On pourrait, bien entendu, se demander si ce regard émerveillé n'est pas la conséquence d'un schéma mental préconçu "d'une disposition de l'esprit à l'égard du monde", comme l'a défini Gérard Genette qui, en parlant de l'attitude analogue du père Binet (11), souligne que cette recherche du rare et de l'étonnant tient à l'attitude de l'observateur plutôt qu'à la nature des choses elles-mêmes.

Les territoires nord-américains retiennent davantage l'attention d'un laïc nourri d'une solide culture classique et religieuse comme l'avocat Marc Lescarbot. Son *Histoire de la Nouvelle France*, qui entre 1609 et 1618 eut trois éditions (12), multiplie les descriptions de lieux alternant avec les passages narratifs. Certes, souvent Lescarbot se contente de reprendre et de commenter les relations de Cartier et les deux premiers ouvrages de Champlain, puisque son expérience directe du Nouveau Monde se borne à un court séjour à Port Royal et dans ses environs. Dans ce cas, ses descriptions topographiques présentent de manière impersonnelle la géographie physique de telle ou telle partie du territoire: mention des îles, baies, rivières, ports, etc., et dimension en lieues; suit l'énumération des richesses végétales et une évaluation des caractéristiques du sol en vue de son exploitation éventuelle. Les descriptions de Lescarbot visent donc, généralement, à communiquer des informations susceptibles d'être utiles aux Français intéressés par le projet de colonisation de la Nouvelle France. La description se réduit alors à une somme de données chorographiques et économiques. Parfois cependant elle se charge de souvenirs personnels et marque les coordonnées spatio-temporelles du point d'observation. Le détail exotique, la particularité curieuse animent alors le paysage, le rendent vivant et vécu, révèlent l'attitude contemplative du voyageur, comme dans cette description du premier emplacement de la colonie:"

> Port Royal (est) le plus beau séjour que Dieu ait formé sur terre, remparé d'un rang de douze ou quinze lieues de montagnes, du côté du Nort, sur lesquelles bat le soleil tout le jour, et de coteaux au côté du Su ou Midi; lequel au reste, peut contenir vingt mille vaisseaux en assurance

> ayant vingt brasses de profondeur à son entrée, une lieue et demie de large et quatre de long jusques à une île qu'à une lieue française de circuit; dans lequel j'ay veu quelquefois à l'aise nouer une moyenne baleine qui venait avec le flot à huit heures au matin par chacun jour. Au reste, dans ce port se pêche en la saison grande quantité de harens, d'épelans - ou éperlans - sardines, bars, morues, loups marins et autres poissons (...). Or, pour reprendre nostre fil..." (**13**).

Les indications topographiques, caractéristiques d'un portulan et les énumérations des variétés de poissons contenues dans la baie de Port Royal, c'est-à-dire des éléments utilitaires, se mêlent aux remarques esthétiques exprimées sous forme d'hypotypose: "Le plus beau séjour que Dieu ait formé sur terre(...) sur lequel bat le soleil tout le jour", et à l'évocation de détails précis issus d'une expérience personnelle du lieu "j'ai veu quelquefois(...) une moyenne baleine(...) a huit heures du matin". Ces éléments différents, juxtaposés plutôt qu'organisés, transcrits dans le texte à travers des formes verbales tantôt personnelles, tantôt impersonnelles, dénotent cependant chez l'auteur le désir non seulement de répertorier des données chorographiques et économiques de caractère général, mais aussi de "faire vrai". L'expérience individuelle permet d'animer les données objectives et, implicitement, suggère que la terre acadienne respire une atmosphère rassurante, regorge de richesses naturelles et de beauté, bref évoque le topos du paradis terrestre (**14**).

La dernière phrase de cette citation ("or pour reprendre nostre fil"), souligne que dans le code littéraire de la prose de l'époque, la description relevait encore en grande partie de l'*ornatus*: considérée comme une interruption de l'énoncé narratif, elle s'enchâssait dans la structure dominante du récit.

Samuel Champlain fut, avant tout, un infatigable explorateur. Ses *Voyages* relatent les étapes successives de la découverte des territoires canadiens du bassin du Saint-Laurent et des régions environnantes. Les paysages qu'il décrit sont dynamisés par le mouvement de l'observateur qui avance, se déplace, change de perspective. L'espace donné à voir, souvent dramatisé par la présence du danger imminent, est donc essentiellement l'espace de l'aventure et de l'appropriation réelle ou symbolique. Son regard est celui d'un découvreur méticuleux qui s'attache surtout à tansmettre les éléments utilitaires de ce qu'il voit au fur et à mesure qu'il pénètre dans l'immensité du pays en remontant fleuves et rivières. Il s'attache donc à mesurer l'espace et à évaluer les distances, les reliefs; en alternant description et commentaire il porte des jugements de valeur avec la compétence d'un expert agronome:

> "Québec (...) est un détroit de ladicte rivière de Canadas, qui à quelque 300 pas de large; il y a à ce destroit du

> costé Nort une montaigne assez haute qui va en abaissant les deux costéz: tout le reste est pays uni et beau, où il y a de bonnes terres pleines d'arbres, comme chesnes, cyprèz, boulles, sapins et trembles, et autres arbres fruitiers, sauvages et vignes (...). Il y a le long de la coste dudict Québec des diamans dans des rochers d'ardoise, qui sont meilleurs que ceux d'Alençons. Dudict Québec à l'isle au Coudre, il y a 29 lieues (...), le pays va de plus en plus embellissant; ce sont toutes terres basses, sans rochers, que fort peu (...).
> Toute cette terre est noire (...) si elle estoit bien cultivée elle seroit de bon rapport (...). La dicte rivière est plaisante, et va assez avant dans les terres. Tout ce costé du Nort est fort uni et agréable (...). Plus nous allions en avant et plus le pays est beau (...). Tout ce pays est une terre basse, remplie de toutes sortes d'arbres (...). Toute bonne terre pour cultiver (...). Le jour suivant nous feismes quelques lieues et passames aussi par quantité d'autres isles qui sont très bonnes et plaisantes pour la quantité de prairies qu'il y a" (**15**).

Cette longue citation met en relief la juxtaposition d'éléments fragmentaires qui ne permet pas de reconstruire l'ensemble spatial observé d'un regard sûr: plutôt que les aspects esthétiques de la nature, les adjectifs *beau*, *agréable*, *plaisant*, *bon*, définissent des qualités fonctionnelles, liées à la fertilité du sol, à la richesse de la végétation, à l'abondance du gibier, sans qu'aucune émotion personnelle ne vienne animer l'énoncé comme il arrive parfois dans la description de la Floride par Laudonnière.

Dans cette perspective purement fonctionnelle, qui d'ailleurs était généralisée à l'époque, les terres montagneuses et rocheuses, donc inaptes à l'exploitation agricole, sont définies *mal-aggréables*, *malplaisantes* (**16**). Dans d'autres passages (**17**), quand il écrit, par exemple, "ce qui est déserté (c'est-à-dire *défriché*, *cultivé*) en ces lieux est assez agréable" (**18**), Champlain pousse encore plus loin l'identification du *beau* à l'*utile*: le *beau paysage* est celui qui a été façonné par l'intervention de l'homme; à tel point que le "beau pays" est celui des Hurons, "sauvages" semi-sédentaires, cultivateurs de maïs, tandis que le pays "incommode" correspond au territoire des Algonquins, chasseurs nomades.

La beauté de la nature naîtrait donc, pour Champlain, de l'action humaine et ne serait pas l'état édénique d'un territoire incontaminé tel que le percevra plus tard, à partir de Bougainville et de Bernardin de Saint-Pierre, une sensibilité nouvelle, qu'on appellera pré-romantique.

Quoi qu'il en soit, il n'en demeure pas moins que chez Champlain, comme chez les auteurs dont nous avons parlé, la particularité des descriptions ne tient pas à la réalité objective de ces terres nouvelles qui nous serait communiquée, mais plutôt au regard qu'elles nous révèlent, c'est-à-dire, à une recréation intellectuelle plutôt qu'à une expérience de la réalité.

De la lecture de ces récits de voyage il ressort que, malgré le caractère exceptionnel du paysage canadien, par rapport au paysage français - surtout pour des Français de cette époque -, le cadre naturel laisse peu de traces dans les textes.

Le regard des explorateurs, des missionnaires, des colons saisit bien plus intensément les données ethnographiques, l'exotisme anthropologique, que le cadre géographique où vivent les autochtones. Peut-être était-il anachronique de chercher dans ces textes une sensibilité généralisée à l'égard du paysage en tant que décor esthétique. Il faudra, en effet, attendre encore environ un siècle et demi pour trouver unies, dans la page écrite, émotion et description de paysage.

Paolo CARILE

(Université de Ferrare)

NOTES

1. Dont les Actes, réunis par J. Lafond et A. Stegmann, s'intitulent, justement, *L'Automne de la Renaissance*, Paris, Vrin, 1981.
2. Mais publiée en 1616 par l'éditeur lyonnais Louys Muguet.
3. La seule exception est la description d'un lieu où les Jésuites, après la destruction de Port Royal par les Anglais, essaient de fonder la nouvelle colonie du Saint-Sauveur (p. 225), havre tranquille et plaisant avec tous les éléments d'un *locus amoenus* au bord de la mer. Cet endroit, désigné par Dieu, selon la conviction du missionnaire, ne pouvait avoir que toutes les caractéristiques d'un petit paradis terrestre. Cette unique exception n'est donc pas le signe d'une attention au paysage mais la reprise d'un lieu commun rhétorique.
4. *Relation de la Nouvelle France, op. cit., Au Roy.*
5. *Ibid.*, p. 4.
6. *Ibid.*, Avant-propos.
7. A Paris, chez Denys Moreau.
8. Dans un texte encore inédit qu'il m'a aimablement communiqué.
9. On peut associer cette attitude au fait qu'il était franciscain, donc porté à glorifier joyeusement la nature en tant qu'oeuvre divine, en tant que manifestation de la bonté et de la perfection de son créateur, ainsi que l'avait glorifiée saint François d'Assise dans le *Cantique des créatures*. Sur la technique descriptive de Sagard, je renvoie à l'article fort intéressant de R. Ouellet, "Héroïsation du protagoniste et orientation descriptive dans le *Grand voyage au pays des Hurons*", *Voyages, récits et imaginaire*, Biblio 17, "Papers of French Seventeenth Century Literature", 1984, p. 219-239.
10. *Le Grand voyage au pays des Hurons*, *op. cit.*, p. 299 et *passim.*
11. G, Genette, *Figures*, Paris, Seuil, 1966, p. 178.
12. A Paris, chez Jean Millot et chez Adrian Périer.
13. M. Lescarbot, *La Conversion des Sauvages*, Paris, chez Jean Millot, 1610, p. 15.
14. Dans d'autres passages sont décrits aussi les arbres et les fruits qui poussent naturellement dans ces lieux, ainsi que la richesse de la faune comestible.
15. S. Champlain, *Des Sauvages*, Paris, Claude de Monstr'oeil, 1603. Je cite d'après l'édition moderne *Les Voyages de Samuel Champlain*, Introduction, choix de textes et notes par H. Des Champs, Paris, P.U.F., 1951, p. 72-73.
16. *Ibid.*, p. 69. Il faudra attendre plus d'un siècle et demi pour que, à partir de *La Nouvelle Héloïse*, le paysage montagneux devienne "beauté naturelle", dans le contexte de l'esthétique pré-romantique, même si Lescarbot, dès 1618, dans son *Tableau de la Suisse* (Paris, A. Périer), fait un éloge du paysage helvétique où l'on trouve déjà une appréciation positive du décor alpin. Comme l'a remarqué Jean Starobinski, la valorisation littéraire de la montagne - qu'à la fin du XVIIIe siècle on commence à explorer et donc à apprivoiser -, naît du revirement du sentiment d'effroi

qu'elle avait suscité jusqu'à l'époque précédente et dont les relations de voyage dans le Nouveau Monde portent aussi témoignage.
17. *Ibid*., p. 196 et 220.
18. *Ibid*., p. 196.

DE L'ITINÉRAIRE AU PAYSAGE:

L'ESPACE NORD-AMERICAIN

DANS LES TEXTES DE CARTIER ET LAUDONNIÈRE

Chercher une technique élaborée de description du paysage dans les relations de voyage en Amérique au XVIe siècle peut paraître une entreprise utopique. D'une part, la description humaniste se dilue souvent en variations rhétoriques ou se perd dans l'ésotérique du vocabulaire technique propre à l'architecture, à la botanique, à la zoologie, d'autre part, l'objectif premier de tous ces voyages n'a rien à voir avec la recherche de la nature pour elle-même: les oeuvres de Thévet et Léry tournent autour de la querelle religieuse, Laudonnière veut imposer la présence française en Floride et Cartier cherche, par delà l'Atlantique, un "passage" plus court vers la Chine. Il m'a semblé toutefois qu'on pouvait déjà déceler chez Laudonnière et Cartier (1) une vision originale de la réalité géographique.

D'entrée de jeu, l'entreprise de découverte semble vouée à tracer son parcours plutôt qu'à brosser un tableau:

> La terre, dempuis Cap Rouge jusques au Dégrat, (qui) est la pointe de l'entrée de la baye, gist, de cap en cap, nort nordeist et su surouaist; et est toute ceste partie de terre à isles adiaczantes, et près les unes des aultres, qu'il n'y a que petites ripvières, par où bateaux peuvent aller et passer parmy. Et à celle cause il y a plusseurs bons hables, dont ledit hable du Karpont, et celuy du Dégrat (...). y a deux entrées, l'une vers l'eist, et l'aultre vers le su de l'isle; mais il se fault donner garde de la bande et pointe de l'eist, car se sont bastures, et pays somme; et il faut renger l'isle de l'ouaist, a la longueur de demy cable, ou plus près qu'il veult, et puis s'en aller sur le su, vers le Karpont. (...) Il y a de fontz, par le chenal, troys ou quatre brasses, et beau fons; l'autre entrée gist est nordest et su, vers l'ouaist, à saultéz à terre (Cartier, p. 83-84).

Localisations, distances, morphologie des côtes, tous ces relevés topographiques ne composent pas un paysage mais un itinéraire, où la nature disparaît au profit de l'action de découvrir. Si bien que le modèle réduit de tout rapport au paysage pourrait se décomposer en trois mouvements: explorer, voir/regarder, dénommer (2). Le paysage n'est pas donné à voir à travers le regard d'un personnage observateur que le romancier a posté à la fenêtre ou sur le sommet d'une colline, mais perçu de manière pointilliste, au hasard de la navigation: les conditions météorologiques, la direction et la force des courants sélectionnent, limitent les points d'observation. Aucune expression, peut-être, ne rend mieux la dépendance des éléments naturels que ce *nous eusmes congnoissance* répété si souvent:

> Et n'eusmes aultre congnoissance d'eulx pour ce que le vent vint de la mer (...) (p. 95).

Une connaissance souvent aléatoire, fragmentaire, qu'une brusque éclaircie permet de compléter ou de corriger:

> ...faisant chemyn, eusmes le congnoissance de ladite terre, qui nous avoit aparut comme deux illes, qui estait terre ferme, qui gissoit su-suest et nort norouaist, jusques à ung cap de terre, moult beau, nommé *cap d'Orléans* (p. 95).

Une connaissance souvent bien décevante aussi, car, entre la perception première et la vision claire, il y a tout le trajet de l'espoir du passage à la déception de la barrière continentale:

> ...le landemain au matin, eusmes bon temps et fysmes porter jusques environ deux heures du matin, alla quelle heure fusmes dollans et masriz. Au font de laquelle baye, y abvoict, par dessur les bassez terres, des terres à montaignes, moult haultes. Et voyant qu'il n'y abvoict passaige commanczames à nous en retourner (p. 101).

Pour bien caractériser ces descriptions, il faudrait analyser soigneusement l'alternance des verbes d'action et de perception, des formules impersonnelles. On se rendrait vite compte que si les explorateurs travaillent l'espace, celui-ci en retour agit sur les explorateurs comme le révèlent certaines expressions tirées des citations précédentes: "le vent vint de la mer"; "ladite terre (...) nous aparut comme deux illes...".

A regarder le monde d'un poste d'observation mobile (le bateau) ou à la course dans les bois, on finit par le voir en mouvement. De même que les Sauvages courent vers les explorateurs ou fuient à leur arrivée, la nature semble s'éloigner ou se rapprocher du bateau, comme les gares ferroviaires et les paysages du trajet Paris-Rome dans *La Modification* de M. Butor: "nous trouvasmes un autre bras d'eau qui faisait son cours vers l'Orient" (Laudonnière, p. 56).

Les haltes ménagées ici ou là en fonction de l'hospitalité des lieux permettent au regard de se reposer. La nature cesse alors d'être cette mosaïque d'images disjointes pour s'organiser en paysage:

> Icelle baye est nordest et ouaist surouaist. Et est la terre de devers le su de ladite baye aussi belle et bonne terre, labourable et pleine de aussi belles champaignes et prairies que nous ayons veu, et unye comme ung estancq. Et celle devers le nort est une terre haulte à montaignes, toute plaine de arbres de haulte fustaille, de plusieurs sortez; et entre aultres, y a pluseurs cèdres et pruches, aussi beaulx qu'il soict possible de voir, pour faire mastz, suffissans de mastéz navires de trois cens tonneaulx et plus; en la quelle ne vysmes ung seul lieu vyde de bouays, fors en deux lieulx de basses terres, où il luy abvoict des prairies et des estancq moult beaulx (p. 98).

Certes, l'accent est placé ici sur la fonctionnalité d'un lieu propice au ravitaillement: la terre est *belle* parce qu'elle est labourable, les arbres sont *beaux* parce qu'on en peut faire des mâts. Mais déjà commence à se dessiner une *perspective*: les éléments ne sont plus juxtaposés sur le même plan. mais sériés dans l'espace, organisés en tableau. L'explorateur est tenté de se fixer, comme on le verra encore mieux quelques pages plus loin:

> Leur terre est en challeur plus temperée que la terre d'Espaigne, et la plus belle qu'i soict possible de voir, et aussi eunye que ung estanc. Et n'y a cy petit lieu, vide de bouays, et fust sur sable, qui ne soict plain de blé sauvage, qui a l'espy comme seilgle, et le grain comme avoyne; et de poys, aussi espèz comme si on les y abvoict seimés et labouréz; grouaiseliers, blans et rouges, frassez, franboouaysses, et roses rouges (et blanches) et aultres herbez de bonne et grande odeur. Paroillement, y a force belles prairies, et bonnes herbes, et estancq où il luy a force saulmons (p. 102-103).

Par le jeu des comparaisons, la description renvoie à l'univers familier de l'agriculture française; elle projette sur le décor bucolique les rêves d'une colonisation facile où la fabulation hypothétique allie sans containte la nature et la culture. Ce n'est donc pas un hasard si la plage descriptive s'ouvre et se clôt sur la conviction que les sauvages embrasseront facilement le christianisme (3):

> Nous congneumes que ce sont gens qui seroint fassiles à convertir (...).
>
> Je estime mielx que aultrement, que les gens seroint facilles à convertir à nostre saincte foy.

Un autre passage du premier voyage de Cartier est plus explicite encore. Après être descendu sur la fameuse île aux Oiseaux d'où ils rapportèrent "plus de mille godez et apponaz" avec la plus grande facilité, les hommes de Cartier font relâche sur l'île de Brion:

> Icelle isle est rangée de sablons et beau fons, et possaige à l'antour d'elle à seix et à sept brassez. Cestdite ille est la meilleure terre que nous ayons veu, car ung arpant d'icelle terre vault mielx que toute la Terre Neufve. Nous la trouvames plaine de beaulx arbres, prairies, champs de blé sauvaige et de poys en fleurs, aussi espès et aussi beaulx, que je vis oncques en Bretaigne, queulx sembloict y avoir esté semé par laboureux. Il y a force grouaiseliers, frassiers et rossez de Provins, persil, et aultres bonnes erbes, de grant odeur. Il luy a entour icelle ille, plusieurs grandes bestez, comme grans beuffz, quelles ont deux dans en la gueulle, comme dans d'olifant, qui vont en la mer. (...) Nous y vimes paroillement des ours et des renars. Cette ille fut nommée *l'ille de Bryon* (p. 91-92).

L'ordonnancement des éléments décrits respecte globalement la nécessité du voyage: les "beaux fonds" pour ancrer les bateaux, la terre chargée de plantes céréalières, d'arbustes fruitiers, d'herbes potagères, d'arbres si nécessaires pour le feu et les radoubs, et même les bêtes grandes comme des boeufs qu'on pourra chasser. Mais un autre principe organisateur travaille la description: la hantise du refuge édénique, de l'île autarcique. Le coeur de l'espace cultivé (un paysage de ferme bretonne ou normande, avec ses prairies, ses champs de pois, ses massifs d'arbustes fruitiers) est marqué en son pourtour par la sauvagerie de trois sortes d'animaux qui vont de l'inconnu au familier: les "grandes bêtes qui ont deux dents dans la gueule comme des dents d'éléphants", les ours, puis les renards.

Mais la fascination du passage est plus forte que le rêve bucolique: l'exploration continue, pénètre le Saint-Laurent jusqu'à Hochelaga (Montréal), où l'on devra s'arrêter aux Rapides de Lachine: mais avant de rebrousser chemin, l'explorateur nous donnera une perspective saisissante du panorama contemplé du haut du Mont Royal:

> estans sur ladicte montaigne, eusmes veue et congnoissance de plus de trente lieues, à l'environ d'icelle; dont il y a, vers le nort, une rangée de montaignes, qui sont est et ouaist gisantes, et autant devers le su. Entre lesquelles montaignes est la terre, la plus belle qu'il soit possible de veoir labourable, unye et plaine. Et par le meilleu desdictes terres, voyons ledict fleuve (...) grand, large et spacieulx, qui alloit au surouaist, et passoit par auprès de troys belles montaignes rondes, que nous voyons, et estimyons qu'elles estoient à envyron quinze lieues de nous. Et nous fuct dict et monstré par signes, par les troys hommes (...) que lesdictz saultz passéz, l'on pouvoyt naviguer plus de troys lunes par ledict fleuve: Et oultre nous

> monstroient que le long desdictes montaignes, estant vers le nort, y a une grande ripvière qui descend de l'occident, comme ledict fleuve. Nous estimons que c'est la ripvière qui passe par le royaume et prouvynce du Saguenay (...) (p. 151-152).

Jamais peut-être jusqu'à Charlevoix (4), deux siècles plus tard, le regard observateur ne portera aussi loin. Le grand fleuve n'est plus un simple passage: il prend place dans le réseau continental d'autres voies d'eau par-delà les montagnes qui s'étalent à perte de vue sur l'horizon. L'espace est si vaste, l'Orient si éloigné que le "Royaume et Province de Saguenay" devient une espèce d'Eldorado compensatoire d'où l'on pourrait tirer l'argent et le cuivre rouge. Paradoxalement, le regard surplombant, capable de maîtriser, d'embrasser l'espace, se pose seulement quand s'arrête la marche vers l'Orient. L'échec disparaît derrière la perspective de richesses hypothétiques; il est passé sous silence au profit d'une "cérémonie des adieux" où les sauvages forment cortège pour accompagner les Français sur le fleuve:

> Lequel partement ne fut pas sans grand regret dudict peuple; car tant qu'ils nous peurent suyvir aval ledit fleuve, ilz nous suyvèrent.

On retourne donc vers le galion resté à Stadaconé (Québec).

Mais si le second voyage de Cartier n'a pas atteint son but, il a du moins permis de reconnaître, d'évaluer le pays. Au terme de quelques mois passés sur le Saint-Laurent, entre août et septembre, Cartier peut dresser un bilan de la "Province de Canada":

> Toute cestedicte terre est couverte et plaine de boys de plusieurs sortes, et force vignes, excepté à l'entour des peuples, laquelles ilz ont desertée, pour faire leur demourance et labour. Il y a grand numbre de grandz serfz, dins, hours et aultres bestes. Nous y avons veu les pas d'une beste, qui n'a que deulx piedz, laquelle nous avons suyvie longuement pardessus le sable et vase, laquelle a les piedz en ceste façon, grands d'une paulme et plus. Il y a force loueres, byèvres, martres, regnardz, chatz sauvaiges, lièpvres, connyns,escureulx, ratz, lesquelz sont groz à merveilles, et aultres sauvagines. Ilz se acoustrent des peaulx d'icelles bestes, pource qu'ilz n'ont nulz aultres acoustremens. Il y a (aussi) grand numbre d'oiseaulx, savoir: grues, oultardes, signes, oayes sauvaiges, blanches et grises, cannes, cannardz, merles, mauvys, turtres, ramyers, chardonnereulx, tarins, seryns, lunottes, rossignolz, passes solitaires, et aultres oiseaulx comme en France (p. 165).

Suit encore l'énumération de "toutes sortes de poissons qu'il soyt mémoire d'homme avoyr jamays veu ny ouy" et surtout d'animaux aquatiques surprenants: "baillaines, masoins, chevaulx de mer". A nouveau, la description s'organise à partir de la "belle terre" "unie", dominée par la ligne des montagnes à l'horizon et parcourue par le réseau hydrographique greffé sur l'épine dorsale du fleuve Saint-Laurent. Viennent enfin les inévitables listes d'oiseaux et d'animaux. Mais alors qu'on croyait close la description, l'auteur ajoute un paragraphe qui commence par une rupture de la perspective narrative bien propre à rappeler que toute cette mise en scène des richesses naturelles nord-américaines est un appel à la colonisation:

> Item, y treuverez en jung, juillet et aoust, force macqueraulx, mulletz, bars (...).

L'embrayeur d'énonciation *treuverez* fonctionne ici comme un déclencheur conatif (5).

On retrouve chez Laudonnière la même hantise du lieu circonscrit, la même vision d'un espace sauvage que la nature a disposé comme une terre fertile entre la montagne et la mer:

> Or avoy-je deliberé de recognoistre les singularitez de la montagne (...) où nous ne trouvasmes que des Cedres, des Palmiers et des Lauriers de si souveraine odeur, que Baulme ne sentirait rien au pris. Les arbres estoient de toutes parts environnez de seps de vigne, portans des grappes en telle quantité que le nombre suffiroit pour rendre le lieu habitable. Outre ceste fertilité de Vignoble, on ne voit que l'Esquine entortillee à l'entour des arbrisseaux en grande quantité. Quant au plaisir du lieu, la mer s'y void tout à descouvert, et plus de six grandes lieues environ la rivière Belle, prairies toutes recoupees en Isles et Islettes, lesquelles s'entrelassent les unes les aultres (...) (p.92).

Vu en plongée, l'espace à cultiver sans labeur apparaît déployé tel une vaste courte-pointe où "Isles et Islettes" s'entrelacent sur fond de prairies et de rivière. Le plaisir de voir s'est à ce point substitué à celui de l'escale que cet espace privilégié deviendra lieu de conversion, non pour les Amérindiens absents, mais pour les Européens atrabilaires ou dépressifs: "brief le lieu est si plaisant, que les melancholiques seroient contraints y changer leur naturel".

Sans doute retrouve-t-on ici - comme chez Cartier du reste - l'empreinte du *locus amoenus*: la forêt embaumée (la *silva mixta*) longe la vallée fertile où les cours d'eau et les îles forment un paysage harmonieux "délectable à l'oeil", comme cet autre prototype du lieu idéal dénommé "val de Laudonnière":

> ...nous trouvasmes une spacieuse campagne couverte de hauts Sapins eslongnez quelque peu les uns des autres: souz lesquels nous aperceusmes une infinité de Cerfs qui chayoient parmi la plaine, au travers de laquelle nous passames puis nous descouvrimes une petite montagne aboutissante à un grand val verdoyant de forme platte,

> dedans lequel estoient les plus belles prairies de tout le monde, et les herbages fort propres à pasturer les bestes. Elle est environnee au reste d'une infinité de petits ruisseaux d'eau douce, et de hautes forests, qui rend le val plus delectable à l'oeil. L'ayant contemplé tout à mon aise, je le nommay, à l'interpellation de mes soldats, le val de Laudonnière (...) (p. 96).

Y a-t-il dans ces textes de Laudonnière superposition habile par un polygraphe professionnel de toute une rhétorique de la "belle nature" sur les notations fonctionnelles de la relation de voyage en terre inconnue? On serait tenté de le croire, car, au détour des pages une question insistante revient à l'esprit: la nature est-elle plaisante parce qu'elle est belle à voir ou parce qu'elle fournit en abondance l'eau potable, la venaison et les arbres nécessaires? Une phrase placée quelques pages plus loin nous porterait à croire qu'est qualifié de beau ce qui permet d'implanter la colonisation française: "le capitaine Ribaud cognoissant la singuliere beauté de cette riviere, desiroit par tous moyens inciter quelques hommes à l'habiter, prevoyant bien que telle chose estoit de grande importance pour le service du Roy" (p. 61). Mais ne nous pressons pas trop de ramener le *beau* au *fonctionnel*, car la phrase citée plus haut se terminait sur une notation surprenante:

> ...lesquels (cerfs) aisement nous eussions harquebusez, si le Capitaine ne l'eust deffendu, meu de la singuliere beauté et grandeur d'iceux.

Que l'anecdote soit ficitve ou réelle importe peu: on explore moins ici le continent américain que l'espace rhétorique. L'action du Capitaine Ribault sert moins à marquer son étonnement admiratif qu'à dramatiser la description elle-même.

Plus encore que ceux de Cartier, les textes de Laudonnière sont parcourus d'une vibration sensuelle notable, comme si les sens, toujours à l'affût, se frayaient aussi un chemin à travers la végétation luxuriante:

> L'ancre posée, le Capitaine avec ses soldats mit pied à terre: et descendit premierement, où nous trouvasmes le lieu si plaisant et delectable que rien plus: car il estoit tout recouvert de hauts Chesnes et Cedres en infinité, et au-dessous d'iceux, de Lentisques de si suave odeur, qu'iceluy seul faisoit trouver le lieu de tres-grand contentement. Cheminans au travers de ces ramees, nous ne voyons autres chose que Poules d'Indes s'envoller par les forests, Perdrix grises et rouges, quelque peu differentes des nostres, mais en grandeur principalement. Nous entendions aussi des Cerfs brosser parmy les forests, des Ours, les Loupcerviers, des Leopards, et autres plusieurs especes d'animaux à nous incognus (p. 54-55).

De l'aventure sur le terrain, la description retient donc, outre les perceptions sensorielles, la dynamique de la marche. Dynamique encore accentuée par la propension à déborder le complexe spatio-temporel de l'aventure sur le terrain pour basculer dans l'hypothèse, donc dans une autre aventure:

> La riviere n'a moins en son embouchement de cap en cap de trois lieuës Françoises: elle se sépare au reste en deux grands bras d'eau: l'un fait son cours vers l'Occident, et l'autre vers le Septentrion. Et croy à mon jugement que celuy de Septentrion se va rendre par dedans des terres jusques à la riviere de Jourdan, l'autre se rend en la mer, comme il a esté cognu de ceux qui demeurent en ce lieu.

La description hypothétique fonctionne ici comme la carte des XVIe et XVIIe siècles qui, non contente de représenter l'espace connu, multiplie les extrapolations, les hypothèses, les lieux hors carte, pour combler les vides et, surtout, solliciter l'aide nécessaire à la poursuite de l'entreprise missionnaire ou exploratrice. Ainsi, sur le pourtour de sa carte de 1676, Bernou écrira:

> (sur) une de ces grandes rivières qui viennent de l'Ouest et se déchargent dans la rivière Colbert, on trouvera un passage pour entrer dans la mer Vermeille.

Comment résister au mythe de l'Orient fabuleux quand la carte l'inscrit à sa périphérie comme un appel à l'aventure? **(6)**

Sans renoncer tout à fait à la thématique du *locus amoenus* ou de la *silva mixta*, la rhétorique descriptive assume ici pleinement sa fonction conative: quel destinataire en position d'intervenir ne serait pas tenté d'explorer cet espace américain marqué par la prolifération sauvage mais déjà troué par endroits, cultivé, travaillé par le lieu commun de la rhétorique humaniste et le souvenir de la ferme normande? Si la *varietas* permet de rendre les "innumérables" richesses du Canada et de la Floride, l'harmonie du paysage "délectable" affirme déjà l'emprise de la civilisation sur la sauvagerie.

Réal OUELLET

(Université Laval, Québec)

NOTES

1. Je cite: 1) les *Voyages* de Cartier d'après l'édition Beauchêne, dans *Les Français en Amérique pendant la première moitié du XVIe siècle*, Paris, P.U.F., 1946, p. 79-197; 2) *L'Histoire notable de la Floride* de Laudonnière d'après l'édition Lussagnet dans *Les Français en Amérique pendant la deuxième moitié du XVIe siècle*, t. II: *Les Français en Floride*, Paris, P.U.F., 1958, p. 27-200. Cartier effectua ses voyages en 1534, 1535-1536 et 1541, mais le récit n'en fut publié que beaucoup plus tard: la relation du premier parut d'abord en italien (1565), en anglais (1580), puis en français (1598); celle du second parut en 1545, sans nom d'auteur; celle du troisième, incomplète, fut publiée en anglais par Hakluyt en 1600. *L'Histoire notable de la Floride*, qui raconte les expéditions de 1562-1565, parut en 1586 seulement.
2. Entre plusieurs exemples, voici un court passage du premier *Voyage* de Cartier: "Et le lundy, (...) fysmes la route sur le su, pour avoir la congnoissance de la terre que nous y voyons, aparaisance à deux isles, mais quant nous fumes au mitan de la baye, ou environ, nous congneumes que s'estait terre ferme, dont y avoit gros cap doublé l'un par dessus l'autre; et pour ce la nommames *cap double*". (p. 88)
3. Sur un autre plan, cette description est exemplaire. Elle vient immédiatement après une scène de troc qui ne laisse aux sauvages "aultre chose que les nus corps, pour ce qu'ilz nous donnèrent tout ce qu'ils abvoint". Quelle image, mieux que celle-ci, représentera la déculturation de l'Indien par la conversion alors qu'il se dépouillera de ses "peaux" et revêtira l'habillement français.
4. Sur la perception de l'immensité de l'espace américain entre 1690 et 1744, cf. l'article de Maurice Roelens: "L'Expérience de l'espace américain dans les récits de voyage entre La Hontan et Charlevoix", *Studies on Voltaire and the eighteenth Century*, vol. CLV, 1976, p. 1861-1895.
5. Il faudrait encore mentionner que la description tire son mouvement de la narrativisation assurée par la présence des sauvages et de la bête à "deulx piedz", que les Français ne connaissent pas.
6. Surtout si l'auteur a assuré le suspense narratif par une espèce de micro-récit hypothétique plutôt surprenant sur une représentation cartographique: "J'ai vu un village qui n'était qu'à 20 journées par terre d'une nation qui a commerce avec ceux de la Californie; si j'étais arrivé deux jours plus tôt j'aurais parlé à ceux qui en étaient venus et avaient apporté 4 haches pour présent" (même carte). Sur cette question, cf. mon étude "Le Discours fragmenté de la relation de voyage", *Saggi e Ricerche di Letteratura Francese*, Firenze, vol. 25, 1986.

PAYSAGES INDIENS DANS LES PREMIÈRES RELATIONS DE VOYAGE DES FRANÇAIS AUX INDES ORIENTALES

La première entreprise française de voyage d'exploration et de commerce vers les Indes Orientales dont nous possédons une relation imprimée date des années 1601 à 1603. La *Description du premier voyage fait aux Indes Orientales par les Français en 1603* (1) de François Martin de Vitré, publiée en 1604, décrit les péripéties de ce voyage, les découvertes sur le plan géographique et humain et les expériences commerciales dans cette région du monde. Sept ans plus tard, en 1611, François Pyrard de Laval publia le *Discours du Voyage des Français aux Indes Orientales, ensemble des divers accidents aventures et dangers de l'autheur en plusieurs royaumes des Indes* (2).

François Martin et François Pyrard furent les deux premiers Français qui, à la demande d'un groupe de commerçants de Saint-Malo, Vitré et Laval, entreprirent de découvrir une route maritime pratique vers les Indes Orientales sans plus dépendre des itinéraires portugais. L'initiative des Français constituait ainsi un défi contre les puissances qui les avaient précédés sur la route des Indes.

Ce ne fut pas seulement une entreprise hardie sur le plan technique, "la route des épices" était alors pleine d'embûches du fait de la nature et du fait des hommes, mais surtout sur le plan humain: le voyage dont le but avoué était de découvrir des débouchés pour le commerce de la France se plaçait sous le signe de la découverte au sens le plus profond du mot.

Les voyageurs français de la Renaissance manifestaient leur désir de ne plus se contenter des connaissances de l'Inde et de sa population, que les historiens anciens de la Grèce et certains voyageurs du Moyen-Age avaient pu répandre en France. Leur curiosité les poussait à aller découvrir eux-mêmes les réalités humaines et naturelles de cette terre lointaine, bref puiser à la source.

Ce parti pris d'originalité détermine, d'une part, l'attitude fondamentale que le voyageur français de la Renaissance adopte à l'égard du pays qu'il visite, et définit, de l'autre, la personnalité du visiteur. Le paysage indien que nous dévoile sa relation de voyage est à ce titre significatif: il est riche en informations sur le pays, la nature, l'homme et ses moeurs; riches aussi les indices qu'il nous fournit sur la qualité et la valeur du regard de notre voyageur.

Martin de Vitré et Pyrard de Laval s'embarquèrent à Saint-Malo, le 18 mai 1601, sur deux gros bâtiments, armés par une compagnie de marchands, pour "sonder le gué, chercher un chemin des Indes et le montrer aux Français" (3). Le *Corbin*, à bord duquel se trouvait Pyrard, fit naufrage à l'aller. Après avoir passé par de nombreuses tribulations, Pyrard arrive au Bengale et de là il va à Calicut et enfin à Cochin. Il revient à Laval le 16 février 1611. Quant au *Croissant*, où se trouvait Martin, il put éviter les écueils et poursuivre son itinéraire jusqu'à Sumatra et revenir jusqu'à la côte d'Espagne, d'où trois navires flamands ramenèrent les voyageurs en France.

Ces deux voyages sont certes deux entreprises extraordinaires. Mais leurs péripéties, aussi fascinantes et merveilleuses qu'elles soient, retiendront moins notre attention que le témoignage que leurs relations apportent sur ce que l'homme de la Renaissance a vu et admiré dans ces contrées asiatiques.

Il nous paraît donc utile de définir la notion de paysage. Si le mot *paysage* désigne généralement la partie d'un pays que la nature présente au regard, il revêt ici une signification particulière qui nous semble étroitement liée à l'idée que les voyageurs français vers les Indes Orientales se faisaient de leur voyage; le voyage évoque un dépaysement dans le temps et dans l'espace. Mais nos deux voyageurs ne manifestent nulle part leur aspiration vers un ailleurs reposant et divertissant. Bien au contaire, ils se sont embarqués, en mettant en péril leur vie, dans une aventure dont ils ignoraient l'issue. Et il arrive que le but matériel de leurs voyages s'efface devant l'immense curiosité des voyageurs de la Renaissance. Le voyage étend l'horizon de leur regard. Le mot de Bernardin de Saint-Pierre convient, pour le moment, mieux que tout autre pour définir la notion de paysage: "Un paysage est le fond du tableau de la vie humaine". Ce tableau est le décor naturel où apparaissent hommes et femmes; c'est aussi, à une échelle plus étendue, le panorama du foisonnement de toutes les formes de vie, animale, végétale. C'est donc un tableau à relief multiple.

Le paysage, spectacle naturel

Les deux navires, le *Croissant* et le *Corbin*, se sont suivis jusqu'aux environs des îles Maldives. Mais à la hauteur de la constellation des îlots de sable et de rochers qui circonscrivent les îles Maldives, une grande tempête surprend nos deux navires qui sont alors véritablement déroutés: Le *Corbin* va pitoyablement échouer sur les bancs de sable. Pyrard et ses compagnons trouvent asile chez les habitants de l'île. Là commence son odyssée. Quant au *Croissant*, ne sachant quelle direction prendre, il continue son voyage. La *Description* de François Martin dévoile des paysages qui ne se limitent pas à la côte de l'Inde du Sud mais qui s'étendent jusqu'à l'archipel de Sumatra.

Nature: varietas

Le *Croissant* souhaite jeter l'ancre au large de l'île de Ceylan, mais en vain. François Martin dévore des yeux, avec les autres voyageurs, la luxuriance et la beauté de cette île:

> Le huitième (jour de juillet) nous nous trouvâmes au travers de l'île de Zelan qui est proche du Comorin de 38 lieues... Il y a là des forêts des arbres de canelle et de mirabolants, de quoi ils ne font grand estime. Elle est fertile en toutes sortes de fruits. Aux Indes, il y a des cerfs, des paons, des lièvres, lapins. Nous avions désir d'y aborder mais le vent étant bon nous passâmes outre (**4**).

La diversité dans le spectacle qui s'offre à sa vue ne semble pas dérouter notre voyageur. Son regard embrasse tout. Mais l'observation porte sur des détails fins. Aux îles Nicobor, que les voyageurs traversent, le site naturel est différent de ce qu'ils avaient vu jusqu'alors. En Inde, la côte occidentale, proche du cap Comorin, offre à Pyrard un paysage varié et riche dont il ne manque pas de noter l'unité. Dans tous ces paysages, la nature apparaît comme une sublime expression de la diversité que le voyageur de la Renaissance se plaît à contempler. Pour les hommes de la Renaissance, la nature n'était-elle pas synonyme de la variété, *varietas*? Cette nature dévoile sa grandeur et ses splendeurs dans l'harmonie qui règne en elle.

Nature: harmonie et perfection de la Création

Lorsque Pyrard de Laval décrit les îles qui composent les Maldives, nous constatons que, tout en observant finement les aspects variés de cette nature insolite, il se montre sensible à l'harmonie de cet édifice marin de la Création:

> Elles sont divisées en treize Provinces qu'ils nomment Atollons. (...) C'est une merveille de voir chacun de ces Atollons environné d'un grand banc de pierre autour, n'y ayant point d'artifice humain qui pust si bien fermer de murailles une espèce de terre comme est cela. Ces Atollons sont quasi ronds, ou en ovale, ayant chacun trente lieues de tour, les uns quelque peu plus, les autres quelque peu moins et sont tous de suite et bout à bout depuis le nord jusques au sud sans aucunement s'entretoucher (**5**).

Cette harmonie dans la disposition naturelle des îles Maldives se reflète dans l'heureuse complémentarité dans les productions de la nature:

> Au reste cette abondance de fruits, comme j'ay dit, c'est chose admirable que chacun des treize Atollons produit diversité de commodités encore qu'ils soient tous sous un même climat, néanmoins chacun n'a pas tout ce qui lui est nécessaire, en sorte qu'ils ne se peuvent passer les uns des autres. *Vous diriez que Dieu ait voulu que ces peuples se visitassent les uns les autres**; tant il y a de diversité et ce qui abonde en l'un est rare en l'autre. Je veux bien comme il est véritable qu'il croisse quelque chose partout de ce qu'abonde particulièrement en un lieu mais c'est fort peu et il est si bon et si naturel que celui qui provient des Atollons et îles propres à cela à cause qu'ailleurs c'est chose forcée (**6**).

Ce paysage révèle bien, et cela nous semble très important, que le voyageur est attendu par l'histoire et la géographie. Dieu le fait voir grâce au paysage. En outre, notre voyageur constate que le paysage humain dans ces îles s'adapte à l'harmonie du Créateur:

> ...Voire même que ces peuples ont suivi dans leurs habitations un ordre semblable car les gens de même métiers sont assemblés en îles à part, comme les tisserands en l'une, les orfèvres en l'autre, les serruriers, les forgerons, les faiseurs de nattes, les potiers, les tourneurs et les menuisiers. Bref tous les métiers ne sont point mêlés. Chacun a son île (**7**).

Mieux que tout cela, notre voyageur contemple cette harmonie dans le site naturel des Maldives comme une éclatante manifestation du Génie créateur.

> Il y a aussi à ce propos une chose grandement remarquable. C'est que les Atollons estans tous de suite et bout à bout, séparés par des canaux de mer qui passent au travers, ils ont des ouvertures et des entrées opposées les unes aux autres, deux d'un côté, et deux de l'autre par le moyen de quoi on peut aller et venir d'Atollon en Atollon

> et avoir communication ensemble en tout temps. *En quoi on peut observer un effet de la Providence de Dieu qui ne laisse rien d'imparfait**. Car s'il n'y avait que deux ouvertures en chacun Atollon, à sçavoir l'une d'un côté à un bout, l'autre de l'autre, il ne serait pas possible de passer d'Atollon en Atollon, ni d'ouverture en ouverture à cause de l'impétuosité des courants qui courent six mois à l'est, six mois à l'ouest et ne permettent de traverser, Et quand les deux ouvertures ne seraient point opposées,mais l'une du côté de l'est, l'autre de celui de l'ouest, on pourrait bien facilement entrer, mais non retourner, si non après que les six mois seraient passés et le courant changé. Or comme ces entrées sont disposées on peut nonobstant les courants aller d'Atollon en un autre en toute saison et trafiquer, communiquer ensemble librement comme ils font. D'autant que chacun Atollon est ouvert par quatre endroits qui respondent à ses deux voisins (**8**).

Une Nature déjà faite pour l'homme

Le paysage qui s'offre à la vue de Pyrard de Laval, s'il démontre clairement la perfection dans la Création, révèle aussi cette profonde idée que cette nature est faite pour l'homme. L'harmonie voulue par Dieu fait que ce paysage est tout à fait différent de la nature sauvage. La nature, faite pour la société humaine, favorise les échanges. Nous pouvons y déceler l'infinie sollicitude de la Providence pour l'homme, une idée qui sera poétiquement énoncée, deux siècles plus tard, dans les *Harmonies de la nature*, par Bernardin de Saint-Pierre. Tout dans l'univers a été ordonné pour la commodité de l'homme, non pas l'homme consommateur mais capable d'échanges sociaux, ce qui fait sa grandeur. C'est donc une nature humanisée, une campagne plutôt que Pyrard admire dans la province de Bengale, en Inde:

> Enfin je ne trouve point de pays en toute l'Inde orientale plus abondant en toutes choses nécessaires que celuy-là. C'est le plus *beau*, le plus *plaisant*, le plus *fertile* et *profitable** pays du monde (**9**).

L'idée de *locus amoenus* que ce paysage suggère ici apparaît plus clairement dans cette description que Pyrard fait du royaume de Calicut, sur la côte occidentale en Inde:

> ...Ce qui rend ce pays si peuplé c'est qu'il est en un fort bon climat et bien tempéré et tout le long de l'année, il y a des fruits en grande abondance et des plus excellents du monde. Au reste, le pays est fort *plaisant* et fort *délicieux**. Il est arrosé de plusieurs belles rivières et ruisseaux; et il y a partout des sources des plus excellentes

> eaux du monde. Il n'y a point de pays en toutes les Indes mieux fourni de toutes ces commodités que celui-là. Toute la *campagne** est couverte d'arbres fruitiers, de cocos, de jaques, de mangues, de bananes, d'annanants, de cajus, de citrons, d'oranges, de grenades, de mirabolans, de poires indiennes, qui ne ressemblent pas aux nôtres, et d'arbre de cotton, de quantité de melons et de patèque, qui sont espèce de citrouille de prodigieuse grosseur, qui se mangent crus comme les melons, de gingembre, de poix, de fèves et autres bons fruits dont en prend et mange qui veut en passant pays sans que personne l'en empêche et les voisins vivent en commun de ces fruits (**10**).

Une nature prodigieusement riche. Tout y concourt à accroître les commodités pour l'homme et pour son agréable commerce avec ses semblables. D'autre part, cette abondance et la liberté avec laquelle les hommes de ce pays se servent des bienfaits de la nature, évoquent en filigrane la nostalgie de l'âge d'or chez le voyageur de la Renaissance. On comprend mieux maintenant son émerveillement devant ce spectacle dont la contemplation confirme en lui l'infinie sollicitude de la Providence pour l'homme. Dieu le fait voir grâce au paysage.

Paysage harmonie. Paysage signe. Paysage humanisé. Mais il se rencontre dans la relation de Pyrard un autre type de paysage, paysage emblème:

> Au dedans de chacun de ces enclos sont les îles tant grandes que petites, en nombre presque infini. Ceux du pays disaient qu'il y en avait jusqu'à douze mille. J'estime quant à moi qu'il n'y a pas apparence d'y avoir tant et qu'ils disent douze mille pour désigner un nombre incroyable qui ne se peut compter. Bien il est vrai qu'il y en a une infinité de petites qui ne sont que des mottes de sable toutes inhabitées. Davantage, *le Roy de Maldives met ce nombre en ces titres car il s'appelait Sultan Ibrahim Roy de Treize Provinces et douze mille isles** (**11**).

Le paysage représente bien ici une valeur pour le prestige politique. Mais ce paysage se métamorphose alors que les prétentions politiques durent!

> Quoi qu'il en soit les courants et les grandes marées diminuent tous les jours ce nombre, comme les habitants m'ont appris, qui disaient même qu'aussi à proportion le nombre de peuple diminue et qu'il n'y a pas tant qu'il y en avait anciennement (**12**).

La nature est variété. La nature est harmonie. La nature est faite pour l'homme. Voilà bien les vérités que rencontrent nos voyageurs dans les paysages des Indes Orientales. Si les voyageurs de la Renaissance perçoivent dans ces contrées lointaines l'image rassurante de la nature, n'est-ce pas parce qu'ils ont une manière de regarder et de voir le monde? C'est encore les paysages indiens qui nous la révèleront.

Le paysage révèle une façon de voir le monde

Le voyage amène nos voyageurs vers des horizons jusque là inconnus et leur offre la possibilité de contempler les diversités dans la Création et essentiellement la perfection du génie créateur et de ressentir la sollicitude de Dieu pour l'homme. Cette attitude fondamentale distingue nos voyageurs de ceux du siècle des Lumières. Ce qui explique que partout où ils se rendent, ils manifestent sans affectation aucune une profonde disponibilité pour voir, accueillir et comprendre ce qu'ils voient. Aussi le voyageur de la Renaissance ne s'arroge-t-il pas le droit de mesurer les choses vues à l'aune de son terroir, même si l'homme est fondamentalement enclin à apprécier les choses qui lui sont étrangères selon des schèmes propres à sa culture native. Bien au contraire, il fait preuve d'une manière de voir le monde où nous reconnaissons sa curiosité, la rigueur de son observation, l'honnêteté et l'indépendance de son regard.

La curiosité

Le voyageur de la Renaissance, comme les humanistes de l'époque, est habité par la passion de connaître. Ayant le sentiment qu'il est participant de tout ce qui est créé, notre voyageur est mû par la curiosité: connaître les splendeurs du monde créé pour lui. C'est cette passion, plus encore que le désir d'aller découvrir par lui-même les vicissitudes de la création, qui l'amène vers les pays lointains, que ce soit en Orient ou en Extrême-Occident. Cette curiosité le marque d'une volonté de tout voir avec attention et sérénité. Parti-pris d'originalité. Cela constitue un des traits significatifs des voyageurs de la Renaissance. De plus, la curiosité est une qualité capable d'édifier, d'éduquer en apportant une nouvelle lumière sur une réalité de la création, un aspect ignoré de la vie. François Martin manifeste une telle curiosité devant les spectacles variés qui s'offrent à sa vue. L'oeil attentif, il observe tout jusque dans les détails les plus fins. Nous avons noté la minutie avec laquelle il a décrit les richesses naturelles de l'île de Ceylan. On constate la même attitude chez lui lorsqu'il observe le site naturel de Sumatra.

Une observation sérieuse et méthodique

Pyrard, pour sa part, manifeste beaucoup de scrupules lorsqu'il décrit, avec une précision inhabituelle chez les voyageurs, les îles Maldives, leur disposition naturelle et le foisonnement de vie dans ce pays. Si l'on relit le passage concernant les îles, on est tenté de se demander si cette manière de décrire n'est pas atteinte d'une véritable myopie. Mais nul maniérisme chez notre voyageur. Pyrard comme Martin s'attache à transcrire le plus fidèlement possible la réalité qui s'offre à sa vue: les reliefs fins dans les choses vues n'échappent pas à leur regard. Pourquoi décrire ou transcrire tout? Parce qu'aucun détail n'est insignifiant dans la composition de l'ensemble: il est essentiel de voir le Tout et les parties constituantes de ce Tout dans leur agencement naturel et harmonieux. C'est à ce prix que l'observation de nos deux voyageurs devient sérieuse.

Dans le panorama du site naturel des Maldives, dans l'évocation de l'opulence de la province du Bengale en Inde, le regard de Pyrard part d'une perspective d'ensemble, la topographie du paysage, le cadre naturel, puis glisse d'une manière presque imperceptible, vers le cadre humain, vers les aspects de vie. D'une vision ample où tout apparaît à sa place, le regard se rétrécit pour fixer notre attention sur un aspect particulier de ce paysage, le cadre vivant et harmonieux foisonnant de vie et d'activités. Cette observation méthodique explique que notre voyageur ne néglige rien de ce qu'il voit, fût-ce un détail insolite ou discordant.

Le regard de nos voyageurs, s'il perçoit la différence dans les détails observés, ne les distingue pas pour y introduire une échelle de valeurs. La sereine perception de la diversité est signe de la richesse de la vision. Elle entend transcender les dissonances pour jouir des consonances, de l'harmonie, quête suprême de ce regard, non seulement au niveau du paysage vu mais également au niveau de la Création comme émanation d'un Esprit, Source de toute vie. Cette observation méthodique et sérieuse dénote une autre qualité, l'honnêteté.

Une observation honnête

L'honnêteté c'est d'abord la fidélité dans la saisie de ce qui est vu. Elle consiste précisément à ne pas gauchir le vu, encore moins à le transmettre au travers d'une appréciation subjective. Cette honnêteté apparaît ainsi comme une conséquence logique de l'attitude fondamentale de nos voyageurs: la curiosité. La curiosité commande l'intégrité. L'intégrité exige la finesse dans l'observation, cette quête constante d'un certain équilibre, d'une harmonie dans le paysage vu. L'honnêteté apparaît dans le langage qui transcrit le vu. En effet, le langage de François Martin dans la *Description* se distingue par la sobriété au niveau de l'énonciation. François Martin ne recherche aucune expressivité: l'usage d'un vocabulaire simple qui désigne les choses vues dans leurs contours normalement perçus et un emploi parcimonieux des mots qualifiants caractérisent le langage de la *Description.* Et l'absence d'expressivité ne dénote-t-elle pas une sorte de détachement du locuteur par rapport à l'objet de son énoncé? Cette distanciation est la mesure de la générosité.

L'indépendance du regard

Observation méthodique. Observation honnête. C'est à ce prix que le voyageur de la Renaissance parvient à saisir, dans la diversité, l'unité. Une relecture attentive des passages sur les richesses de la province de Calicut, sur la composition des îles Maldives, sur les harmonies naturelles de ce site, confirme cette double qualité du regard de nos voyageurs. L'intégrité dans l'observation méthodique est une garantie de l'indépendance dans l'observation. Nous dirons, en inversant l'ordre, que c'est la recherche de l'indépendance dans le regard qui a commandé cette double exigence: rigueur et honnêteté dans l'observation.

Pourquoi le voyageur de la Renaissance est-il constamment tendu vers cette indépendance de son regard? C'est qu'il sait que rien ne vaut l'expérience vécue par soi-même. Il est des vérités qui ne s'éclairent que dans la contemplation individuelle. L'expérience d'autrui n'a que faire là.

Conscient d'être au centre de la création, l'homme de la Renaissance ressent le profond besoin de retrouver, en l'occurrence dans des contrées des Indes orientales, l'image rassurante et édifiante d'une nature qui manifeste la sollicitude de Dieu pour l'homme. Aussi dirons-nous que la perception contemplative de cette nature, révélée dans les paysages indiens, faisait appel à ces qualités-là. Ceci explique cela. Nous comprenons mieux maintenant pourquoi l'exotisme n'était pas le but des voyages des hommes de la Renaissance.

Un regard éveillé et serein, une observation méthodique et honnête, voilà les qualités qui caractérisent la manière de voir le monde de nos deux voyageurs. C'est par leurs yeux que nous avons découvert, dans les paysages des Indes orientales, une nature variée, féconde et accueillante pour l'homme de la Renaissance.

Cependant François Martin de Vitré nous paraît mieux incarner l'esprit du voyageur de la Renaissance. La rigueur dans son observation, la minutie dans les notations et surtout sa manière d'énoncer le vu sans le filtrer au travers du prisme déformant de la critique subjective, nous font découvrir en lui cet esprit judicieux qui annonce l'honnête homme du XVIIe siècle.

La *Description du premier voyage fait aux Indes Orientales par les Français en 1603* apparaît comme une relation pure, qui n'a pas subi la toilette de l'artiste créateur. Expression jaillie spontanément du regard émerveillé du voyageur, cette description ne prétend pas être une oeuvre de littérature. Et nous l'aimons mieux que le *Discours du voyage des Français aux Indes Orientales*, où Pyrard de Laval manifeste constamment le souci de faire un grand livre, de la grande littérature de voyage, ce qui explique le soin apporté à la rédaction, même si l'on peut déplorer, ici et là, des répétitions verbeuses. Il mutiplie les témoignages de son expérience personnelle pour rendre authentique sa relation. D'autre part, même si les détails décrits sont de lui, ils ont été soumis à une soigneuse vérification des savants français de l'époque compétents en la matière, qui offrent ainsi la couleur de leur érudition au livre de Pyrard (**13**). Pour un lecteur attentif, il est donc malaisé de distinguer la part de la documentation, ajoutée après coup à la relation, des faits perçus sur le vif et consignés par écrit. Le *Discours* que les éditeurs ont enrichi pour leur part, pour donner plus d'éclat au livre, d'observations, de cartes ou de traités, apparaît comme un recueil exhaustif de connaissances, une manière d'encyclopédie sur le voyage aux Indes Orientales, sur la faune maritime, la vie végétale, animale, les différentes activités humaines, les moeurs et coutumes des habitants de cette terre lointaine. A notre avis, il annonce l'homme du siècle des Lumières. Tavernier, Bernier, Thévenot, pour ne citer que ces grands noms, suivront l'exemple de Pyrard de Laval.

Par ailleurs, au niveau du langage de ces deux relations, nous avons constaté un fait significatif: autant François Martin s'efface dans sa *Description*, autant François Pyrard se manifeste dans son *Discours*. Il recherche l'expressivité. Cet écart au niveau du langage ne nous a pas paru fortuit. En effet, lorsqu'on compare le livre de Martin de Vitré avec d'autres relations de voyages parues avant sa publication (**14**), on constate une frappante analogie entre le ton et le langage du livre de Marco Polo et ceux de la *Description*: le ton est sobre, le langage dépouillé de toute expressivité. D'autre part, il existe une communauté d'inspiration entre la Préface de la *Description géographique des Provinces et villes plus fameuses de l'Inde Orientale* et celle de la *Description du premier voyage fait aux Indes Orientales par les Français en 1603* (**15**): le voyage permet de contempler "l'excellence du Grand Ouvrier, lequel voulant favoriser sa créature n'a rien omis en son ouvrage qui ne soit plein de majesté, dignité et amplitude"; le voyage est "une entreprise non seulement louable mais nécessaire à l'homme".

Ces convergences nous incitent à suggérer que la relation de voyage de François Martin de Vitré s'inscrit à la fin d'un cycle de voyages et de découvertes sous le signe de l'instruction morale de l'homme, qui a probablement son commencement dans les premiers grands voyages du Moyen-Age et dont le grand moment serait le voyage de Marco Polo.

Alors qu'avec Pyrard de Laval, une nouvelle tendance se dessine en marge de son héritage du passé, commun avec François Martin de Vitré, un nouveau cycle de voyages commence. La formation de l'homme n'en est pas la préoccupation essentielle. On tend plus à s'ouvrir vers les pays lointains, surtout vers l'Asie, dans l'intention avouée d'établir avec eux des relations commerciales et, plus tard, politiques. Il n'est pas exagéré de dire que François Pyrard de Laval peut légitimement mériter d'être considéré comme le devancier des grands voyageurs-explorateurs, qui ont ouvert la voie pour les futures conquêtes françaises dans cette région du monde.

Son *Discours du voyage des Français aux Indes Orientales* n'en aura pas moins pour autant contribué à faire évoluer la grande notion de "relativité", déjà présente dans les *Essais*, et à ébranler, plus tard, la conscience européenne, installée jusqu'alors dans sa quiétude. Rappelons que le livre de Pyrard, publié pour la première fois en 1611, a été réimprimé deux fois, en 1615 et en 1616. Il y eut une troisième publication en 1679.

Voilà ce que nous ont révélé les paysages indiens dans les premières relations de voyage des Français aux Indes Orientales. Paysage multiple, source féconde de connaisances sur toutes les formes de vie dans ces contrées lointaines. Mais ce paysage est surtout un grand révélateur de l'état d'esprit et de l'état d'âme de nos voyageurs car "la vérité du monde n'est pas dans le monde, ni même dans l'oeil qui le regarde, mais dans l'âme contemplative que cet oeil a nourri d'images" **(16)** Et la tentation me prend de parodier le poète: Voyageur aux Indes Orientales, ton âme est un paysage choisi, le paysage à la Renaissance!

Arimadavane GOVINDANE

(Université de Niamey)

NOTES

* L'astérisque dans nos citations indique les passages que nous avons soulignés.

1. Dédié au Roy par François Martin de Vitré. Publié à Paris chez Laurent Sonnius, rue St Jacques au Coq et Compas d'or, 1604.
2. Publié en 1611, Paris; 2e édition, 1615; 3e édition, 1619. Et une nouvelle édition, revue et corrigée par le Sieur du Val, Paris, L. Billaine, 1679. C'est le texte de cette édition que nous citons dans notre étude.
3. Préface du *Voyage de François Pyrard de Laval, contenant sa navigation aux Indes Orientales, Maldives, Moluques et au Brésil*, par le Sieur du Val, Paris, 1679.
4. F. M. de Vitré, *op. cit.*, pp. 27-28.
5. Pyrard de Laval, *op. cit.*, p. 71.
6. *Ibid.*, p. 86.
7. *Ibid.*, p. 86.
8. *Ibid.*, p. 76, fin.
9. *Ibid.*, p. 238.
10. *Ibid.*, p. 286.
11. *Ibid.*, p. 71.
12. *Ibid.*, p. 71.
13. *Ibid.*, "Au Lecteur".
14. *Les Voyages aventureux du Capitaine Ian Alphonse Sainctongeois*, 1559.
15. Par Marc Paule Gentilhomme vénétien et nouvellement réduit en vulgaire français et publié en 1556.
16. R.-M. Albérès, *Métamorphoses du roman*, P. , Albin-Michel, 1972, p. 81 (Proust et la forêt des Images).

LE PAYSAGE DANS LES PÉRÉGRINATIONS DE JEAN PALERNE

> Donc de tant de dangers, maladies, craintes et desespoirs seront exempts ceux de mes amis, qui à leur ayse, et en lieu de seurté liront ces observations: car à autres n'entends je les communiquer. Desquelles ils peuvent neantmoins tirer en partie cognoissance de plusieurs choses, acquises par indicibles travaux, et despense incroyable, et ne seront point subjects aux frayeurs des tormentes (...), exempts du chaud excessif (...), et (d') une infinité d'autres incommoditez (...), tresayse que mon labeur infatigable puisse apporter quelque contentement au lecteur.
> (J. Palerne, *Peregrinations*, Avant-propos, p. 5-6) (1)

Jean Palerne occupant une si modeste place parmi les voyageurs français du XVIe siècle (2), l'on voudra bien m'autoriser à rappeler quelques données biographiques concernant l'auteur des *Peregrinations* (3).

Né en 1557 dans la petite bourgeoisie forézienne - son père était notaire -, Palerne fréquente le collège probablement jusqu'en 1576, année où il entre comme secrétaire au service de Monsieur, François d'Alençon, duc d'Anjou, qu'il quittera pendant l'été 1579. Au cours de ces trois années passées avec le frère cadet de Henri III, Palerne va voir beaucoup de choses: il accompagne son maître dans ses campagnes en Auvergne (sièges de La-Charité-sur-Loire et d'Issoire) et en Hainaut (prises de Binche et de Maubeuge) (4), ce qui est sans doute à l'origine de son intérêt très marqué, comme nous pourrons le constater, pour l'architecture militaire et la valeur défensive d'un site; il se rend en Espagne, sans doute pour négocier un éventuel mariage entre son maître et une infante et enfin participe à une ambassade auprès d'Elisabeth Ie, toujours dans le cadre des projets matrimoniaux du duc, ambassade dont il est chargé de faire la relation à la Reine-Mère, alors en voyage dans le Sud-Ouest (**5**). Puis, sans que nous sachions pourquoi, il quitte le service du duc et décide de partir en pèlerinage à Jérusalem avec un certain gentilhomme melunois, tous deux pourvus d'"une belle resolution et provision de monnoye", simplement curieux "de veoir du pays" (**6**).

Les principales étapes du voyage (30 mars 1581- 2 février 1583):

- départ de Paris le 30 mars 1581 pour Venise;
- départ de Malamocco sur "une grosse nave" pour Jaffa le 7 mai, premier naufrage en face des côtes d'Istrie, retour à Venise le 15 mai;
- traversée de la Méditerranée de Venise à Alexandrie, escales dans les îles Ioniennes, arrivée le 21 juillet;
- 25 juillet: départ d'Alexandrie pour Le Caire, en remontant le Nil depuis Rosette;
- 30 juillet - 12 août: séjour au Caire;
- 12 août - 3 septembre: périple dans le Sinaï;
- 11 septembre: départ du Caire pour Damiette et Jaffa;
- 24 septembre - 20 octobre: pèlerinage en Palestine, Jérusalem, Bethléem;
- 23 septembre: second naufrage au large de Byblos, mort du compagnon de voyage; séjour au Liban et en Syrie jusqu'au 15 janvier 1582;
- 15 janvier - 6 avril: voyage en Méditerranée orientale de Tripoli du Liban à Constantinople avec escales dans les îles (Chypre, Rhodes, Chio);
- 6 avril - 25 juillet: séjour à Constantinople;
- 25 juillet - 30 août: traversée des Balkans, de Constantinople à Raguse;
- 30 août - 26 octobre: séjour à Raguse et retour à Venise;
- 26 octobre 1582 - 2 février 1583: voyage en Italie à Ferrare, Bologne, Florence, Rome, Gênes et retour à Lyon après vingt-trois mois hors de France.

Palerne, retiré chez lui, se met alors à rédiger son récit de voyage dont le manuscrit porte la date de 1584 (**7**) et dont le texte ne sera publié que vingt-deux ans après, en 1606.

Palerne cosmographe

A la lecture des *Peregrinations* on note un intérêt très marqué pour la cosmographie: le Forézien découvre l'astrolabe qui lui est révélé par un voyageur anglais rencontré à Alexandrie et il consacre un chapitre didactique (**8**) à l'usage de cet instrument, véritable cours de cosmographie. On retrouve dans ce chapitre très certainement des informations directes, mais aussi des éléments glanés dans la littérature cosmographique du temps, en particulier dans le *Theatrum orbis terrarum* d'Ortelius, publié en latin en 1571, traduit en Français en 1581 (**9**), et dans la grande *Cosmographie*

Universelle de Münster (10), rééditée en 1575 par François de Belleforest, elle aussi ornée de cartes et plans qui modèleront la vision que Jean Palerne a eue du Proche-Orient. Il semble qu'il ait longuement compulsé ces ouvrages, à tel point que la relation des paysages qu'il nous fait est marquée par les plans des villes en perspective qui les ornent, en particulier le lecteur moderne de Palerne ne peut qu'établir un parallèle entre les gravures du *Theatrum* et "l'angle de prise de vue" choisi par le voyageur pour évoquer un site, urbain notamment. Il importe également de noter qu'en bon cosmographe il n'omet jamais de noter les coordonnées précises des villes visitées, ce qui donne beaucoup de "sérieux scientifique" à son récit!

Palerne paysagiste

Tout ceci pourrait nous laisser penser que les *Peregrinations* ne font que reprendre la tradition de la littérature de voyage du temps, pourtant nous savons que l'ouvrage ne manque pas d'originalité en matière de pittoresque, ainsi l'épisode des fêtes célébrées à l'occasion de la circoncision du fils du Sultan (11) a-t-il fourni à Mademoiselle de Scudéry quelques éléments pour créer la couleur locale dans son *Ibrahim ou l'illustre Bassa* (1641) et nous voulons montrer que Palerne a bien été sensible aux paysages rencontrés et qu'il a su les traduire dans les *Peregrinations*, notamment dans trois domaines, les paysages naturels, les sites urbains, les terres cultivées par l'homme.

Contrairement à beaucoup de ses contemporains qui ont fait le voyage au Levant avec des intentions déterminées au départ, comme le médecin P. Belon du Mans (12) qui est allé rechercher là-bas les drogues que l'on utilisait en Europe et qui en a profité pour dresser un inventaire des curiosités qui intéressaient le naturaliste, ou comme le sieur de Villamont (13) qui fournit un véritable guide de voyage à l'usage du pèlerin avec toutes les contraintes et les naïvetés que suppose ce genre de littérature, Jean Palerne, simple voyageur curieux, pèlerin fervent par ailleurs pendant son séjour en Palestine, se contente d'observer les milieux dans lesquels il se trouve et sait parfois les peindre avec beaucoup d'ampleur et même d'enthousiasme.

Il évoque ainsi les bords du Nil qu'il remonte en barque entre Rosette et Le Caire:

> Veritablement c'est une chose quasi admirable, de voir le rivage si richement revestu de toutes sortes d'herbes et de plantes, en tous temps vertes, et tellement plaisant, qu'approchans quelques foys du bord, nous pouvions aysement choysir avec les mains, les melons, cocombres, et patecques (...). Comme nous passions audevant des villages: plusieurs filles et garçons meslez ensemble, de l'aage

> de douze à quinze ans se jettoyent dans l'eauë, comme plongeons, et venoyent sortir prez nostre barque(...) (**14**).

Il décrit le mont Liban qu'il parcourt en compagnie du patriarche maronite, les pâturages, les villages chrétiens avec leurs églises et les clochers, les forêts de cèdres et les ruines de Baalbek dans le lointain (**15**). Il fait enfin véritablement preuve d'enthousiasme en peignant l'île de Chio:

> J'oseray bien dire, et avec verité asseurer, que Chio est une des plus belles, et plaisantes isles, et demeure, non seulement de l'Archipelague: mais aussi de toute la mer Mediterranée (...): et est située entre les isles de Samos, et Metellines, de quelque cent mil de circuit, partie de laquelle est monteuse, et l'autre en plaine, qui est fertile et abondante en bled, et des plus excellens vins (...) (**16**).

Mais c'est dans la relation de son périple à travers le Sinaï que Palerne nous semble réellement convaincant: quel paysage plus grandiose que celui qu'il contemple depuis le sommet du mont Moïse?

> Ceste montaigne est la plus haute de toutes les autres (...). Estans au dessus nous voyons la mer rouge devers austro, qui nous sembloit batre au pied du Mont: et toutefois y a deux bonnes journées. Ce Caloier (qui nous accompagnait) nous monstra les hautes montaignes, qui sont au-delà. Il y a un monastère de leur ordre (...) qu'ils appellent desert sainct Antoine, et sainct Macaire (...). Du costé de tramontane nous descouvrismes les montaignes de la terre saincte. Devers ponent se voit une poincte de l'Arabie deserte, et heureuse où se voit la mer de sablon, de douze journées de long (...) (**17**).

Il est intéressant de noter que l'on retrouve à peu près les mêmes termes dans la description de Belon de 1555 (**18**). Il faut toutefois signaler que, comme pour la plupart des voyageurs contemporains, Palerne a été relativement peu marqué par les paysages naturels: la mer n'est évoquée qu'à l'occasion des tempêtes, le désert se traverse au plus vite, seules les villes et les paysages façonnés par les hommes l'intéressent vraiment.

Les sites urbains sont longuement dépeints, grandes métropoles ou cités plus modestes, Alexandrie, Le Caire, Jérusalem, Tripoli du Liban, Damas, Rhodes, Constantinople, Raguse (notons au passage que, contrairement au pédant Villamont, il s'abstient de décrire l'Italie "pour estre assez cogneuë de nos François" (**19**).

Palerne commence d'abord par évoquer la topographie générale du site urbain avec une précision de cartographe, proche des plans-perspective des cosmographies du temps dont nous avons déjà parlé; on peut également penser qu'au cours de son périple en Italie il a pu voir les grandes compositions, cartes de provinces et plans de villes qui venaient d'être terminés à Florence dans la salle de la Garde-Robe du Palazzo Vecchio par Ignacio Danti et Stephano Buonsignori, et datant de la même époque, la Galerie des Cartes de Géographie réalisée sous le pontificat de Grégoire XIII, compositions qui ont d'ailleurs été largement diffusées par la gravure.

Les liens entre les cartes géographiques et les plans et le pouvoir politique et militaire ont été largement évoqués par Christian Jacob et Frank Lestringant (20), et il est donc normal que l'ancien secrétaire et maître d'hôtel de Monsieur s'intéresse au premier chef à la valeur militaire d'un site et aux ouvrages d'art qui le fortifient. Ainsi de Rhodes:

> La ville (...) est située le long de la marine, partie sur la colline, forte et ceincte de bonnes murailles, et bien flanquée de grosses tours et boulevards doubles en plusieurs endroicts, belles plateformes, larges fossés et profonds (21).

Il décrit les forts qui gardent l'entrée des Dardanelles (22), les portes de Jérusalem (23), les murailles et châteaux du Caire (24). Le voyageur signale également les monuments antiques: colonne de Pompée à Alexandrie, pyramides de Guizeh, ruines de Baalbek, restes de l'hippodrome à Constantinople, mais il marque surtout son intérêt pour les monuments religieux chrétiens ou musulmans, décrits avec précision: mosquées du Caire, de Damas, de Constantinople, chapelles, églises et sanctuaires, dans le Vieux-Caire, au mont Sinaï, église du Saint-Sépulcre, Sainte-Sophie; les monuments civils, palais du Grand-Seigneur sur la Corne d'Or, maisons particulières du Caire et de Péra, bazars et caravansérails souvent somptueux en Turquie, retiennent son attention.

Dernier type de paysage enfin que l'on rencontre chez le voyageur forézien, c'est celui qu'offre la terre aménagée et cultivée par l'homme. Ceci n'est en rien surprenant dans la mesure où Palerne comme ses contemporains plus illustres, a vécu dans l'entourage des Valois, grands amateurs de jardins qui faisaient le charme des résidences princières aux Tuileries, à Fontainebleau ou à Amboise, pour ne citer que quelques uns des exemples les plus illustres (25). L'agronomie est à la mode et Olivier de Serres publiera en 1600 son *Théatre d'agriculture et ménage des champs*; or si Palerne n'est qu'exceptionnellement inspiré par la nature sauvage, en revanche tout ce qui concerne l'agriculture et l'aménagement des jardins le touche.

Il note d'abord des ressemblances avec la campagne qui lui est familière, campagne méditerranéenne des îles Ioniennes ou de la mer Egée, paysage de Zante:

> Elzante (...) peut avoir environ quatre vingt mil de circuit, assez fertile et abondante en bons vins, et quelque peu de muscat, raisins de Corinthe, qu'ils appellent uva passa, citrons, oranges, et figues, grenades, capres, olives; et

> quelques palmiers, et figuiers d'Inde, les feuilles desquels croissent les unes sur les autres (**26**).

Il est également curieux de la végétation exotique et décrit ainsi le jardin de Matariéh près du Caire:

> Ce lieu la est bien entretenu et y a toutes sortes d'arbres, commes palmiers, cassiers, carrobiers, sycomores, figuiers, meuriers blancs et noirs, orengers: et plusieurs autres herbes et plantes (...) (**27**).

Il aperçoit aussi, à de rares occasions, les paysans du delta du Nil, vivant dans des huttes de boue, juchés sur des buffles qu'ils utilisent comme monture, ou des troupeaux de perdrix domestiques que les enfants "menoyent paistre comme des oysons" (**28**) sur les pentes du mont Liban.

Mais Palerne a l'occasion de visiter les jardins du Sérail et ne peut cacher son admiration:

> Un beau jardin,revestu de hauts cyprez, et arbres fruictiers de toutes sortes, avec des longues allées le long de la marine, bordée desdicts arbres, et un beau pavillon à l'un des coings avec un grand portail enrichy de belles colonnes de porphyre, où le Seigneur s'embarque pour s'aller promener en ses autres jardins de l'arcenal et de Scutary (**29**).

Jardins d'agrément, jardins utiles et nourriciers, dont le Grand-Seigneur lui-même, ancêtre anachronique de Candide et de Cacambo, utilise les produits pour fournir la table impériale: voilà des jardins fort moraux en ce pays d'infidèles qui permettent discrètement de dénoncer par comparaison la frivolité et le luxe inutile des moeurs des Valois.

Les paysages occupent en fait une place relativement réduite dans ces *Peregrinations*; rares, même s'ils existent, sont les vastes panoramas naturels, toujours entrecoupés de notations érudites, d'observations sur les curiosités offertes par la faune et la flore ou de détails concernant la légende ou la mythologie propre aux lieux: "les cosmographies et les relations de voyage fournissent pourtant un grand nombre de renseignements, mais ces catalogues ou cette poussière de détails ne constituent pas des paysages" (**30**).

Concernant les paysages humains, on peut constater que les notations originales sont exceptionnelles, Palerne a lu Belon, comme il a lu Münster et Ortelius, et ses descriptions portent la marque des érudits et des cosmographes qui l'ont précédé: il y a des sites qu'il faut avoir vus et ce n'est pas dans les descriptions que le Forézien recherchera la nouveauté du regard mais plutôt dans la réflexion morale, politique, religieuse dans laquelle il fait preuve d'une authentique ouverture d'esprit et d'une tolérance rare en ce XVIe siècle finissant.

Enfin, on ne peut que constater la sècheresse toute géographique de ces compositions, des traits qui évoquent la gravure par la netteté des lignes, la précision topographique, les coordonnées chiffrées, en revanche aucune sensation (chaud, froid, couleurs, odeurs) et pourtant le sujet s'y prêtait, mais force est de constater que notre voyageur n'était pas encore "sensible" et bien médiocre poète (**31**). Dans le domaine pictural, les compositions urbaines de Palerne pourraient évoquer certaines oeuvres de son contemporain Antoine Caron, comme *Le Massacre des Triumvirs* ou *La Sibylle de Tibur*, remarquables par leur netteté géométrique et la prédominance de l'architecture antiquisante dans de vastes espaces vides de toute sensualité (**32**).

Michel DAUMAS

(Université de Saint-Etienne)

NOTES

1. J. Palerne, *Pereginations/ du S. Jean Palerne/ Foresien, secretaire/ de François de Valois duc/ d'Anjou, et d'Alen-/ çon, etc/* (...), Lyon, Jean Pillehotte, 1606. Réédition à l'identique en 1626. Réédition de la partie égyptienne des *Peregrinations* (pp. 22-224) par S. Sauneron sous le titre: *Voyage en Egypte de Jean Palerne, Foresien, 1581*, Le Caire, I.F.A.O., 1970.
2. G. Atkinson, *La Littérature géographique française de la Renaissance*, Paris, 1927, no 472.
3. Cl. Longeon, *Les Ecrivains foréziens de la Renaissance, répertoire bio-bibliographique*, Saint-Etienne, Centre d'Etudes Foréziennes, 1970. M. Daumas, *Jean Palerne, poète, épistolier et voyageur forézien (1557-1592)*, thèse pour le doctorat de 3e cycle, Université de Saint-Etienne, 1983, ex. dactylographiés.
4. *Peregrinations*, *op. cit.*, Avant-propos, p. 3.
5. *Lettres de Catherine de Médicis*, t. VI, Paris, Imprimerie nationale, 1897.
6. *Peregrinations*, *op. cit.*, p. 4.
7. Cl. Longeon, *Les Ecrivains foréziens*, *op. cit.*
8. *Peregrinations*, *op. cit.*, chap. VIII, p. 34-39: "Qu'est-ce que latitude, et longitude, eslevation et depression de pole".

9. A. Ortelius, *Theatrum orbis terrarum*, Antverpiae, A. Coppernium diesth, 1571; trad. franç. *Théâtre de l'univers*, Anvers, C. Plantin, 1581; 93 p. de cartes et plans.
10. S. Münster, *La Cosmographie universelle (...) augmentée, ornée et enrichie par François de Belle-Forest*, Paris, M. Sonnius, 1575 (2 vol.).
11. *Peregrinations*, *op. cit.*, chap. CXIII-CXXI, p. 442-448.
12. P. Belon du Mans, *Les Observations de plusieurs singularitez (...) trouvées en Grèce, Asie, Judée, Egypte (...)*, Paris, G. Cavellat et G. Corrozet, 1553; réédité partiellement sous le titre *Le Voyage en Egypte de P. Belon du Mans*, Le Caire, I.F.A.O., 1970.
13.Villamont, *Les Voyages du Seigneur de Villamont (...)*,Paris, Cl. de Monstr'oeil et J. Richer, 1595; 26 éditions entre 1595 et 1620!
14. *Peregrinations*, *op. cit.*, p. 53-54.
15. *Ibid.*, p. 306-308.
16. *Id.*, p. 351-352.
17. *Id.*, p. 193-194.
18. P. Belon, *Observations*, *op. cit.*, Paris, 1555, p. 128a-128b.
19. *Peregrinations*, *op. cit.*, p. 520.
20. *Arts et légendes d'espace, Figures du voyage et Rhétorique du Monde*, textes réunis par Ch. Jacob et Frank Lestringant, Paris, Presses de l'E.N.S., 1981.
21. *Peregrinations*, *op. cit.*, p. 342.
22. *Id.*, p. 364-365.
23. *Id.*, p. 235-237.
24. *Id.*, p. 61-65.
25. P. Grimal, *L'Art des Jardins*, Paris, 1954.
26. *Peregrinations*, *op. cit.*, p. 17-18.
27. *Id.*, p. 141.
28. *Id.*, p. 310.
29. *Id.*, p. 385.
30. Fr. Joukovsky, *Paysages de la Renaissance*, Paris, P.U.F., 1974, p. 29.
31. J. Palerne, *Poésies*, éditées par A. Benoît, Paris, Pillet et Dumoulin, 1884; réédition en 1975, Genève, Slatkine.
32. Musée du Louvre, Paris; J.J. Lévêque, *L'Ecole de Fontainebleau*, Neuchâtel, Ides et Calendes, 1984.

LES PAYSAGES DE MONTAGNE

L'ÉVOLUTION DES DESCRIPTIONS DU DÉBUT A LA FIN DU XVI SIÈCLE

On considère généralement que la sensibilité au charme et au pittoresque de la montagne ne remonte guère au-delà du XVIIIe siècle. Non sans bonnes raisons, apparemment: qui ne connaît le sonnet des Grisons de Du Bellay, dans *Les Regrets*, où le passage du col est présenté comme la sanction d'un crime tant le chemin est pénible (1)? De ce sonnet, on a même remarqué - rapprochement éloquent! - qu'il s'inspire de la description des Enfers par Virgile (2). On retrouve la même idée, sur le même lieu, exprimée par Magny dans un poème de ses *Soupirs*:

> J'aymeroy mieux coucher dix nuictz dessus la dure, (...)
> J'aymeroy mieux me voir dans la prison obscure
> D'un marrane Espagnol, quinze jours garrotté (...)
> J'aymeroy mieux avoir sur mer un grand oraige
> Trente jours tout de reng en danger de naufraige, (...)
> Que passer aux Grisons la Vrigue et la Berline...(3)

Cette image désastreuse de la montagne n'est pas nouvelle: dès le XIVe siècle, Eustache Deschamps n'assurait-il pas que le meilleur châtiment qu'on puisse infliger à un grand criminel, c'était de le condamner à la montagne à vie, sans espoir de retour (4)? Elle demeure actuelle au XVIe siècle. Pensons par exemple à l'*Heptaméron*: on sait que la reine de Navarre entendait rivaliser avec Boccace. Or les "devisants" de l'Italien, dans son recueil de contes, se trouvaient isolés parce qu'ils avaient fui une catastrophe majeure: la grande peste de Florence. Quel prétexte Marguerite va-t-elle fournir à ses personnages pour deviser quelques jours tout à loisir? Rien de moins qu'un voyage difficile à travers les Pyrénées, où la montagne déchaîne ses fureurs: inondations, noyades, accidents, chutes, attaques de brigands, d'ours...(5) Est-il excessif de juger l'équivalence implicite ainsi posée entre la peste et la montagne aussi éloquente que celle dont je parlais plus haut entre la montagne et l'enfer?

Une telle concordance dans l'évocation de la montagne répond à une tradition littéraire: de cela, on trouve la confirmation dans le recueil des *Epithetes françoises* de Maurice de La Porte (paru en 1571), qui relève les caractérisations les plus courantes de la poésie du temps. Pour les mots *Mont* ou *Montaigne*, les qualificatifs se répartissent de la manière suivante: les uns simples épithètes de nature (*haut, pendant, chenu*...), quelques uns, rares, assez banalement descriptifs (*verdissant, fueillu, forestier*...), la plupart dénotant l'image d'un univers peu attrayant (*caverneus, inaccessible, pierreus, scabreus, reculé, raboteus, infertile*...) voire inquiétant (*inhospitable, dangereus, horrible, precipiteus*...), mais aucun ne suggérant ni la beauté ni la grandeur de la montagne (**6**). Or, un quart de siècle plus tard, paraissait un autre recueil d'épithètes comparables au précédent sous le titre *Un amas d'Epithètes recueilli des Oeuvres de (...) Du Bartas* (**7**). *Monts* et *Montagne* s'y voyaient pourvus de trois articles, beaucoup plus brefs, dont la tonalité générale traduit une différence certaine d'appréciation:

> *Mont*, herbageux, sauvage.
> *Montagnes*, bossues, hautaines, hautes, pierreuses, superbes.
> *Monts*, aigus, asprement hauts.

Ni le pittoresque ni l'admiration ne sont beaucoup plus marqués que chez La Porte. En revanche, l'effroi et l'inquiétude ont disparu. Certes, il serait imprudent de vouloir faire dire à ce type d'ouvrage qui tient largement du catalogue plus qu'il ne peut: il n'empêche que de telles différences sont significatives.

Avant d'examiner cette évolution dans la description du paysage montagnard au XVIe siècle, je voudrais montrer rapidement qu'il y a correspondance entre le poncif littéraire et le sentiment commun qu'inspire alors la montagne. Je crois en effet qu'une tradition littéraire, si artificielle qu'elle paraisse, n'a de possibilité de se maintenir que si elle correspond peu ou prou aux mentalités de ceux à qui elle s'adresse. Première question: retrouve-t-on ailleurs, dans des récits non fictifs ou même dans des documents, l'horreur - fût-elle sacrée - de la montagne qu'exprime si souvent la littérature? Commençons par des documents.

Dans son livre *Histoire du climat depuis l'an mil*, Emmanuel Le Roy Ladurie citait cet extrait des archives de Chamonix au XVIe siècle:

> C'est un pauvre pays de montagnes sterilles et où les glassiers et gellées demeurent en tout temps... Le Soleil n'y est pas la moitié de l'année...; le bled y est cueilli à la neige... Il est si pourry qu'il fault l'eschaufer au four... Le lieu est en montaignes froydes et inhabitables au point de n'y avoir aulcune commodité de procureurs et avocats (*sic*)... On y compte grand nombre de gens paouvres, tous rusticques et ignares... Aucun estrager ne veult y habiter et les glaces et gellées y sont ordinaires despuis la création du monde (**8**).

Misère, conditions de vie insupportables, contrée littéralement "sous-développée" avant la lettre par rapport à d'autres régions: le tableau est épouvantable. De cette image affreuse de la montagne, voici un autre exemple aussi parlant: en 1594, une charte accordait aux habitants de Lanslebourg, au pied du Mont Cenis, l'exemption d'une partie de leurs impôts à condition "d'ensevelir les morts qui se trouveront dans la montagne et de planter des croix pour enseigner leur chemin aux passants" (**9**). Les témoignages ne manquent pas, d'autre part, jusqu'à la fin du siècle et au-delà, sur la misère des pauvres gens condamnés à vivre dans ces territoires inhospitaliers dont on parle alors comme on fait aujourd'hui de la Sibérie. Ainsi ces lignes de Villamont, qui traversa les Alpes en 1588, et qui écrit à propos des habitants du village d'Aiguebelle:

> ...ils labourent la terre à coups de main, à bien une li(e)üe de hauteur, sans craindre le danger de tomber és précipices. Je crois que la nécessité et pauvreté les contrainct à ceste misere, d'autant que la terre leur manque: ce qui est cause qu'ils sont tous pauvres, demandans l'aumosne importunement aux passans, se laissant couler du haut des montaignes en bas pour avoir un pauvre quadrin (**10**).

L'horreur, la crainte, l'énumération des difficultés et des périls de toute nature rencontrés dans le passage des montagnes se répètent dans nombre d'écrits, en particulier dans les relations de voyage. La lecture de ces épisodes laisse aujourd'hui encore le sentiment de risques extraordinaires courus par ceux qui affrontaient cette nature hostile. Toutefois, il s'agit plutôt de l'évocation d'obstacles certes spectaculaires que de descriptions proprement dites. Celles-ci sont rares avant la fin du XVIe siècle et d'abord, peut-être, pour une bonne raison: c'est que la montagne, si elle est pourvue de quelques épithètes plus ou moins traditionnelles comme nous l'avons vu, ne constitue pas une catégorie topographique reconnue au même titre que d'autres au XVIe siècle.

Il y a les villes, lieux civilisés, refuges; il y a la forêt ou la campagne, dont on a l'impression, en lisant les récits de voyage, qu'elles n'existent que comme chemins, comme séparations entre deux villes, et non par elles-mêmes; il y a la mer, redoutable, propice à toutes les terreurs et à tous les dangers comme à tous les symboles. Dans ses *Regrets*, Du Bellay se présente comme vivant sur la terre ferme, dans des villes (Rome, la cour du roi), mais constamment il fait allusion à la mer, de façon symbolique et métaphorique, et parfois, sur le ton de la nostalgie, à la campagne, "aux campagnes de France" (**11**). Un seul sonnet, sur 191, celui que je citais en commençant, fait allusion à la montagne: sur quel ton! (**12**)

Cette discrétion n'est pas exceptionnelle. Au début de ses *Commentaires*, Monluc raconte l'assaut en 1528 d'une "petite ville, nommée Forcha di Penne" en Italie, dont il dit qu'elle est "sur le haut d'une montagne, assize de sorte qu'il falloit monter tousjours, sauf de la part des deux portes, dans laquelle force soldats du pays s'estoyent retirez" (**13**). C'est tout pour la description. Monluc narre l'événement militaire, il dit le nombre d'hommes engagés, le déroulement de l'attaque, mais plus rien sur le paysage: moins qu'un obstacle, la montagne est ici un élément du décor. Autre exemple, pris ailleurs et plus tard: en 1557, Jean de Léry est au Brésil. Voici comme il parle de la baie de Guanabara, dont il annonce "une particulière et sommaire description":

> Sans doncques m'arrester à ce que d'autres en ont voulu escrire, je di en premier lieu (ayant demeuré et navigué sur icelle environ un an) qu'en s'avançant sur les terres, elle a environ douze lieues de long, et en quelques endroits sept ou huict de large: et quant au reste, combien que *les montagnes qui l'environnent de toutes parts ne soyent pas si hautes que celles qui bornent le grand et spacieux lac d'eau douce de Geneve*, neantmoins la terre ferme l'avoisinant ainsi de tous costez, elle est assez semblable à iceluy quant à sa situation (**14**).

La disposition générale de l'endroit est indiquée, certes. Mais quant aux montagnes elles-mêmes, leur signalement est si schématique qu'il en devient abstrait. La comparaison entre la baie et le lac Léman entouré des Alpes contribue même à exclure toute couleur locale (**15**): car à la vérité, Rio n'est pas Genève!

C'est dire que la contemplation de la montagne n'existe guère plus dans ce type d'ouvrages que dans les pastorales où l'ombre des montagnes qui s'allonge indique de façon stéréotypée la fin de la journée (**16**). Voyez les derniers vers de *La Saulsaye* de Scève:

> Car la nuict vient, qui desjà nous encombre.
> Voy tout autour le Daulphiné à l'umbre
> Pour le Soleil, qui delà la riviere
> S'en va coucher oultre le mont Forviere (17).

Des lieux sont nommés. Ils ne sont pas évoqués pour autant plus précisément que les allusions de Du Bellay à "mon petit Liré" ou à "mon Loir Gaulois" dans le sonnet 31 des *Regrets* par exemple. En l'occurrence, c'est le nom et son pouvoir d'évocation qui tient lieu de description, qu'il s'agisse d'une montagne, d'un fleuve ou d'un village.

Certes il est des exceptions. J'ai déjà mentionné les récits de voyage: ceux qui ont passé la montagne à grand-peine et souvent à grand-peur en ont gardé un souvenir assez impressionnant pour que leurs écrits en restent marqués. De ce fait, leurs descriptions existent plus souvent que dans des textes de fiction. Voici par exemple celle de Denis Possot, prêtre à Coulommiers, qui passa les Alpes en 1532 au Mont Cenis (et qui ne revint pas de son voyage):

> ...et environ midy commençasmes à monter le mont de Senis fort merveilleux et espouantable, plain de neiges terribles (...). Nous allasmes à Nostre Dame des Neiges assez près et joignant le chemin à main gaulche; et l'appelle on Nostre Dame des Neiges, pource que en tout temps, l'esglise est couverte de neiges (...).
> De là, à main gaulche, nous fut monstré à un gect de pierre une chappelle nommée la chapelle des Transys où on mect les passans que on trouve après les neiges fondues, qui ont esté tuez et estouffez d'icelles neiges tumbans impetueusement par temps venteux des montaignes plus haultes que ledit Senis. De là, a ung petit hameau de dix ou douze maisons nommé La Tavernette où il y a tavernes pour loger gens de bien, et bon vin. Après à ung hospital, on passe en commençant à descendre la plaine qui dure deux lieues de merveilleuses neiges fort dengereuses, en sorte que c'est gros dengier d'aller hors du chemin qui ne dure que aultant que une sente (**18**).

Ces descriptions de la montagne dans les relations de voyage, même s'il n'est pas exclu qu'elles se recopient un peu parfois les unes les autres (**19**), sont à mon avis celles qui répondent le mieux à l'attente du lecteur d'aujourd'hui, surtout quand leurs auteurs ont le bon esprit de n'être pas assez lettrés pour ne pas se piquer de beau style, ou quand ils le sont suffisamment pour écrire bien: on en trouve quelques exemples, surtout à la fin du siècle (**20**).

Il est certain que l'expérience personnelle n'est pas toujours à la base de ce qu'on lit. Breydenbach et Münster, et bien d'autres ont été copiés et pillés immodérément. Rien de plus intéressant à ce point de vue que la lecture des commentaires de Frank Lestringant dans l'édition qu'il vient de donner de la *Cosmographie de Levant* de Thevet (**21**). Quand celui-ci décrit "la Montaigne Sainte: autrement dite Athos", on lit que "cette montaigne est de si grande hauteur, qu'elle estend son ombre jusques en l'Isle de Lemnos" (**22**), à quoi le commentaire indique que l'image vient de Münster (**23**). A la page suivante, à propos d'un parallèle entre l'Athos et l'Etna, le commentateur avertit semblablement que ce parallèle sort tout droit des *Adages* d'Erasme, qui "les associe (...) pour faire de l'un et de l'autre (Athos et Etna) les symboles jumeaux d'une gêne et d'un ennui extrême" (**24**). Même sainte, voilà la montagne à nouveau odieuse!

Autre genre d'exception: la montagne implique la hauteur, la difficulté et le danger, mais aussi la montée et l'accès au sommet. D'où, à côté des associations de pensée d'ordre matériel (fatigue, peur, etc.), l'exploitation symbolique de ces données: l'idée d'une ascèse initiatique fait de l'escalade une épreuve qui trouve sa fin dans une récompense sublime. Cette montagne-là peut être imaginaire ou localisée géographiquement, dans l'un et l'autre cas elle n'en est pas moins signe et moyen d'une transformation de l'être. Ainsi du Roc de Vertu dans l'*Hymne de la Philosophie* de Ronsard:

> Dans une plaine, est une haute Roche
> D'où, nul vivant, sans grand travail, n'aproche:
> Car le sentier en est facheux, et droit,
> Dur, rabboteux, espineux, et estroit (...).
> Au bas du Roc est un creux precipice (...).
> Tout au plus haut, cette Roche deserte
> Est d'amaranthe, et de roses couverte...(**25**)

On pourrait rapprocher ce texte, d'une certaine manière, du récit fait par Pétrarque, deux siècles plus tôt, de son ascension du mont Ventoux (*Familiares*, IV, 1), à propos duquel Arnaud Tripet rapelle que "la théologie mystique d'un Grégoire de Nysse, par exemple, (...) recourt (...) avec prédilection au thème de la montagne lorsqu'elle tente de décrire une approche du divin: montagne du Sinaï, des Béatitudes" (**26**). Nous sommes là, apparemment, bien loin du paysage de la montagne. En fait, c'est dans cette interprétation que le paysage, peut-être, prend sa plus grande valeur: "Ayant atteint la cime et épuisé dans ce fait le symbolisme de la montée, Pétrarque découvre, après avoir contemplé le paysage qui s'étend sous lui, un nouveau rapport entre sa situation particulière et sa destinée morale" (**27**), écrit A. Tripet dans son commentaire de la lettre de Pétrarque. Ne peut-on se demander en lisant cela si le relief tourmenté de la montagne, qui est une trop grande gêne dans la vie ordinaire au XIVe ou au XVIe siècle pour qu'on puisse l'apprécier, n'exige pas pour devenir un objet de contemplation, et à plus forte raison d'admiration, d'être ainsi décanté, transformé par l'opération de l'esprit?

Il existe une troisième catégorie d'exception dans la série des textes descriptifs de la montagne, exception conforme à une pratique rhétorique en vogue au XVIe siècle: c'est l'éloge de la montagne. Il n'y a pas un grand nombre de ces éloges. Les plus connus sont ceux de Buttet et de Peletier.

L'*Apologie de la Savoie* de Marc-Claude Buttet parut à Lyon en 1554 (**28**). Il s'agit d'un texte en prose qui est la réfutation d'attaques dues à Barthélemy Aneau contre la province. Loin d'être ce que prétend le dénigreur, la Savoie est un pays riche, heureux, fertile:

> Si nous avons les montaignes aussi en avons nous le fruit: là est toute maniere de bestail en si grand nombre que le bien en provient aux estrangers (**29**).

La suite de l'éloge surprendra (il s'agit, on s'en rend compte, de prouver que malgré les montagnes, un pays peut être digne d'éloge):

> Si nous sommes entre les montagnes, d'autant sommes nous plus proches des Muses...(**30**)

De montagne, il est donc question mais cette Savoie-là est plus un pays qu'un paysage. C'est le duché qui est au centre de l'apologie:

> Si nous avons les rochers, aussi avons nous le marbre blanc et noir, le jaspe, porphire, albatre, cristal (...); voire les mines de l'or, de l'argent, cuivre, cotton, fer, estain, et d'autres métaux...(**31**)

Tout est donc idéalisé. Mais du décor montagnard que nous attendions, il ne se trouve à peu près aucune trace! De sorte que ce texte que j'ai rangé parmi les exceptions parce qu'il ne honnit pas la montagne mais la célèbre, est en fait un texte d'où la montagne annoncée (celle de Savoie: les Alpes) est à peu près absente.

J'ai cité le nom de Peletier. Avec son poème intitulé *La Savoye*, nous entrons dans une autre période: l'apologie de Buttet datait de 1554, celle de Peletier est de 1572. Nous sommes dans le dernier tiers du siècle: on verra que ce n'est pas sans importance.

On retrouve chez Peletier le désir, commun à beaucoup de Savoyards lettrés, de prendre la défense d'une patrie, ou d'un pays d'adoption, souvent dénigré. De plus, la personne de la duchesse de Savoie, Marguerite de France, protectrice des poètes, n'a sans doute pas été étrangère à ces protestations en faveur d'une province si peu plate (**32**)!

Peletier est un grand lettré. Il a lu Pline, s'en souvient et ne nous laisse pas l'oublier. Toutefois, il arrive que ses vers suggèrent efficacement un décor, voire un paysage montagnard:

> Entre les Eaus de la Nature insignes,
> Les Lacs parfons sont de merveille dignes:
> Les uns sont bas, entre les Mons compris,
> Aucuns d'iceux les plus hauts lieux ont pris...(**33**)

Il a l'idée de noter les lointains.

> Or avient-il que ces Alpes chenues
> A l'oeil lointein ont semblance de Nues:
> Car un corps clair, de pres a autre egard,
> Que quand il est distant et à l'ecart:
> Et les couleurs, qui semblent bien natives
> En l'Arc du ciel, ne sont que putatives (**34**).

Tout cela ne produit sans doute pas une révolution esthétique mais ce n'est pas indifférent et surtout, on trouve dans ce poème l'affirmation que la montagne est belle.

Or on observe dans la même période - un peu plus tard peut-être - que Peletier n'est pas le seul à penser ainsi. Les années 1570-1580 marquent, semble-t-il, un changement d'appréciation à l'égard de la montagne. Il arrive qu'on la regarde et qu'on l'admire.

La Savoye date de 1572. En 1578, Du Bartas publie *La Sepmaine* où il compose à son tour un éloge de sa province, la Gascogne; il y mêle la célébration de la vertu des eaux thermales, le rappel de mythes et la description d'un torrent, le "lers" (l'Hers):

> ... et les eaux salutaires
> De Cauderets, Barege, Aigues-Caudes, Baigneres,
> Baigneres la beauté, l'honneur, le paradis
> De ces monts sourcilleux, dessus lesquels jadis
> L'Hercule des Gaulois...
>
> Les monts enfarinez d'une neige eternelle
> La flanquent d'une part, la verdure immortelle
> D'une plaine, qui passe en riante beauté
> Le vallon Penean, la ceint d'autre costé:
> Elle n'a point maison qui ne semble être neuve:
> L'ardoise luit partout...
>
> Mais tout ce que j'ay dit en merveilles n'approche
> Aux merveilles du Lers quand il sort de sa roche... (**35**)

Certes, se mêle encore à ce passage un souci de célébration "patriotique":

> ...ma Gascongne heureusement abonde
> En soldats, bleds et vins, plus qu'autre part du monde...
> (**36**)

Mais ce souci ne se substitue plus à la représentaton du paysage.

Des vers, passons à la prose. En 1580 et en 1581, Montaigne passe les Alpes et cela lui fournit l'occasion de prendre radicalement le contrepied de tout ce qu'il est encore d'usage de penser. Il le dit fort clairement (par la plume de son secrétaire: nous sommes au début de la relation):

> ...il s'était toute sa vie méfié du jugement d'autrui sur le discours des commodités des pays étrangers (...); mais en ce lieu, il s'émerveillait encore plus de leur bêtise, ayant, et notamment en ce voyage, ouï dire que l'entre-deux des Alpes en cet endroit était plein de difficultés, les moeurs des hommes étranges, chemins inaccessibles, logis sauvages, l'air insupportable. Quant à l'air, il remerciait Dieu de l'avoir trouvé si doux, car il inclinait plutôt sur trop de chaud que de froid (...); mais que du demeurant, s'il avait à promener sa fille, qui n'a que huit ans, il l'aimerait autant en ce chemin qu'en une allée de son jardin...(**37**)

"Ce chemin" est l'arrivée du col du Brenner!

A peu près à la même époque, l'un des textes les plus riches et les plus nuancés sur notre sujet est sans doute celui du *Voyage* de Villamont. Parti en 1588, revenu en 1591, ce gentilhomme breton composa une relation qui fut en son temps un véritable best-seller: 17 éditions de 1595 à 1613 (**38**). Villamont était un esprit curieux, cultivé et un bon observateur. Mieux que Montaigne, il sut distinguer la montagne et les montagnards, la misère des uns et la grandeur de l'autre. De plus, il est un précurseur de la littérature d'alpinisme par sa relation de l'escalade qu'il fit de la Roche-Melon (aujourd'hui en Italie). J'en cite ici la fin qui témoigne d'une sensibilité toute moderne à la beauté de la montagne, en un mot à son paysage:

> ...il faut alors monter comme par une eschelle, grimpant à mont avec les graffes de fer que l'on a attachez aux mains et aux pieds, et faire estat de voir soubs soy des abismes si profonds et effroyables qu'il ne convient attendre fors la mort à ceux qui tant soit peu escoulent ou ne se tiennent fermement à leur graffe de fer. Certainement la chose est beaucoup plus espouvantable et perilleuse, que je ne pourrais reciter (...)

Il contemple alors le panorama qui l'entoure, les monts couverts de neige en plein mois d'août, et poursuit:

> Et jaçoit que toutes ces montagnes soient tres-hautes, neantmoins en comparaison de la montagne où j'estois, elles ressembloient petites. Puis venant à jetter les yeux sur les terres du pays de Piemont et de Lombardie, subitement j'oubliay tous les travaux passez, et me senty comblé en l'ame d'une joye incredible...(**39**)

Ce n'est pas le seul exemple où Villamont pose sur la montagne un regard différent. Je citerai les passages où il s'agit des monts du Liban (nous sommes maintenant en 1591):

> Ce n'est pas sans cause que la saincte escripture fait mention si souvent des cedres et monts de Liban: car c'est une montagne tres fertile en bons vins, bleds, bois, arbres, pasturages, et bonnes fontaines (**40**).

Il s'agit certes d'une montagne de pays chaud, et de plus d'une montagne sacralisée par les Ecritures. Toutefois, Villamont en parle aussi d'un point de vue personnel: nous sommes loin du discours traditionnel sur la montagne.

Ce nouvel intérêt qui s'exprime donc ici et là dans des proses non fictives se retrouve aussi, on l'a vu avec Du Bartas, dans la poésie. Cela durera jusqu'au siècle suivant. Un poème comme *L'Hiver des Alpes* de Saint-Amant en témoigne superbement:

> Ces atômes de feu, qui sur la Neige brillent,
> Ces estincelles d'or, d'azur, et de cristal,
> Dont l'Hiver, au Soleil, d'un lustre oriental
> Pare ses Cheveux blancs, que les Vents esparpillent:
>
> Ce beau cotton du Ciel, dequoy les monts s'habillent
> Ce pavé transparent, fait du second métal,
> Et cet air net, et sain, propre à l'esprit vital,
> Sont si doux à mes yeux, que d'aise ils en pétillent.

Cette saison me plaist, j'en ayme la froideur,
Sa Robbe d'innocence, et de pure splendeur,
Couvre en quelque façon les crimes de la Terre:

Au prix du dernier chaut ce temps m'est gracieux:
Et si la Mort m'attrappe en ce chemin de verre,
Je ne sçaurois avoir qu'un Tombeau precieux (41).

Que conclure de tout cela, sinon que le bouleversement baroque s'est fait sentir ici comme dans tant d'autres domaines? Ces lieux déchiquetés, inégaux, toujours un peu semblables et un peu différents, massifs et découpés, qu'étaient les montagnes, devaient plaire à ce nouvel esprit passionné de déséquilibres, de dissymétries, de ruptures, de tout ce qui peut se résumer en une esthétique de la surprise. Ce qui m'a paru intéressant dans les quelques exemples que j'ai proposés, c'est que l'évolution du goût s'y manifeste aussi bien en matière littéraire (quelle différence des Grisons de Du Bellay aux Pyrénées de Du Bartas et plus encore aux Alpes de Saint-Amant!) qu'autrement. S'il est vrai que dans leurs récits et dans leurs descriptions, les voyageurs s'imitaient les uns les autres, alors il faut admettre qu'à un certain moment, vers la fin du XVIe siècle, ils ont changé de modèles pour se mettre à aimer la montagne et ses paysages. Cela, il est vrai, n'aura qu'un temps et le goût pour la montagne sera ignoré des classiques. Mais c'est une autre question.

Yvonne BELLENGER

(Université de Reims)

NOTES

1. Sonnet 134.
2. *Les Regrets*, éd. Screech et Jolliffe, Genève, Droz, p. 209.
3. Il s'agit de la ballade 1309, in E. Deschamps, *Oeuvres complètes*, Paris, S.A.T.F., 1891, p. 66-67. Voici l'envoi:

   Prince, qui veult corps et ame dampner
   D'un grant pecheur, face loy condempner
   Entre ces mons, et a lui mettre bonde (empêchement)
   Du remanoir sans pouvoir retourner:
   Le païs est un enfer en ce monde.

   D'après G. Raynaud, cette ballade se rapporterait au voyage fait par Deschamps en Hongrie en 1384-1385. (Je dois ces renseignements à l'obligeance de mon collègue M. Serge Colin, que je remercie bien vivement).
4. Sonnet 149.
5. Voir *Heptaméron*, prologue.
6. *Epithetes françoises*, éd. de 1571; Genève, Slatkine Reprints, 1973, p. 169-170. Voici l'article:
   "*Mont* ou *Montaigne*. Solitaire, bossu, caverneux, haut, pendant, chenu, inaccessible, eslevé, pierreus, droit, verdissant, roide, scabreus, inhabitable, reculé, herbu, raboteus, desert, aspre, vuide, cornu, infertile, sourcilleux, buissonnier, neigeus, separé ,difficile, porte-ciel, eminent, secret, feuillu, rude, tournoiant, cailleüeus ou cailleboteus, descouvert, retentissant, vineus, inhospitable, espineus, enneigé, ombreus, vague, inegal, porte-nue, sublime, froid, dangereus, horrible, creus, aeré, precipiteus, forestier, nuageus, supreme, bocageus."
7. Attribué à La Noue et publié en 1596, à Genève, chez les héritiers d'Eustache Vignon, sous le titre général *Le Dictionnaire des rimes françoises*. Il s'agit d'un recueil composite dont la dernière partie s'intitule *Un Amas d'Epithetes recueilli des Oeuvres de Guillaume de Salluste Seigneur Du Bartas*.
8. *Op. cit.*, Paris, Flammarion, 1967, p. 107-108.
9. Cité par Max Bruchet, *La Savoie d'après les anciens voyageurs*, Annecy, Imp. Hérisson, 1908, p. 10.
10. *Les Voyages du Seigneur de Villamont*, Lyon, Claude Larjot, 1606, p. 9.
11. Sonnet 33.
12. On peut ajouter deux vers du sonnet suivant (135) sur la Suisse: "Ilz ont force beaux lacs et force sources d'eau, / Force prez, force bois". Mais le contexte est de telle dérision que cela confirme tout à fait l'horreur de la montagne exprimée dans le sonnet 134.
13. *Op. cit.*, éd. P. Courteault, Paris, Gallimard, Bibl. de la Pléiade, 1964, p. 46.
14. *Histoire d'un voyage fait en la terre du Brésil*, éd. J.-C. Morisot (reprint éd. 1580), Genève, Droz, 1975, p. 86. Souligné par moi.

15. Un peu plus bas, en revanche, une description brève mais excellente "d'une montagne et roche pyramidale, laquelle n'est pas seulement d'esmerveillable et excessive hauteur, mais aussi à la voir de loin, on dirait qu'elle est artificielle": on a reconnu le Pain de Sucre, dont Léry nous apprend encore que "entre nous François, par une maniere de parler hyperbolique, l'avion nommee (la hauteur) le pot de beurre" (*ibid.*). Ces Français-là étaient des Normands!
16. Je me permets de renvoyer à ma thèse, *La Journée et ses moments dans la poésie française du XVIe siècle*, Lille, Atelier de reproduction des thèses, 1975, p. 413.
17. Scève, *Oeuvres poétiques*, éd. B. Guégan, Paris, Garnier, 1927, p. 187.
18. *Le Voyage de la Terre Sainte*, éd. Schefer, 1890; Slatkine Reprints, Genève, 1971, p. 44-46.
19. Voir l'introduction de F. Lestringant à son édition de la *Cosmographie de Levant* de Thevet, Genève, Droz, 1985, p. LIII sq.
20. Notamment Montaigne et Villamont, dont nous reparlerons plus loin.
21. Voir ci-dessus, n. 19.
22. P. 51.
23. P. 266, n. 51, 30.
24. P. 267, n. 52, 16.
25. Ronsard, *Oeuvres complètes*, éd. Laumonier, t. VIII, p. 97.
26. A. Tripet, *Pétrarque ou la connaissance de soi*, Genève, Droz, 1967, p. 66-67.
27. *Ibid*., p. 67.
28. Je l'ai lu dans la réédition du XIXe siècle de François Mugnier, *Marc-Claude de Buttet. Poète savoisien*, Paris, Champion, 1896. L'*Apologie* est p. 92 sq.
29. P. 119.
30. P. 120.
31. P. 119.
32. Voir Max Bruchet, *op. cit.*, p. 124, qui cite de Jean Menenc le *Dialogue du Planan et du Montagnard qui débattent de leur prééminence*, à l'avantage du dernier, évidemment. D'autre part, il faut citer ici tous les éloges de la Savoie qui jaillirent des plumes françaises à l'occasion des noces de Marguerite de France avec le duc de Savoie en 1559 (Ronsard, Jodelle, Grévin, etc.); mais la montagne, quand elle est nommée dans ces poèmes, y est à peine un fond de décor:

> Et ores que la Savoye
> La (Marguerite) retire de nos yeux,
> Et que la penible voye
> Des mons eslevez aux cieux
> La rende plus esloignée:
> Hymen, hymen, hyménée.

(J. Grévin, *Théâtre complet et poésies choisies*, éd. L. Pinvert, Paris, Garnier, 1922, p. 236). Sur ce texte, voir la communication de Louis Terreaux, *infra*, p. 213 sq.
33. *La Savoie*, éd. Ch. Pagès, réimp. 1897, (B.N. 8o. Ye 4494), p. 76.

34. P. 88.
35. *La Sepmaine*, éd. Y. Bellenger, Paris, S.T.F.M., 1981, t. I, p. 112-113, v. 305-309, 313-318, 325-326.
36. *Ibid.*, p. 112, v. 297-298. On pourrait encore citer ici des poèmes intéressants, quoique moins connus, comme les sonnets I, 68, III, 9 et l'églogue pastorale de la *Muse chrestienne* de Poupo (que m'a aimablement signalé M. Henri Jeannet): poèmes descriptifs et tout à fait admiratifs à l'égard de la montagne, qui datent de 1585 - même période.
37. Montaigne, *Journal de voyage*, éd. F. Garavini (orthographe modernisée), Paris, Gallimard, coll. Folio, 1983, p. 145.
38. Voir Roméo Arbour, *L'Ere baroque...*, Genève, Droz, 1980.
39. Ed. cit., p. 13.
40. *Ibid.*, p. 376.
41. Saint-Amant, *Oeuvres*, éd. Lagny-Bailbé, Paris, S.T.F.M., t. II, 1967, p. 124-125.

LE PAYSAGE DANS LA PROSE BUCOLIQUE DE SANNAZARO

La double considération du paysage naturel et de ses précédents littéraires fait partie d'un vieux débat qui investit *Arcadia* de Sannazaro quand ce texte renoue avec le succès, c'est-à-dire à la fin du XIXe siècle, lorsque l'intérêt naturaliste d'une part, l'intérêt philologique de l'autre vinrent à bout de l'indifférence et de l'hostilité romantiques pour une poésie évanescente et compromise avec la virtuosité arcadienne. Cependant ce fut une motivation romantique qui engendra l'admiration avec laquelle Treverret, dans *L'Italie au XVIe siècle*, redécouvre la fraîcheur de la description qui conclut la dixième Prose d'*Arcadia* (1), c'est-à-dire la dernière partie du livre tel qu'il fut conçu initialement. En vérité, le critique français découpait, avec une grande finesse de goût, la dernière partie d'une description conçue en deux moments. Le premier était proprement visuel, consacré au jardin construit autour du sépulcre de Massilia, où prédomine la gamme classique des couleurs, ponctuellement anticipée par un modèle antique (Claudien):

> A queste bellezze se ne aggiungeva una non meno da comendare che qualsivoglia de le altre; con ciò sia cosa che tutta la terra si potea vedere coverta di fiori, anzi di terrene stelle, e di tanti colori dipinta, quanti ne la pomposa coda del superbo pavone o nel celestiale arco, quando a' mortali denunzia pioggia se ne vedona variare. Quivi gigli, quivi ligustri, quivi viole tinte di amorosa pallidezza, et in gran copia i sonnacchiosi papaveri con le inchinate teste, e le rubiconde spighe de l'immortale amaranto, graziosissime corone ne l'orrido verno (2).

Le second moment avait une connotation musicale et était dédié à l'effet que la nature environnante avait sur les bergers qui s'étendaient dans ce lieu enchanteur:

> Ove molti olmi, molte querce e molti allori sibilando con le tremule frondi, ne si moveano per sovra al capo; ai

> quali aggiungendosi ancora il mormorare de le roche onde, le quali fuggendo velocissime per le verdi erbe andavano a cercare il piano, rendevano inseme piacevolissimo suono ad udire. E per li ombrosi rami le argute cicale cantando si affatigavano sotto al gran caldo; la mesta Filomena da lunge tra folti spineti si lamentava; cantavano le merole, le upupe e le calandre; piangeva la solitaria tortora per le alte ripe; le sollecite api con suave susurro volavano intorno ai fonti. Ogni cosa redoliva de la fertile estate: redolivano i pomi per terra sparsi, de' quali tutto il suolo dinanzi ai piedi e per ogni lato ne vedevamo in abondanza coverto; sovra ai quali i bassi alberi coi gravosi rami stavano sì inchinati, che quasi vinti dal maturo peso parea che spezzare si volessono (3).

Treverret se référait bien évidemment à cette dernière partie quand il posait le problème de l'expérience réelle qui aurait suggéré à Sannazaro une telle description, où se refléterait un ensemble de sensations plus qu'un objet. Et il avait raison quand il soutenait qu'il ne s'agissait pas vraiment d'un paysage, s'il entendait par paysage le genre littéraire ou figuratif et lui opposait le paysage romantique entendu comme vision intérieurement revécue: "Voilà ce que peut dire un coeur vraiment épris des délices et des trésors qu'à certaines heures la campagne nous prodigue".

Mais Torraca aussi avait raison, quand il interrompait cet enchantement, en rapportant les vers de Théocrite qui disaient pratiquement les mêmes choses (4). La question achoppait donc sur le vieux schéma du rapport entre expérience directe et modèles littéraires, nature et littérature. Un problème qui n'est pas si dépassé que cela, s'il réémerge dans des formes plus sophistiquées dans la discussion actuelle concernant la validité ou non des représentations artistiques pour la reconstruction du paysage du passé (5). Une discussion que j'entends ramener dans son propre cadre: celui de la formation du genre littéraire du paysage.

En effet, la majeure partie des notations relatives aux paysages d'*Arcadia* visent à créer une atmosphère plutôt qu'à définir un aspect caractéristique de la réalité naturelle et constituent une sorte de commentaire amplifié sur les temps du récit. Ce n'est pas un hasard si certains des exemples les plus typiques de ce genre remontent aux fameux schémas de narration de Virgile. Dans la neuvième et la douzième Proses, l'arrivée de la nuit est représentée par le silence, qui inclut la description comme négation, comme bouleversement, renversement du bruit du jour:

> Non si sentivano più per li boschi le cicale cantare, ma solamente in vece di quelle i notturni grilli succedendo si facevano udire per le foschie campagne; e già ogni ucello si era per le sovravegnenti tenebre raccolto nel suo albergo, fòra che i vespertelli, i quali allora destati uscivano

> de le usate caverne rallegrandosi di volare per la amica oscurità de la notte (6)

où la manipulation d'un passage d'*Ameto* de Boccace ne renonce pas à recourir à un vers virgilien magique: "ibat...per amica silentia lunae" (7). L'arrivée de la nuit, plus chargée de suggestion nocturne dans la Prose XII, fait taire tout l'univers et récupère, orienté vers la description de paysage, le *topos* virgilien, puis dantesque, du calme de la fin de journée comme réparation des fatigues, en opposition avec le tourment sans fin du poète:

> Ma venuta la oscura notte, pietosa de le mondane fatiche, a dar riposo agli animali, le quiete selve tacevano, non si sentivano più voci di cani né di fiere né di ucelli; le foglie sovra gli alberi non si moveano; non spirava vento alcun; solamente nel cielo in quel silenzio si potea vedere alcuna stella o scintillare o cadere (**8**).

La primeur du ton lyrique se reflète dans la forme négative de la description, une description seulement apparente qui connote surtout un état d'âme, c'est-à-dire l'abandon qui prélude au sommeil. Dans le second cas cité, le silence de la nuit précède le songe du protagoniste, un songe allégorique qui trahit la dépendance du voyage dantesque. Dans le premier cas, au contraire, à la représentation pour ainsi dire négative du silence succède une description typique d'un paysage naturel, la petite vallée dans laquelle se réfugient les bergers à la tombée de la nuit. On a là une description typique, parce qu'elle rassemble toutes les connotations du *locus amoenus*, ainsi que l'a défini Curtius (**9**) sur la base de Théocrite, Pline, Virgile et des poètes de la fin de la latinité:

> (...) ne riducemmo in un valloncello assai vicino; ove allora che estate era, le vacche de' paesani bifolci le più de le notti albergavano, ma al tempo de le guazzose piogge tutte le acque che da' vicini monti discendono, vi si sogliono ragunare. Il quale d'ong'intorno circondato naturalmente di querciole, cerretti, suberi, lentischi, saligastri, e di altre maniere di selvatichi arboscelli, era sì da ogni parte richiuso, che da nessuno altro luogo che dal proprio varco vi si potea passare; tal che per le folte ombre de' fronzuti rami, non che allora che notte era, ma appena quando il sole fusse stato più alto, se ne sarebbe potuto vedere il cielo (**10**).

Délimitée par un grand nombre d'arbres, la petite vallée ressemble vraiment à la vallée de Tempé citée dans les *Géorgiques*, là où Virgile fait l'éloge de la vie heureuse des agriculteurs et la fameuse vallée est rappelée par la fraîcheur due à l'impossibilité pour les rayons du soleil de pénétrer cette forêt et à la présence des eaux.

Mais Sannazaro, à part l'utilisation de l'adjectif pittoresque dérivé de Boccace ("le guazzose piogge", les pluies qui laissent le terrain mou, bourbeux), tenait au moins compte d'Ovide:

Silva coronat aquas cingens latus omne suisque
frondibus ut velo Phoebeos submovet ictus.
Frigora dant rami, varios humus umida flores:
perpetuum ver est...(**11**)

Il dilatait le terme générique "forêt" en citant un à un une série d'arbres sauvages et en insistant non seulement sur les "arbustes sauvages", mais sur le caractère "naturel", c'est-à-dire non artificiel de la végétation. Le caractère analytique de la description appartient à la méthode rhétorique de l'émulation, qui se retrouve dans la première Prose d'*Arcadia* où, au contraire, est imité un lieu ovidien classique, qui cite les arbres et les arbustes qui sont venus peupler la plaine désolée, dans la Thrace sauvage où se retira Orphée après son retour des enfers (**12**). Ce lieu ovidien avait suggéré à Braccesi la description détaillée de la villa de Laurent le Magnifique avec l'aide de catalogues de botanique (**13**) et avait suggéré à Politien la description de la colline de Vénus exécutée avec une liste plus discrète et littéraire. Le choix des plantes sauvages que fait Sannazaro dans sa neuvième Prose dénote de par l'absence même d'adjectifs plus une volonté d'érudition que de descriptif pittoresque et a aussi pour effet de transformer un paysage idéal, comme l'est précisément celui d'Ovide tel qu'il le créait autour de Proserpine pour y placer l'éternel printemps où arrivait son rapt, en un lieu réel, quoique agréable pour son éternelle fraîcheur, où se déroulent les humbles oeuvres des bergers.

En effet, les modèles du *locus amoenus* de chez Sannazaro sont les deux passages typiquement ovidiens que j'ai rappelés et que Curtius ne cite pas, tous les deux impliquent un événement miraculeux et particulièrement lourd de symbolisme, comme la représentation de la chasteté de Proserpine et la représentation de la poésie d'Orphée, créatrice de la beauté contre le désert et la sauvagerie de la Thrace. Ce n'est pas pour rien que ces deux passages sont à la base de la description de la femme au milieu des fleurs comme image de la beauté et de la nature privilégiée, depuis Dante jusqu'à ses imitateurs du XVe siècle. Mais le paysage décrit au début de la première Prose d'*Arcadia*, c'est-à-dire dans un passage particulièrement important a, à l'égard de l'archétype ovidien (et même du modèle de Politien, plus récent) la caractéristique d'être précisément un paysage. Ovide commençait en disant:

Collis erat collemque super planissima campi
area, quam viridem faciebant graminis herbae.
Umbra loco deerat; qua postquam parte resedit
dis genitus vates et fila sonantia movit,
umbra loco venit non Chaonis abfuit arbor,
non nemus Heliadum, non frondibus aesculus altis...(**14**)

Il manque de référence à la spatialité, dissoute dans le récit merveilleux, comme ceci se produit même dans les *Stances* de Politien, qui préfère à chaque fois fixer son regard sur la variété des plantes: "sorge robusto il cerro et alto il faggio,/ nodoso il cornio e 'l salcio umido e lento,/ l'olmo fronzuto e 'l fressin pur selvaggio..." (**15**).

Dans *Arcadia* par contre, on met beaucoup en relief cette "agréable plaine" qui s'étend du sommet du mont Partenio et l'on perd presque tous les rappels mythologiques, réduits à quelque trace érudite, tandis que revêt une certaine importance la vue d'ensemble du lieu occupé par un nombre imprécis d'arbres grandioses et ombreux; ceux-ci sont disposés d'une manière non ordonnée, mais ils donnent l'impression d'avoir été disposés à dessein; ils occupent une grande partie de la prairie, laissant gracieusement filtrer quelques rayons de soleil; on dit quels sont ceux qui sont d'un côté, quels sont ceux qui sont de l'autre: au milieu se dresse un cyprès: l'importance mythique donnée par Ovide à cet arbre devient importance perspective:

> Giace nella sommità di Partenio, non umile monte de la pastorale Arcadia, un dilettevole piano, di ampiezza non molto spazioso però che il sito del luogo nol consente, ma di minuta e verdissima erbetta sì ripieno, che se le lascive pecorelle con gli avidi morsi non vi pascesseno, vi si potrebbe di ogni tempo ritrovare verdura. Ove, se io non mi inganno, son forse dodici o quindici alberi, di tanto strana et eccessiva bellezza, che chiunque li vedesse, giudicarebbe che la maestra natura vi si fusse con sommo diletto studiata in formarli. Li quali alquanto distanti, et in ordine non artificioso disposti, con la loro rarità la naturale bellezza del luogo oltra misura annobiliscono.
> Quivi senza nodo veruno si vede il drittissimo abete, nato a sustinere i pericoli del mare; e con più aperti rami la robusta quercia e l'alto frassino e lo amenissimo piatano vi si distendono, con le loro ombre non picciola parte del bello e copioso prato occupando. Et èvi con più breve fronda l'albero, di che Ercule coronar si solea, nel cui pedale le misere figliuole di Climene furono transformate. Et in un de' lati si scerne il noderoso castagno, il fronzuto bosso e con puntate foglie lo eccelso pino carico di durissimi frutti; ne l'altro lo ombroso faggio, la incorruttibile tiglia e 'l fragile tamarisco, insieme con la orientale palma, dolce et onorato premio de' vincitori. Ma fra tutti nel mezzo presso un chiaro fonte sorge verso il cielo un dritto cipresso, veracissimo imitatore de le alte mete, nel quale non che Ciparisso, ma, se dir conviensi, esso Apollo non si sdegnarebbe essere trasfigurato **(16)**.

Le paysage qui accueille les bergers fatigués et où se déroule leur divertissement, fait de jeux et de chants, reproduit donc la description du lieu où Orphée entonne ses hymnes, un lieu agréable, plat, embelli et rafraîchi par les arbres dispersés, non délimité par le bois. Cet endroit s'oppose aux âpretés des autres montagnes de l'Arcadie d'où viennent les bergers pour se retrouver et se reposer (cf. le *pinifer Maenalus* et les *gelidi saxa Lycaei* de la *Xe Eglogue* de Virgile). Mais l'agréable plaine ("dilettevole piano") construite sur la *planissima aerea* d'Ovide reproduit, en évitant il est vrai l'allitération artificielle, le *piacevol piano* du début d'*Ameto*, qui était le lieu où le rude berger, après avoir chassé dans les bois du mont Coreto, s'allonge à la recherche du repos et retrouve l'amour à travers le chant des nymphes.

On ne saurait négliger le fait que les deux types de paysage sur lesquels nous nous sommes attardés "ouvrent" la première et la neuvième Proses, attribuant à la description du paysage une fonction pratiquement autonome, qui nous fait penser au développement que quelques dizaines d'années plus tard aura pris le genre du paysage dans la peinture (**17**). En somme, les bucoliques en vers et les églogues de Sannazaro elles-mêmes dédiaient à la représentation de la scène en plein air seulement quelques annotations subordonnées aux personnages et complémentaires ou marginales par rapport à l'action. Et ce n'est pas par hasard que la prose de Sannazaro reprend en premier lieu le modèle "narratif" d'Ovide et donc le *Ninfale* de Boccace, qui avait introduit la structure narrative dans le genre bucolique. La narration poétique exige en effet comme assiette préliminaire la description du lieu. Mais si dans la première et la neuvième Proses, le choix de commencer avec le paysage retravaille des suggestions ovidiennes, le début de la cinquième Prose semble réaffirmer cette découverte du paysage comme une tentative en soi qui déboute toute recherche de modèles littéraires:

> Era già per lo tramontare del sole tutto l'occidente sparso di mille varietà di nuvoli, quali violati, quali cerulei, alcuni sanguigni, altri tra giallo e nero, e tali sì rilucenti per la ripercussione de' raggi, che di forbito e finissimo oro pareano (**18**).

L'analyse des couleurs du ciel n'a rien de particulièrement bucolique, mais précisément à cause de ceci semble projetée vers une expérience nouvelle, vers un pittoresque qui ne se retrouve pas dans le reste du livre. On ne saurait parler d'un choix réaliste par rapport à l'emploi conventionnel des adjectifs qui désignent l'herbe et les fleurs, mais on ne peut pas non plus parler d'un choix génériquement littéraire, vu que l'amalgame des couleurs a une direction précise: l'effet chromatique. Le paysage littéraire se pose comme auxiliaire de la peinture, en dépit de cette hyperbole de "mille variétés" qui renvoie plus à l'imagination qu'à la figuration et évite d'en préciser les formes tout en suggérant cependant les informes et épais nuages errants qui caractériseront rapidement les ciels peints. La Prose V, que Sannazaro a voulu marquer de cette évocation de paysage si spécifique, n'est pas une parmi d'autres: elle occupe une place médiane entre la première et la neuvième, qui étaient chez Virgile les églogues autobiographiques, et correspond à cette églogue de Virgile où Mopse chante la mort du mythique Daphnis, symbole de la beauté du monde bucolique (on disait que Virgile avait mis au départ l'Eglogue V au début de la série des Eglogues) (**19**). Or, précisément dans cette Prose, où j'ai relevé la nouveauté de l'ouverture, la typologie du paysage découvre une variante par rapport au *locus amoenus* destiné au divertissement et au repos: le paysage hérissé de bois où se renferme l'antique esprit pastoral, où règnent la peur et le mystère. C'est un autre passage ovidien, celui qui décrit la vallée de Tempé traversée par le fleuve Pénée, qui est à la base de ce paysage qui prélude à la célébration de la mort d'Androgée et comporte les pleurs pour la perte de la divinité de l'Arcadie:

> Né guari oltra a duo milia passi andati fummo, che al capo di un fiume chiamato Erimanto pervenimmo; il quale da pie' di un monte per una rottura di pietra viva con un rumore grandissimo e spaventevole e con certi bollori di bianche schiume si caccia fòre nel piano, e per quello transcorrendo, col suo mormorio va fatigando le vicine selve. La qual cosa di lontano a chi solo vi andasse, porgerebbe di prima intrata paura inestimabile, e certo non senza cagione; con ciò sia cosa che per commune opinione de' circunstanti populi si tiene quasi per certo che in quel luogo abiteno le Ninfe del paese; le quali per porre spavento agli animi di coloro che approssimare vi si volessono, facciano quel suono così strano ad udire (**20**).

Opico conduit les bergers sur le lieu de son enfance. Puis la scène pastorale se précise; cette fois il s'agit d'un lieu sauvage mais agréable avec une description détaillée de la pâture, qui, un moment donné, trahit le sens du paysage qui est celui de l'écrivain, qui s'attarde sur l'illusion optique de celui qui aurait regardé de loin les chèvres reflétées dans la fontaine:

> ...Ma le pecore e le capre, che più di pascere che di riposare erano vaghe, cominciarono ad andarsi appicciando per luoghi inacessibili et ardui del selvatico monte, quale pascendo un rubo, quale un arboscello che allora tenero spuntava da la terra; alcuna si alzava per prendere un ramo di salce, altra andava rodendo le tenere cime di querciole e di cerretti; molte, bevendo per le chiare fontane, si rallegravano di vedersi specchiate dentro di quelle; in maniera che chi di lontano vedute le avesse, avrebbe di leggiero potuto credere che pendesseno per le scoverte ripe (**21**).

Cette fois, les bergers, y compris l'auteur qui raconte, ne sont pas acteurs sur la scène du *locus amoenus*, mais spectateurs d'un véritable spectacle naturel: "Pendant que le spectacle..." (**22**). Le modèle ovidien de la vallée de Tempé directement rappelé dans la représentation du lieu sacré, réapparaît au fond de cet autre paysage boisé, connoté par la merveille et par la peur, que Sannazaro introduit dans la dixième Prose, en reprenant de façon symétrique le thème de la cinquième pour représenter de nouveau et avec davantage de complexité un coin caché où vit encore l'esprit de l'ancien monde pastoral:

> Non molto lunge di qui, fra deserti monti giace una profondissima valle, cinta d'ogn'intorno di solinghe selve e

> risonanti di non udita selvatichezza; sì bella, sì maravigliosa e strana, che di primo aspetto spaventa con inusitato terrore gli animi di coloro che vi entrano; i quali poi che in quella per alquanto spazio rassicurati si sono, non si possono saziare di contemplarla. Ove per un solo luogo, e quello strettissimo et aspro, si conviene passare; e quanto più basso si scende, tanto vi si trova la via più ampia e la luce diventa minore, con ciò sia cosa che da la sua sommità insino a la più infima parte è da opache ombre di gioveni alberi quasi tutta occupata. Ma poi che al fondo di quella si perviene, una grotta oscurissima e grande vi si vede incontanente aprire di sotto ai piedi; ne la quale arrivando, si sentono sùbito strepiti orribilissimi, fatti divinamente in quel luogo da non veduti spirti, come se mille milia naccari vi si sonassono. E quivi dentro in quella oscurità nasce un terribilissimo fiume, e per breve spazio contrastando ne la gran voragine, e non possendo di fuora uscire, si mostra solamente al mondo et in quel medesmo luogo si sommerge; e così nascono per occolta via corre nel mare, né di lui più si sa novella alcuna sovra de la terra. Luogo veramente sacro, e degno, sì come è, di essere sempre abitato dagli Dii (23).

Dans la Prose V la délinéation du bois sacré et impossible à atteindre était suivie par la célébration du berger disparu; dans la Prose X l'évocation de la vallée très profonde et toute entourée de bois est suivie par la cérémonie pour Massilia protectrice des bergers; mais la cérémonie se déroule dans un lieu décrit avec précision, un lieu réel, un nouveau genre de paysage, qui propose le croisement entre une structure artistique classique, le mausolée de Massilia orné de peintures et la nature artificiellement ordonnée dans un jardin bien tenu. C'est le témoignage d'une tendance qui s'est affirmée elle aussi dans la peinture de la Renaissance et dans la pratique des jardins seigneuriaux; mais c'est surtout la représentation d'une sorte de *hortus conclusus* à caractère religieux et sépulcral, qui reproduit l'Eden:

> Era la bella piramide in picciolo piano sovra una bassa montagnetta posta, fra due fontane di acque chiarissime e dolci, con la punta elevata verso il cielo in forma d'un dritto e folto cipresso; per le cui latora, le quali quattro erano, si potevano vedere molte istorie di figure bellissime, le quali lei medesma, essendo già viva, aveva in onore de' suoi antichi avoli fatte dipingere, e quanti pastori ne la sua prosapia erano in alcun tempo stati famosi e chiari per li boschi, con tutto il numero de' posseduti armenti. E dintorno a quella porgevano con suoi rami ombra alberi giovenissimi e freschi, non ancora cresciuti a pare altezza de la bianca cima, però che di poco tempo avanti

> vi erano dal pietoso Ergasto stati piantati. Per compassione del quale molti pastori ancora avevano il luogo circondato di alte sepi, non di pruni o di rubi, ma di ginebri, di rose e di gelsomini; e formatovi con le zappe un seggio pastorale, e di passo in passo alquante torri di rosmarino e di mirti, intessute con mirabilissimo artificio (**24**).

La plaine agréable avec les grands arbres dispersés de la première Prose d'*Arcadia* et le monde sauvage de la cinquième ont cédé la place à un jardin, dont l'enchantement cependant n'empêche pas - nous l'avons vu - d'exclure le fabuleux.

On dirait au contraire que le fableux à proprement parler s'identifie au niveau du terrifiant et du merveilleux, et constitue la limite du paysage le plus typique d'*Arcadia* (**25**). Le bois sacré est évoqué ou regardé avec révérence, mais non décrit, les bois et les collines et les forêts peuplés d'êtres divins sont représentés, mais de manière artificielle, sur la porte du temple de Palès; on pleure l'âge d'or, cet âge d'or ou perdu ou identifié à la Naples humaniste qui vit, à peine tracée, dans le souvenir de Selvaggio; le merveilleux voyage souterrain, entre les grottes et les sources des fleuves, qui conduit à la conclusion du livre, est un songe fantaisiste et peureux du protagoniste. Dans *Arcadia*, la description effective du paysage va du *locus amoenus* jusqu'à la limite de l'*hortus conclusus*, si nous voulons nous en tenir aux définitions désormais canoniques, et inclut le terrifiant et le merveilleux, seluement pour ce tant soit peu qui sert à définir, pour ainsi dire, le genre bucolique dans sa sphère la plus modeste de l'agréable et de l'immédiatement sensible.

Pour entendre le sens de tout cela, il faut avoir présent à l'esprit les discussions qui se déroulaient sous la direction de Giovanni Pontano précisément dans ces années-là à Naples autour des problèmes de la rhétorique et de la poétique. Pontano élaborait la théorie de la *voluptas* fondée sur l'*admiratio* (l'émerveillement, précisément) (**26**) et recourait, dans les dialogues *Antonius* et *Actius* à l'exemple virgilien de l'effrayant spectacle de l'Etna et de la mer en tempête, dans laquelle c'est la métaphore qui joue un rôle essentiel (27). Dans *Urania* et dans le petit poème des *Météores* il avait lui-même misé sur l'*admiratio* pour ses descriptions terrifiantes, tandis que dans le petit poème sur les *Jardins des Hespérides* il renouvelait la poésie géorgique en exaltant l'art du jardin en particulier à propos de l'*opus topiarum*, c'est-à-dire de la disposition artificielle des agrumes soignés seulement en vue du plaisir des yeux, plutôt que pour l'utilité du fruit (**28**).

N'était certes pas étranger à ces résultats un livre indubitablement présent dans les discussions de poétique de l'académie autour de Pontano, c'est-à-dire la *Rhetorica* de Giorgio de Trebisonda. Ce dernier avait attribué la caractéristique de la *jocunditas* au genre bucolique, en l'identifiant à la *simplicitas* et en la distinguant de l'usage "grave" de la métaphore, il avait dit que tout ce qui est agréable aux sens, c'est-à-dire à la vue, à l'odorat, au goût, au toucher, et décrit avec minutie, dépasse en *suavitas* (douceur) les fables; et il avait même défini par des exemples de telles choses agréables, en indiquant les thèmes typiques du paysage champêtre, analogues à ceux que nous avons retrouvés chez Sannazaro: *rosarii pulchritudinem*, *hortorum complantationem*, *sonorum harmoniam* (la beauté des roseraies, la plantation des jardins, l'harmonie des sons) (**29**).

Si *Arcadia* est en partie un écho des *Bucoliche elegantissime* publiées à Florence en 1481, on ne saurait oublier la "poétique" de ce livre, qui rappelait, dans l'introduction de Bernardo Pulci à la traduction virgilienne, la distinction des trois genres selon la classification médiévale des trois oeuvres de Virgile et montrait un grand souci de garder intacte à la bucolique la vertu de la *tenuitas* en disant avoir cherché le vulgaire convenable à la particulière simplicité de la bucolique (**30**), mais en rappelant aussi que Virgile avait un peu débordé de cette route (**31**).

Francesco TATEO

(Université de Bari)

NOTES

1. *L'Italie au XVIe siècle. Etudes littéraires, morales et politiques*, Paris, 1879, I, p. 388-9.
2. Iacobo Sannazaro, *Opere volgari*, a cura di A. Mauro, Bari, 1861, p. 88.
3. *Ibid.*, p. 88-9.
4. F. Torraca, *La Materia dell'Arcadia del Sannazaro*, Città di Castello, 1888, p. 85-7.
5. G. Romano, *Studi sul paesaggio*, Torino, 1978, p. 3 sq.
6. *Arcadia* IX, éd. cit., p. 68.
7. Cf. le commentaire de M. Scherillo, *Arcadia*, Torino, 1888, p. 164.
8. *Arcadia* XII, éd. Mauro, p. 111.
9. E.R. Curtius, *La Littérature européenne et le moyen âge latin*, Paris, 1956, p. 239-244.
10. *Arcadia* IX, éd. cit., p. 68.
11. *Metam.* V, v. 388-91.
12. *Metam.* V, v. 86 sq.
13. G. Venturi, *Picta poesis, ricerche sulla poesia e il giardino dalle origini al Seicento*, in *Storia d'Italia, Annali 5, Il Paesaggio*, p. 663 sq.
14. Cf. note 12.
15. A. Poliziano, *Stanze per la giostra*, I, LXXXIII.
16. *Arcadia* I, éd. cit., p. 5.
17. Quant à l'influence des modèles littéraires sur la naissance du paysage dans la peinture, cf. E.H. Gombrich, *Norma e forma*, Torino, 1966, p. 156 sq.
18. *Arcadia* V, éd.cit., p. 32.
19. La notice avait été accueillie dans la préface à la traduction des églogues virgiliennes de Bernardo Pulci (*Bucoliche elegantissime*, Firenze, 1481, f. a2 verso), que nous citerons plus loin.
20. *Arcadia* V, éd. cit., p. 34. Cf. *Metam.* I, v. 568-74 et le commentaire de Scherillo, *op. cit.*, p. 78.
21. *Arcadia* V, éd. cit., p. 34.
22. "Le quali cose mentre noi taciti con attento occhio miravamo...", *ibid.*, p. 35.
23. *Arcadia* X, éd. cit., p. 82-3.
24. *Ibid.*, p. 87.
25. Ce sens de la limite du monde pastoral est bien représenté dans une xylographie qui illustre une édition d'*Arcadia* (Venezia, Zoppino & V. de Polo, 1521). On voit d'un côté le bois peuplé de figures divines, et de l'autre la plaine d'Arcadia où Sincero avance vers le bois. Il est intéressant de noter ici la prédominance du merveilleux par rapport à la scène proprement pastorale.
26. Cf. F. Tateo, *Umanesimo etico di G. Pontano*, Lecce, 1972, p. 114 sq., et G. Ferraù, *Pontano critico*, Messina, 1983, p. 43 sq.

27. G. Pontano, *I dialoghi*, a cura di C. Previtera, Firenze, 1943, p. 67, 236.
28. F. Tateo, *Astrologia e moralità in G. Pontano*, Bari, 1960, p. 103 sq.
29. "Ad haec quaecumque sensui sunt iucunda, ut puta visui, odoratui, gustui, tactui, si minutim oratione explicantur suavitate etiam fabulas excedunt" (*Rhetor. libri V*, Lugduni, 1547, p. 476).
30. "...dalla prima pueritia sommamente mi sono dilectato per fare experientia se l'artificiosa elegantia del rusticano metro in materno idioma per modo alcuno si potessi exprimere..."(f. a4). Sannazaro aussi, dans la préface et dans le congé du petit roman, fait allusion à ce registre de *rusticitas*, mais sans exclure implicitement ni l'élégance ni l'artifice. J'ai montré le sens théorique de ces lieux d'*Arcadia* dans *Tradizione e realtà nell'Umanesimo italiano*, Bari, 1967, p. 11 sq.
31. "Nella quale parte et in alchune laude d'Octavio Augusto et certe allegorie de perduti campi il nostro poeta dalla legie del verso bucolico et del greco auctore che imitare si propose con legiptima excusatione fu dissentaneo, però che colui in ciascheduno luogo parlò cose semplicissime et rusticane. Costui in alcuni da necessità costrecto più altamente figure interpose, acciò che per mezo di quelle ad esso Augusto et a gli altri nominati piacere potessi" (B.Pulci, *op. cit.*, f. a2).

LE JARDIN ENCHANTÉ

DANS LE ROMAN CHEVALERESQUE ITALIEN

Tout lettré connaît l'île d'Alcine et le jardin d'Armide, archétypes et termes de référence quasi proverbiaux de lieux de délices. Mon propos est d'en donner une clef explicative quelque peu nouvelle en montrant comment s'est opérée l'élaboration du thème du jardin enchanté dans le roman chevaleresque italien jusqu'à la cristallisation du mythe. Dans ce processus, le rôle joué par Boiardo et son *Roland amoureux* a été, à mon sens, déterminant.

Depuis quelques années, avec la disparition de la critique esthétique de type crocien, on assiste en Italie à une réhabilitation, sans doute justifiée, de l'oeuvre de Pio Rajna et des positivistes en général: or Pio Rajna a, le premier, montré que, dans le roman chevaleresque italien, la césure ne se situe pas entre Boiardo et l'Arioste, mais antérieurement, entre les prédécesseurs de Boiardo et Boiardo lui-même. Le *Roland furieux* est certes une oeuvre géniale, mais c'est aussi l'une des trois suites connues du *Roland amoureux* et il ne peut s'expliquer que par de continuelles références à l'oeuvre qui l'a précédé. Au reste, les écrivains du XVIe siècle, bien qu'ils reprochassent au *Roland amoureux* ses dialectalismes, ne s'y trompèrent pas et considérèrent les deux oeuvres comme une sorte de diptyque. Ainsi, dans le débat sur les genres littéraires et en particulier sur l'épopée qui se développe à partir de 1550 environ, quand Giraldi Cinzio et le Tasse veulent considérer le cas du "poème chevaleresque" moderne et italien, leurs termes de référence sont Boiardo et l'Arioste réunis et quasi confondus (1). Et, pour en revenir à l'île d'Alcine en particulier, il n'est que juste de reconnaître que le personnage de la fée Alcine a été inventé par Boiardo et l'épisode ébauché par lui.

L'une des originalités et l'un des attraits du *Roland amoureux* consiste donc dans la description de plusieurs domaines merveilleux - on peut en dénombrer six principaux - dont l'élaboration résulte de la synthèse de diverses traditions littéraires et de quelques idées modernes.

Un premier exemple de ce contraste est fourni par la localisation des "jardins enchantés": Boiardo en effet appelle ces domaines "giardino", "verzier" ou "orto" pour d'évidentes raisons littéraires, c'est-à-dire par conformité à la tradition latine pour "orto", à la tradition franco-italienne pour "giardino" et "verzier", alors qu'ils mériteraient plutôt, vu leurs dimensions, le nom de "parc" aujourd'hui (2). Si donc l'un de ces jardins, celui de Méduse, dont les sources sont essentiellement classiques, est situé, à l'instar du jardin des Hespérides, dans les monts de l'Atlas, et si un autre, le jardin de la Fontaine du Rire, est en France, en hommage à la tradition littéraire française, en revanche tous les autres jardins se trouvent en Asie, particulièrement à proximité de la mer Caspienne, dans ces régions qui représentent peut-être l'un des berceaux de la civilisation indo-européenne, qui sont en tout cas l'horizon lointain des marchands italiens depuis Marco Polo. Au moment de la composition du poème, entre 1476 et 1494, on est à l'aube des grandes découvertes et les navigateurs recherchent fiévreusement les nouvelles voies qui les mèneront vers les Indes (contournement de l'Afrique et traversée de l'Atlantique). Ce n'est pas un hasard si l'un des jardins enchantés de Boiardo, *Isola Zoiosa* - l'Ile Joyeuse - se situe quelque part le long des côtes de la mer d'Oman; Renaud y est amené par un vaisseau magique sur lequel il est imprudemment monté alors qu'il se trouvait en Espagne, près de Barcelone; ce bateau a franchi le détroit de Gibraltar, a fait voile quelque temps vers le sud-ouest, dans la direction des îles Canaries, puis s'est orienté à l'est, en plein Atlantique, ce que fera quelques années plus tard Christophe Colomb (3). Boiardo montrait ainsi, à notre avis, son adhésion aux théories de Paolo dal Pozzo Toscanelli connues des Ferrarais comme de Christophe Colomb (4).

On remarquera aussi que le jardin de Falerina se situe dans le royaume d'Orgagna, c'est-à-dire probablement vers la ville d'Urgenc dans l'actuel Ouzbékistan et que le royaume de Morgue au fond duquel est un merveilleux jardin, se trouve en Iran, non loin du golfe persique. Il a été établi que la localisation des théâtres d'aventure du *Roland amoureux* est beaucoup plus réaliste, ou plus scientifique - s'il est permis de risquer de tels mots - que celle de ses prédécesseurs dans le même genre littéraire, y compris Luigi Pulci (5). Boiardo travailla d'après des documents cartographiques parmi les plus appréciés du XVe siècle, conformément au vif intérêt que la culture ferraraise, notamment universitaire, portait alors à la géographie.

Mais la situation géographique des jardins enchantés n'est qu'un des éléments de leur conception. Il n'est pas l'essentiel. En effet, à l'exception du jardin de Méduse, qui est en majeure partie de dérivation classique, nous l'avons dit, fondamentalement ces jardins enchantés se rattachent à la tradition littéraire médiévale et, plus précisément, au thème de l'Autre

Monde arthurien. Comme la plupart des nobles du duché de Ferrare et de maints autres états d'Italie aux XIVe et XVe siècles, Boiardo était imprégné de la lecture des romans bretons qu'il pouvait lire en français et dans des adaptations italiennes, et une grande partie de son oeuvre s'inspire de ces sources étrangères. Pour évoquer l'Autre Monde arthurien, je citerai Jean Frappier: "L'Autre Monde des Celtes - îles élyséennes situées dans la mer occidentale, paradis sous-marins, tertres hantés, palais souterrains - était à la fois le pays des morts (...) et celui des dieux, des déesses et des fées; régions bienheureuses où l'on ne vieillit pas, où le temps s'abolit, où un jour vaut un siècle. Or, et c'est là le trait le plus caractéristique, si une frontière humide, océan, rivière, mur de brouillard, les sépare du monde terrestre, cet obstacle n'était pas toujours infranchissable. Les deux mondes pouvaient communiquer grâce à des navigations lointaines, ou par des passages périlleux" (6). Dans le *Roland amoureux*, il est caractéristique qu'outre l'Ile Joyeuse, tous les domaines enchantés (sauf le jardin de Méduse qui est un cas un peu à part) soient pourvus de cette "frontière humide" séparant le monde humain de l'Autre Monde: c'est généralement une rivière, ou la mer, qui marque la limite, ce peut être aussi un lac. Tel est le cas du royaume de la fée Morgue, qui recèle un merveilleux jardin et qui se trouve au-dessous d'un lac: c'est un des "paradis sous-marins" qu'évoque Frappier et qui fait songer, par certains traits, au lac de Viviane dans *Lancelot*.

L'origine arthurienne des domaines enchantés boiardesques n'est pas seulement prouvée par l'existence de frontières aquatiques, mais aussi et surtout par la fonction desdits jardins. Tous sont en effet la demeure d'une fée ou d'une magicienne, Boiardo confondant les deux types de personnages, ou plus exactement ravalant les fées bretonnes au niveau de simples magiciennes, évolution significative allant dans le sens d'une rationalisation. Même la belle Angélique, principale protagoniste féminine de l'oeuvre, est à l'origine, dans les intentions du poète, une redoutable magicienne qui s'est jurée de capturer tous les chevaliers d'Occident (7). L'Ile Joyeuse - c'est-à-dire le jardin et le palais dans lesquels elle a attiré Renaud avec la complicité du magicien Maugis - est donc une oeuvre de magie destinée à servir de cadre aux amours de la dame des lieux. L'une des suivantes d'Angélique dit en effet à Renaud: "C'est à cause de toi que tout est édifié, et pour toi seul que la reine l'a fait: tu dois vraiment apprécier ta chance d'être aimé de cette dame si exceptionnelle" (I,8,11). On reconnaît ici un schéma narratif typique des romans bretons, celui de la fée qui attire dans sa demeure inaccessible et paradisiaque le mortel qui lui a plu. D'autres fées et magiciennes du *Roland amoureux* ont construit leur jardin aux mêmes fins érotiques, mais certaines (Morgue et surtout Falerina) ayant été trahies ou repoussées, veulent par là assouvir une vengeance, thème arthurien également.

Ces jardins enchantés sont isolés du monde extérieur non seulement par une frontière humide, mais par un système de défense qui va de la simple muraille fortifiée (comme le jardin de Dragontina) à tout un complexe de souterrains obscurs (comme le jardin de Morgue), ils sont également dotés de gardiens animaux - dragon chez Méduse et chez Falerina - ou humains, qui empêchent tant d'y pénétrer que d'en ressortir. Ces divers éléments se rattachent eux aussi à la tradition romanesque médiévale.

Si nous nous interrogeons à présent sur le contenu proprement dit de ces jardins de délices, nous constatons que, bien que présentant entre eux certaines différences, ils offrent les traits caractéristiques du *locus amoenus* défini par Curtius: la verte prairie émaillée de fleurs, les bosquets, les sources et/ou les ruisseaux; tout sentiment du temps étant aboli, il y règne un éternel printemps, les arbres portant à la fois fleurs et fruits. Pourtant, et ceci est un premier point intéressant, notre auteur, à la différence des écrivains médiévaux, ne détaille jamais les formes ou les espèces végétales: quelques rares allusions sont faites à des pins, des palmiers, des cédratiers, à un hêtre; généralement il est simplement question d'"arboscelli" - d'arbustes - génériques ou qualifiés d'"ombrosi". La seule fleur évoquée est, de façon fort banale, la rose, soit d'ailleurs pour sa valeur symbolique (la belle Angélique est aussitôt après comparée à une rose), soit pour une fonction utilitaire (Roland se bouche les oreilles de pétales de roses pour ne pas entendre une Sirène). Sans doute Boiardo est-il lui-même conscient de reproduire un *topos* et s'y attarde-t-il d'autant moins qu'il est plus proche, par sa formation culturelle et ses goûts personnels, de l'esthétique classique. Mais c'est à d'autres détails que se manifestent la personnalité de l'écrivain et l'empreinte de son époque. Essentiellement, selon nous, à l'insertion en ces lieux de formes et de conceptions artistiques pour lesquelles Boiardo trouvait modèles et inspirations dans la réalité qu'il connaissait et dans les théories récentes de Léon Battista Alberti. En effet, si le duc Hercule Ier d'Este, l'ami et le protecteur de Boiardo, fut un grand bâtisseur, il ne fit que poursuivre dans la voie ouverte par ses deux frères, Lionel et Borso, qui l'avaient précédé sur le trône. Nous savons, d'après une lettre de Boiardo lui-même, que celui-ci en 1488 lisait et traduisait à Hercule le *De re aedificatoria* d'Alberti. D'autre part, c'est à la suggestion de Lionel d'Este que l'humaniste-architecte avait entrepris, une quarantaine d'années plus tôt, d'écrire ce même traité d'architecture qui est son oeuvre maîtresse. Les idées albertiennes étaient donc appréciées et connues à Ferrare. On ne s'étonnera pas d'en relever des applications dans l'édification et l'ornementation des *delizie* appartenant à la famille d'Este: la *delizia* était l'équivalent ferrarais de la *villa* florentine ou romaine, c'est-à-dire une somptueuse demeure, un palais hors les murs, entouré de parcs et de jardins. Si les splendeurs des *delizie* ont largement sombré dans l'oubli, c'est en raisons de la "dévolution" du duché de Ferrare, en 1598, autrement dit son annexion aux Etats Pontificaux qui, entre autres conséquences, provoqua la dispersion ou la destruction presque totale des trésors artistiques constitués par la famille d'Este depuis plus d'un siècle et demi. Malgré cela, quelques témoignages écrits permettent de reconstituer le souvenir de ce que furent les *delizie*, notamment, à l'époque de Boiardo, celles de

Belfiore et de Belriguardo, et au XVIe siècle celle de Belvedere, dans l'île du même nom (**8**).

Les jardins enchantés du *Roland amoureux* et, par conséquent, ceux du *Roland furieux* et de la *Jérusalem délivrée* rappellent donc par bien des traits les parcs des *delizie* et les idées albertiennes. Ce ne sont pas de simples reproductions du *locus amoenus* tel qu'on peut le trouver, par exemple, à l'état brut, dans les clairières ou les prairies naturelles qui abondent dans tous ces poèmes.

C'est ainsi que ces jardins comportent tous l'idée de mesure. Dans le *Roland amoureux*, leur périmètre est généralement évoqué et correspond parfois d'assez près à celui des *delizie* (**9**). A l'intérieur des jardins, la longueur des allées, la hauteur ou le diamètre de certains arbres, le côté de certains quadrilatères, la dimension des portes monumentales sont fréquemment énoncés: Boiardo procède comme les artistes de son temps qui, selon A. Chastel, se livrent à une "manipulation des formes qui leur assure un caractère mesurable, ordonné" (**10**). Cette profusion de mesures chiffrées constitue vraisemblablement aussi l'application de principes mathématiques dont L.B. Alberti avait prôné l'usage dans un traité dédié à Méliaduse d'Este (frère de Lionel), intitulé *Ludi mathematici*: il cherchait à y enseigner la manière de mesurer les distances, les dimensions des objets "rien qu'en les voyant" et la cour de Ferrare, ainsi endoctrinée, "aime jouer avec l'espace, avec ses proportions, ses mesures" (**11**). On retrouve à l'arrière-fond de ces préoccupations la conquête de la perspective qui marque le Quattrocento, particulièrement à Florence. Fait intéressant et neuf dans ce genre littéraire, les jardins du *Roland amoureux* sont presque toujours présentés à travers l'oeil d'un arrivant qui en détaille successivement les divers plans. L'un des plus complexes de ces jardins, celui de Falerina, est ainsi offert à la contemplation de Roland, tandis qu'il marche le long d'un ruisseau: "De douces plaines et de gracieuses collines, avec de beaux bosquets de pins et de sapins" (II,4,13). Ce vaste jardin où se succèdent coteaux et vallons, lacs, ruisseaux, parterres fleuris, constitue un fidèle écho des prescriptions de L.B. Alberti (*De re aedificatoria*, IX,II) concernant l'architecture des jardins qui selon lui nécessitent "des étendues de prés fleuris, des campagnes ensoleillées, des bois ombreux et frais, des sources et ruisseaux très limpides, des pièces d'eau où se baigner". L'arrivant devra, selon L.B. Alberti, être constamment émerveillé et surpris par le changement de paysage, passant par exemple d'une surface quadrangulaire à une autre circulaire, puis à une autre polygonale, et ainsi de suite. Tel se présente en effet le périple de Roland dans le royaume de Morgue au chant VIII du Livre II.

Dans ces jardins l'eau est un élément capital. De son côté, Alberti consacre à l'eau plus de cinquante pages de son traité d'architecture, écrivant (X,2), cette phrase que tout Italien ne pouvait manquer de faire sienne: "L'eau, selon Thalès de Milet, serait le principe de toutes choses et de la communauté entre les hommes". Il n'y a pas seulement l'eau qui limite les domaines enchantés du *Roland amoureux*. mais les ruisseaux ou les pièces d'eau qui sont à l'intérieur, les sources ou les fontaines qui apportent une précieuse fraîcheur. Ces fontaines sont des oeuvres d'art, par exemple celle à côté de laquelle dort la fée Morgue, qui est "ornée d'or, de perles et de toutes les pierres les plus fines" (II,8,42), ou bien celle que trouve Roland à l'entrée du jardin de Falerina: l'eau, pure et cristalline, jaillit de la poitrine d'une statue (II,4,20). C'est à côté d'une de ces fontaines qu'Angélique fait servir un somptueux dîner à Renaud et, de façon analogue, Roland découvre, dans le jardin de Falerina (II,4,66) des tables dressées et alléchantes autour d'une fontaine: il est à peine besoin, à ce propos, d'évoquer les banquets servis à la belle saison dans de tels décors par les ducs d'Este, L.B. Alberti ayant de son côté recommandé l'importance dans les *ville* de "salles à manger d'été" sises dans des jardins frais agrémentés de fontaines (*De re aed.*,V,17).

Alors que le *locus amoenus* traditionnel ne comporte, en fait d'animaux, que des oiseaux, le jardin de Falerina contient, à côté d'animaux fabuleux que le héros devra combattre, et en plus des oiseaux chanteurs traditionnels, des lapins, des chevreuils, des cerfs, des lièvres et des daims, c'est-à-dire le gibier qui peuplait les parcs des *delizie* dont le rôle était aussi de servir de réserves de chasse aux ducs d'Este. Mais ces animaux sont qualifiés par Boiardo d'"agréables à regarder" (II,4,23): ils font partie désormais des beautés de la nature appréciables pour des motifs purement esthétiques, et sur ce concept aussi L.B. Alberti a été entendu (12). Si l'on peut donc déjà parler d'architecture du paysage dans ces jardins enchantés, il faut encore souligner qu'ils tirent, à deux exceptions près, leur principale caractéristique du fait qu'ils ont été conçus pour servir d'écrin à un palais. Ces palais fantastiques sont construits dans les matériaux les plus rares et les plus précieux, et les précédents ne manquent pas à leur propos, même dans la littérature italienne, populaire ou érudite (notamment le *Filocolo* de Boccace, le palais du Gran Disio dans la *Tavola Ritonda*), mais nulle part ailleurs il n'y a, me semble-t-il, une si grande harmonie, une pareille symbiose, peut-on dire, entre l'édifice et la nature environnante. Prenons le cas du jardin de Dragontina: la même harmonie bicolore, verte et blanche, constituée par les dallages de marbre du palais, se retrouve dans la pelouse et les arbres verdoyants qui le bordent et sont euxmêmes entourés d'un mur de marbre blanc; mieux encore, une fresque est peinte sous le portique donnant sur le jardin et le poète nous livre cette étonnante observation: "La peinture est si riche et si brillante qu'elle illumine d'or tout le jardin" (I,6,53). Dans l'Ile Joyeuse, c'est dans l'autre sens, c'est-à-dire du jardin à l'édifice que s'opère le jeu de reflets: "Un beau et riche palais apparaissait, fait d'un marbre si pur et si poli que le jardin tout entier se reflétait en lui" (I,8,2). Il est probable que pour ces deux images Boiardo s'est inspiré de tableaux de peintres flamands tels que l'on put en voir à Ferrare à son époque (de van der Weyden et de Memling), car les peintres flamands étaient alors les seuls à savoir rendre des effets de miroitement. Cependant une telle unité de vision nous renvoie encore à L.B. Alberti, à son idéal de *concinnitas*, d'harmonie entre tous les membres d'un organisme (*De re aed.*,VI,II).

L.B. Alberti prônait encore diverses règles de construction qui trouvent leur application dans le *Roland amoureux*. L'architecte recommandait ainsi les inscriptions qui devaient sur les murs et le sol inspirer la sagesse: elles abondent, souvent gravées en lettres d'or, dans les jardins enchantés boiardesques, fournissant des maximes, voire des conseils, au héros-visiteur; c'est d'ailleurs un trait de l'oeuvre que l'on comprend mal sans cette référence culturelle, parce qu'il est plutôt absurde que les fées et magiciennes fournissent ainsi des recettes à leurs ennemis ou à leurs prisonniers. D'autre part, Alberti voulait une architecture rationnelle, sinon même philosophique: il insiste sur la nécessité de références qui éclairent la signification d'une construction; pour lui, une entrée, un portique, un autel peuvent assumer une valeur symbolique ou emblématique. Boiardo semble bien le suivre (mais c'est, quoi qu'il en soit, une attitude typiquement humaniste) lorsqu'il orne ses jardins enchantés de fresques ou de portes historiées qui illustrent, à travers le rappel d'un mythe antique, le but même pour lequel a été édifié le jardin. Ainsi l'histoire de Circé explique celle de Dragontina, celle du Minotaure vient donner un sens au monde souterrain conçu par Morgue.

Ces jardins enchantés sont donc des lieux de délices répondant aux fins mêmes de l'architecture qui doit, selon L.B. Alberti, "rendre la vie heureuse", mais ce sont aussi des lieux périlleux dans lesquels le héros aliène sa liberté et même court le risque, chez Falerina, de perdre la vie. Pour m'en tenir au sujet de notre colloque, je n'aborderai pas l'étude des pièges tendus aux chevaliers par les fées et magiciennes, pièges que bien entendu les héros déjouent. Ce que l'on peut toutefois retenir, c'est que, la victoire remportée ou l'envoûtement disparu, ou bien le héros s'éloigne, devenu indifférent à la beauté des lieux, ou bien, dans deux cas, le merveilleux jardin disparaît, tel un mirage. Ainsi pour le jardin de Dragontina: "Le palais disparut, et on ne le revit plus. Elle-même disparut, ainsi que le pont et la rivière dans un grand bruit. Tous les barons se retrouvèrent au milieu de la forêt" (I,14,47). De même pour Falerina, une fois que Roland a tranché la cime de l'arbre magique qui conditionnait l'existence du jardin et, dans ce cas, l'origine démoniaque du lieu apparaît très clairement: "Dès que la cime fut tombée, toute la prairie alentour se mit à trembler. Le soleil se cache entièrement, le ciel s'obscurcit, une fumée recouvre le mont et la plaine. Roland ne voit plus du tout où il est. La terre tremble dans un grand bruit. Dans cette fumée il y avait un feu ardent aussi haut qu'une tour, et même plus grand: c'est là un esprit infernal qui détruit le jardin dans une grande fureur et, dès que tout se fut dissipé, le jour revint et le ciel se rasséréna. Le mur qui précédemment entourait le jardin a complètement disparu et ne se voit plus du tout. A présent on peut marcher partout, le pays est largement ouvert comme une vaste prairie" (II,5,13-15).

Le Tasse s'inspirera de ce passage pour narrer la destruction du jardin d'Armide, à cette différence près que c'est la magicienne elle-même qui convoque les démons pour ravager le lieu qui avait été créé (comme l'Ile Joyeuse d'Angélique) uniquement pour y attirer Renaud. Là aussi le ciel s'obscurcit, des bruits effrayants se font entendre et, lorsque revient la lumière, "le palais n'apparaît plus, ni même ses vestiges, et l'on ne peut dire: 'il était à cet endroit'(...). Seules restèrent la montagne et l'horreur qu'y avait créée la nature" (XVI, 69-70).

Le Tasse qui récusait le merveilleux mythologique pour n'admettre que le merveilleux chrétien récupère assez aisément l'héritage de Boiardo et de l'Arioste en créant son propre mythe de l'île d'Armide, précisément parce que Boiardo a accompli le pas décisif de transformer l'Autre Monde arthurien (complètement étranger à la philosophie chrétienne) en un monde magique. Mais je crois que le Tasse avait très profondément compris la problématique de Boiardo et, au-delà, celle même de la Renaissance (et quoiqu'il eût un esprit religieux que n'avait pas Boiardo) lorsqu'il écrivit à propos du jardin d'Armide: "ce qui accroît la beauté et le prix de cette oeuvre, l'art, qui fait tout, ne se révèle en rien. On croit, tant le négligé se mêle au cultivé, les ornements et les sites purement naturels. On dirait que c'est la nature qui, par plaisir, habilement imite en se jouant l'art, son propre imitateur" (*Jér. dél.*, XVI,10). Quatre fois, au cours des cinq strophes qui constituent la description du jardin d'Armide, le Tasse répète le mot "arte"; or ce mot signifie à la fois, dans la langue de l'époque, l'art et la magie. Bien sûr, cet art, de racine démoniaque, est condamné: ne représente-t-il pas toutefois la tentation de faire oeuvre de démiurge qui fut celle de l'humanisme? Re-créer le monde, un monde parallèle au monde naturel, voilà ce qu'ont tenté de faire les magiciennes du roman de Boiardo dans leurs jardins enchantés, c'est ce que le poète chrétien du temps de la Contre-Réforme condamne avec vigueur, mais non sans nostalgie, de même qu'il blâme la sensualité qui égare l'homme.

L'Arioste n'a peut-être pas saisi avec la même profondeur ce que recouvrait le mythe du jardin enchanté. Pour lui, d'ailleurs, Alcine la fée est en réalité une vieille femme laide et libidineuse et, si son domaine est attrayant, le royaume voisin de sa soeur, Logistilla, avec ses jardins suspendus où fleurit aussi un éternel printemps, présente autant de séductions, sinon davantage: or il symbolise les beautés de la vertu, de la sagesse. D'autres lieux encore, dans le *Roland furieux*, renferment de beaux paysages: Paphos, l'île de Vénus, et le Paradis terrestre auquel Astolphe, revenu de sa tentation sensuelle, a le privilège d'accéder. Ceci démontre que le jardin enchanté n'a pas chez lui comme chez Boiardo et chez le Tasse la même primauté, la même force d'attraction: ce n'est pas un *leitmotiv* comme dans le *Roland amoureux*, ce n'est pas un lieu unique et privilégié comme dans la *Jérusalem délivrée.* L'île d'Alcine, d'ailleurs, se distingue surtout du jardin de Falerina ou des autres lieux enchantés boiardesques par une nomenclature plus riche des espèces végétales et animales qui s'y trouvent et par une expression poétique plus accomplie. Le Tasse, lui, en revanche, ne nomme aucun animal et presque aucune plante, mais il a parfaitement assimilé le concept de diversité dans l'unité que prônait Alberti et qui était au coeur même des constructions boiardesques, il a compris combien ce concept peut à lui seul susciter le rêve et le désir, lorsqu'il écrit avec brio: "eaux stagnantes, ondes mouvantes, fleurs diverses et divers arbres, plantes variées, coteaux ensoleillés, vallées ombreuses, forêts et cavernes s'offrirent d'un seul coup d'oeil" (XVI,9).

Le jardin enchanté du poème chevaleresque italien est donc un thème privilégié pour comprendre la genèse du mythe humaniste, ce rêve d'unité et de recréation du monde par l'homme. L'élaboration de ce thème à partir d'éléments médiévaux - notamment le souvenir de l'Autre Monde arthurien - ou même de *topoi* - le *locus amoenus* - ne doit pas dissimuler les idéaux nouveaux qui s'y expriment et indiquent une transformation des mentalités: curiosité géographique, souci d'ordre, de mesure, d'organisation, d'harmonie dans la diversité, d'agrément et de beauté appréciés en tant que tels. Encore une fois, la comparaison s'impose avec les arts plastiques contemporains, avec l'architecture du Quattrocento en particulier: L.B. Alberti réussit, quant à lui, dans la façade de Sainte-Marie-Nouvelle à conserver et à intégrer les formes médiévales pré-existantes tout en offrant un ensemble moderne, nouveau et personnel; Brunelleschi lui-même sut opérer, dans ses constructions, la fusion d'éléments romans toscans et d'éléments antiques pour devenir le véritable fondateur du style Renaissance.

Denise ALEXANDRE-GRAS

(Université de Saint-Etienne)

NOTES

1. "On trouverait peut-être excessive la longueur du *Roland amoureux* et du *Roland furieux*, à vouloir considérer ces deux livres, dont le titre et l'auteur diffèrent, comme un seul poème, ce qu'ils sont en effet" (T. Tasso, *Discorsi dell'arte poetica e del poema eroico*, a cura di L. Poma, Bari, Laterza, 1964).

2. Le mot "parco" en italien médiéval n'évoque pas l'idée de quelconques cultures d'agrément, il désigne un vaste enclos servant de réserve de chasse. A Ferrare même existait depuis 1472, dans le voisinage de l'une des résidences des ducs d'Este - la *delizia* périurbaine de Belfiore - un tel lieu dénommé "il Barco", par suite de la sonorisation dialectale du "p".
3. Ce passage a souvent été mal compris des critiques. Il faut comprendre (*Rol. amoureux*, I, 5, 54): "La proue s'incline vers la gauche, la poupe étant poussée par le vent de Séville, mais cette dernière ne garda pas cette direction et, en un instant, se retourna entièrement face au levant". Le vent de Séville souffle du nord-est en sortant du détroit de Gibraltar.
4. On notera aussi qu'il fait accomplir à un autre de ses personnages, Gradasse, un autre voyage maritime inédit (qui, celui-là, n'a rien de magique), le faisant venir de l'Inde jusqu'en Espagne en contournant l'Afrique (I, 4, 23): or ce n'est qu'en 1488, cinq ans après la première parution du poème, que Diaz doubla le Cap de Bonne Espérance.
5. Voir en particulier G. Ponte, *La personalità e l'opera del Boiardo*, Genova, Tilgher, 1972, p. 88-89, et S. Caramella, *L'Asia nell'Orlando Innamorato*, "Bolletino della Reale Società Geografica Italiana", VII, XII, 1923, p. 44-59 et 127-150.
6. J. Frappier, *Chrétien de Troyes, l'homme et l'oeuvre*, Paris, Hatier-Boivin, 1957, p. 59.
7. Cf. *Roland amoureux*, I, 1, 37.
8. Voir notamment la description de Belriguardo contenue dans *Art and life at the court of Ercole I d'Este: The "De triumphis religionis" of Giovanni Sabadino degli Arienti*, edited by W.L. Gundersheimer, Genève, Droz, 1972.
9. L'Ile Joyeuse a quinze milles de circonférence, alors que les bois de la *delizia* de la Mesola sont entourés d'un mur de douze milles; le jardin de Falerina a un périmètre de trente milles. Le lac de Morgue a un mille de large, tandis que l'île de la *delizia* de Belvedere a un mille de pourtour, de même que le parc de la *delizia* de Belriguardo (d'après Sabadino degli Arienti (cf. note ci-dessus), *op. cit.*, p. 66.
10. A. Chastel, *Le Mythe de la Renaissance, 1420-1520*, Genève, Skira, 1969, p. 72.
11. A. Quondam, *L'Esperienza di un seminario, in La Corte e lo spazio: Ferrara estense*, "Centro Studi Europa delle Corti", Roma, Bulzoni, 1982, vol. III, p. 1082.
12. Voir les considérations sur la beauté auxquelles se livre L.B. Alberti dans *L'Architettura (De Re aedificatoria)*, testo latino e traduzione a cura di G. Orlandi, Milano, Il Polifilo, 1966, p. 444.

PAYSAGES DE LA "JÉRUSALEM DÉLIVRÉE":

TOPOGRAPHIE ET TOPOLOGIE*

Dans une page célèbre de ses *Discours de l'art poétique* (1), le Tasse assimile le bon poème héroïque à l'univers à la fois un et multiple créé par Dieu, dont les diverses parties se trouvent unies entre elles en une *concordia discors* où à la fois rien ne manque et rien n'est superflu ou non nécessaire. Il appartient à l'excellent poète, écrit-il, de composer un poème "où, comme dans un monde en petit, soient racontés ici des déploiements d'armées, là des batailles terrestres et navales, ici des prises de cités, des escarmouches et des duels, là des joutes, où soient décrites ici la faim et la soif, là des tempêtes, ailleurs des incendies et ailleurs encore des prodiges. Qu'on y trouve, ici des conciles célestes et des conciles infernaux, là des séditions ou des discordes, ici des errances ou des aventures, là des enchantements, ici encore des actions empreintes de cruauté, là des actions d'audace, de courtoisie ou de générosité, et ailleurs encore des événements amoureux, tantôt heureux et tantôt malheureux, tantôt gais et tantôt pitoyables. Que, malgré tout, le poème qui contient une telle variété de matières soit un, qu'une soit sa forme et une la trame, et que toutes ces choses soient organisées de façon que l'une se rapporte à l'autre, que l'une corresponde à l'autre, que l'une découle de l'autre nécessairement ou d'une manière vraisemblable: de sorte que si une seule partie est retranchée ou changée de site, le tout s'effondre".

Par-delà la métaphore architecturale, inspirée d'Aristote (*Poétique*, 1451a), dont le Tasse se sert pour évoquer la rigoureuse ordonnance de l'édifice poétique, le martèlement dans ces lignes des adverbes de lieu et l'emploi final du mot *site* indiquent on ne peut plus clairement une vision en tout premier lieu spatiale, d'un univers épique semblable à un puzzle où rien n'est gratuit, où à chaque pièce est assignée une place précise, non interchangeable sous peine de compromettre la solidité et la cohésion de l'ensemble. Ainsi se trouve justifiée par avance, dans un texte vraisemblablement antérieur au poème (2), une étude de la *Jérusalem délivrée* considérée comme un microcosme soigneusement agencé, composé de lieux qui ont tous leur nécessité propre - ou, comme on dit aujourd'hui, leur fonctionnalité -, reliés, sinon toujours unis entre eux, par les fils enchevêtrés de la trame et plus concrètement encore par les parcours qu'effectuent entre les uns et les autres les protagonistes du poème.

Une telle étude, qui dans un premier temps se doit d'être topographique et viser à une description des lieux en tant que configurations spatiales objectives, ne peut que s'orienter dès que possible vers une topologie, analysant les lieux non plus en eux-mêmes, mais comme des éléments d'un système relationnel, comme des "positions" reliées avec d'autres et qui, dans et par le réseau plus ou moins complexe des relations qui les unissent à d'autres, se trouvent investies de fonctions précises et d'un sens qu'isolément elles n'ont pas, ou pas toujours (3). On pourrait objecter qu'il est illusoire de prétendre isoler la topologie de la topographie dans un poème épique, où plus qu'ailleurs interfèrent la subjectivité du point de vue de l'auteur et les contraintes d'une tradition qui tend à définir et imposer par avance à certains lieux des valeurs symboliques - et par voie de conséquence des fonctions - pratiquement immuables. Même sans trop se leurrer sur la possibilité de toujours distinguer topographie de topologie, il reste toutefois et possible et - comme j'espère le montrer - utile, pour une bonne compréhension du fonctionnement global de la trame de la *Jérusalem délivrée* et de sa signification, de procéder à une analyse en deux étapes: l'une centrée sur la ou les évocations statiques des principaux lieux dans le poème, et la seconde, ensuite, consacrée à la mise en lumière de la fonction dynamique, positive ou négative, dont ils sont investis dans le réseau complexe des relations tissées par les parcours des protagonistes.

Dès les premiers chants, le monde de la *Jérusalem délivrée* s'organise sur deux plans sécants: un plan horizontal, terrestre, théâtre concret du conflit entre Chrétiens et Païens, et un plan vertical divisé en deux parties par le précédent, une partie supérieure occupée par le Ciel, et l'autre souterraine, occupée par l'Enfer.

Sur les deux lieux antagonistes qui se partagent ainsi les deux zones opposées du plan vertical, le poème est avare de détails topographiques. De l'Empyrée, siège de Dieu, est seulement rappelée la distance qui le sépare du Ciel des Etoiles fixes. Et le ciel étoilé visible par les humains, en dehors d'allusions ponctuelles (dans certaines comparaisons ou certaines scènes), n'est lui-même vu que très fugitivement, à travers les yeux de Renaud gravissant le Mont des Oliviers, comme le lieu de "beautés incorruptibles et divines" et de "belles lumières" (XVIII, 12-13). De l'Enfer, au chant IV, ne sont guère évoquées que les "vastes et sombres cavernes", puis l'"air sombre" (*aer cieco*), l'essentiel de la description se concentrant sur les êtres monstrueux qui le peuplent et sur Pluton lui-même, monstre plus monstrueux que tous les autres. Ainsi, malgré le rôle important que jouent le Ciel et l'Enfer dans le déroulement de la trame, n'y a-t-il à proprement parler, dans la *Jérusalem délivrée*, ni paysage céleste ni paysage infernal; car, plus que leur topographie à peine suggérée, compte la fonction topologique des deux lieux: leur opposition, d'où découle toute l'infrastructure idéologico-religieuse du poème, focalisée sur Jérusalem, la *civitas Dei* profanée et transformée en *civitas Diaboli* par les Païens, instrument des puissances infernales, et que les "Guerriers de Dieu" ont pour mission de rendre à sa destination première.

Il est normal que le poème du Tasse évoque plus en détail les lieux terrestres du combat épique: Jérusalem, le camp des Croisés et l'espace qui les sépare sont minutieusement décrits dès le chant III. La cité, construite sur deux collines et pratiquement inaccessible sur trois de ses côtés, flanqués de ravins profonds, est défendue sur sa quatrième face par de "très hautes murailles" dominant une plaine aride qui s'étend sur plusieurs milles, jusqu'à l'orée d'une forêt inhospitalière dont nous aurons à reparler bientôt. Cette configuration des lieux commande d'elle-même le choix de l'emplacement où Godefroi fait installer le camp des assaillants, de manière à contrôler toute la partie plane par laquelle on peut accéder à la ville ou en sortir. Le camp lui-même apparaît comme une autre ville fortifiée, à cette différence près qu'elle est constituée de tentes et n'est pas entourée de murailles, mais de fossés profonds et de tranchées s'opposant, d'une part, à toute sortie de la cité et, de l'autre, aux incursions en provenance d'autres contrées" (III, 66). Toutefois, et les vers exceptionnellement denses et secs du Tasse le prouveraient mieux que le résumé qui vient d'en être donné, la description des lieux relève ici moins de l'art du paysage à proprement parler que de la topographie militaire, attentive non au paysage en soi, à sa beauté ou à sa laideur, mais à sa fonctionnalité stratégique. Jérusalem et les environs sont vus à travers le regard du commandant en chef des croisés, et le camp chrétien lui-même évoqué tel qu'il l'a disposé et conçu, avec l'oeil du stratège. Avec la sèche précision d'une carte d'état-major, l'espace épique se trouve ainsi concrètement défini comme un champ clos délimité par deux "cités" rivales, elles-mêmes espaces clos occupés chacun par une société dotée de ses institutions, de sa culture, de son idéologie et de ses problèmes propres: la cité assiégée, qui ne peut espérer aucune aide directe, mais seulement des secours qui attaqueraient l'ennemi par l'arrière et permettraient de prendre les Croisés dans un étau; et la cité assiégeante, provisoire puisque destinée par définition à se transférer dans la cité assiégée, qui occupe un espace plus accessible tant à des troupes amies (comme celles de Suénon dont on attend l'arrivée), qu'à des armées ennemies, comme celles des Egyptiens dont est annoncée et redoutée la venue.

En fin de compte, on ne rencontre dans la *Jérusalem délivrée* pas plus de paysage épique que de paysages célestes ou infernaux. Les véritables paysages, au sens que l'on donne communément à ce terme, sont ailleurs, à une plus ou moins grande distance de la zone centrale des combats, excentriques par rapport à elle. Et c'est précisément de leur excentricité que découle leur fonction dans la texture du poème, le sens des parcours le plus souvent centrifuges qui y conduisent les protagonistes des deux camps et des épisodes qui s'y déroulent.

Les paysages terrestres les plus remarquables de la *Jérusalem délivrée* se concentrent principalement en quatre lieux: la forêt de Saron, le refuge pastoral d'Herminie (au chant VII), le château d'Armide sur la Mer Morte (X, 61 sq.) et la montagne dans une des Iles Fortunées, au sommet de laquelle apparaissent le palais et les jardins d'Armide (XV, 42 sq., XVI, 1 sq.). Avant d'en amorcer l'analyse, il convient toutefois d'observer que si, d'un point de vue strictement topographique, ils occupent tous - fût-ce à des distances très variables - des positions également excentriques par rapport à l'espace épique central, ces lieux sont loin de remplir, dans le déroulement de l'action, des fonctions identiques et même des fonctions constantes. Si les parcours qui y conduisent éloignent tous du champ de bataille, on ne peut pour autant les ranger tous inconsidérément dans la catégorie des parcours erratiques, car certains voyages de Chrétiens vers la forêt (comme par exemple ceux des charpentiers en quête de bois pour la construction de machines de guerre), loin de relever de l'errance et de la désertion, constituent des parcours préparatoires aux combats: topographiquement divergents, mais dans le même temps fonctionnellement convergents et indispensables au bon déroulement du siège de Jérusalem. On ne peut par ailleurs mettre sur un même plan le château et les jardins d'Armide, d'une part, lieux de ségrégation de guerriers ainsi distraits des voies du devoir et de l'honneur par l'effet conjugué des charmes de la magicienne et de leurs propres faiblesses, et d'autre part le lieu pastoral où se réfugie un temps Herminie, une non-guerrière dont la fuite ne peut en soi influer sur la suite des événements. Il faut ajouter pour finir que certains de ces lieux ne restent pas immuables, mais évoluent, d'un point de vue tant topographique que topologique, au fil du poème et des actions successives qui s'y déroulent: de sorte qu'il n'y a pas une seule forêt de Saron mais plusieurs, ou, plus précisément, plusieurs états successifs d'une évolution étroitement liée à celle de l'aventure humaine dont elle est le théâtre, et à chaque étape correspond une mutation dans le paysage. Dans la *Jérusalem délivrée* en somme, les paysages, tout comme les hommes, ont ou peuvent - pour certains d'entre eux - avoir une histoire, et une analyse tant des lieux que de leur(s) fonction(s) ne peut pas ne pas tenir compte de ce fait. D'où la nécessité, à mon sens, au risque de disperser quelque peu la description de tel ou tel lieu, d'"historiciser" les paysages du Tasse, d'en prendre une vue chronologique qui suive aussi précisément que possible l'histoire de la conquête de Jérusalem par les Croisés: avec, pour reprendre la terminologie aristotélicienne chère au poète, un *commencement*, un *milieu* et une *fin*.

La première évocation de la forêt de Saron (III, 56) comme d'"un bois/ (...) aux ombres néfastes, sauvage et ténébreux" peut prêter à équivoque, moins à cause de l'adjectif *orrido* (sauvage), qui comme *horridus*, son équivalent latin, désigne un lieu inhospitalier et impénétrable, que de ces "ombres néfastes" (*nocenti*), qui semblent annoncer d'emblée les spectres dont la forêt sera hantée plus tard, par les maléfices du magicien Ismen. Et au début du chant XIII (Str. 2-4), toujours avant l'intervention maléfique du magicien, le poète parle encore d'"ombre funeste" et d'une "horreur/ que l'on dirait infernale", qui effraie les bergers et les dissuade d'y pénétrer (faute d'un terme plus approprié, je ne peux que traduire par *horreur* le mot italien *orrore* qui renvoie une fois de plus au latin *horror* et, à travers lui, au *locus horridus*). Il n'en reste pas moins que la forêt où pénètrent, à la fin du chant III, les charpentiers envoyés par Godefroi couper les arbres n'a rien d'un lieu hanté. Elle est simplement une forêt millénaire, où animaux et oiseaux n'ont jusque là jamais été dérangés par l'homme; non point l'espace diabolique qu'en fera plus tard Ismen, mais un espace naturel originel, dont l'inhospitalité, pour effrayante qu'elle soit, n'a rien de surnaturel: un lieu non anti-, mais seulement anté-pastoral, vierge et donc totalement disponible et neutre jusqu'à l'intervention des Chrétiens, puis du magicien païen.

A l'instar de la forêt de Saron, les trois Iles Fortunées restées inhabitées (XV, 41 sq.), et parmi elles celle au sommet de laquelle Armide va se réfugier avec Renaud (XIV, 70), ont conservé leur virginité originelle et sont évoquées par le Tasse, bien que succinctement, en des termes analogues.

Quant aux *loci amoeni*, relativement nombreux dans la *Jérusalem délivrée*, ils ne sont à l'origine qu'une variante naturelle de la forêt: des clairières naturelles où la moindre densité des arbres et la présence d'eaux ont permis l'apparition de prairies fleuries et un afflux d'animaux sauvages et d'oiseaux. Tout comme la forêt vierge n'est pas ce rendez-vous nocturne de sorcières et de démons qu'imaginent les bergers et autres habitants des environs (XIII, 4-5), ces endroits enchanteurs ne sont pas des paradis terrestres où tout pousse naturellement et porte des fruits, comme l'Antiquité croyait erronément qu'il en existait dans les Iles Fortunées (XV, 35-37). Ce sont seulement des lieux où l'*horridus* devient naturellement *amoenus* et donc habitable par l'homme, même si tous ne sont pas habités.

Le poème du Tasse offre deux exemples d'occupation par l'homme de lieux où la nature se fait ainsi d'elle-même hospitalière: au chant XV (Str. 41), où sont fugitivement évoquées les maisons des paysans et les cultures visibles de la mer dans sept des dix Iles Fortunées, mais surtout au chant VII, dans la longue description du séjour d'Herminie parmi les bergers. La clairière où l'héroïne s'endort épuisée après deux jours de fuite éperdue à travers le labyrinthe ténébreux de la forêt, et où elle découvre à son réveil les "demeures solitaires des bergers", n'est, dans son aspect, rien d'autre qu'un *locus amoenus* des plus conventionnels: eaux claires murmurantes, arbres et arbustes, herbe et fleurs, oiseaux chanteurs. Dans le contexte du poème, l'endroit représente non seulement un havre de paix étranger à "toutes les forces et toutes les valeurs qui s'affrontent" dans l'espace épique

(4), mais plus généralement un refuge à l'écart du monde moderne et de sa civilisation: où significativement a fait retraite, pour vivre pauvre et sans ambition avec sa famille des produits de son troupeau et de son jardinet, un ex-gardien des jardins royaux de Memphis écoeuré par les "cours iniques". Mais plus que comme théâtre d'un épisode dont la critique a - non sans exagération - maintes fois dénoncé la piètre fonctionnalité et l'ambiguïté dans un poème par ailleurs expressément composé à la gloire de la juste guerre chrétienne et des valeurs qu'elle incarne, le refuge pastoral vaut, semble-t-il, par le contraste qu'il instaure avec d'autres lieux idylliques, et en premier lieu avec le luxuriant jardin du château d'Armide sur la Mer Morte (X, 62 sq.).

Si, effectivement, on fait abstraction des "marbres (...) et de l'or / merveilleusement et artistiquement ouvragés" dont il est parsemé, le jardin offre un paysage pratiquement identique à celui où est accueillie Herminie:

> La brise y est légère et serein le ciel, gais
> Les arbres et prés, pure et douce l'onde,
> Où du sein de bois de myrtes enchanteurs
> Jaillit une source et s'épanche un ruisseau:
> Dans l'herbe pleuvent les sommeils paisibles
> Du suave murmure des frondaisons,
> Les oiseaux chantent... (X, 63).

C'est précisément la ressemblance frappante des paysages qui agit sur le lecteur comme un signal et une indication à approfondir la comparaison entre les deux lieux pour en saisir les différences: d'un côté - on l'a vu - un lieu naturel, partie intégrante de la nature environnante, de l'autre un lieu artificiel, créé à l'aide d'éléments naturels en un lieu devenu naturellement stérile et hostile depuis la pluie de feu qui avait détruit Sodome et Gomorrhe (X, 61); d'un côté une vie solitaire intimement liée à la nature et à son rythme, aux ressources locales, une vie familiale, sans serviteurs, dans de modestes demeures, où la "table frugale" est garnie d'"aliments non achetés"; de l'autre une vie collective, dans une nature égayée de marbres et d'or "merveilleusement et artistement ouvragés", une "table orgueilleuse" (altera) couverte de "vases sculptés", "riche de mets choisis et coûteux" de toutes saisons, provenant tant de la terre que de la mer, préparés avec un art raffiné et présentés par "cent belles (et) accortes servantes". D'un côté, en somme, un *locus amoenus* naturel, de l'autre une imitation, une copie de lieu naturel: un parc citadin ou de villa princière, comme en possédaient précisément les ducs de Ferrare à l'intérieur de l'enceinte urbaine et dans les campagnes environnantes. La référence aux jardins et résidences somptueuses où se déroule la vie de cour ferraraise est rendue évidente par le jaillissement magique de lumières qui, à l'arrivée de Tancrède (VII, 36), fait resplendir le château "comme dans un théâtre bellement décoré / les fastes nocturnes d'une scène altière"; et plus encore peut-être par le comportement des chevaliers chrétiens qu'Armide a entraînés à sa suite et qui, retrouvant dans le château et à la table de la magicienne les aises de leurs lointaines demeures européennes, "boivent, avec un long incendie intérieur, un long oubli" de leurs devoirs (X, 65).

Inséré comme il l'est dans un espace existentiel truffé de réminiscences de la vie de cour, le paysage pseudo-pastoral du jardin d'Armide reste bien composé d'éléments naturels, mais artificiellement transférés dans un espace innaturel, théâtre qui plus est de phénomènes déjà en partie surnaturels. Il constitue donc un lieu ambigu, à mi-chemin entre le *locus amoenus* totalement innaturel, tout apparences, des jardins que la magicienne créera ensuite au sommet de l'Ile Fortunée pour y abriter ses amours avec Renaud. Simultanément, à un autre niveau, il est aussi une sorte de projection symbolique de la cour, d'une civilisation courtisane à mi-chemin entre une vie naturelle irrémédiablement perdue, désormais savourée grâce au seul pouvoir re-créateur de l'art, et un asservissement total, délicieux mais irrésistiblement débilitant, dévirilisant, à un art devenu pure magie, rival sacrilège de la nature: "l'art qui fait tout sans jamais se découvrir", illustré précisément dans les jardins de l'Ile Fortunée, où l'artifice est tel que "l'on dirait un art de la Nature qui, pour son plaisir, en se jouant, imiterait son propre imitateur" (XVI, 9-10).

A l'exception des jardins créés par Armide dans l'Ile Fortunée, tous les lieux et les paysages dont il a été question jusqu'ici, bien que reflétant une évolution à l'échelle de l'histoire de l'humanité, sont antérieurs à l'action de la *Jérusalem délivrée* et appartiennent donc à ce qu'Aristote appelait le *commencement* du poème. Le *milieu*, occupé (toujours selon la terminologie aristotélicienne) par les *épisodes*, laisse intacts aussi bien le refuge pastoral que le château sur la Mer Morte, mais est jalonné en revanche par une série de mutations des deux autres paysages évoqués, en liaison étroite avec le déroulement de l'action du poème.

L'histoire de la forêt de Saron passe par trois phases successives: elle subit une première fois, fût-ce pour la bonne cause, d'"inhabituels outrages" de la part des charpentiers chrétiens (III, 75-76); puis elle est envahie par les esprits infernaux, à l'appel du magicien Ismen (XIII-XVIII); enfin, après avoir été libérée des maléfices par Renaud, elle est l'objet d'une exploitation licite de la part des Croisés, pour la construction des nouvelles machines de guerre nécessaires à la conquête de Jérusalem (XVIII, 41). Si cette dernière phase est à peine évoquée au détour d'une strophe, comme une opération conduite avec mesure et "à bon escient" (*con buon giudicio*), la première intrusion des Croisés dans la forêt avait été présentée, en deux strophes d'une grande densité, comme une sorte d'épouvantable fléau écologique: une hécatombe impitoyable d'arbres millénaires de toutes espèces, qui met en fuite animaux et oiseaux. Mais le poète s'attache surtout à la description du spectacle changeant de la forêt ensorcelée, de la tonitruante cacophonie qui suffit à mettre en fuite le commun des guerriers, aux apparitions monstrueuses que brave d'abord Tancrède avant de fuir en entendant la voix de Clorinde s'échapper d'un tronc qu'il a tranché, aux métamorphoses successives qui vainement tentent de dissuader Renaud d'accomplir sa tâche: d'abord l'apparition d'un *locus amoenus* qui progressivement prend des allures de paradis terrestre, où les troncs des arbres enfantent des nymphes jouant de la musique, dansant et chantant; puis l'apparition du simulacre d'Armide elle-même, issu du tronc d'un myrte; et pour finir la transformation d'Armide et des nymphes en autant de géants et de cyclopes essayant, avec l'aide d'un vent tempêtueux, de protéger contre l'épée du héros le myrte qui, une fois tranché, se révèlera un vulgaire noyer, l'arbre des sorcières. Ce paysage, ou plutôt ces paysages fantastiques qui se succèdent dans la forêt hantée sont en réalité, non des transformations réelles mais des avatars imaginaires de la forêt, des paysages intérieurs, projections de l'inconscient des guerriers et pour cela variables de l'un à l'autre.

Tout aussi chargés de symbolisme sont le palais et les jardins de délices créés par la magie d'Armide au sommet de l'Ile Fortunée, puis détruits par une métamorphose inverse après le départ de Renaud: espace labyrinthique où se conjuguent luxuriance d'une végétation non soumise aux saisons et luxure de qui s'y laisse prendre, paradis illusoire des sens en même temps que lieu démoniaque de l'anéantissement de la raison, mais aussi, dans l'imaginaire du Tasse, lieu périlleux d'un art pur, devenu magie démiurgique, sacrilège, une offense à la nature et à son créateur.

C'est pourquoi la *fin* du poème, parallèlement à la libération du Saint-Sépulcre et à la restauration de Jérusalem redevenue *civitas Dei* - de l'ordre des choses voulu par Dieu, aboutit aussi à un retour de la nature à la normalité. Comme on l'a dit plus haut, restent inchangés et le refuge pastoral abandonné par Herminie et le Château sur la Mer Morte avec ses merveilleux mais non magiques jardins. Et les lieux ainsi conservés définissent en quelque sorte l'espace naturel légitimement occupé et agencé par l'homme, avec des moyens n'excédant pas les limites de la nature, à deux stades à la fois chronologiquement et culturellement distincts de l'évolution des civilisations humaines: le stade primitif, pré-urbain, des civilisations pastorales et agricoles, et celui d'une civilisation citadine qui, dans la cité / jardin, établit avec la nature un rapport infiniment plus raffiné sans cesser d'être normal. Et c'est précisément à cette normalité naturelle que doivent retourner, à l'heure du dénouement, les lieux (et les paysages) précédemment contaminés par les artifices innaturels, illicites, de la magie: l'Ile Fortunée où, après la disparition du palais et des jardins enchantés d'Armide, "ne restèrent que / les montagnes et l'*horreur* qu'avait en ces lieux créées la nature" (XVI, 70); et la forêt de Saron qui, une fois libérée par Renaud des maléfices, revient elle aussi "à son état naturel: / ni terrifiante par ses enchantements ni accueillante, / pleine d'*horreur*, mais de son *horreur* originelle" (XVIII, 38) (5). Le mot horreur reparaît ainsi, significativement, à la fin du processus pour souligner le retour au point de départ, à la virginité antérieure de la forêt: une virginité, toutefois non intangible, mais disponible pour un usage humain judicieux, tant il est vrai que les charpentiers chrétiens peuvent "à bon escient" y prélever encore les matériaux indispensables à l'accomplissement de la tâche des Croisés. Et cette notion de "bon escient" (*buon giudizio*), qui vient de la sorte, vers la fin du poème, avec ses implications idéologiques évidentes, souligner l'étroite imbrication entre histoire de la nature et histoire de la lutte entre Ciel et Enfer, Bien et Mal, Croisés et Païens, ne peut que jeter rétrospectivement un jour nouveau sur tout ce qui précède et inviter à appliquer à la nature et aux paysages de la *Jérusalem délivrée* les mêmes critères distinctifs qu'aux héros.

Le manichéisme éthico-religieux propre au poème épique en arrive ainsi - par-delà, entre autres, la quasi-uniformité topographique des *loci amoeni* - à définir une hiérarchisation topologique des paysages rigoureusement calqués sur la hiérarchie morale des forces surnaturelles et humaines qui s'affrontent sur le champ de bataille. Et la signification fonctionnelle de tel ou tel paysage ne relève pas d'une esthétique mais bien d'une éthique; elle n'est pas donnée par les qualités objectives du paysage, mais - comme pour les hommes - par son degré de conformité à l'ordre naturel voulu par Dieu.

Ni bonne ni mauvaise, mais simplement disponible, est la nature vierge, *locus horridus* originel représenté dans le poème par la forêt de Saron et les trois Iles Fortunées inhabitées. Bonne est la nature antérieure ou étrangère aux civilisations urbaines, avec ses *loci amoeni* naturels habités par des bergers (le refuge pastoral d'Herminie) ou des agriculteurs (les sept Iles Fortunées habitées). Non condamnable en soi, mais déjà suspecte, en raison de ce "je ne sais quel art" (X, 62) à la lisière de la magie qui préside à son élaboration, est la nature raffinée du château / jardin, *locus amoenus* dont les composants restent naturels mais sont artificieusement combinés et transplantés jusqu'en des lieux naturellement ingrats. Condamnable, et pour cela condamnée à reprendre sa forme première à l'heure du retour final à l'ordre normal des choses, est la nature déviée par les pratiques magiques d'une Armide et d'un Ismen. Le *locus amoenus* créé par la magicienne au sommet de l'Ile Fortunée pour y abriter ses amours, tout comme celui, purement illusoire, qu'Ismen fait apparaître à Renaud dans la forêt enchantée pour tenter de le détourner de sa mission, plus que des violations de la nature, et plus encore que des faux qui n'iraient pas au-delà d'une imitaion parfaite, indécelable, de la nature, sont des *loci amoeni* plus *amoeni* que nature et donc d'authentiques aberrations démiurgiques, fruits d'une compétition sacrilège inadmissible avec le Créateur.

Le paradoxe est que les paysages qui fascinent le plus le Tasse et qu'il décrit avec le plus de complaisance appartiennent à cette dernière catégorie, condamnée par la morale et la religion dont son poème raconte le triomphe. Mais, au fond, cette contradiction entre l'orientation idéologique manichéenne du récit et une sensibilité pour ainsi dire inversement proportionnelle au degré d'orthodoxie des paysages n'est qu'un des aspects de la multiforme ambiguïté d'un poème perpétuellement en équilibre instable, jusqu'à la victoire finale de l'ordre chrétien, entre des aspirations rationnelles, qui objectivement ne peuvent que coïncider avec les exigences et les intérêts de la foi chrétienne, et l'appel lancinant des sens: entre le volontarisme teinté d'intellectualisme d'une raison qui peine à triompher et l'hédonisme d'une sensualité instinctive difficile à terrasser qui, à l'image du Sultan Soliman (XX, 108), "comme un nouvel Antée, tombe et ressurgit à chaque fois plus farouche" avant de succomber: On a souvent dit que le triomphe final de Godefroi de Bouillon était aussi celui du Tasse; que la prière finale du capitaine au pied du Saint-Sépulcre, qui, plus que la victoire sur les Païens, consacre son triomphe antérieur sur les instincts pernicieux de ses propres "chevaliers errants", consacrait également la victoire personnelle du poète sur les débordements sensuels de sa propre inspiration. Si l'ordre et l'unité, qui finalement s'imposent dans le microcosme longtemps troublé de la *Jérusalem délivrée*, peuvent ainsi symboliser l'exorcisation des démons personnels, à plus forte raison les lieux et les paysages multiformes où s'est longuement égarée la geste des héros chrétiens représentent-ils bien autre chose qu'un simple support topographique de l'action du poème: une véritable carte de l'imaginaire tourmenté du Tasse.

Paul LARIVAILLE

(Université de Paris X-Nanterre)

NOTES

* Je reprends dans ces pages, avec les aménagements nécessaires, un chapitre d'un ouvrage intitulé *Poesia e ideologia: letture della "Gerusalemme liberata"* (actuellement en cours de publication en Italie), que le piètre intérêt des éditeurs de notre pays pour la littérature italienne m'a dissuadé de rédiger en français.

1. *Discorsi dell'arte poetica e in particolare sopra il poema eroico*, publiés pour la première fois à Venise en 1587 (le texte cité est extrait du second "discours").
2. Le Tasse avait ébauché dès 1559 un poème alors intitulé *Il Gerusalemme*, interrompu à la strophe 116. Il l'avait repris après son installation à Ferrare, en octobre 1565, le portant à une dizaine de chants avant son départ pour la France en octobre 1570. La phase décisive (réélaboration des premiers chants, révision des suivants, composition des dix derniers) se situe entre le retour de France du poète (avril 1571) et février 1575, date de l'achèvement de la première version du poème.
La première mouture des *Discorsi* remonte, semble-t-il, au premier (1562) et plus vraisemblablement au second séjour du Tasse à Padoue (1564). Ils peuvent donc être considérés comme globalement antérieurs au poème, même s'il est probable que les positions théoriques et la pratique poétique du Tasse ont progressé de concert, dans un continuel va-et-vient que l'état actuel de la documentation ne permet pas de suivre avec précision.
3. Sur ces problèmes, je dois signaler ma dette envers G. Genot, "I gran giochi del caso e de la sorte". *Saggio sulla topologia funzionale della "Gerusalemme liberata"*, Université de Paris X-Nanterre, Centre de Recherches de Langue et Littérature Italiennes, Documents de travail et prépublications, 3, 1974, même s'il m'arrive de m'inspirer avec quelques libertés de son travail. J'ai puisé des suggestions également dans les ouvrages de E. Raimondi (*Poesia come retorica*, Firenze, Olschki, 1980) et R. Bruscagli (*Stagione della civiltà estense*, Pisa, Nistri-Lischi, 1983).
4. G. Genot, *op. cit.*, p. 9.
5. Je rappelle que *horreur* est à prendre ici dans le sens du latin *horror* et caractérise précisément le *locus horridus.*

LE PAYSAGE DANS L'ÉPOPÉE COLOMBIENNE

DE LORENZO GAMBARA

(*De nauigatione Ch. Columbi*)

Gambara proclame dans l'épître dédicatoire du *De nauigatione Ch. Columbi* (1) que la finalité de son poème est la "vérité", vérité qu'il lie à la qualité de sa documentation (2), aussi bien qu'au rejet des ornements de l'épopée mythologique. Il s'efface rapidement pour laisser la parole à son héros, dont le récit recouvre pratiquement les quatre chants. Il lui donne donc le rôle de ces explorateurs (3) qui, comme le dit M. Jeanneret, devenus "écrivains,(...) se proposent la restitution des données observées" (4). De fait, l'auteur annonce qu'il va évoquer "des régions fort éloignées de nous, très fertiles et très riches" -*a nostro orbe longissime disiunctas... fertilissimas et opulentissimas* (p. 3).

Si le premier terme nous laisse espérer ce que nous nommons l'exotisme, les deux autres traduisent des préoccupations économiques plus terre à terre, dont le discours moral ne sera peut-être pas exclu (5).

Lorsque Colomb a lui-même la parole, il promet un bref exposé d'ethnologie, de géographie, d'astronomie, qui sera le résultat d'un choix sévère (p. 10). Or celui qui le fait parler est poète. Il est depuis longtemps l'auteur d'églogues - le décor de certaines d'entre elles est précisément le Nouveau Monde (6) - poèmes où la documentation vient s'ordonner tout naturellement en paysages (7): des marines, des ciels et surtout des rivages.

Nous étudierons d'abord les influences qui ont guidé le choix que l'auteur d'épopée fait assumer ici par son héros. Nous verrons alors quelle peut être la finalité de ces paysages, avant d'essayer d'analyser comment ils nous sont présentés.

Plutôt que dans le journal de bord et la correspondance de Ch. Colomb (**8**) - qui étaient rédigés en espagnol et, du reste, peu accessibles - il est vraisemblable que Gambara a puisé sa documentation dans l'oeuvre latine de P. Martyr d'Anghiera. Cet Italien au service des Rois Catholiques a adressé à de nombreux amis, en particulier à des cardinaux romains, des lettres toutes chaudes de la découverte et il a composé un ouvrage en forme, les *Decades de orbe nouo* (**9**).

Passionné de géographie (**10**), friand de données ethnologiques -qu'il traite du reste avec un mépris ricanant (**11**) - Martyr est un esprit éminemment pratique. S'il lui arrive d'évoquer la découverte en une belle formule (**12**), la Nature l'intéresse pour son étrangeté, mais surtout pour sa fertilité et sa richesse (deux notions que Gambara met en évidence dans son épître dédicatoire). Son imagination s'affole sur le poids des pépites, sur la croissance rapide des légumes, pas sur la beauté des paysages (**13**). Le créateur d'épopée n'avait donc pas à se poser en émule. Martyr, du reste, ne se voulait qu'un "pourvoyeur de documents" pour les poètes futurs (**14**).

Malgré tout, sa vision utilitaire a marqué le *De nauigatione*. Ainsi Gambara évoque avec une grande précision de trait "une montagne dont les racines viennent plonger dans la mer, dont les flancs boisés s'élèvent par paliers doucement dans les airs, et qui se termine par un pic élevé": la conclusion qui s'impose alors est qu'elle est un observatoire idéal pour guetter l'arrivée des Cannibales (p. 47).

Après qu'il a ordonné soigneusement les éléments d'un paysage de rêve, où il ne manque ni le chant des oiseaux, ni les riches couleurs des perroquets, le Christophe Colomb de Gambara s'attache à montrer que c'est un emplacement convenable *-aptus-* pour fonder une ville: la haute et dense futaie pourra fournir *-ministrare-* des poutres; les falaises deviennent des carrières en espérance, et l'on apprend que "les cours d'eau roulent de l'or jusque dans les azurs de la mer" (p. 45).

Cette notion d'utilité préside toujours à l'évocation des ports. Aussi saurons-nous que tel port cubain peut accueillir beaucoup de navires *-capax-*, qu'il est sûr *-tutus-* avant qu'on ne nous le montre, enfin, entouré de hautes falaises et formant comme un étang *-saxis circumdatus altis,/In morem stagnantis aquae* (p. 45).

C'est là, bien sûr, une vision de marin, et le récit de Colomb offre aussi de très nombreux exemples (**15**). Gambara, du reste, fait explicitement demander au navigateur par Nicolas de Granvelle "de dire successivement les ports qu'il a découverts" *-dic nunc ex ordine portus/Inuentos a te* (p. 9). De fait, les paysages portuaires sont ici très nombreux, mais si le poète assume le risque d'avoir à varier des évocations que le lecteur pourrait juger monotones, c'est qu'il s'agit d'un véritable topos odysséen. Pas plus qu'Ulysse, en effet, le Gênois ne pénètre à l'intérieur des terres: il longe les côtes et va d'une rade à l'autre. Ainsi, les éléments utilisés, par exemple pour évoquer le port des Lestrygons - falaises, entrée étroite, calme du golfe (*Od.* 10, 87-94) - se présentent sous les yeux du capitaine espagnol qui cherche une rade à Quiqueia:

(portum)
Cingebant summi hunc colles quibus unda silebat
Clausa (p. 45) (**16**).

Mais le port où Colomb s'arrête sur les côtes de Paria est présenté comme celui de l'île des Cyclopes - commodité du mouillage, présence d'eau douce et d'arbres (*Od.* 9, 136-141):

Vidi his litoribus ter centum nauibus aptum
Flumen aquae, ad cuius fauces per caerula terrae
Quattuor et plenae arboribus (p. 96-97) (**17**).

Nous avons étudié ailleurs les parentés du *De nauigatione* avec l'épopée gréco-latine (**18**), mais il nous faut noter ici que la référence antique est particulièrement de mise dans la caractérisation générale des paysages: les navigations méditerranéennes habitent la mémoire de l'Amiral de la Mer Océane. Ainsi, c'est toujours le terme de *sparsas* qui sert pour qualifier les archipels (p. 19,47, 97, 99) mais, une fois, les îles se présentent sur "le marbre des flots" - la métaphore est lexicalisée - à la manière des Cyclades -*in morem Cycladum* (p.40).

Enfin le Gênois, au large de Cuba, cultive à bord de sa caravelle la nostalgie du *locus amoenus.* Accablé de chaleur, il reconnaît, de loin, un "mont aux ombres impénétrables":

Mons procul ostentat sese densissimis umbris (p. 52).

Il accourt vers le havre de ces forêts "porteuses d'ombres". Du haut de la montagne jaillissent des sources qui descendent en cascade "avec un bruit assourdi" jusqu'à la mer. Il s'installe sous "un très beau pin" et laisse son regard se perdre dans "les rameaux souples d'un palmier, qui vont frapper le ciel":

siluis...subimus
Vmbriferis, quarum summo de uertice fontes
Surgebant, raucoque sono uada salsa petebant
Hic pinus sese in caelum pulcherrima tollit,
Palmaque summa ferit caeli conuexa flagellis
(p.52) (**19**).

Avant d'avoir accosté à Quiqueia, il a repéré un lieu plein de fleurs, un verger au milieu duquel jase une eau pérenne; plus loin, un bosquet, et encore des fleurs (p. 21). Le héros épique façonne ainsi à l'avance le paysage selon ses désirs culturels.

Pourtant, le poète n'a pas totalement cédé à la tentation, et l'indispensable motif des "grottes profondes" -*cauis sub rupibus*- de l'Eglogue I (**20**), dont le décor est le Nouveau Monde, n'a pas trouvé place dans l'épopée "véridique".

Enfin, et c'est la plus grande différence entre cette épopée américaine et les *Lusiades* de Camoens, aucune nymphe, aucune naïade ne s'ébattent jamais dans ces lieux de délices (**21**).

Sa documentation d'une part, la tradition épique de l'autre n'incitaient guère Gambara à s'adonner à l'évocation gratuite du paysage (**22**). Certes, il prend plaisir à ces constructions, mais le paysage a presque toujours une fonction symbolique, car il n'est pas neutre: il est porteur de valeurs.

Ainsi, le paysage vinicole qui domine la rade de Palos est évoqué deux fois par Gambara, au cours du chant I et à la fin de ce même chant. Déjà l'automne arrive (**23**): Colomb et ses marins voient sur les collines des vergers où les fruits sont mûrs, où les raisins rougissent et font courber les pampres (p. 15). Sans qu'ils soient forcément les gerfauts d'Hérédia, c'est bien là le symbole d'une civilisation qu'ils rejettent, avec laquelle, en tout cas, ils rompent. Mais l'un des éléments du paysage, au moins, a été délibérément choisi pour être en accord avec eux: les hirondelles se rassemblent pour passer la mer (*ibid.*).

C'est pratiquement le même paysage qui termine le chant I, alors que se prépare déjà le second voyage. Point d'hirondelles, mais sur les mêmes collines ensoleillées, des paysans achèvent la vendange; d'autres en sont déjà à rassembler les sarments, et même certains labourent. Pourtant, les marins de Colomb ne sont plus en opposition avec ce tableau virgilien: ils sont présentés comme des êtres consciencieux, obéissants, qui savent prendre des précautions avant de se lancer encore sur des chemins inconnus (p.32) (**24**).

C'est encore un paysage du Vieux Monde, aux valeurs rassurantes, qui se construit dans l'imagination nostalgique, un moment, de l'Amiral, lors de la bonace mortelle, au milieu "des marbres brûlants de l'Océan" -*feruida marmora ponti* (p.65)-, car c'était "l'époque où le joyeux moissonneur met les épis en gerbes, quand le champ tout entier grille au loin et que la plaine se fendille sous l'effet de la chaleur" (p. 65).

Au milieu de la révolte sournoise de ses marins, après trente jours de mer, il rêve d'une aurore sans nuage, d'un soleil d'or dont l'éclat blond éclabousse un rivage... un rivage à l'est, du côté de l'Eurus, celui de l'Espagne, peut-être, qui a cessé par lui d'être "la terre de l'Ouest", ou celui d'un Orient mythique, loin des monstres marins auxquels l'équipage médite de le jeter en pâture (p. 18).

Mais, sous l'obscure clarté du ciel, alors qu'une atmosphère sombre enveloppe encore l'Océan et le terres - que l'on espère, car "un souffle léger ouvre les flots" (p.19) - c'est bien à l'aube que cette terre parvient pour l'équipage "aux divines rives de la lumière", selon la formule de Lucrèce, dont s'est souvenu Martyr (**25**). Dans une joie anxieuse, Colomb l'a distinguée d'abord, enveloppée dans la poix des ténèbres, encore dans le noir silence de la nuit:

Hanc piceis mistam tenebris prospexi ego primum
... cum nox silet atra (p. 19).

Aussi, avant de montrer le véritable paysage "qu'irradie le soleil levant", "des montagnes aériennes, deux terres formant un grand arc sur les azurs, puis d'autres îles encore" (p. 19), c'est le lumineux paysage intérieur de son soulagement, de sa joie, de sa gloire, qu'il exprime avec des adjectifs banals, très peu pittoresques, mais enrichis de leur tonalité morale:

Gratior haud unquam terris nec *laetior* orta est
Vlla dies, mage nec *claro* sese extollit ortu (p. 19).

Il prend alors conscience de ce que la mer souriait alentour:

Nam circum mare pacatum ridebat (*ibid.*).

Inversement, c'est dans la lumière du couchant -*sub lucem .../... sero sub uespere* (p. 40) (**26**)- que rougeoient les extraordinaires rochers qu'une barre rend inaccessibles.

Gambara semble avoir longtemps cultivé les valeurs virgiliennes des travaux et des jours (**27**). Pourtant, en présence des merveilleuses productions spontanées, tout est mis en question. Il vient de nous présenter un paysage où s'épanouissent "des fleurs extraordinaires", où "des savanes bien arrosées voisinent avec un bosquet aux herbes odorantes", et il conclut:

Daedala terra...nunquam poscit auari
Dura ministeria agricolae sub tempore Veris (p. 21).

Ainsi, les durs travaux finissent par endurcir le coeur de l'homme et le détourner même de la beauté du printemps. Et l'Amiral, lorsqu'il fait connaissance de ce terroir, note aussitôt:

...arus simul nullis obnoxia rastris (p. 21) (**28**).

Oui, vraiment, la terre est industrieuse -*daedala*- dans ces îles où l'on trouve des forêts d'arbres à laine:

Vidi lanigeras non longe a littore siluas (p. 21).

Il existe même une variété odorante, dont les cocons sont préservés par des cosses:

Vidi et odoratos... lucos
Frondentes quorum rami mollissima seruant
Vellera, quae leuibus siliquis inclusa teguntur(p.21-22)(**29**)

La région de Quiriquetana "crée" le maïs -*creat*-; "les prés nourrissent toujours des fleurs fraîches" -*prata recentes / Semper alunt flores*- (p. 93).

Au premier voyage, le navigateur devait avoir recours à une comparaison:

Nam dies erat hic tepidus *ceu* uere rubenti (p. 22).

Plus tard, il note simplement qu'au pays des bons sauvages "sourit toujours une température très douce et que des fruits sucrés pendent aux arbres". Le temps cyclique est aboli:

...mollissima *semper*
Illic temperies ridet...

... et mites pendent ex arbore foetus (p. 74).

Le choix de *foetus* - *fructus* étant possible - traduit cette sorte de génération spontanée. Il est révélateur que le poète ait pris ses distances par rapport à ce paysage en employant l'adverbe *illic* (**30**).

Aussi, après un discours moral sur les maux qu'ignorent ces peuples qui vivent en sûreté dans leurs huttes de palmier, la conclusion s'impose-t-elle: *pax aurea* (p. 81).

Le peintre amusé des curiosités exotiques s'inscrit en faux contre le mythe des âges: c'est l'or de la paix, aussi bien que celui des pépites (**31**), qui vient éclairer son paysage.

Il semble pourtant que Gambara, parfois, ne décrit que pour le plaisir de décrire, et il va jusqu'à mettre cet aveu dans la bouche de son héros. Ainsi des "monts rocheux" - auxquels il ne pourra accéder - sont qualifiés de "plaisants à voir" -*oculis grati* (p. 40) (**32**).

Or un paysage n'est pas un amoncellement de documents, si pittoresques soient-ils, mais il arrive - surtout au chant IV - que le poète se laisse déborder par les détails. Ainsi, par exemple, il note que le vaisseau se fraie difficilement un passage dans des eaux où abondent tortues et poissons énormes. Ce pourrait être un premier plan. De fait, il parle ensuite de "rives pleines de fleurs, qui sont ornées d'immenses roseaux épais" (p. 96). Le choix du verbe *ornare* traduit bien une préoccupation esthétique, mais, sans transition, nous apprenons qu'il a "vu sur les rives de certains fleuves de nombreux crocodiles" (p. 96) et il ajoute qu'il a vu un estuaire "qui pouvait accueillir trois cents navires": la volonté de tout dire a détruit le paysage.

D'ordinaire, il s'organise naturellement de manière linéaire. Une première ébauche est présentée avec les adverbes *procul* (p. 19, 52), *longe* (p. 52, 66), *illic* (p. 67) et le verbe *prospicio* (p.19, 45). Les progrès sont notés par *mox* (p. 19), par *ultra* (p. 33) et des termes du type de *uicinus* (p. 21). Le paysage apparaît - *apparet* (p. 93) -, il "montre" - *monstrat* (p. 66) - tel ou tel élément, et même il s'étale - *sese ostentat* (p. 46, 52) (**33**). Du point de vue de l'observateur, *uidi* (*passim*) est le plus fréquent, mais l'intérêt plus vif se traduit par *aspexi* (p. 21), *conspexi* (p. 52). Souvent l'évocation du paysage a une telle intensité que la distance due au récit s'abolit et que cette présence se traduit par *hic* (p. 52 par exemple).

Parfois, à la construction plus complexe correspond l'emploi d'*alius* - *parte alia* (p. 40, 46, 52), et même l'organisation par latéralité (p. 99). Toute la description de l'estuaire de l'Orénoque est ponctuée par la reprise de *laeuus*, puisque Colomb le découvre dans une navigation est-ouest, à gauche, mais le paysage est rarement structuré par les points cardinaux (p. 53, 56).

Si l'on va raisonnablement du lointain au détail proche, l'artiste peut aussi, en quelque sorte, ouvrir son tableau, et l'évocation du port inaccessible se termine sur un ciel tourmenté:

(Auster)
...foedam tempestatem nimbosque ferebat (p. 40).

Mais c'est le plus souvent l'animal qui apporte une dernière touche, précise, comme après coup:

Atque grues magnas per pascua florea uidi (p. 52).

En effet, il est exceptionnel qu'un paysage soit désert (**34**). L'île des Cannibales, pourtant, se révèle durablement vide. Ni hommes, ni animaux: quel beau symbole de mort! Mais enfin, tout de même, alors qu'on n'espérait plus, on y voit errer d'énormes lézards tachetés: *sed corpore tantum / Ingenti ac uario magnos errare lacertos* (p. 33).

La vue est bien le sens privilégié (**35**) - le seul allié du peintre - qui préside à l'élaboration du paysage. C'est parfois, ici, le seul. Ainsi, l'île volcanique -*flammifera*- de Ténériffe se réduit à un rocher énorme qui rougeoie dans la nuit, en projetant haut dans les airs des globes de flammes (p. 17) (**36**).

En dehors des énoncés inévitables, les "azurs" des flots -*caerula* (*passim*) -, les savanes et les forêts verdoyantes, les notations de couleur, pourtant, ne sont pas très fréquentes. Les rochers rouges des "Cyclades" caraïbes sont "remarquables" -*rubro uarioque colore / Conspicui* (p. 40) (**37**). Plus pittoresque est "la mer qui brille plus que la neige", "le flot qui paraît blanchissant, çà et là parsemé de lait frais sous la lune qui monte" (p. 51), ou "les écueils qui entourent le port d'un cercle de pourpre" (p. 46).

Le paysage le plus richement coloré représente un lac viride, dont le fond herbeux attire une foule d'oiseaux qui étalent -*ostentare*- leurs couleurs éclatantes, du rouge feu, du blanc mat, un autre blanc si éclatant qu'il l'emporte sur la neige et - la notation est plus originale - sur les troënes des montagnes et la fleur d'hyacinthe (p. 75) (**38**).

Gambara a même cherché, exceptionnellement, à rendre sensible le caractère velouté des arbres à laine en faisant appel au toucher -*mollissima.../Vellera* (p.22) -.

Mais le poète peut aussi s'aventurer dans des domaines interdits au peintre. Si l'épopée de Camoens avait mis à la mode l'expression du goût brûlant des épices, Gambara prétend bien nous faire connaître les surprenantes senteurs qui embaument ces paysages exotiques. C'est attiré par une odeur entêtante -*fragrantia* (p. 52) - que Colomb est amené à observer, d'abord de loin, une forêt dont les rameaux sont entourés par une vigne grimpante, aux lourdes grappes (**39**). Sans doute le poète renonce-t-il parfois à pousser son analyse -*floribus et uariis fragrat nemus* (p. 99) , *halantes diversis floribus hortos* (p. 102) -, mais il fait effort pour tirer le maximum d'un vocabulaire relativement pauvre. Au bord d'un lac "verdoie une herbe dont les longs cheveux dégagent une odeur lourde" -*uiret herba comis graueolentibus* (p. 74) -. Très justement, il note que cette sensation olfactive s'impose en même temps que la vision: "Sur une bande côtière, j'ai observé des herbes à l'odeur plaisante et des jardins parfumés de fleurs" (p. 67) (**40**). Quand le bateau s'approche de l'île des Cannibales, dont la côte est inhabitée, le navigateur note aussitôt que "la terre exhale généreusement de suaves parfums" -*suaues / Vicinum late tellus spirabat odores* (p. 33).

Le paysage américain s'anime aussi de bruits. Après avoir montré les écueils, les eaux semées de paquets d'écume, le poète évoque "l'onde de cette mer aboyante" -*unda / Latrantis pelagi* (p. 40) -. Il est sensible aux silences de la mer -*uasti maris silet unda* (p. 46), *unda silebat / Clausa* (p. 45) -. Le courant de l'Orénoque entre en lutte avec "les flots salés qui résonnent sous le choc" -*salsis resonantibus undis* (p. 69) -. Bien sûr, dans ce pays béni, les oiseaux "emplissent les airs de leurs harmonies variées" -*uariis implent concentibus auras*-, mais au vers suivant la voix du rossignol se lamente en solo et "dans les grands arbres le perroquet claque du bec" -*(psittacus) altis / Arboribus strepit* (p. 22) -.

Si le préfacier de Gambara, Joseph Niger, a noté "qu'il peignait comme en des tableaux que le lecteur aurait sous les yeux - *praesentia* - ces paysages lointains, il était bien inspiré d'ajouter qu'il sait toujours "parler subtilement" à nos sens -*omnia nostris / Sensibus insinuat* (p. 7) -.

La Nature, certes, ne se contente pas ici d'être "le lieu de l'action", elle est le lieu d'une action qu'elle suscite, puisque le véritable but du héros est de la découvrir et, dans tous les sens du mot, de se l'approprier (**41**): il y a "paysage" chaque fois que le héros met de l'ordre dans les éléments naturels qu'il appréhende ainsi. Le caractère utilitaire des évocations, qu'on doit aussi bien à l'influence de Martyr qu'à la tradition odysséenne, n'exclut pas, cependant, la poésie réminiscente du *locus amoenus*, plus moderne que celui d'un Camoens.

Mais l'épopée, surtout celle de Virgile, implique bien une fonction symbolique du paysage: il peut être en harmonie avec l'action ou s'opposer à elle, mais, comme si le temps épique se confondait ici avec le temps contemporain, le paysage du Nouveau Monde donne force à l'idéologie de l'Age d'or.

Le paysage, s'il est ainsi partie prenante de l'épopée, mérite certes d'être évoqué: le Christophe Colomb de Gambara s'acquitte de cette tâche en faisant part de son émerveillement au fur et à mesure que progresse son appréhension du paysage. Si l'esthétique aristotélicienne de son préfacier reconnaît le succès de cette "mise en présence" des lieux exotiques, il s'agit d'une perception totale, où l'oeil a cessé d'être l'outil unique (**42**).

Geneviève DEMERSON

(Université de Clermont II)

NOTES

1. Rome, Bonfadini-Diani, 1583 et 1585. Nous renvoyons à cette 2e édition, "plus complète", avec la seule indication de la page (B.N. Yc 7722).
2. Il la prétend exclusivement orale: elle remonterait au récit que Colomb lui-même aurait fait à la cour des Rois Catholiques, en présence de Nicolas de Granvelle; ce dernier l'aurait transmis à Charles Quint, et l'empereur à Antoine de Granvelle, le dédicataire de l'épopée.
3. Mais il est certain que le "récit" de ses aventures par le héros lui-même est une des structures de l'épopée classique (Ulysse chez Alkinoos, Enée à Carthage).
4. "Le champ de vision est délibérement partiel", et ils font "usage de la première personne" ("Léry et Thevet: comment parler d'un monde nouveau?", in *Mélanges F. Simone*, Genève, Slatkine, t. 4, 1983, p. 227-228).
5. Cf. *op. cit.* en note 4, p. 228.
6. Cf. par ex. *Eclog. lib.* I,1, *in Poem. lib. III* (s.n. Zanchi), Bâle, Oporin, 1565, p. 302 (B.N. Yc 7952); cf. aussi I,9 (p.342). Certaines églogues sont reprises sous le titre de *Nautica.*
7. Gambara est un amateur de paysages: l'*Arcis Caprarolae descriptio* (in *Poemata*, Anvers, Plantin, 1569, p. 3-37 - B.N. Yc 7855) nous fait goûter le charme des jardins Farnèse.
8. Nous avons utilisé la traduction française des *Oeuvres* par A. Cioranescu, P., Gallimard, 1961.
9. La 1e édition parut à Alcala en 1530: il y travailla plus de trente ans.
10. Cf. par ex. *Epist.* CXLII, p. 22; CLXVIII, p. 32. Nous citons d'après l'édition de J. Torres Ascensio, Madrid, 1892 (elle reprend la numérotation de l'édition d'Amsterdam, Elzévir, 1670).
11. Cf. *op. cit.*, p. 33-35: *De* ridiculis *insularum superstitionibus* (*Epist.* CLXXX).
12. *Nobis satis, quod latens dimidia orbis pars in lucem ueniat* (*Epist.* CXXXV, p. 21; du 1/10/1493). Cf. ci-dessous, n. 25.

13. *In terrae superficie globos reperiunt aureos, rudes, natiuos, tanti ponderis, ut pudeat fateri. Vnciarum ducentarum quinquaginta nonnullos reperere* (*Epist.* CXLVI, p. 24). *Cucurbitae, melones, cucumeres... a iacto semine intra diem sextum et trigesimum comeduntur* (*Epist.* CLVII, p. 28). Il a la curiosité - et souvent le style - de Pline l'Ancien.
14. *Praebebo saltem uiris doctis, magna scribere aggredientibus, ingens ac nouum materiae pelagus* (*Epist.* CXLII, p. 23).
15. Cf. par ex. p. 47, 78, 79, 85, 87, 100, 104, etc. (cf. n. 8).
16. Cf. encore p. 46. Gambara s'efforce de varier les énoncés, mais la séquence *(nec) uentosque timebat* (fin d'hexamètre) revient souvent (p. 22, 45, 46).
17. Cf. encore p. 67 (arrivée lors du troisième voyage).
18. "La tradition antique dans l'épopée colombienne...", in *Actes du colloque* P., E.N.S., 1980, éd. R. Chevallier, *L'Epopée gréco-latine et ses prolongements européens*, p. 237-254; "La tradition virgilienne dans les épopées du Nouveau Monde", in *A.L.M.A.*, 9 (1982), p. 37-45.
19. *Vmbrifer, raucus, caeli conuexa, flagella* sont des termes virgiliens, mais il s'agit plutôt d'utilisation inconsciente, car les contextes sont très différents. La solitude du pin est évoquée par un hexamètre à cinq spondées; les deux rejets sont très expressifs.
20. *Eclog. lib.* I,1, p. 304 (cf. ci-dessus. n. 6). Certes Gambara présente des grottes (p. 77, 78), mais elles n'ont rien du *locus amoenus.*
21. Cf. notamment au chant 9, l'île préparée par Vénus pour les glorieux descendants de Lusus (v. 51 sq.).
22. M. Bakhtine va même jusqu'à affirmer que dans l'épopée "il n'y a ni paysage, ni fond inanimés" (*Esthétique et théorie du roman*, trad., P., Gallimard, 1978, p. 361).
23. "Nous partîmes le vendredi 3 août 1492" (*Oeuvres*, p. 29). C'est l'Opora des Grecs, plus précoce que notre automne.
24. Ils font penser aux marins d'Enée s'affairant pour quitter Carthage, et leur énergie concurrence ici celle des cultivateurs (cf. *En.* 4, 397-401).
25. *...dias in luminis oras* (I, 22). On pense à une naissance: pour ceux qui en parlent alors, tout se passe comme si ce monde n'existait pas vraiment avant que les Européens ne le connaissent. Les mots *orta est*, *ortu* (p. 19) reviennent sous la plume de Gambara. Sur les arrivées symboliquement situées à l'aube, cf. *En.*, 3, 521-523; 7, 25-34.
26. C'est à l'aurore, lors du troisième voyage, qu'on parvient enfin à trouver un lieu de débarquement, face au soleil: *tandem sub ortu / Aurorae et Solis radiantia lumina contra / Tangimus ingentem portum* (p. 67).
27. Liées au cycle des saisons, cf. ci-dessous p. 39. En fait, Gambara prête encore à son héros, même après la découverte des terres à l'éternel printemps, un état d'esprit digne des *Géorgiques*: *Elegi in spem gentis equos, selectaque farra / ... ut hortos / Tam pingues nostri colerent* (p. 31). La *Descriptio* des jardins Farnèse (cf. n. 7) est attentive aux merveilles horticoles qu'on y obtient par un soin assidu (p. 32-35).
28. Gambara employait déjà cette formule dans *Eclog. lib.* I,1, p. 303.

29. Mais cette information, rajoutée, fait éclater le cadre du paysage proprement dit, car cette merveille se trouve *alio sed littore* (p. 21).
30. Pour l'emploi de *hic*, signe d'appropriation, cf. ci-dessous p. 40. Il prend encore ses distances en employant un verbe comme *uidetur* (p. 93), comme s'il n'en croyait pas ses yeux.
31. Cf. p. 46 : (*flumina*)...*labantia ab ipsis / Montibus, auratis longe radiantia arenis*; cf. aussi p. 104.
32. C'est aussi l'impression produite par le majestueux estuaire de l'Orénoque - et l'attention du mécène est attirée sur ce point: ...*quantoque magis, Granuella, cadentem / Carbasa uertebam ad Solem, tanto magis amnis / Gratus erat* (p. 69).
33. Alors que, métriquement, *ostendit* était possible: le paysage est fait non seulement pour être vu, mais pour être regardé.
34. L'animal apparaît aussi comme un dérivatif à l'angoisse que l'homme ressent devant la démesure de la Nature. Ainsi, dans l'île de la Bouche de Dragon, alors qu'à l'entour les eaux livrent leur épique combat, sur le pic qui se dresse vers le ciel apparaît un singe, bien laid, avec une queue recourbée (p. 69), puis la description du paysage reprend.
35. Il y a du reste des professionnels de la vision panoramique, l'observateur envoyé sur une colline - et qui, en quelque sorte, ordonne le paysage en résumant les données (p. 33), le guetteur en haut de son mât (p. 66).
36. Mais Gambara n'a pas su renoncer ensuite à la notule géologique (héritage de l'épopée lucanienne).
37. L'adjectif *uarius* doit modifier *ruber*: les rochers sont de différents rouges.
38. La comparaison avec l'hyacinthe est surprenante (cette fleur, d'ordinaire, est bleue), mais c'est là un souvenir de Columelle, qui mentionne une variété qu'il qualifie de *niueus* (10,100).
39. Gambara ouvre une parenthèse pour indiquer la saveur de ces raisins, très juteux: tous les sens sont ainsi sollicités.
40. L'expression *halantes...floribus hortos* est virgilienne (cf. *G*.,4,109). Cf. aussi p. 56 : *Vidi et nemora ardua longe, / Et passim uirides hortos beneuolentiaque arua.*
41. C'est pourquoi il nous semble qu'il y aurait lieu de nuancer le jugement de Bakhtine (cf. n. 22): s'il est vrai qu'il n'y a pas dans l'épopée de "fond inanimé", le paysage y joue parfois un rôle.
42. En dépit de l'expression stéréotypée qui privilégie toujours l'oeil, car en fait le dernier mot de *Niger* est *cernat* (p. 7). Dorat disait à propos de Thevet: *(posteritas) uidet* (Ode XXXIX, fin), et Baïf dans son liminaire à la *Cosmographie universelle*: "ils regardent" (P., Lhuillier, 1575, e4 r.).

LE PAYSAGE DANS LES "SILVES" DE POLITIEN

OU LA RHÉTORIQUE DE L'AGE D'OR

Lorsqu'il compose *Manto*, la première des quatre *Silves*, en 1482, Ange Politien est depuis deux ans professeur d'"art poétique et oratoire" au Studio de Florence. Protégé de Laurent de Médicis, il a été le précepteur de ses fils, son secrétaire et surtout son confident et son guide en matière de poésie. Grâce à l'appui du prince, Politien a pu approfondir ses talents de philologue et de poète et il est devenu célèbre. Il va donner le titre de *Siluae* à quatre leçons d'ouverture en latin prononcées respectivement en 1482 (*Manto*), 1483 (*Rusticus*), 1485 (*Ambra*) et 1486 (*Nutricia*). Ces cours d'introduction à l'étude de Virgile et d'Homère se présentaient, contrairement à l'usage, comme de véritables poèmes en hexamètres dactyliques. Ils connurent un succès exceptionnel et Politien les fit éditer plusieurs fois. Ces *praelectiones* étaient remarquables par la multiplicité de leurs fonctions: elles rendaient certes un éblouissant hommage aux deux grands auteurs traités, mais contenaient aussi l'expression des aspirations philosophiques de l'humaniste, la révélation de ses théories sur l'art poétique et la critique littéraire, et surtout une ultime et éclatante démonstration de son génie de poète (1).

Les *Silves*, sauf peut-être *Nutricia* qui se présente comme un catalogue analytique des poètes, apparaissent d'emblée comme des poèmes de la nature et de ce que nous serions tentée d'appeler des paysages champêtres. La notion de paysage mérite en réalité d'être ici brièvement précisée. Dans les *praelectiones*, les éléments naturels se succèdent au gré de longues énumérations mais ne sont organisés que rarement en un plan d'ensemble unique. Ils sont utilisés comme un décor de fond, mouvant, parsemé de figures animales, humaines, d'allégories mythologiques. L'omniprésence de la réalité humaine dans la nature des *Silves* trouve un écho précis dans la terminologie employée par Politien pour désigner, non le paysage - le terme n'existe pas -, mais l'aspect de la terre, du monde. Le poète choisit le terme de *facies*, qui évoque l'apparence générale d'un être et aussi plus particulièrement son visage, et surtout celui de *uultus*, qui insiste sur l'expression, la physionomie (2). Cet anthropomorphisme du paysage, sur lequel nous reviendrons et que Politien traite d'une manière toute personnelle, n'est que l'un des éléments de sa vision véritablement *humaniste* de la nature.

Le titre même de *Siluae* symbolise bien les liens que le poète se plaît à établir entre la nature et la rhétorique. Le terme de *silua* désigne une forêt dense et inculte par opposition au *nemus*, mais il s'applique aussi à un genre littéraire illustré par Stace. Politien, qui appréciait vivement ce poète, reprend sa définition du genre. Une *silve* est une oeuvre empreinte de variété et composée rapidement comme sous le coup d'une "ardeur subite", *subito calore* (3). Ces deux notions de *uarietas* et d'improvisation satisfaisaient pleinement les goûts de l'humaniste, porté naturellement vers une esthétique de la diversité opposée au cicéronianisme, et flattaient son orgueil en soulignant la spontanéité d'une création au demeurant recherchée et complexe. Trois des *Silves* portent en outre un titre propre à évoquer diversement la nature. *Manto* fait allusion à la prophétesse mère du fondateur de Mantoue et annonce la peinture de paysages virgiliens. *Rusticus* suggère à lui seul le monde des *Bucoliques* et des *Géorgiques. Ambra* célèbre la nymphe qui protégeait - disait-on - la villa médicéenne de Poggio a Caiano. La nature dans les *Silves* semble donc devoir prendre des formes variées depuis une représentation virgilienne du paysage avec *Rusticus* jusqu'à la transposition d'une réalité, celle des villas florentines avec *Ambra*, en passant par l'évocation d'un âge d'or mythologique avec *Manto.*

Notre étude portera donc sur trois points. Nous essaierons d'abord de distinguer les paysages réels des paysages littéraires empruntés à Virgile et à Stace et qui tendent à se confondre en une savante construction de lieux communs identiques. Ensuite nous analyserons ce que l'on pourrait appeler les paysages de l'imaginaire, propres à la poésie de Politien, mais liés à la symbolique néo-platonicienne, et qui s'égrènent au rythme d'une rhétorique de l'énumération. Nous esquisserons alors un rapprochement avec l'art pictural du Quattrocento et de Botticelli en particulier. Enfin nous nous attacherons à définir les rapports étroits qui unissent dans les *Silves* paysage et langage, poétique et rhétorique. Nous étudierons plus précisément le paysage en tant que métaphore éclairant la critique littéraire et permettant même au poète de dépasser cette critique pour atteindre les hauteurs de la création personnelle.

Paysages réels et paysages littéraires

C'est une nature bien réelle qui constitue le cadre où furent composées les *Silves*. Politien mentionne expressément dans la conclusion de trois de ses poèmes les villas médicéennes de Fiesole, de Poggio a Caiano, ainsi que le site de Vallombrosa. Les villas unissaient à la manière antique beautés artistiques et richesses agrestes, bâtiments d'habitation et ferme proprement dite; Politien conclut ainsi *Rusticus*:

> "Voilà les vers que je méditais dans le calme de mon antre de Fiesole, cette campagne médicéenne proche de la ville, là où un mont sacré domine la cité méonienne et les méandres interminables de l'Arno".
> *Talia fesuleo lentus meditabar in antro*
> *Rure suburbano medicum: qua mons sacer urbem*
> *Meoniam longique uolumina despicit Arni* (4).

Le poète nous peint ici un paysage de refuge virgilien (*antro*) et de méditation littéraire (*meditabar*) associée à la protection du mécène (*medicum*), avec en perspective, évoquée tendrement, la cité de Florence reine des poètes (*meoniam*) et la sérénité majestueuse de l'Arno qui se déroule comme dans un tableau de Léonard de Vinci. Dans *Nutricia* la retraite de Vallombrosa apparaît ainsi que la villa de Fiesole comme un univers privilégié, éloigné de la politique, consacré à l'*otium* poétique que symbolise ici une divinité mystérieuse:

> "Tandis que tu charmais en jouant de ta lyre les soucis importuns, je te revois, lorsque tu attirais jadis dans un antre de la vallée ombreuse la déesse habitante des montagnes..."
> *...importunas mulcentem pectine curas*
> *Umbrosae recolo te quondam uallis in antrum*
> *Monticolam traxisse deam...*(5).

Dans *Ambra* Politien évoque surtout la grandeur et les merveilleuses richesses du domaine de Poggio qui faisait l'orgueil de Laurent:

> "c'est au-dessus de ce cours d'eau (l'Ombrone) que tu ériges les hauteurs de la villa qui se dressera pour l'éternité et elles ne le cèderont en rien à la muraille des Cyclopes, merveille de richesse, merveille d'habileté".
> *Quem super aeternum staturae culmina uillae*
> *Erigis haudaquaquam muris cessura cyclopum*
> *Macte opibus, macte ingenio...*(6).

La description des réalisations architecturales demeure vague: *culmina*, *muris*; Politien insiste en revanche sur une comparaison mythologique (*Cyclopum*) et, à la manière de Stace, associe les ressources de la villa (*opibus*) à l'ingéniosité du maître (*ingenio*). La fin de la *Silve* est ensuite consacrée tout entière à une énumération complaisante des diverses races animales qui peuplent les prés et les volières: "Vaches de Tarente, des noires Indes, porcs calabrais, lapins celtibériens, vers à soie, essaims d'abeilles" et toutes les variétés d'oiseaux depuis l'oie "gardienne du Capitole" jusqu'"aux protégées de Vénus, les colombes" (7).

Politien ne consacre aux paysages florentins proprement dits que peu de vers, mis en relief il est vrai par leur place de choix en fin de poème, où ils jouent le rôle de l'envoi. Le poète se plaît à confondre les images réelles, qu'il parsème de références antiques ou mythologiques, et les images littéraires qu'il unit aux précédentes par des transitions rhétoriques. Il prolonge l'illusion en utilisant des lieux communs identiques pour décrire la nature virgilienne et les domaines médicéens. Ainsi dans *Rusticus* Politien a chanté longuement l'univers des *Bucoliques* et des *Géorgiques*. Il s'apprête à célébrer dans la péroraison la villa de Fiesole et invente une transition fort artificielle qui intime au lecteur l'ordre de glisser du monde virgilien au monde médicéen, en vérité si semblables:

> "Cette façon de vivre, illustres habitants des cieux, accordez-la moi: donnez-moi ces délices, ces douceurs dans l'effort, donnez-moi toujours des richesses aussi faciles"
> *Hanc o coelicolae magni concedite uitam:*
> *Sic mihi delicias; sic blandimenta laborum*
> *Sic faciles date semper opes* (**8**).

Ce doux équilibre entre l'effort (*laborum*) - ici la création poétique - et le plaisir (*blandimenta*) est tout épicurien, bien sûr. Au-delà des siècles un même art de penser, de composer, de vivre, unit les humanistes aux contemporains de Mécène. Laurent et ses amis croient avoir retrouvé l'Age d'or des temps augustéens; c'est le paradis que chante Politien en détaillant l'immense variété des éléments qui composent deux paysages très voisins: les campagnes de l'Italie antique et les collines toscanes du Quattrocento. Les prés de Poggio "abondamment irrigués par les eaux qui les baignent", *prata / Lata... riguis uberrima lymphis* (**9**), ne diffèrent guère du champ inondé par le paysan virgilien: "les ondes jaillissent et l'eau se précipite sur le champ qu'elle recouvre", *eliciuntur aquae praecepsque recumbit agro fons* (**10**). La montagne apparaît aussi comme un élément important du décor. Le Poggio "qui se dresse vers le ciel", *supinum podium* (**11**), le "mont sacré" du domaine de Fiesole, *mons sacer* (**12**), ont dans le texte des équivalents mythologiques: le mont Ida et sa silve, *frondifera Ida* (**13**), le sommet du Parnasse (**14**); bucoliques: "les collines solitaires", *montibus solis*, du "mélodieux Corydon", *uocalis Corydon* (**15**); géorgiques: le mont que tente de gravir un jeune poulain (**16**). L'élément du paysage que l'on retrouve le plus fréquemment est l'antre. Le motif de l'*antrum* à la Renaissance a fait lui-même l'objet de nombreuses études (**17**). Nous nous bornerons ici à résumer quelques-unes de ses fonctions dans les *Silves*: il évoque la mythologie grecque comme l'antre de Chiron au début de *Manto* (**18**); l'*Enéide* comme la caverne où s'unissent Didon et Enée (**19**); le repos bucolique du berger "qui s'allonge dans le gazon moelleux, là où la roche érodée abrite la voûte d'un antre", *Iacet in molli ... cespite.../ qua cauus exersum pumex restudinat antrum* (**20**); il permet surtout la méditation poétique de Tityre: *Tityre te uacuo meditantem murmur in antro* (**21**) et aussi celle de Politien qui s'amuse au début de *Rusticus* à se peindre lui-même dans un décor bucolique: "Pan, assiste-moi, sous la voûte que forme la roche incurvée",

Pan ades et curui mecum sub fornice saxi (22). Sur ce fond de campagne tantôt sauvage et tantôt cultivée, parmi les forêts et les labours, évolue une faune en même temps libre et domestique, identique à celle qu'énumérait Politien à la fin de *Rusticus* dans sa description de Fiesole. Enfin l'humaniste ajoute une représentation toute conventionnelle de la vie paysanne, rude et bienheureuse, orchestrée au gré des saisons et de l'alternance des travaux ruraux, et les lieux communs confèrent à ces scènes de genre, renaissantes et antiques, une intemporalité voulue.

Si la douceur sacrée des paysages virgiliens paraissait au poète traduire à merveille le charme des collines toscanes, il lui sembla nécessaire d'emprunter aux *Silves* de Stace leurs raffinements parfois baroques pour peindre le luxe dont l'homme jardinier mais aussi architecte et sculpteur avait su parer des sites déjà bénis des dieux. Bien des points communs unissent Stace et Politien. Tous deux épris d'une vie champêtre raffinée dans un décor délicat et peuplé d'objets d'art, ils sont également tributaires de leurs mécènes. Les deux poètes dans leur description de villas adoptent une démarche semblable. Chacun d'eux insiste d'abord sur l'aspect privilégié du site, sur ce qu'André Chastel nomme son "aura religieuse" (23). Stace émerveillé s'exclame: "les flots fatigués laissent ici tomber leur colère", *ponunt hic lassa furorem / Aequora* (24). Politien évoque la divinité tutélaire du domaine de Poggio, la nymphe Ambra "que l'Umbro cornu, le vieil Umbro engendra", *quam corniger Umbro / Umbro senex genuit* (25). Le poète met donc en scène un élément du décor, le fleuve Ombrone, sous forme d'allégorie. Ce dieu fluvial cornu, sans doute porteur d'une barbe et d'une longue chevelure blanches (*senex*), rappelle les figurations symboliques que donnera Michel-Ange des grands fleuves. Des statues concrétisaient peut-être dans les jardins cette présence bénéfique de l'Ombrone. L'on perçoit à nouveau ici ce besoin constant d'une référence à la figure humaine, *uultus*, qui confère à la nature aménagée un caractère rassurant et célèbre à la manière néo-platonicienne le lien cosmique universel qui unit l'homme aux éléments. Stace et Politien chantent aussi les extraordinaires réalisations humaines qui viennent transformer le paysage originel. Aux portiques des villas sorrentines, aux thermes qui emprisonnent les sources d'eau chaude chez Stace (26) correspondent chez Politien les murailles d'enceinte de Poggio et le long aqueduc qui alimentait le domaine. Ce décor privilégié, protégé des dieux, paré par les hommes, devient un paysage de luxe qui s'éloigne de la simplicité virgilienne. Il trouve pourtant dans la pensée épicurienne une justification par sa fonction même d'écrin de la méditation poétique et esthétique: "Là le bon et bienheureux Laurent s'adonne à l'hospitalité et au repos tranquille..., Laurent le fidèle soutien des Muses", *Qua bonus hospitium felix placidamque quietem / Indulget Laurens ...Laurens fida ancora Musis* (27).

Dans ses descriptions de la nature et des villas, Politien ne se montre ni véritablement fidèle à la réalité, ni prisonnier de sa culture littéraire. Puisant à son gré dans la poétique de Virgile et de Stace, alliant la douceur de l'un à la préciosité de l'autre, il invente un décor sublime et animiste qui n'est qu'une transposition idéale des domaines médicéens et de leur nouvel Age d'or.

Les paysages de l'imaginaire

Il arrive parfois que Politien se laisse emporter par son art, se laisse prendre lui-même à ses propres évocations de la nature et de ses trésors. Françoise Joukowsky (**28**) évoquait ici même le plaisir que prenait Ronsard dans les *Odes* à se contempler lui-même au sein de ses paysages poétiques. Au contraire du poète français, l'humaniste florentin va s'oublier, s'étourdir, se griser au rythme de ses propres énumérations des beautés variées du monde. En même temps, son analyse l'orientera vers une vision très ponctuelle de chaque élément. Sa poésie est en cela semblable à celle de Botticelli qui selon A. Chastel "ignore la nature, aime la fleur -... et le pré de la *Primavera*... les détaille comme un herbier - mais a horreur du paysage" (**29**). Il retrace alors des décors imaginaires qui s'enchaînent rapidement, où prolifère une nature baroque et visitée par les dieux, dans des sites terrestres, marins et célestes qui naissent à la fois de ses intuitions néo-platoniciennes et de son imaginaire personnel.

L'énumération des biens de la villa de Poggio, celle des richesses de la ferme virgilienne n'étaient qu'une préfiguration du goût de Politien pour la collection sous toutes ses formes. Une telle passion est, selon Jacob Burckhard, un phénomène culturel propre à l'humanisme, qui s'apparente du reste à un intérêt grandissant à l'époque pour les sciences naturelles (**30**). Chez Politien cette tendance se rattache aussi au goût de l'énigme et de l'emblème. Lorsque le poète décrit dans *Rusticus* la nature au printemps et l'éclosion des fleurs, l'exaltation poétique de cette floraison ne saurait nous faire oublier la symbolique des fleurs, que Botticelli avait aussi utilisée:

> "La rose pudique teint son coeur de sang idalien;
> Et la sombre pensée ne s'est pas contentée d'une couleur unique;
> Elle est blanche en effet, elle est rouge et revêt la pâleur des amants;
> Comme ils sont nés, ils meurent plus blancs que neige les troënes;
> Et ne durent longtemps les lis semblables aux
> Corbeilles évasées, mais longtemps se dressent les pourpres amarantes."
> *Idalio pudibunda sinus rosa sanguine tinguit;*
> *Nigraque non uno uiola est contenta colore:*
> *Albet enim rubet et pallorem ducit amantium;*
> *Ut sunt orta cadunt niue candidiora ligustra;*
> *Nec longum durant calathos imitata patentis*
> *Lilia, sed longum stant porpurei amaranthi* (**31**).

Ce texte relève du procédé de la *contaminatio*. Politien a utilisé plusieurs auteurs pour la présentation et la caractérisation des fleurs. Il s'inspire d'Ovide (*Fastes*, IV, 429 sq.), de Pline (livre XXI de *l'Histoire Naturelle*) et, pour certains détails, d'Horace et de Virgile. Il ne saurait être question d'exposer ici une analyse exhaustive de la signification de chaque fleur. Politien dans son choix a essentiellement mis l'accent sur la *uarietas* des sentiments humains et des aléas de la fortune. Contrairement aux *Stanze* écrites en 1475 et dont la symbolique florale est essentiellement orientée vers la toute-puissance de l'amour (**32**), les *Silves* semblent empreintes d'un certain pessimisme. La rose, symbole de la passion, est devenue "pudique" et doit sa couleur à une blessure que se fit Vénus en cherchant à secourir son bien-aimé Adonis; le lis qui incarne fréquemment la pudeur est ici aussi un emblème de la brièveté de l'existence, comme les troënes. En revanche l'amarante symbolise la longévité. Les fleurs de la métamorphose, la jacinthe, le narcisse, l'héliotrope, sont mentionnées dans la suite du texte; elles expriment aussi l'immuable alternance des sentiments, de la vie et de la mort. En outre, ces variétés qui évoquent des personnages mythologiques, justifient la personnification des autres fleurs: "la rose pudique", "la pensée ne s'est pas contentée...". Cette personnification se rattache non seulement à la mythologie antique mais aussi à cette vision anthropomorphe de la nature que nous évoquions plus haut et dont l'origine est d'abord ficinienne, comme nous le verrons. Enfin Politien joue sur l'harmonie des couleurs: le blanc, les jaunes, les rouges, ont en commun leur éblouissant éclat de flamme. Le poète achève cette peinture sur une image de lumière vive, qui adoucit le pessimisme de son évocation antérieure des vicissitudes humaines.

L'humaniste, poussant plus loin l'audace, se plaît parfois à "collectionner" les visions surréelles, les paysages célestes ou marins. Etendant son merveilleux inventaire aux constellations, il énumère "le troupeau d'Olène", "le Dauphin chevauché par Arion", "la Pléiade", le "vieillard Arcture", "les jeunes Hyades", l'"Ecurie", les "Anons de Bacchus" (**33**). Ces allégories rejoignent le cortège simple et gracieux des animaux de la ferme. Au début d'*Ambra* surgissent aussi les principaux dieux marins en un défilé folâtre, digne des mosaïques pompéiennes: "Zéphyr sur son coursier bondit à la surface des ondes... Les (Néréides) bondissent montées sur les innombrables monstres que le vaste Océan baigne au pied des rochers, le cétacé, ... la baleine, le poisson-scie, le souffleur... qui souffle jusqu'aux étoiles les flots marins", *equo Zephyrus... persultat in undis... (Nereides) Insultant... monstris quae plurima uastus / Subluit Oceanus scopulis... cete / Ballaenam pistrimque et physetera marinos... efflantes ad sidera fluctus* (**34**). Le sens du mouvement dont fait preuve Politien, sa perception d'un rythme universel qu'il traduit par des cadences, presque des danses, ôtent toute sécheresse à des énumérations pourtant considérables. Au delà des richesses terrestres des villas, Politien, poète "voyant", *uates*, a su percevoir l'essence même de la beauté du monde qui palpite, selon Marsile Ficin, sous des formes infiniment changeantes dans l'air, la terre et les ondes. Nous donnerons encore un exemple de cette poésie imprégnée d'un enseignement néo-platonicien et pourtant très personnelle. Dans *Rusticus* Politien nous peint le cortège des divinités agrestes qui parcourent la campagne à l'aube; la scène offre d'indéniables similitudes avec la *Primavera* (**35**):

> "Proserpine... se hâte, plus parée que ses compagnes, vers sa mère; la féconde Vénus accompagne sa soeur et les petits amours accompagnent Vénus; Flore donne à son mari folâtre des baisers qui le ravissent: au milieu d'elles, les cheveux dénoués et les seins nus, la Grâce s'ébat et frappe du pied la terre en cadence".
>
> *...Proserpina...*
> *...ad matrem properat: comes alma sorori*
> *It Venus et Venerem parui comitantur amores;*
> *Floraque lasciuo parat oscula grata marito;*
> *In mediis, resoluta comas nudata papillas*
> *Ludit et alterno terram pede Gratia pulsat* (**36**).

Ces personnages que l'on retrouve fréquemment dans l'iconographie de l'époque obéissent tous à une symbolique du renouveau et de la fécondité, qui s'insère dans une perspective néo-platonicienne. On ne saurait toutefois parler de symbolisme purement abstrait. Politien reprend les mythes et les allégories traditionnels mais perçoit en esthète, plus concrètement, plus voluptueusement, leur puissance expressive qu'il accentue parfois jusqu'au baroque: ainsi le personnage de la Grâce apparaît ici plus sensuel et plus proche d'une bacchante (*resoluta comas nudata papillas*) que dans le tableau de Botticelli.

Lorsque le rythme et l'élan des énumérations de Politien s'accélèrent, lorsque son exaltation poétique s'amplifie et touche à un paroxysme, semblant aboutir vraiment au *furor diuinus* des ficiniens, curieusement sa vision de peintre se modifie quelque peu: le poète cherche à prendre instinctivement une sorte de recul et son regard illuminé embrasse dans son ensemble la scène qu'il ne percevait jusque là que détail par détail. Un véritable paysage, au sens moderne, est alors esquissé. De tels instants sont rares. Le plus significatif nous donne de la terre une vision nettement anthropomorphe, puisque la nature y apparaît comme une femme à sa toilette; le passage est annoncé par cette image qui précède la longue énumération des fleurs dont nous avons cité un extrait: "La terre florissante inonde sa face toute resplendissante de ses nouveaux bourgeons et pare ses tempes de gemmes variées", *Alma nouum tellus uultu nitidissima germen / Fundit et omnigenis ornat sua tempora gemmis* (**37**). Politien pris de vertige détaille ensuite ces parures de la terre, les fleurs, les herbes "pourpres", l'"or du gazon", les "cailloux blancs", les "cailloux bleus", les prés, les vallons, le "fleuve silencieux". A la fin de l'énumération subsiste seul le visage radieux et tendre de la terre: "La nature entière est riante, la nature entière est luxuriante et scintille d'une lueur amie", *omnia rident,/Omnia luxuriant et amica luce* *coruscant* (**38**). Ainsi que le rappelait Fernand Hallyn dans sa communication (**39**), la conception anthropomorphe du paysage à la Renaissance peut être rattachée entre autres à la philosophie animiste de Marsile Ficin, maître et ami de Politien, qui accordait une âme aux éléments, aux sphères et attribuait à l'âme de la terre la croissance des végétaux et des pierres: "La croissance des végétaux et des pierres dépend de l'âme de la terre, c'est pourquoi ils ne croissent qu'aussi longtemps qu'ils adhèrent au sol", écrivait Ficin (**40**). Nous retrouvons ici sans nul doute la trace de cette théorie. Mais sous la plume du poète la doctrine est devenue vision merveilleuse, les pierres sont de jolis "cailloux blancs" ou "bleus", des "gemmes variées"; les herbes sont "pourpres", le gazon "couleur d'or"; surtout l'âme de la terre transparait sur son visage: *uultu*, et l'éclat qui l'environne: *nitidissima*, est celui de l'amour: *amica luce*. L'image élégiaque traditionnelle de la jeune beauté à sa toilette qui sourit complaisamment à son miroir: *rident*, se dessine en filigrane. La philosophie cède le pas à la Grâce et le paysage est devenu portrait.

Paysage et langage

Tour à tour réel, symbolique, imaginaire, le paysage dans les *Silves* peut aussi avoir une fonction rhétorique d'illustration. Il devient alors image ou métaphore et vient le plus souvent appuyer l'analyse littéraire que Politien nous donne de Virgile ou d'Homère. Or la grande originalité des *praelectiones* réside précisément dans la méthode de critique littéraire employée par l'humaniste, qui choisit de parler de la poésie par la poésie, d'émouvoir plus que de démontrer, de persuader les sens avant la raison. Aussi pour évoquer la grandeur des poètes qu'il étudie, ou leur style, Politien cherche d'abord à créer une émotion poétique intense qui suggèrera au lecteur par similitude ou analogie les éléments de sa propre réflexion; l'humaniste se contente parfois de reprendre de simples lieux communs, sous forme d'une comparaison rapide. Ainsi pour exprimer l'omniscience d'Homère Politien use d'une image qui remonte au moins à Quintilien (**41**): celle de l'immensité océane. "Tout comme l'Océan père des éléments donne à la terre illustre les sources et les fleuves, de même de ses écrits découle toute la savante grâce qu'exprime la voix des hommes", *Utque parens rerum fontes et flumina magnae / Suggerit Oceanus terrae, sic omnis ab istis / Docta per ora uirum decurrit gratia chartis* (**42**). L'on ne saurait parler encore véritablement de paysage, mais il y a du moins image d'ensemble, vision schématique mais globale. Lorsque le poète veut définir la place d'Homère parmi les auteurs de l'Antiquité, il compose une brillante et rapide peinture céleste, qui développe l'association traditionnelle gloire-étoile: "Tout comme lorsque le flambeau d'or d'Hypérion a dévoilé ses rayons, nous voyons les étoiles fuir de tous côtés du ciel et la lune amincie pour ainsi dire s'évanouir, de même le poète de Méonie de sa torche éclatante éclipse la brillante gloire des anciens", *Ut stellas fugere undique caelo / Aurea cum radios Hyperionis exseruit fax / Cernimus et tenuem uelut euanescere lunam*

/ Sic ueterum illustres flagranti obscurat honores / Lampade Meonides (**43**). Nous assistons bien à un spectacle: *cernimus*, qui se déroule sur un fond plan, celui du ciel envisagé depuis la terre: *caelo*, et dont les éléments divergent: *fugere undique*, à partir d'un point central de rayonnement: *Hyperionis fax.*

L'utilisation la plus originale que Politien fait d'une rhétorique du paysage est liée à sa méthode de critique proprement stylistique. A la fin de *Manto*, dans un passage célèbre qui a déjà fait l'objet de nombreux commentaires en raison de sa particulière intensité poétique, Politien admire la prodigieuse éloquence de Virgile. A travers la poésie virgilienne, il fait en réalité l'apologie de la *uarietas* et présente les multiples aspects de l'art du poète mantouan sous forme d'un tableau composite, dont les éléments nombreux sont pourtant resserrés dans un cadre, à la manière d'un paysage:

> "Qui, io! jeunes gens, parcourant les prodiges d'une si belle éloquence, ne croira contempler les immenses étendues de la terre et de la mer? Ici en une pleine fécondité abondent les moissons; ici un troupeau broute les herbes tendres; ici la vigne flexible enlace un ormeau; là se dressent les rouvres sur leur tronc moussu; ici s'étendent les vastes mers... ici des antres rocailleux ouvrent leur cavité; là se sont étendue des vallons retirés et c'est ainsi que divers aspects composent la beauté du monde. De même la riche éloquence revêt différents visages..."
>
> *Et quis io iuuenes tanti miracula lustrans*
> *Eloquii non se immensos terraeque marisque*
> *Prospectare putet tractus? Hic ubere largo*
> *Luxuriant segetes; hic mollia gramina tondet*
> *Armentum; hic lentis amicitur uitibus ulmus;*
> *Illinc muscoso tollunt se robora trunco*
> *Hinc maria ampla patent...*
> *...Hinc scrupea pandunt*
> *Antra sinus; illinc valles cubuere reductae.*
> *Et discors pulchrum facies ita temperat orbem;*
> *Sic uarios sese in uultus facundia diues*
> *Induit...*(**44**).

Tous les éléments cités précédemment se voient ici rassemblés, dans une évocation à dominantes virgiliennes. Comme dans le passage qui peignait l'animisme de la terre, la vision détaillée de chaque partie de la peinture demeure, mais l'on perçoit la prise de distance qu'effectue le poète et un début d'appréhension globale du paysage. La première phrase comme les deux dernières constituent un encadrement du texte. Si le verbe *lustrans* décrit encore un regard qui se déplace, le verbe *prospectare* approche la notion de perspective d'ensemble. La description se clôt ici aussi sur l'expression animée et rayonnante du visage de la terre: *uarios in uultus...*

Ainsi, lorsque Politien décrit la nature en tant que réalité liée à l'homme (cadre de vie, décor de l'*otium*) ou en tant que symbole rattaché à une philosophie humaine (l'épicurisme et le néo-platonisme), il envisage surtout les éléments naturels séparément et leur adjoint souvent des groupes de personnages rustiques ou des cortèges allégoriques. Chaque élément possède une fonction symbolique, représente un appel à la compréhension du lecteur, à son intellect. Mais lorsque l'émotion l'emporte sur la démonstration, lorsque le poète cherche à suggérer la beauté et la grandeur de l'acte poétique, il rassemble alors les multiples facettes de la nature, les concentre en un plan unique et chatoyant d'où sont absentes les références humaines, en un véritable paysage de la *uarietas*. Cette peinture ultime du Beau, plus forte que les symboles, existe en elle-même et pour elle-même et, dépassant l'interprétation mystique un peu réductrice du platonisme, révèle les intuitions intimes du Politien.

Perrine GALAND

(Université de Rouen)

NOTES

1. Sur Ange Politien nous renvoyons principalement à la thèse d'Ida Maier, *Ange Politien, la formation d'un poète humaniste (1469-1480)*, Genève, Droz, 1966 et au livre plus récent de Vittore Branca, *Poliziano e l'umanesimo della parole*, Turin, Einaudi, 1983. En ce qui concerne le texte même des Silves, le lecteur pourra se reporter à l'édition d'Isidoro Del Lungo, *Le Selve e la Strega, prolusioni nello Studio fiorentino (1482-92)*, ainsi qu'à notre propre édition actuellement en cours d'impression aux éditions des Belles Lettres (Classiques de l'Humanisme). Après les *Silves*, Politien ne publia plus de texte poétique.
2. Nous développerons plus loin cet anthropomorphisme de la nature.
3. Stace, *Epist.*, I, 3 sq.
4. *Rusticus*, 557-559.
5. *Nutricia*, 736-739.
6. *Ambra*, 597-599.
7. *Ambra*, 605 à la fin.
8. *Rusticus*, 551-553.
9. *Ambra*, 603-604.
10. *Rusticus*, 152.
11. *Ambra*, 602-603.
12. *Rusticus*, 559.
13. *Manto*, 41.
14. *Manto*, 47.
15. *Manto*, 115-116.
16. *Manto*, 179.
17. Nous renvoyons entre autres à l'article d'E. Mourlot, "Les Grottes médicéennes dans la Florence du XVIe siècle", *Ville et Campagne dans la littérature italienne de la Renaissance*, p.p. le Centre de Recherches sur la Renaissance italienne, Paris, 1976, p. 303-343.
18. *Manto*, (*praefatio*), 5.
19. *Manto*, 225.
20. *Rusticus*, 305-306.
21. *Manto*, 111: "Tityre méditant un murmurant poème en son antre désert". Noter les réminiscences de la première Eglogue.
22. *Rusticus*, 7.
23. A. Chastel, *Art et Humanisme à Florence au temps de Laurent le Magnifique*, Paris, PUF, 1958, p. 148.
24. Stace, *Silves*, II,2,26-27.
25. *Ambra*, 594-595.
26. Sur les villas chez Stace, voir *Silves*, I,3; I,5; II,2; III,1.
27. *Rusticus*, 560-562.
28. F. Joukovsky, "Qu'est-ce qu'un paysage? L'exemple des *Odes* ronsardiennes", ci-dessus, p. 55 sq..
29. A. Chastel, *Botticelli*, P., Flammarion, 1968 (Classiques de l'Art), p. 6.

30. J. Burckhard, *La Civilisation de la Renaissance en Italie*, trad. H. Schmitt revue et corrigée par R. Klein, P., Club du Meilleur Livre, 1958, t. II, p. 186-187.
31. *Rusticus*, 183-188.
32. Voir I. Maier, *op. laud.*, p. 324 sq.
33. *Rusticus*, 454-457.
34. *Ambra*, 63; 69-72.
35. L'analogie entre l'art de Botticelli et la poésie de Politien a surtout été remarquée à propos des *Stanze*. Voir I. Maier, *op. laud.*, p. 273-347.
36. *Rusticus*, 215-220.
37. *Rusticus*, 181-182.
38. *Rusticus*, 200-201.
39. F. Hallyn, "Le Paysage anthropomorphe", ci-dessus, p. 43 sq.
40. M. Ficin, *Théologie platonicienne de l'immortalité des âmes*, IV, texte critique établi et traduit par R. Marcel, P., Belles Lettres, 1964, t. I, p. 161: *Augmentum uero plantarum atque saxorum est ab anima terrae, ideo solum quamdiu haerent terrae crescunt.*
41. Quintilien, *I.O.*, X, 1.
42. *Ambra*, 476-478.
43. *Nutricia*, 339-343.
44. *Manto*, 351-357; 359-363.

LE PAYSAGE CHEZ JEAN KOCHANOWSKI

Autant je suis honoré de pouvoir participer à ce colloque, autant je me sens inquiet de prendre la parole après des interventions et des communications aussi savantes que celles que nous avons déjà entendues. Ce qui augmente mes inquiétudes, c'est que le sujet dont notre éminent ami, le professeur Pérouse, m'a gratifié ne me paraît pas trop plein de promesses, et ceci pour deux raisons: 1) on a déjà écrit des dizaines de pages sur la nature chez Jean Kochanowski, 2) la manière de présenter la nature n'est pas, hélas! un point qui rehausse la renommée poétique du premier poète de notre Renaissance. Ma tâche est donc doublement difficile: il faut savoir jeter un regard neuf sur des choses bien des fois débattues, il faut en même temps chercher à faire l'éloge de notre poète (situation oblige) qui, le cas échéant, le mérite peut-être moins; les deux sont également décourageants.

En effet, si l'on dit que Kochanowski est extrêmement sensible au charme de la nature, on répète ce que l'on a déjà écrit et que chaque lecteur de ses oeuvres peut constater avec facilité; vu sous cet angle, son rôle, dans la poésie de notre Renaissance, semble analogue à celui de Ronsard. La nature constitue le fond poétique des événements ou des situations imaginées, la nature lui fournit la matière pour les procédés stylistiques, la nature lui permet de faire ressortir ou de souligner une idée philosophique, par exemple de montrer l'ordre inébranlable des choses et la puissance de Dieu, les références à la nature lui donnent les moyens de décrire la beauté des femmes, la nature enfin est inséparable de la vie du sujet lyrique, favorable à son égard ou hostile et dangereuse, son témoin et interlocuteur qui influence ses états d'âme et ses sentiments; confrontée et harmonisée avec eux, elle lui apporte un apaisement ou des angoisses existentielles; ce qui éloigne peut-être notre poète du chef de la Pléiade, c'est qu'il évite de la prendre à témoin dans un panégyrique pour rehausser la grandeur ou la puissance d'un prince ou d'un roi. Mais ce qui nous intéresse cette fois le plus chez Kochanowski, c'est la nature qui se révèle dans les descriptions où les éléments d'un ensemble formeraient des paysages.

On a écrit bien des fois qu'il se plaisait à des images bucoliques et printanières, à la "nature amorosa" des pétrarquistes (1) - il serait peut-être plus précis de dire qu'il se laissait impressionner par la nature de toutes les saisons de l'année et dans ses manifestations les plus diverses.

Voici la transition de l'hiver au printemps. Ce tableau forme une description plus développée comme il y en a peu chez Kochanowski:

Serce rośсie patrząc na te czasy!
Mało przedtym gołe były lasy,
Śnieg na ziemi wysszej łokcia leżał,
A po rzekach wóz nacięższy zbieżał.

Teraz drzewa liście na się wzięły,
Polne łąki pięknie zakwitnęły;
Lody zeszły, a po czystej wodzie
Idą statki i ciosane łodzie.

Teraz prawie świat się wszystek śmieje,
Zboża wstały, wiatr zachodny wieje;
Ptacy sobie gniazda omyślają,
A przede dniem śpiewać poczynają (2) (I,2)

On a déjà fait ressortir le caractère conceptuel de cette description: ce n'est pas une image colorée des deux saisons qui nous charmerait par la blancheur éclatante de la neige en hiver ou par la richesse du tapis bariolé des prairies au printemps, c'est plutôt une énumération des phénomènes qui se laissent successivement observer et qui nous permettent de nous rendre compte de ce qui se passe en hiver ou au printemps (3). Ce croquis sans couleur ne reste pas pour cela moins évocateur: on voit les branches noires et nues des arbres et l'amoncellement étouffant des neiges, on voit la limpidité des eaux. Les prairies champêtres, il est vrai, n'ont fleuri que "joliment", mais on ne reste pas insensible à cette naissance de la vie dans la nature: aux blés qui "ont levé", au vent, probablement tiède, qui souffle, aux oiseaux qui font le ramage, et on devine sans peine que "le monde qui nous sourit de toutes parts" est souriant parce qu'il est baigné des rayons du soleil (4). L'"itinéraire" que certains croient y lire un peu ironiquement, le poète semblant aller d'abord dans le bois, puis dans la prairie et au bord de la rivière (5), ne nous paraît pas découler d'un schématisme pédantesque mais plutôt d'un souci d'observer le parallélisme contrasté des deux saisons qu'il se proposait de décrire. Malgré des réminiscences d'Horace, "le tableau tracé par Kochanowski est original, adapté à la Pologne: la neige avec son épaisseur précisée, les fleuves gelés qui servent aux charrois sont des choses vues. L'indication du blé qui pousse montre que l'auteur est un agriculteur et non un dilettante" (6). N'oublions pas surtout que ce paysage, quelle que soit sa valeur picturale, n'est introduit ici que pour motiver le premier vers qui ouvre le poème (7).

Le même tableau, peut-être mieux réussi picturalement, se retrouve dans un autre chant où le poète invite sa future épouse à Czarnolas:

Każ bystre konie zakładać,
A sama się gotuj wsiadać!
Teraz naweselsze czasy,
Zielenią się pięknie lasy.

Łąki kwitną rozmaicie,
Zająca już nie znać w życie;
Przy nadziei oracz ścisły,
Że będzie miał z czym do Wisły.

Stada igrają przy wodzie,
A sam pasterz, siedząc w chłodzie,
Gra w piszczałkę proste pieśni,
A faunowie skaczą leśni (**8**) (II,2).

Certes, cette fois encore les prairies "fleurissent diversement" sans que le poète veuille apercevoir leur manteau multicolore, mais "les bois joliment verdissent" et l'auteur se délecte visiblement de leur fraîche verdure printanière. Agriculteur attentif, il ne manque pas de signaler que les blés ont poussé encore plus, puisque le lièvre y est déjà invisible. Le troupeau au bord de la rivière et le berger jouant sur son fifre forment une scène bucolique qui reste pourtant typiquement polonaise. Et s'il y a là les faunes sylvestres, ce n'est que pour ajouter une note mythologique, très discrète d'ailleurs, à ce paysage bucolique qui semble appeler le pinceau de Watteau (**9**). Certaines réminiscences littéraires mises à part, les sensations directes du poète lui donnent une note plus personnelle et plus naturelle.

Le troupeau de boeufs, le ruisseau frais et la prairie épaisse reviendront pour former le même paysage dans le VIIIe chant de *Pieśń Świętojańska o Sobótce* (*Le Chant de la Saint-Jean de Sobótka*); le berger y cèdera pourtant la place à une jeune fille qui, assise au bord de l'eau, cueille des fleurs multicolores dont elle fera une couronne pour en orner sa tête.

Dans le chant adressé à sa future épouse que l'on vient de citer, "le tilleul, qui se dress(ait) au milieu de la cour" (**10**) à Czarnolas, attendait la venue de la fiancée du poète. Le tilleul, qui occupait souvent une place privilégiée et honorable au milieu de maintes cours de fermes, constituerait à lui seul une note typique du paysage de la campagne polonaise (**11**):

Gościu, siądź pod mym liściem, a odpoczyń sobie!
Nie dojdzie cię tu słońce, przyrzekam ja tobie,
Choć się nawysszej wzbije, a proste promienie

Ściągną pod swoje drzewa rozstrzelane cienie.
Tu zawżdy chłodne wiatry z pola zawiewają,
Tu słowicy, ty szpacy wdzięcznie narzekają.
Z mego wonnego kwiatu pracowite pszczoły
Biorą miód, który potem szlachci pańskie stoły.
A ja swym cichym szeptem sprawić umiem snadnie,
Że człowiekowi łacno słodki sen przypadnie (12).

Cette fois encore, malgré sa valeur artistique indiscutable, la description a rencontré des critiques: elle n'est nullement colorée, a-t-on écrit. Est-il pourtant juste d'aller jusqu'à lui refuser des traits plastiques? (13) Si le paysage paraît indissociable d'un état d'âme, faut-il en chercher un meilleur exemple? Le tilleul, présenté ici à travers les sensations d'un campagnard qui cherche à son ombre le calme, le repos et l'abri contre la chaleur étouffante de l'été, est-il pour cela moins visible, avec ses larges branches qui, malgré les "rayons droits" du soleil, créent autour de lui une ombre fraîche et reposante? est-il pour cela moins senti, bruyant qu'il est du chant des oiseaux, vibrant du bourdonnement chaud des abeilles et imprégné de l'arôme de ses fleurs? L'art de bien peindre doit-il réellement passer pour plus grand que l'art de faire sentir? le poème lyrique vaut-il moins qu'un tableau? Le primat sur la représentation picturale accordé ici au texte, le style laissant voir mieux que le tableau, ne doit pas étonner à l'époque de Kochanowski! C'est en poète lyrique et personnel que le maître de Czarnolas conçoit la nature et le paysage. Les séjours en ville ou à la cour n'ont pas émoussé sa sensibilité; l'enfant de la campagne est revenu dans cette campagne pour la goûter "naïfvement", en symbiose inséparable avec la nature et avec son terroir. Il est naturel qu'il la voie avec l'oeil d'un hobereau et que, en humaniste qu'il est, il aime mieux nuancer de ses propres sensations et de ses propres expériences des réminiscences livresques que de briller arrogamment de cette "rare et antique érudition" qui rend aujourd'hui presque illisible une bonne part du patrimoine littéraire de son temps.

Les faunes sylvestres qui dansaient au son de la flûte d'un berger ne sont qu'une pauvre dette payée à l'antiquité, le paysage bucolique qu'ils devaient illustrer étant bien de chez nous. Bien de chez nous sont aussi les figures d'hommes qui de temps en temps apparaissent sur le fond du paysage; tel le ballet de jeunes filles dans le *Chant de la Saint-Jean de Sobótka*, telle l'image d'un repas campagnard avec les amis, introduit comme une illustration de plaisirs terrestres qu'il faudra abandonner:

Tu przy ciekącym, przezornym strumieniu
Każ stół gotować w jaworowym cieniu;
Każ wino nosić, póki beczka leje...(14) (II,11)

Le tableau de ce festin champêtre n'a pas "la délicatesse de celui que traçait Horace", a-t-on écrit (15); on est pourtant loin de regretter que "la couleur antique (et) l'image de la volupté gréco-romaine (aient disparu)"

(**16**). Ce qui paraît plus important, c'est qu'"on (soit) entre amis", dans une ambiance naturelle, ce qui ne constitue nullement une particularité antique. Amoureux de la campagne, le poète revenait (peut-être trop souvent) à ces éléments du paysage polonais qu'il rencontrait à chaque pas et qui lui procuraient toujours un vif plaisir; de là, les bois où les oiseaux chantent gentiment, de là la prairie et le ruisseau transparent, de là le vent frais qui protège contre la chaleur, de là les répétitions dont on lui a souvent fait reproche (**17**), mais qui confirment encore plus sa manière de voir le paysage à travers ses propres sensations et ses propres sentiments, tels que le rythme éternel des saisons de l'année les lui inspirait.

Voici maintenant un paysage d'été, lorsque les rayons du soleil aveuglent, dessèchent les ruisseaux et brûlent les plantes:

Słońce pali, a ziemia idzie w popiół prawie,
Świata nie znać w kurzawie;
Rzeki dnem uciekają,
A zagorzałe zioła dżdża z nieba wołają (**18**) (II,7).

On se voit de nouveau dans l'ambiance qui nous est déjà bien connue: à l'ombre du tilleul, on va trouver un abri efficace contre la chaleur:

Dzieci, z flaszą do studniej; a stół w cień lipowy,
Gdzie gospodarskiej głowy
Od gorącego lata
Broni list, za wsadzenie przyjemna zapłata (**19**) (II,7).

Dans le *Chant de la Saint-Jean de Sobótka*, ce paysage étouffant va se peupler d'êtres vivants et se conformer au rythme de la végétation et des travaux annuels auxquels l'oeil attentif du maître et propriétaire foncier ne manque pas de faire attention. Comme auparavant, le troupeau meurtri par la chaleur brûlante "cherche l'ombre et le ruisseau qui coule", tandis que "le grillon champêtre gronde le soleil impétueux": ce qui occupe plus de place dans la vision de ce paysage estival, c'est que

Żyto się w polu dostawaç
I swoją barwą znać dawa,
Iż już niedaleko żniwo...(**20**)

Puisqu'on n'a pas découvert la source littéraire de ces strophes, on pourrait peut-être conclure que, lorsque le poète n'est redevable à personne, le paysage paraît plus varié. Mais, certaines modifications mises à part, les réminiscences d'Horace reviennent dans la description de l'hiver:

Patrzaj, jako śnieg po górach się bieli,
Wiatry z północy wstają,
Jeziora się ścinają,
Żórawie, czując zimę, precz lecieli (**21**) (I,14).

Et ailleurs:

Patrzaj teraz na lasy,
Jako przwe zimne czasy

Wszytkę swą krasę drzewa utraciły,
A śniegi pola wysoko przykryły (22) (II,9).

Le paysage n'existe ici que pour introduire une idée philosophique et son caractère schématique ne se prête à aucun doute. On peut se demander pourtant si ce n'est pas le modèle horatien, auquel Kochanowski, en vrai humaniste, ne reste pas indifférent, qui lui a rendu un mauvais service. Quoi qu'il en soit, en s'éloignant souvent de son modèle, et ceci à l'époque où un encouragement direct à piller les vestiges antiques a été donné, il se révélait original, ce qui mérite peut-être plus d'attention que les imperfections de ses paysages.

Quoi qu'il en ait été, il a su dépasser les frontières de sa province et les limites de sa position sociale. On a écrit souvent que la nature bucolique et les images champêtres répondaient à ses goûts campagnards et à son lyrisme, on a peut-être trop peu insisté sur son horreur des éléments déchaînés de la nature (orage) et sur sa fascination de l'eau, dont il savait rendre le miroitement avec plus de bonheur (on ne lui a pas refusé cette réussite) (23) que la couleur des arbres ou des fleurs. Cette eau limpide et transparente, il l'observait dans les ruisseaux qui égayaient les champs et les prairies, il l'a vue aussi plus majestueuse et plus puissante:

Śrzodkiem tego wszytkiego srebrna rzeka płynie,
Którą, leżąc pod skałą przy powiewnej trzcinie,
Rozciągła Wisła leje krużem marmorowym,
Głowę mając odzianą wieńcem rokitowym;
A do morza przychodząc drze sie na trzy części.
Tam okręty, a przy nich delfinowie gęści
Po wierzchu wody grają połyskując złotem;
Brzegi bursztynem swiecą...(24)

Le fleuve "argentin" qui coule à travers la plaine forme le premier tableau du paysage en diptyque que nous apporte ce fragment; le second est celui de l'embouchure et du port où, autour des navires, d'innombrables dauphins, tout en scintillant comme l'or, jouent à la surface de l'eau. La fascination du mouvement miroitant des flots (25) se laisse sentir dans le même poème encore plus loin, dans une comparaison homérique qui forme un nouveau paysage, dynamique comme le précédent. Voici une vue de la mer:

Tam, jako więc rany
Zefir na cichym morzu podnosi bałwany
Na pierwszym słońca wschodzie, które póki czują
Łaskawy wiatr, leniwo naprzód postępują,
Potym za duższym duchem coraz gęstsze wstają,
A płynąc przeciw słońcu, daleko błyskają;
Tym kształtem ludzie wtenczas z miejsca się ruszali...(26)

Charmé des reflets lumineux de la mer toujours en flux et reflux, le poète n'ignore pourtant point qu'elle peut devenir menaçante et terrible:

Morze nie stoi nigdy, zawżdy płynie;
Teraz kęzierze nastrzępi, w godzinie
Dnem wzgórę wstanie, a ogromne wały
Wysokich będą obłoków sięgały (27) (II, 17).

Le paysage baigné de la lumière diaphane du matin lorsque la surface de la mer semble un miroir ondulé et ondulant cède maintenant la place à une image sinistre et sombre, bigarrée des langues agitées de l'écume, où le coloris ténébreux et la grandeur des masses d'eau qui se haussent jusqu'aux nues produisent une impression de terreur.

Plus dynamique que la vue de la mer houleuse et agitée est le tableau de l'orage en mer. Une fois, dans le chant où le poète voudrait déconseiller à son amie de faire un voyage par mer et lui raconte la fable d'Europe emportée par Jupiter, ce paysage ne constitue qu'une ébauche (où cependant certains traits, bien que le texte soit traduit d'Horace, témoignent de l'expérience personnelle) (28); une autre fois, dans le poème *Pamiatka Janowi Baptyscie hrabi na Teczynie* (*Souvenir au comte Jean-Baptiste Teczynski*), effrayant et plein de terreur, il constitue un fragment épique autonome:

Jeszcze były wieczorne nie zagasły zorze,
Kiedy nieusmierzony wicher wpadł na morze.
Szum powstał i gwałtowna z wierzchu niepogoda,
Wełny za wełny pędzi poruszona woda:

Krzyk w okręcie, a chmury nocy przydawają,
Świata nie znać, wiatry się sobie przeciwiają,
Usiłuje zachodny przeciwko wschodnemu,
Usiłuje połudny przeciw północnemu.

Morze huczy, a nawą miecą nawałności;
Raz się zda, jako w przepaść pojźrzeć z wysokości,
A kiedy się zaś wały rozstąpią, już ani
Miasta widać wielkiego z głębokich odchłani.

Piasek z wodą się miesza, a w poboczne ławy
Bije szturm niebezpieczny, nawa żadnej sprawy
Nie słucha, ale w morskim rozgniewaniu pływa
Samopas, a mokra śmierć zewsząd się dobywa (29).

La valeur artistique de cette description, détaillée et beaucoup plus ample que dans d'autres fragments, semble indiscutable bien que, cette fois encore, le poète soit redevable à Virgile (30). On a reconnu, il est vrai, le caractère dynamique et la suggestivité du tableau, mais on n'a pas manqué de rappeler que, faible coloriste, le poète fait s'effacer les couleurs et, comme d'habitude, met l'accent sur les éléments émotionnels et dynamiques, ce qui confirme une fois de plus le caractère de son imagination; sa manière de transformer le modèle - il aurait même fait disparaître les effets lumineux et auditifs - aboutit à l'appauvrissement de celui-ci (**31**). Tout compte fait des imperfections éventuelles des l'imagination artistique du poète, il faudrait peut-être se garder de faire un facteur qui puisse expliquer avec le même bonheur toutes les manifestations de son art. Ce n'est pas le caractère de son imagination créatrice qui doit nous interpeller en premier lieu, mais les effets artistiques qu'elle lui permet d'atteindre. Au lieu de s'inquiéter que le tableau qu'il dépeint "soit presque totalement privé de couleurs" (**32**), il serait peut-être plus intéressant de se demander si et dans quelle mesure le paysage maritime, oeuvre littéraire qu'il a créée dans sa description de l'orage en mer, pourrait inspirer un peintre et lui suggérer une oeuvre picturale. On a écrit que, dans ce tableau, les couleurs faisaient défaut, mais quelles couleurs voudrait-on y voir au juste et quels procédés paraîtraient satisfaisants pour les exprimer? Quel coloris peut-on attendre dans le tableau qui fait voir la tempête sur la mer si l'on veut en même temps respecter la vérité picturale? Envisagé de ce point de vue, le paysage décrit par Kochanowski ne semble pas "dénué de couleurs", mais il bénéficie de celles que la vision réaliste du phénomène atmosphérique exigeait. Lorsque le poète écrit que "la lueur crépusculaire ne s'est pas encore éteinte", il ne dit pas, il est vrai, que le ciel rougeoyait encore, mais personne n'aura de difficulté à le concevoir. Lorsqu'il relate que "les nuages augmentent la nuit" et qu'"on ne voit pas le monde", on s'imagine sans peine les ténèbres qui enveloppent le navire, ténèbres où pourtant le peintre ne se fera pas faute de faire voir la blancheur de l'écume bien que le poète ait renoncé aux épithètes respectives et nous informe simplement que "l'eau bouleversée fait déferler les vagues" - l'expression métonymique qu'il introduit (*wlna*, la laine) reste suffisamment suggestive pour chacun. La pauvreté prétendue des sensations auditives semble elle aussi sujette à caution. Dans la version originale, maintes expressions onomatopéiques se font entendre et la vision globale du navire, soulevé sur la crête des vagues ou jeté dans l'abîme, reste suffisamment évocatrice et ne demande pas plus de détails. Pour produire l'impression de terreur qui émane de ce sinistre paysage et pour en faire une vision imagée, le poète n'a nullement été obligé de chercher d'autres moyens d'expression artistique que ceux dont il s'est servi. Les observations sur Kochanowski "coloriste peu doué", sans nier ce qui est évident, semblent s'alimenter du souhait inconscient que son style abonde toujours en épithètes colorées et que le paysage, pour qu'on le considère comme artistiquement réussi, soit riche en couleurs.

Le chant du déluge apporte le paysage créé par le cataclysme. Ce paysage tragique et dynamique à la fois, dû à l'activité dévastatrice de l'eau, est réparti en un triptyque dont l'orage forme le premier volet:

Przeciwne chmury słońce nam zakryły
I niepogodne deszcze pobudziły;

Wody z gór szumią, a pienista Wilna
Już brzegom silna.

Strach patrzać na to częste połyskanie;
A prze to srogie obłoków trzaskanie
Kładą się lasy, a piorun, gdzie zmierzy,
Źle nie uderzy (33) (II,1).

Les nuages qui sont "hostiles" et les pluies dont on nous dit qu'elles sont "intempestives" semblent fournir une nouvelle preuve que le poète "ne savait pas peindre les tableaux de la nature" (34). Loin d'être imagées, les deux épithètes trouvent cependant leur contrepoids dans d'autres moyens d'expression artistique, ce qui permet d'imaginer aussi bien le ciel couvert de nuages lourds et sombres et déchiré par les zigzags aveuglants de la foudre que le fleuve écumant et les arbres qui s'inclinent sous la force de la tempête. La pluie incessante et le débordement des eaux suggèrent inévitablement les horreurs du déluge biblique:

Z ludźmi po społu i miasta, i grody
Nieuśmierzone zatopiły wody;
Nie wysiedział się pasterz z bydłem w cale
Na żadnej skale.

Ryby po górach wysokich pływały,
Gdzie ledwie przedtym pióra donaszały
Mężnej orlice, gdy do miłych dzieci
Z obłowem leci (35) (II,1)

Attendu que des réminiscences littéraires sont encore là (36), il faut signaler que cette fois encore le poète procède à des modifications heureuses. Le tableau qu'il décrit, tout sombre qu'il est, paraît suffisamment évocateur grâce au caractère grandiose du cataclysme:

Niebo a morze, te dwie rzeczy były
Świat zastąpiły (37) (II,1).

Le paysage après le déluge, également plastique par ses aspects horribles et dégoûtants, forme le deuxième volet du triptyque; lorsque les pluies ont cessé,

Ziemia ku słońcu pełne ciężkiej rosy
Rozwiła włosy.

A trupy wkoło straszliwe leżały,
Ludzie i bydło, wielki zwierz i mały;
Pełne ich morza, pełne brzegi były...(38) (II,1).

Un arc-en-ciel, symbole de la promesse divine, qui se déploie audessus de la terre meurtrie, en forme le troisième, mais le caractère lumineux du phénomène n'apparaît que grâce à l'imagination du lecteur:

Włożę na niebo znakomitą pręgę,
Którą gdy ujźrzę, waspomnię na przysięgę,
Że mam hamować niezwyczajną wodę -
I nie zawiodę (39) (II,1).

C'est ainsi que Dieu, pour donner la preuve de sa miséricorde, apparaît dans la nature. Si, le cas échéant, Il se fait voir grâce à l'intervention miraculeuse dont parle la tradition biblique, sa présence se confirme toujours dans l'univers dont le paysage n'est qu'un fragment et qu'une partie. "C'est par le ciel que les Grecs ont appris à connaître la terre" - de là leur désir de les représenter ensemble (40), de là le rêve d'une vision et d'une représentation globale que l'on retrouve chez les poètes de la Renaissance. Ce rêve a inspiré à Kochanowski le célèbre hymne à Dieu *Czego chcesz od nas, Panie* (*"Que nous demandes-tu, Seigneur?"*), dont voici les strophes centrales:

Tyś niebo zbudował
I złotymi gwiazdami ślicznieś uhaftował;
Tyś fundament założył nieobeszłej ziemi
I przykryłeś jej nagość zioły rozlicznemi.

Za Twoim rozkazaniem w brzegach morze stoi
I zamierzonych granic przeskoczyć się boi;
Rzeki wód nieprzebranych wielką hojność mają.
Biały dzień a noc ciemna swoje czasy znają.

Tobie k'woli rozliczne kwiatki Wiosna rodzi,
Tobie k'woli w kłosianym wieńcu Lato chodzi,
Wino Jesień i jabłka rozmaite dawa,
Potym do gotowego gnuśna Zima wstawa.

Z Twej łaski nocna rosa na mdłe zioła padnie
A zagorzałe zboża deszcz ożywia snadnie...(41)

Hymne de reconnaissance et de piété, il est en même temps hymne d'admiration, où l'esprit humain s'humilie devant la grandeur de Dieu, Créateur de l'univers, ce mécanisme génialement construit, où la Providence divine a tout prévu et tout organisé. C'est cette admiration pleine de reconnaissance qui inspire à notre poète une sorte de vision d'ensemble du monde, notre monde qui nous est connu, mais qui n'est qu'un fragment de l'univers immense que l'oeil de l'homme n'a jamais vu. Les mêmes sentiments et une pareille vision globale se retrouvent chez Marguerite de Navarre:

à ce commencement,
Le beau soleil me monstra clairement
L'ouvrage grand de ceste pomme ronde:
Le ciel, la terre et la grand mer profunde,
Dont l'oeuvre en est tant excellente et grande

Qu'il faut penser que Celluy qui commande,
Qui la regit, la gouverne et la meult,
Peult ce qu'il veult, et qu'il veult ce qu'il peult (42).

Les éléments particuliers de la vision cosmique de l'univers: le ciel, la mer et la terre, qui ne sont évoqués dans l'hymne de Kochanowski qu'en raccourci poétique, vont consituer chez elle une suite de paysages que l'enchantement ébloui de la poétesse fait défiler comme les volets successifs d'un triptyque grandiose. De même que chez le poète polonais, la mer, chez la reine de Navarre, "rend obeyssance à son Facteur sans rien passer son limitte borné"; il suffit ensuite de confronter "les fruitz divers" dans la description que celle-ci fait de la terre avec "les pommes diverses" (*jabłka rozmaite*) dans l'hymne de celui-là pour remarquer que, sans insister même sur le caractère des épithètes, les ressemblances vont quelquefois jusqu'à l'identité. Certes, à la lecture de ces passages, on pourrait évoquer les opinions critiques sur l'art descriptif de Kochanowski, la Reine comme lui aimant mieux l'ordre et la clarté que la couleur (43), et voir dans ses tableaux un "inventaire cosmique" plutôt qu'un équivalent inspiré des sensations visuelles de l'artiste, mais le caractère conventionnel de la description à la Renaissance explique les ressemblances, et même le plus grand poète, tout en dépassant son époque, reste le miroir de son temps. Il y en a pourtant qui ne se font pas comprendre par des traits communs de l'art des deux auteurs ou par leur formation culturelle et se perdent dans l'obscurité mystérieuse de la personnalité. On comprend sans trop de peine d'où viennent les épithètes abstraites ou émotionnelles de leurs paysages, mais comment ne pas être surpris lorsqu'après les énumérations monotones de leurs descriptions, on voit les deux poètes se rapprocher l'un de l'autre dans une même aspiration à dépasser le terrestre et le réel:

Kto mi dał skrzydła, kto mię odział pióry
I tak wysoko postawił, że z góry
Wszystek świat widzę, a sam, jako trzeba,
Tykam się nieba? (44) (I,10).

Quelles que soient les réminiscences littéraires que l'on trouve dans les strophes suivantes, celle-ci en particulier semble remarquable par le thème de l'envolée au-dessus du globe terrestre (envolée qui fait penser à la *Petite Improvisation* de Mickiewicz) et par la position que le poète a choisie pour voir d'en-haut. Dans la suite, le chant va apporter une revue des héros polonais, légendaires ou historiques, pour former ainsi une sorte de canevas d'épopée; aussi s'ouvre-t-il par une évocation de leur séjour céleste:

Toli jest ogień on nieugaszony
Złotego słońca, które, nieskończony
Bieg bieżąc, wrotne od początku świata
Prowadzi lata?

Toli jest on krąg odmiennej światłości,
Wódz gwiazd rozlicznych i sprawca żyzności?

Słyszę głos wdzięczny: prze Bóg, a na jawi,
Czy mię sen bawi? (**45**) (I,10)

Ce paysage cosmique, a-t-on écrit, provient "du goût très vif de Kochanowski pour les études astronomiques, affirmé dans les Elégies (...) et prouvé par ses études sur Aratos" (**46**). Il doit peut-être plus à sa curiosité de l'au-delà. Que cette curiosité soit intellectuelle ou émotionnelle, toujours est-il qu'elle invite à une tentative artistique de le dépeindre; tentative comdamnée d'avance à l'insuccès, l'imagination de l'homme étant incapable de concevoir ce que l'oeil n'a pas vu et ce que l'oreille n'a pas entendu -la pauvreté des images et des emprunts en reste une conséquence inévitable. Le paysage céleste de Kochanowski, redevable en partie à la littérature, est baigné de lumière et on y distingue le "feu inextinguible du soleil d'or" et le "disque de lumière changeante", à savoir la lune, ce qui suffit peut-être pour faire un impressionnant tableau, mais ses éléments imagés n'en sont restés que là. A défaut d'autres éléments picturaux, pour enrichir sa vision du paradis, le poète doit recourir aux sensations auditives et évoquer la musique des sphères ou s'en rapporter à l'expérience terrestre de l'homme et rehausser la félicité des sites célestes pas l'absence de vicissitudes que l'on souffre sur la terre:

Tu, widzę, ani ciemne mgły dochodzą,
Ani śnieg, ani zimne grady szkodzą;
Wieczna pogoda, dzień na wszystkie strony
Trwa nieskończony (**47**) (I,10)

En définitive, le paysage se forme en partie d'un développement conceptuel où l'imagination d'un mortel peut s'avérer plus fertile et obtenir plus de succès que dans une description détaillée. Tel exactement paraît le cas de Marguerite de Navarre qui, dans un des plus beaux fragments de *La Navire*, s'essaie à la même tentative de décrire la béatitude des bienheureux:

Je voy icy l'esclair dont le tonnerre
Faict la-bas paour a ung cueur escarté,
Qui sans la foy en chacun chemin erre.

Icy d'amour est la vraye clarté,
Icy se faict de charité le feu,
Et gaigne icy qui mieulx a escarté:

Qui plus la-bas a perdu peu a peu
Plaisirs et biens et son propre vouloir,
C'est celuy la qui gaigne icy le jeu (**48**) (v.418-426).

Sauf les éclairs que l'on voit, pour ainsi dire, dans leur demeure (à remarquer la même position du narrateur que dans le poème de Kochanowski: vue d'en-haut), aucun élément imagé ne s'ajoute à la description; s'il y a des couleurs, ce sont celles qui rayonnent des vertus et dont la valeur est plus authentique et plus purifiée: la vraie clarté de l'amour et le feu de la charité.

Et encore un autre accent commun; chez Kochanowski:

Godne pałace Twojej wielmożności,
Panie, a jakiej cnota dostojności,
Widzę na oko, bowiem wedle Ciebie
Ma miejsce w niebie (**49**) (I,10);

chez la reine de Navarre:

Icy void l'on comme Dieu seul opere
En ses esleuz sa bonne volunté,
Comme partout il commande et impere (v. 445-447).

Le paysage s'adapte à tous les registres d'un état d'âme: n'est-ce pas le paysage spirituel qui convient le mieux à l'éternelle nostalgie métaphysique de l'homme?

Ces essais poétiques de paysages de Kochanowski n'en restent certainement pas là. Il y a encore, dans les Epigrammes, une courte pièce consacrée à Hanna (I, p. 168) où l'on s'est plu à dégager toutes les imperfections de notre poète en tant que coloriste (**50**); il y a encore le fragment XII (III, p. 27) dans les *Fragmenta*, qui rassemble les éléments habituels de son paysage champêtre que l'on a déjà eu l'occasion de dégager et qui confirment les traits caractéristiques de sa palette; il y a aussi, dans le *Voyage à Moscou*, quelques tableaux qui décrivent les endroits où se déroulaient les combats, avec, au début du même poème, une longue comparaison homérique où un aigle planait dans les nues et cherchait sa proie; il faudrait encore envisager la traduction des *Psaumes* où l'on rencontre souvent la description de l'orage, mais, comme on l'a déjà vu, partout on ne trouve que des fragments subordonnés à une autre fonction artistique - les descriptions autonomes pour peindre les paysages qui existent pour elles-mêmes sont extrêmement rares.

On a signalé déjà que le poète se montrait un coloriste assez médiocre; il est nécessaire de ne pas oublier pourtant que de nombreux poètes de la Renaissance sont atteints de ce même défaut artistique. Renchérir sur ce point semble une réprobation excessive qui voudrait que chaque poète, même celui qui dépasse son siècle, le fasse dans chaque domaine de son activité artistique. Quant à Kochanowski, il se rendait compte de ses faiblesses. "Ja na farbach malarskich nic się nie rozumiem" ("Je ne me connais pas en couleurs"), écrivit-il lui-même (**51**), et il en offre une compensation efficace dans d'autres traits de son art: il se révélait sensible aux sensations auditives, aux gestes et aux mouvements, et si l'on veut chercher les réussites où il excelle, elles sont - et la critique n'a jamais mis ceci en doute - dans son lyrisme et dans le caractère personnel de sa poésie; c'est à travers ses réactions émotionnelles, à travers ses impressions et expériences qu'il voit surtout la nature. Tout cela, on l'a déjà dit, et c'est pourquoi on peut se demander si la valeur lyrique de son art ne dépasse pas, et de beaucoup, les imperfections de sa palette. Tels qu'ils se présentent, les paysages de Kochanowski ne sont pas assurément une quantité négligeable. Pédanterie inutile que de leur demander ce qu'ils n'ont pas, pédanterie condamnable que de renchérir sur ce qu'ils ont de moins réussi et ne pas les apprécier là où ils le méritent. Paysagiste à la mesure de son temps, il l'est peut-être par trop de soumission à ses modèles; là où il dépasse ceux-ci, il donne à ses tableaux une note plus personnelle et procède à des adaptations heureuses qui font voir les traits typiques des paysages polonais. Ce serait pourtant une méprise que de limiter ceux-ci à la "natura amorosa" et méconnaître leur diversité. Sensible au charme de la nature de son pays, il l'est aussi bien en face d'un paysage printanier qu'en face du déchaînement des éléments: de l'orage qui gronde sur les bois ou du cataclysme de l'inondation; aussi bien en face d'un paysage large et ouvert où les champs immenses donnent de riches moissons qu'en face d'un arbre ou d'un aigle qui plane dans l'air; aussi bien en face de ce qui est stable et amical à l'homme qu'en face (et ceci plus souvent peut-être) de ce qui est changeant et dangereux - la mer. Quelle surprise de voir cet homme que l'on connaissait amoureux de l'ordre et de la mesure, fasciné par ce qui est négation de toute stabilité et qui ne se soumet à aucun ordre: d'un ruisseau qui coule à travers une prairie, d'un fleuve dans son cours majestueux vers la mer, du miroitement de l'onde ou de la phosphorescence de la mer au soleil - phénomènes lumineux et captivants que son indifférence prétendue à la couleur n'a pas manqué de rendre d'une façon picturale. Poète de la Renaissance, aurait-il déjà eu les pressentiments du baroque?

Ce qui complète toutefois curieusement ses paysages, et où il reste fidèle aux goûts de son époque, c'est son désir presque religieux de saisir et de comprendre le mécanisme de l'univers qui lui a inspiré une sorte de paysage cosmique, tel qu'on se l'imagine d'en-haut; ce sont surtout ses envolées supra-terrestres et la tentative courageuse de chercher à se créer une vision du paysage céleste. On a déjà eu l'occasion de dégager certains rapprochements entre Marguerite de Navarre et Kochanowski, auteurs de chants de deuil (52): quelle satisfaction d'en avoir découvert de nouveaux, et avec eux une nouvelle démonstration de l'unité de notre culture européenne!

Kazimierz KUPISZ

(Université de Łódź- Pologne)

NOTES

1. Cf. W. Floryan, *Forma poetycka "Pieśni" Jana Kochanowskiego*, Wrocław, 1948, p. 127.
2. Livre I, chant 2 (J. Kochanowski, *Dzieła polskie*, Warszawa, P.I.W., 1953, t. I). Version française:

> Elevez votre coeur, voyant cette saison.
> Naguère les bois étaient nus; la neige,
> Epaisse de plus d'une coudée, couvrait le sol,
> Et sur les rivières le char le plus lourd courait.
>
> Maintenant les arbres ont revêtu leurs feuilles:
> Les prairies champêtres ont joliment fleuri.
> Les glaces sont parties, et sur l'eau limpide
> Vont les bateaux et les barques équarries.
>
> Maintenant le monde nous sourit de toutes parts:
> Les blés ont levé, le vent d'Ouest souffle,
> Les oiseaux préparent leurs nids
> Et, dès avant le jour, commencent à chanter.

(J. Kochanowski, *Chants* traduits du polonais par Jacques Langlade, Paris, Belles-Lettres, 1932)
3. Cf. W. Weintraub, *Rzech czarnoleska*, Krakow, 1977, p. 157.
4. Voir aussi l'analyse de ce fragment par E. Ostrowska, "O języku opisów przyrody w pieśniach Kochanowskiego", *in Język Polski*, LIII (1973).
5. Voir W. Weintraub, *op. cit.*, p. 156.
6. J. Langlade, *op. cit.*, p. 27.
7. "Elevez votre coeur, voyant cette saison".
8. "Fais atteler tes chevaux rapides / et prépare-toi à monter en voiture; / c'est maintenant le plus joyeux temps: / les bois joliment verdissent. // Les prairies se bigarrent de fleurs, / le lièvre disparaît dans le seigle / et le laboureux économe espère / qu'il aura du grain à charrier vers la Vistule. // Les troupeaux jouent au bord de l'eau / et le berger, assis au frais, / module sur son fifre des chansons naïves, / et les Faunes sylvestres bondissent".
9. Cette strophe se retrouve dans le *Chant de Saint-Jean de Sobótka* (*Panna* XII).
10. Livre II, chant 2.
11. Comparez le tableau de Théodore Rousseau "Les Chênes".
12. *Na lipę* (*Dzieła* I, p. 181-2).

"Hôte, prends place dans mon ombre et goûte le repos, / ici le soleil ne pourra t'atteindre, même s'il monte au plus haut, / je te le promets. Et les rayons droits de l'astre / assembleront sous les arbres toutes les ombres éparses. / Ici, toujours, des vents frais soufflent des champs, / ici, rossignols, étourneaux se plaignent gentiment. / Sur ma fleur parfumée les abeilles sans égales / cueillent le miel qui ennoblit la table seigneuriale. / Par mon murmure serein dans l'air imbu d'arômes / j'amène le doux sommeil au front soucieux de l'homme". *Au tilleul*, trad. par M. Pankowski (*Anthologie de la poésie polonaise* établie par C. Jelenski, Paris, Seuil, 1965, p. 53).
13. Cf. W. Weintraub, *op. cit.*, p. 155.
14. "Ici, près des eaux fuyardes d'un transparent ruisseau, / fais apprêter la table à l'ombre d'un platane; / fais apporter du vin, tant que le tonneau coule...".
15. J. Langlade, *op. cit.*, p. 118.
16. *Ibid.*
17. Cf. W. Weintraub, *op. cit.*, p. 156.
18. "Le soleil brûle, et la terre se résout tout à fait en cendres; / le monde disparaît au sein de la poussière, / les fleuves se perdent par leur fond / et les herbes grillées implorent du ciel la pluie".
19. "Enfants, courez au puits avec la grosse bouteille: / placez la table à l'ombre du tilleul, / où la tête du maître contre l'été brûlant / est protégée par le feuillage: / du soin de le planter agréable salaire".
20. "Le seigle mûrit aux champs et montre par sa couleur que la moisson n'est pas loin..." (trad. K.K.) *Dzieła* I, p. 354.
21. "Regarde comme la neige blanchit les montagnes: / les vents du Nord se lèvent, / les lacs se congèlent, / les grues, sentant l'hiver, ont pris leur départ".
22. "Regarde à présent les forêts: / pendant la froide saison / les arbres ont perdu toute leur beauté / et les neiges hautes ont recouvert les champs".
23. Cf. W. Weintraub, *op. cit.*, p. 152.
24. "Au milieu de tout cela roule le fleuve d'argent / que, couchée sous le rocher auprès du roseau flottant, / la Vistule allongée fait couler de sa cruche de marbre; / elle a la tête ornée de la couronne d'osier / et, parvenue à la mer, se divise en trois parties. / Là, les navires, et auprès d'eux d'innombrables dauphins / Jouent à la surface de l'eau dans un scintillement doré; / les rivages sont brillants d'ambre jaune..." (trad. K.K.) *Proporzec ("Etendard") - Dzieła*, I, p. 89, v. 169-176.
25. On a suggéré que les flots qui scintillent au soleil se trouvent ici grâce à Virgile comme si le poète ne les avait pas vus au bord de la mer Baltique. Cf. R. Pollak, "Morze w poezji staropolskiej", *in Wśród literatów staropolskich*, Warszawa, 1966.
26. "Comme le zéphyr matinal / au premier lever du soleil soulève les flots / sur la mer paisible; ceux-ci, tant qu'ils sentent / le vent favorable, avancent avec paresse; / mais, son souffle plus long, ils se lèvent plus nombreux / et, remontant vers le soleil, jettent des lueurs de loin: / ainsi bougeaient les gens, se levant de leur place" (trad. K.K.) *ibid.*, v. 239-245.

27. "La mer ne s'arrête jamais, son flux est éternel: / maintenant elle crêpe ses boucles; dans une heure / elle sera bouleversée de fond en comble, et d'énormes remparts / jusqu'aux nues hautaines se hausseront".
28. *Dzieła*, I, chant 6.
29. "La lueur crépusculaire ne s'est pas encore éteinte,/ lorsque le vent inapaisé s'abattit sur la mer. / Le mugissement s'est fait et l'impétueuse intempérie, / l'eau bouleversée fait déferler les vagues. // Le cri sur le navire, les nues augmentent la nuit, / on ne voit plus le monde, les vents se contrarient, / le vent de l'ouest bataille contre le vent de l'est, / celui du sud contre le vent du nord. // La mer hurle, et la tempête agitant le navire, / fait que du haut on semble voir un gouffre, / et lorsque les flots s'écartent, des profonds abîmes / on ne voit pas même une ville la plus grande. // Le sable se mélange avec l'eau, la mer au babord / donne l'assaut dangereux, le navire sans défense / dans la colère de mer nage à la débandade / et la mort ruisselante surgit de toutes parts" (trad. K.K.) *Dzieła*, III, p. 135-136, v. 173-188.
30. Cf. W. Weintraub, *op. cit.*, p. 166.
31. *Ibid.*
32. Cf. R. Pollak, *op. cit.*, p. 314.
33. "Des nuages hostiles nous ont caché le soleil / et ont provoqué des pluies inopportunes: / les eaux se précipitent en mugissant, et l'écumante Wilna / déjà violente ses rives: // C'est frayeur que de voir ces éclairs répétés. / Sous ce terrible ébranlement des nues / les forêts se couchent; et le tonnerre, là où il vise, / frappe avec certitude".
34. W. Weintraub, *op. cit.*, p. 158.
35. "Avec les hommes, tout ensemble, et villes et forteresses / furent submergées par les flots que rien n'apaise: / le pasteur avec son troupeau ne put trouver de repos / sur aucun rocher. // Les poissons nageaient par les hautes montagnes / qui naguère connaissaient à peine les plumes / de l'aigle intrépide, lorsque vers ses chers petits / elle vole avec sa proie".
36. J. Langlade, *op. cit.*, p. 94.
37. "Le ciel et la mer, ces deux éléments, / formaient tout l'univers".
38. "La terre au soleil déploya ses cheveux / pleins de lourde rosée. /Et tout autour, des cadavres effrayants gisaient: / hommes, bétail, animaux petits et grands; / ils remplissaient la mer, ils remplissaient le rivage".
39. "Je tracerai dans le ciel une éclatante ligne: / en la voyant, j'aurai présent mon serment / de retenir l'eau excessive- / et n'y faillirai pas".
40. Cf. G. Aujac, "Les Modes de représentation du monde habité d'Aristote à Ptolémée", *in Annali della Facoltà di Lettere e Filosofia dell'Università di Macerata*, XVI (1983), p. 13.
41. "Tu as construit le ciel, / Tu l'as joliment brodé d'étoiles d'or, / Tu as mis le fondement à la terre qu'il est impossible de contourner, / Tu as couvert sa nudité de diverses herbes. // Selon Ton ordre, la mer se tient dans ses rivages / et craint de transgresser les limites indiquées, / les fleuves ont une grande abondance d'inépuisables eaux, / le clair jour et la sombre nuit connaissent leur temps. // Selon Ta volonté le Printemps apporte d'innombrables fleurs, / selon Ta volonté l'Eté se promène en couronne

d'épis, / l'Automne apporte les vins et les pommes diverses, / Après, le paresseux Hiver tend la main vers ce qui est préparé. // Par Ta grâce, la rosée de nuit arrose des herbes flébiles / et la pluie fait facilement revivre les blés brûlés par la chaleur" (trad. K.K.) *Dzieła*, II, p. 25.
42. *Les Prisons*, II, v. 15-22; cité d'après l'éd. S. Glasson, Genève, Droz, 1978.
43. Cf.: "elle n'a su (...) apercevoir un paysage qu'à travers ses souvenirs littéraires. (...) La reine n'a pas une mémoire visuelle très exercée. Elle n'est pas insensible au charme de la nature, à l'apaisement qu'elle apporte. (...) Mais, observatrice avisée des moeurs de ses contemporains, elle ne l'est pas du monde extérieur; sa palette est pauvre, son dessin sommaire" (R. Marichal, "La Coche de Marguerite de Navarre", *in B.H.R.*, V (1938), p. 261.
44. "Qui m'a donné des ailes, qui m'a vêtu de plumes, / et m'a placé si haut que je domine / du regard le monde entier, et que seul comme il convient / je touche le ciel?".
45. "Est-ce là ce feu inextinguible / du soleil d'or qui, courant sa course / infinie, règle depuis le commencement du monde / le retour des étés? // Est-ce là le disque de lumière changeante, / chef des étoiles innombrables et créateur de fécondité ? / J'entends une harmonie de voix: ô Dieu, veillé-je / ou si un songe m'abuse?".
46. Cf. J. Langlade, *op. cit.*, p. 46.
47. "Ici, je le vois, ni les obscurs brouillards ne parviennent, / ni la neige ni la grêle glaciale ne causent de dommage: / le beau temps est éternel, et le jour en tous lieux / jamais ne s'achève".
48. Cité d'après l'éd. de R. Marichal, Paris, Champion, 1956.
49. "Ces palais dignes de Ta puissance, / Seigneur, je les vois et je vois de mes yeux / quel éclat décore la vertu; car, à Ton côté, / elle a sa place au ciel".
50. Cf. W. Weintraub, *op. cit.*, p. 156.
51. *Fragmenta* VI - *Dzieła*, III, p. 17.
52. Cf. K. Kupisz, "Autour des poèmes funéraires de Marguerite de Navarre et de Jean Kochanowski", *in Annali dell'Università di Macerata.*

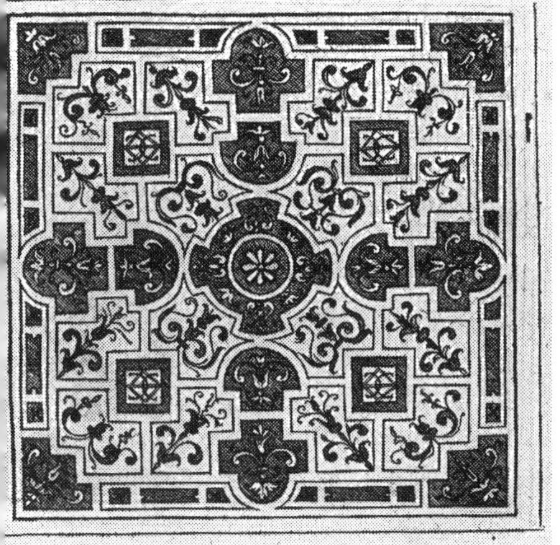

7. Deux "compartiments" de jardins, dans *Le Theatre d'agriculture* d'O. de Serres. (Serv. photo. B. N., Paris).

JACQUES PELETIER ET LA SAVOIE

Peletier est resté deux ans en Savoie. Il a publié un poème de ce nom à Annecy en 1572. Celui-ci est d'une lecture malaisée, pour deux raisons: l'auteur a voulu faire oeuvre scientifique, mais ses explications reposent sur des connaissances très spéciales, d'un autre âge. D'autre part, on ne voit pas bien où Peletier nous conduit. Le cours de la Seine ou l'Italie du sud ont peu à voir avec la Savoie. Et en Savoie même, l'itinéraire est déconcertant. Le premier point ne relève pas de cette étude. Quant au second, il apparaît que le livre n'est pas une relation de voyage ou un itinéraire, comme on en trouve fréquemment à l'époque, en vers ou en prose, en français ou en latin. Peletier a composé après coup, d'après ses souvenirs et ses notes, cherchant à expliquer ce qu'il avait observé, ce qui ne lui interdit pas les digressions par rapprochements ou contrastes.

Qu'est-ce donc que Peletier a vu de la Savoie? De nombreux aspects: physique, économique, politique, humain. Seule l'histoire ne l'intéresse pas. C'est l'aspect physique qui retient avant tout son attention, ce qui fait de *La Savoye* une sorte de poème géographique.

Il ne faut pas attendre une description exhaustive et ordonnée du relief, des rivières ou des sites. Peletier n'avait pas à sa disposition les éléments scientifiques nécessaires. La *Descrittione del ducato di Savoia*, de Forlani, publiée à Venise en 1562 et qui est une des premières cartes intéressantes du pays traite fort mal le Faucigny: le Mont-Blanc est ignoré! Il l'est également dans l'Atlas de Gérard Mercator (1595), qui mentionne Chamonix.

L'auteur cite un certain nombre de noms propres. Des cours d'eau: l'Arc, l'Arvan, l'Arve, les Usses, l'Isère, le Rhône. Les lacs: du Bourget, de Chevelu, de Beaufort (Roselend), du Mont-Cenis, d'Annecy, de Nantua, le Léman. Quelques agglomérations: Chambéry, Aix, Annecy, Bonneville, Moûtiers, Salins, Genève, Turin, - surtout en Maurienne où il énumère les villages qui étaient à l'époque de grosses bourgades: Saint-Jean, Bonneval, Bessans, Valloire, Saint-Etienne-de-Cuines, Hermillon, etc. Quelques très rares noms de sommets (1): les Ulles d'Arve (2), la montagne du Vuache (3), de Veyrier (4), le "mont Isère" (5), l'Arclusaz (6), le Mont-Cenis, le Môle, la Sous-Dine (7).

Mais un cartographe n'en saurait tirer aucun renseignement. Les mentions de lieux-dits sont capricieuses. Elles sont inspirées par une curiosité, le désir d'illustrer un phénomène naturel, une amitié à rappeler, le souvenir d'un site agréable. Quoi d'étonnant si la composition du livre est sinueuse!

Cependant, Peletier donne de la Savoie une idée assez juste. Il a retenu les éléments généraux qui en caractérisent l'aspect physique: rivières nombreuses, au cours torrentiel, lacs, forêts et alpages, neiges et glaciers. On n'y trouve pas de paysage urbain. Le paysage urbain, il est vrai, n'a pas à l'époque l'autonomie qu'il acquerra plus tard. Mais les villes existaient, même si elles avaient un plan d'une grande simplicité (8). En raison de son hostilité à Genève, Peletier s'est refusé à en parler. Soit. Mais à Chambéry, il ne remarque même pas le Château. Moûtiers a de "beaux logis": c'est bien, mais c'est peu. Annecy, de jolies femmes: c'est mieux. Mais le paysage aurait pu les mettre en valeur. Turin est lavé par le Pô. L'écrivain aurait pu au moins préciser si la ville était propre...

Peletier s'est donc intéressé d'abord à la Savoie de plein air. Mais en a-t-il réellement décrit les paysages? Il ne suffit pas de faire allusion aux forêts pour que les forêts soient décrites. Et justement Peletier n'a pas décrit la forêt savoyarde. Il en parle longuement au Livre II: mais il n'a vu que les arbres! Il se plaît à en énumérer les espèces et leur utilité. C'est une nomenclature. Serait-ce que la forêt de montagne ne constitue pas un élément du paysage qui se distingue de la masse rocheuse?

Les lacs sont nommés à titre de curiosité ou par opportunité. Même celui d'Annecy près duquel le poète a vécu. Toutefois le Bourget est mieux partagé. Il est cité pour ses truites et ses lavarets. Ses oiseaux également. D'un trait sûr, le poète distingue la ligne de vol de l'arlette (9), du cormoran, du héron aux cris aigres. Sur les bords, l'abbaye d'Hautecombe, déserte et réduite au rôle de nécropole (p. 233). Notations succintes d'un oeil observateur, mais qui n'engagent pas la sensibilité du poète. La poésie des lacs est réservée à d'autres temps.

C'est la montagne qui constitue l'élément fondamental du paysage de *La Savoye*. Peletier se penche-t-il sur le régime des eaux, au début du poème, les monts sont présents: c'est de leur sommet où ils ont été aspirés sous l'effet du vide que redescendent les cours d'eau. Les moeurs des marmottes (p. 259), le combat du taureau et de l'ours (p. 261) sont, comme il se doit, situés en altitude. Mais l'herbier du troisième livre qui contient des plantes de la plaine est présenté comme un herbier des "hauz Mons" (p. 292). Les vallées sont vues dans la perspective des cimes: ainsi le Val de

Saint-Jean-de-Maurienne qui tient une bonne place en tête du livre II: le regard de l'auteur ne se porte pas d'abord vers le bas, mais vers le haut, plus original ou plus mystérieux.

Quelle est donc la montagne décrite par Peletier? Celle du savant qui se pose des questions, du moraliste aussi dont les interventions sont fréquentes. Dans ces perspectives, le paysage est souvent très élémentaire. Quelques traits rapides esquissent à peine un tableau. Ainsi Peletier oppose l'action du soleil d'altitude et celle du soleil des "lieus bas" (p. 228), ou parle de l'écho (p. 228-9), du rôle des eaux courantes (p. 237), etc. Mais la description peut s'étoffer. L'invention s'enrichit. Peletier se laisse aller au morceau de bravoure où le poète supplante l'homme de science. On appréciera ces vers comme on voudra. Mais l'auteur a recherché visiblement des effets, cultivant à souhait l'hypotypose.

La montagne ainsi décrite est la montagne de la peur. Elle est vue sous son aspect destructeur, le plus spectaculaire. Voici un désastre "épouvantable" que fait voir et entendre le choix des images et des sons. L'eau accumulée derrière une barrière de glace a rompu sa "bonde" et déferle:

> Mais qui dira les bruyantes ondées
> Et les frayeurs de ces eaus debordées?
> Lorsque se romt le grand monceau glacé,
> Qui sert de bonde à l'estang amassé?
> Dont la ravine horrible et furieuse,
> Tout à un coup faite victorieuse,
> Gete à l'envers ce boulvar remparé...
> Et par l'ouvert qu'elle s'est preparé,
> Sort en façon d'une Montagne ondeuse.
> Et diroit on, à l'issue hideuse,
> Qu'alors alors se doivent deplacer
> Les Mons massifz, pour la laisser passer:
> Quand les Rochers elle heurte et arrache
> Et les roulant, en tels coins les attache...

Spectacle affreux, qui pourrait être d'une beauté tragique mais qui tourne au constat prosaïque:

> Par ce deluge afreux, épouvantable
> En peu de tems, pour long tems lamentable,
> S'en vont aval les boeufs et les cloisons
> Les habitants avecques les maisons (p. 237).

De tels cataclysmes ont leur origine dans la haute montagne. Mais la rivière des Usses, qui se trouvait sur la route de Genève à Lyon, est donnée comme un exemple de "grand debord horrible... redoublé" (p. 236). Globalement toutefois, Peletier situe ces catastrophes en haute altitude, là où se trouvent d'autres terreurs: les avalanches et les glaciers.

Peletier n'est pas le premier à parler des avalanches. Même si le mot n'existe pas en latin, Silius Italicus évoque cet accident dramatique au livre III des *Punica*:

...haurit hiatu
Nix resoluta viros, altoque e cumine praeceps
Humenti turmas operit delapsa ruina.

Coolidge (**10**) cite plusieurs textes du Moyen-Age qui évoquent des avalanches dans les Alpes. Mais surtout Peletier n'ignorait sûrement pas les topographes helvétiques comme Sébastien Münster (**11**) ou Jean Stumpf (**12**). Le bruit qui peut mettre en mouvement une masse de neige, la boule qui roule sur la pente, le fracas de l'avalanche et naturellement les dégâts qu'elle provoque se trouvent chez l'un ou chez l'autre (**13**). Mais à la sobriété des topographes, le poète substitue des amplifications destinées à traduire toute la puissance et toute l'horreur de la masse dévastatrice:

...convient que les passans avisent
De marcher coy, et qu'entre eus ne devisent...
Ainsi s'en vient la masse à la renverse,
Qui son lourd fais tout aval bouleverse:
Non qu'au partir ell' ait si grand' durté,
Mais en roulant, de son pois aheurté,
Amasse en rond tousjours Neige recente,
Si tost, si fort, de si longue descente,
Que du fracaz qu'ell' va par l'air donnant,
De loin cuidez ouïr le Ciel tonnant,
Ou ce qui semble à la celeste foudre,
L'horrible son de la machine à poudre:
Cete Lavanche (**14**) au choir se vient ouvrir
Au heurt des rocz, et tout le val couvrir (p. 239).

L'allure littéraire des vers ne saurait faire oublier la qualité scientifique du texte. On peut contester l'action des ondes sonores sur le déclenchement des avalanches (**15**). Mais fort juste est l'évocation du fracas: de loin on croit entendre un coup de tonnerre très sec. On pourrait croire que l'image de la boule et la remontée de l'avalanche sur la pente opposée relèvent de l'imaginaire du poète. Il n'en est rien. Les spécialistes distinguent deux sortes d'avalanches (**16**): celle de neige humide et lourde qui glisse le long de la pente et celle qui est faite de neige poudreuse. Celle-ci est plus spectaculaire. C'est elle que décrit Peletier. Elle affecte la forme d'un nuage qui peut atteindre cent mètres de hauteur; l'écrivain dit une "boule". Le nuage en a les apparences, vu de loin (**17**). D'autre part, l'auteur ne manie pas l'hyperbole lorsqu'il fait gravir à l'avalanche le versant d'en face:

Ce fais massif venu aval, remonte
Contre le Mont opposite estendu,
N'a lon pas vu cete boule massive
Se rebondir d'une force excessive
Vers l'autre Mont? (*ibid.*)

En janvier 1981, l'avalanche dite de Belleplace qui venait de la Dent Parrachée à 3450m. est arrivée à 1300m. pour remonter à 1900m. et redescendre légèrement sur le flanc d'une autre vallée.

Pour rendre sensible le lecteur à l'horreur des glaciers, l'écrivain multiplie les mots expressifs et les figures (accumulations, allitérations, hyperbole, périphrase, comparaison):

Une autre assiete etreinte de gelée,
Ceus du païs Glacier l'ont appelée (**18**),
Detroit horrible, en long et parfondeur
Tout endurci d'eternelle froideur...
Je ne crois pas que les Hyperborées
Soint transpercez de plus aspres Borées...
Mais en ce lieu, dont l'horreur glaciale
Va depitant l'ardeur solstitiale,
N'y a rondeur, ny forme d'orizon:
Le jour y est comme en une prison
Et si n'y a en l'etroite contrée,
De tous les Vens, que pour la Bise entrée,
Au long des Rocz, desquelz le haut sommet
Luire entredeus au Soleil ne permet (p. 248).

On le voit, le glacier est situé dans un "détroit", un défilé. C'est un glacier de col. Peletier dit plus loin qu'on franchit ce chemin "perilleus et glissant"(p. 249) avec des "crampons acerez". Ailleurs il cite encore les "detroitz pleins de neigeuses glaces" (p. 254), et pas d'autres glaciers. C'est qu'à l'époque on ne pratiquait pas l'alpinisme au sens moderne du terme. Une seule cime avait été gravie: la Rochemelon (3537m.). Peletier y fait d'ailleurs allusion (**19**). Quant à se hasarder dans la grande montagne de glace ou de rochers, l'idée n'en venait pas, sauf peut-être à quelques téméraires: mais nous n'en avons aucun témoignage. En revanche, les cols de glaciers étaient fréquentés, du moins par les soldats, les pélerins, les fonctionnaires, les montagnards ou les marchands, au péril de leur vie (**20**), comme dit le poète:

...la trop active envie
De trafiquer, ne respecte sa vie... (p. 249)

On connaissait en Tarentaise et en Maurienne les cols de Rhèmes (3101m.), de la Galise (2998m.), du Carro (3131m.), de l'Autaret (3070m.), ces deux derniers en haute Maurienne, dans la direction de Ceresole Reale et d'Usseglio. Peletier est donc bien informé. Mais le paysage qu'il décrit est très littéraire. Le poète cède au lieu commun de la terreur inspirée depuis longtemps par les sommets glacés: le récit du passage des Alpes par Hannibal était connu et les descriptions terrifiantes de Silius Italicus dans les *Punica* ne l'étaient pas moins:

Sola jugis habitat diris, sedesque tuetur
Perpetuas deformis hiems...
Jam cuncti flatus ventique furentia regna
Alpina posuere domo... (livre III)

On peut même dire que l'écrivain en rajoute. Cette masse figée, encaissée entre les rocs, sorte de prison obscure, est sinistre. C'est du moins le mérite de Peletier d'en avoir risqué la description en vers, ce qui semble exceptionnel à l'époque. Les mentions de cols de glaciers sont anciennes, mais elles relèvent de sources documentaires dont certaines remontent au IIIe siècle après J.-C., comme pour le col de Saint-Théodule (3299m.) faisant communiquer Zermatt avec le Val Tournanche (**21**). D'autres témoignages plus tardifs sont ceux des topographes suisses du XVIe siècle déjà évoqués et auxquels il faut joindre Gilles Tschudi (**22**).

Une autre originalité de Peletier, c'est que l'horreur n'est pas la note définitive du paysage. L'eau ruisselle sous le glacier. Elle creuse des grottes de glace dont le sol est tapissé d'une herbe toujours verte, où pâture le bouquetin: "Mesme les creus.../ sont de verdeur, tous tems de l'an, couvers...". L'observation est à la fois juste et fantaisiste. Juste, car il n'est pas rare de voir qu'un glacier en crue, à front convexe, soit creusé en forme de grotte - ou portail, dans la langue des géographes - à sa partie terminale. Ainsi en Maurienne, de nos jours, les glaciers de Méan-Martin, de l'Arpon ou le glacier inférieur des sources de l'Arc. Mais l'herbe ne saurait pousser dans ces grottes. On la trouve loin au-dessous du portail. Quoi qu'il en soit de cette fantaisie, le paysage se fait plus avenant. Mais la poésie n'y gagne rien: le passage se termine sur des vers aussi prosaïques qu'utilitaires. Le sang du bouquetin

...est celui entamant
La pierre aus reins, et le dur diamant (p. 249).

Il existe des villages de très haute altitude. tel est le cas de Bessans (1742m.) et de Bonneval (1835m.). Peletier cite les noms: il ne s'agit pas de la montagne indéterminée, mais de sites particuliers. Deux images suffisent à l'écrivain pour traduire ce qui a pu être une vision directe: l'"emprisonnement" par la neige, dans un logement enfumé. Un espace fermé, comme dans un "puits". Cette dernière observation est exacte, encore actuelle. La structure imposée par l'altitude est celle de ruelles étroites, avares de lumière, qui obligent à lever la tête pour voir le ciel.

Le décor est contrasté: le printemps est une libération. La lumière resplendit et fait ressortir le teint basané des montagnards. Le paysage s'anime et prend une allure heureuse. les travaux reprennent. L'agriculteur est payé de son labeur par de beaux sous neufs. le tableau est brossé avec rapidité. Il ne manque pas de vérité.

Au surplus, si les lieux élevés "donnent horreur aus yeus", l'audace et la convoitise ont "rendu la hauteur accessible" (p. 247). Peletier a fort bien observé les lignes étagées des localités qui, pour être plus basses que Bonneval ou Bessans, peuplent le flanc des monts à des altitudes considérables. Ce peuplement stupéfie l'écrivain, qui rend hommage à une population à la fois laborieuse et satisfaite. C'est une autre forme de réconciliation avec la montagne affreuse:

> Si avez vous au haut et au milieu
> Vilages meintz, bastiz de lieu en lieu.
> Cete hauteur, en partour suspendue
> Fait le païs de plus grand' estendue:
> Aussi est il plus peuplé et garni
> Que s'il estoit en campagne applani...
> Merveille grand', ces lieus tous pleins d'aspresse
> Et de travail, ont toutesfois la presse
> De ceus qui sont l'an tout entier contens,
> Pourveu qu'il viene un seul quart de bon temps (p. 247).

La notule scientifique est ici liée étroitement au dessin du paysage. Elle est confirmée par tous les documents d'archives: la montagne est plus peuplée que la vallée au XVIe siècle. Les habitants y ont même une certaine aisance économique.

Mais la Savoie n'est pas seulement le règne des "neigeuses glaces" (p. 254) ou des villages "perduz" (p. 247). Il s'y trouve des lieux d'accès commodes. Après le Livre I, consacré surtout aux traits les plus impressionnants des "mons arduz" (p. 249), on voit paraître aux livres suivants un autre paysage plus accueillant, des vallées et de sommets faciles. C'est d'eux que nous entretiennent les savants suisses lorsqu'ils nous rapportent les excursions qu'ils firent dans leurs montagnes.

Jean Fabricius monta au Calanda (2808m.) en 1559; Benoît Marti, au Stockhorn (2192m.) et au Niesen (2366m.) en 1557 ou 1558; Gesner, en 1555, sur la cime la plus occidentale du Pilate, le Gnepfstein (1920m.) (**23**). Ils herborisent; ils jouissent des plaisirs d'un air salubre; ils apprécient la variété du paysage (**24**), l'ombre et les ruisseaux. Ils ne contemplent pas les pics enneigés qui sont d'un autre monde (**25**). Pour eux, les Alpes sont la région inférieure à la région des neiges et l'alpinisme se cantonne à la montagne herbue, la montagne moyenne. Peletier n'a pas manqué d'en parler. On aimerait savoir s'il a gravi les pentes du Môle à 1869m., au-dessus de Bonneville. En tout cas, son témoignage est révélateur. Le Môle est un point trigonométrique de premier ordre, d'où la vue porte sur les grandes Alpes. Peletier n'en dit rien. Mais il mentionne une source au "clair bruit" (p. 296), qui rafraîchit les "alpinistes" assoiffés, et surtout une abondance de fleurs odorantes. Les Suisses sont plus loquaces. Mais leur attitude ne diffère pas de celle du Manceau.

Le type de montagne évoqué par Peletier est caractéristique des Préalpes. La vallée y a son importance; elle fait partie du paysage de montagne, même si elle est d'une faible altitude. Le Val de Saint-Jean-de-Maurienne n'est pas dans les Préalpes. Toutefois le paysage en est préalpin. Peletier, qui y avait séjourné, l'a décrit avec une certaine complaisance, même si les lignes et les couleurs restent très élémentaires. Ce Val est ensoleillé. En été, le soleil se lève de bonne heure sur les monts qui lui font face. Ceux-ci sont "à l'ouvert": il n'y a pas d'obstacle qui intercepte les rayons solaires, qui inondent brusquement tout le versant Est, du haut en bas: "Soudein au fons la splendeur (du soleil) s'en rabat " (p. 255). Le spectacle est bien vu.

Le Val offre des cultures variées, favorisées par l'ensoleillement:

> Meintz ornemens font le lieu digne et noble
> Prez, chams, vergers, et liquoreus vignoble (26)
> Enrayonné par l'entredeux du Val,
> D'un clair soleil... (p. 254).

Que la beauté d'un paysage soit liée à sa fertilité, c'est une notion banale (27). Peletier est plutôt sensible à la dignité et à la noblesse du lieu. Ces traits ne proviennent pas de la montagne elle-même, mais bien des "ornements" qui la parent, c'est-à-dire des cultures. Et sans doute le plaisir de l'auteur est-il à la mesure de sa surprise: les monts sont fertiles.

Les lignes du paysage sont esquissées:

> Allant autour la Montagne pendante,
> Vous y voiez la campagne abondante... (p. 255).

Dans les pâturages savoureux paissent boeufs, chèvres et brebis. Les observations sont sans doute intéressantes. Elles restent un peu élémentaires, surtout pour la topographie.

Au niveau inférieur, "en la valée pleine" (*ibid.*), des productions abondantes: Peletier se laisse aller à de joyeuses énumérations qui malheureusement tournent au cliché. Les "prez plaisanz" (*ibid.*), les ruisselets, les arbres fruitiers, les artichauts, les melons, le safran et la salade ont une résonance plus ou moins littéraire. Ce sont des éléments du paysage ronsardien, qui n'est pas un paysage de montagne... Au surplus, l'auteur cèderait volontiers à la tentation de décrire un jardin. Il le fait par prétérition... renvoyant pour abréger aux traités contemporains qui "se sont renduz vulgueres" (p. 257).

Plus intéressantes sont les réflexions sur l'art et la nature qui sont alors suggérées à l'auteur. Le paysage de montagne fait toujours une large place à la "structure naïve", c'est-à-dire naturelle:

> Je chante ici la naïve structure
> Des Mons ornez de moyenne culture (*ibid.*).

Peletier l'a finement observé: le jardin qu'on appellera à la française s'intégrerait mal au paysage:

> Mais en ces lieux il faut avoir respect,
> Que l'art trop grand à Nature est suspect (*ibid.*).

Et de fait, une telle conception n'a jamais prévalu dans l'organisation du paysage savoyard, où d'autre part le château ou la maison de maître n'est pas séparée des bâtiments d'exploitation, afin que l'art ne supplante pas la nature.

Même cultivé, le terroir a pour toile de fond la nature naturelle. La Savoie n'est ni la Touraine, ni l'Ile-de-France. Rousseau, plus tard, fera l'éloge des jardins à l'anglaise. Peletier avait compris cette esthétique.

Si l'on ajoute que parallèlement, il fait l'éloge de la simplicité des Savoyards, comme les Suisses pour leurs montagnards (**28**), son oeuvre est comme une ébauche de la mythologie développée par Jean-Jacques deux siècles plus tard.

Peletier a aimé la Savoie. Le pays lui est apparu comme un havre de paix et de liberté, à l'abri des luttes qui ravageaient la France. Mais il y trouvait aussi "En quoy se plaire, et de quoy admirer" (p. 228). Il y trouvait une "beauté confuse", c'est-à-dire diverse et opposant des contraires, la glace des sommets et les cultures des vallées, dans un même paysage. Ce qui l'intéressait, c'est l'insolite et le mystère de cette beauté. La montagne lui posait une foule de questions. Il cherchait à "tirer les causes" d'un ouvrage de la Nature "Plein de façon, sans patron ni exemple" (*ibid.*). C'est dans cette perspective qu'il a décrit la Savoie. Comment lui apparaît-elle?

Sur le plan général, il en donne une idée exacte. Il en distingue les deux aspects: les lieux de haute altitude qui peuvent être habités - c'est en grande partie l'objet du Livre I -, la moyenne montagne avec sa vallée fertile, une montagne humanisée, cultivée, sur un fond de "nature naturelle" - c'est plutôt l'objet des Livres II et III.

La Savoie du XVIe siècle et jusque dans les temps modernes, c'est le pays des "Alpes chenues" (**29**). Ronsard ne la voit pas d'autre façon. Peletier qui a observé les choses de près en donne une toute autre image, bien plus nuancée. Ne lui demandons pas de faire la différence entre le Faucigny et le Chablais, la Tarentaise et la Maurienne. Ces analyses ne sont pas de son temps. Et si *La Savoye* est un poème géographique, Peletier n'a pas la technique du géographe moderne. Touutefois, il a fort bien noté les aspects différents du pays, des hautes altitudes aux basses vallées. Dans l'ensemble, son information est exacte. C'est à peine si on peut lui reprocher d'avoir fait pousser de l'herbe sous le portail des glaciers (**30**).

Et ce qu'il y a de remarquable, c'est que, tout en demeurant prisonnier de la vision traditionnelle de la haute montagne, vision liée à la civilisation du temps, mais transmise par la littérature, il a tenu à s'en échapper. Il arrive que la description présente des traits agréables. L'herbe verdoie près de la glace. Chaque année, le printemps libère à nouveau des rigueurs de l'hiver. Et l'homme, par cupidité ou tout simplement par son courage et sa constance, maîtrise ses difficultés et ses craintes.

Cette présentation de l'ensemble du paysage savoyard n'est pas structurée. Il faut en rassembler les éléments épars pour les compléter et les opposer. Ces éléments peuvent d'ailleurs constituer des paysages autonomes. Les plus caractéristiques se rapportent à la haute montagne. Tels sont, par exemple, les passages où sont décrits la rupture d'un barrage de glace, les avalanches, les glaciers, la vie à Bessans ou Bonneval. Quant au paysage préalpin, il tend quelque peu vers l'énumération ou le cliché.

La relation de Peletier n'est pas en prose. Elle est celle d'un savant qui était aussi un poète. Où est la poésie du paysage savoyard?

Quand on lit les relations en latin et en prose (**31**) des savants helvétiques, leur style sans prétention traduit assez souvent une sorte de poésie de la fraîcheur, de la spontanéité, de l'enthousiasme même. En comparaison, on déplorera l'aridité ou le prosaïsme qui déparent trop de pages de *La Savoye*. Les paysages échappent-ils à ce reproche? Pas toujours. Toutefois, on ne peut leur refuser certaines qualités littéraires.

Le style vaut par la précision significative des termes, plus d'ailleurs que par leur éclat. Peletier a très peu le sens de la couleur. Si le clair soleil du Val de Saint-Jean-de-Maurienne le réjouit, c'est surtout en raison de son utilité: il fait mûrir les raisins. Et dans un cadre montagnard, le fait étonne. Quant à la luminosité des ciels d'altitude, le poète n'y a pas du tout été sensible. En revanche, il a le sens du dessin, des lignes, des plans. Il réussit assez bien à évoquer le paysage en mouvement, les torrents, les avalanches. L'eau court sous la masse apparemment inerte du glacier; la bise siffle le long des rocs qui l'enserrent. Le soleil levant est vu dans sa mobilité. Le poète promène son lecteur sur les "sentiers qui virent / Parmy (les) Monts abruptz" (p. 245). Il chemine sur les pentes et descend dans la vallée. Ailleurs, il suit le vol d'un oiseau. Cette manière de voir et de décrire est un trait tout à fait caractéristique de son art.

Précision, expressivité, mouvement, ce ne sont pas des qualités négligeables, même si elles ne portent pas la marque de la grande poésie. Elles suffiraient à sauver le livre de l'oubli, s'il ne se recommandait aussi par la qualité de l'information, qui en fait un document intéressant sur le paysage savoyard et plus généralement sur la Savoie du XVIe siècle. De ce point de vue, l'oeuvre de Peletier marque une date, à une époque où se développe, chez les savants en particulier, une grande curiosité pour la montagne (**32**).

Louis TERREAUX

(Université de Savoie)

NOTES

1. Ces dénominations ne sont pourtant pas négligeables, quand on sait que les cartes du temps ne mentionnent que très peu le nom des cimes. Les cols sont mieux partagés.
2. *Aiguilles* en langage local ("ll" notant l mouillé).
3. A l'ouest du Genevois (1011m.).
4. Au bord est du lac d'Annecy (954m.).
5. Il est difficile de dire si Peletier connaît exactement le glacier des Sources-de-l'Isère, quand il cite le Mont-Isère comme source de la rivière.
6. Dans la Combe de Savoie à 2046m.
7. Le Môle (1869m.) et la Sous-Dine (2004m.) dominent Bonneville. Peletier écrit "Sodene": c'est la transcription de la prononciation locale.
8. Le paysage de Bessans et de Bonneval, dont nous reparlerons, n'est pas un paysage urbain. Et la "ville" de Saint-Jean-de-Maurienne n'est considérée que par rapport à la campagne environnante. Voir *Les Villes en Savoie et au Piémont au Moyen Age*, sous la dir. de J.-P. Leguay, in "Bulletin du centre d'études franco-italien", Chambéry-Turin, 4 juin 1979.
9. Le harle. Voir H. Naïs, *Les Animaux dans la poésie française de la Renaissance*, p. 223. Les références du texte renvoient à l'édition de J. Dessaix, au t. I des "Mémoires et Documents publiés par la Société Savoisienne d'Histoire et d'Archéologie", 1856.
10. W.A.B. Coolidge, *Josias Simler et les origines de l'alpinisme jusqu'en 1600*, Grenoble, Allier, 1904.
11. *Cosmographia.* Hébraïsant de Bâle, Münster écrivit son livre en allemand en 1544 avant de le rédiger en latin en 1550.
12. *Chronica* (1548). Stumpf est un théologien de Zurich. Sa *Chronique* est une description et une histoire de la Suisse.
13. Voir Coolidge, *op. cit.*, p. CLXX, CLXVIII et CLXXIII. Une phrase suffit à Münster pour traduire la forme de l'avalanche et les ruines qu'elle entraîne: "Villa quaedam Ulrichen nomine, cujus habitatores hyemali tempore in magno sunt periculo *propter globos et moles nivium, quae desuper ex praecipitiis montium devolvuntur et ad domos usque labuntur et interdum demoliuntur*" (CLXVIII). Et Stumpf: "A l'instant où une avalanche commence à descendre, un bruit comme un *coup de tonnerre* ou comme un tremblement de terre se fait entendre, même à une grande distance" (CLXXIII). Traduit par Coolidge de la *Chronique* en allemand.
14. C'est un terme franco-provençal, de la famille de *labor*, glisser. Le latin médiéval utilise la forme *labina.* Mais à côté on a une forme à suffixe *-inca, -anca*, comme dans *lavanche. Lavancher, lavanche*, sont des toponymes savoyards.
15. Des avions supersoniques peuvent faire partir une avalanche. L'expérience en a été faite par le Centre de recherche sur la neige et les avalanches à Conflans-Albertville. Mais il s'agit d'un cas particulier. Le silence de rigueur dans les couloirs avalancheux ressortit plutôt à la mytholo-

gie montagnarde. Communiqué par M. Claude Lovie, directeur du CERNA, que je remercie de sa complaisance.
16. Il y a une étude détaillée de l'avalanche dans Josias Simmler, *Commentarius de Alpibus*, ch. XIV, paru en 1574 à Zurich. Voir Coolidge, *op. cit*., p. 223 sq.
17. Münster parle aussi de boule. Voir note 13 ci-dessus.
18. Peletier note la valeur dialectale du terme.
19. La Rochemelon, que Peletier écrit Rochemolon (p. 241), fut gravie en 1358 par un nommé Bonifacio Rotario, de la ville d'Asti. Il y monta à partir de Suse. Voir Coolidge, *op. cit*., p. XXXII et LVI.
20. Voir Coolidge, p. CLXXIII, la traduction d'un texte de Stumpf concernant les chemins qui traversent les glaciers. Münster avait visité le glacier du Rhône en 1546. Voici ce qu'il en dit: "Anno Christi 1546, quarta Augusti, quando trajeci cum equo Furcam montem, veni ad immensam molem glaciei...; offerebat intuentibus horrendum spectaculum. Dissilierat portio una et altera a corpore totius molis magnitudine domus, quod horrorem magis augebat. Procedebat et aqua canens, quae secum multas glaciei particulas rapiebat, ut sine periculo equus illam transvadare non posset" (Coolidge, *op. cit*., p. CLXX). Voir aussi J. Grand-Carteret, *La Montagne à travers les âges*, t. I, p. 201.
21. Voir Coolidge, p. LXII.
22. Gilles Tschudi, de Glarus, humaniste et homme d'état catholique, ami de Zwingle. Il publia à Bâle en 1538 son *De Alpina Rhoetia*, traité topographique. Il avait passé le col Théodule à 3322m. en 1528. C'est une exception pour un homme qui n'était ni montagnard, ni soldat, ni marchand (Coolidge, *op. cit*., p. CLIX).
23. Coolidge, *op. cit*., p. XLI.
24. "Itaque omnium elementorum naturaeque varietatis admiratio summa continetur montibus" (C. Gesner, lettre à Jacques Vogel, ou Avienus; Coolidge, *op. cit*., p. VI). Voir aussi p. 223* à 247*, les comptes rendus que font Marti et Fabricius de leur excursion. Marti était professeur de grec et d'hébreu à Berne et Fabricius, pasteur de l'église de Coire.
25. "Certe altitudo montium editiorum jam inferiorem sortem superasse videtur, nostrasque tempestates effugisse, tanquam in alio mundo sita" (*ibid*., p. VI).
26. Celui du Rocheray a été célébré dans la langue locale par le poète Nicolas Martin qui fut maître de chapelle à la cathédrale de Saint-Jean-de-Maurienne et dont les *Noelz et Chansons*, publiés en 1555 à Lyon, ne sont pas sans valeur littéraire. Il est étonnant que Peletier n'ait pas cité son nom parmi d'autres célébrités du lieu.
27. Comparer *laetae segetes* (Cicéron, *De or*., 3, 155): la transposition de sens est du même ordre.
28. Voir Coolidge, p. 231.
29. *Punica*, III.
30. Il est difficile de préciser dans quelle mesure Peletier avait la connaissance directe de ce qu'il décrit. Sans doute n'avait-il jamais traversé un col de glacier... Lorsqu'au terme du Ier Livre, il invoque les "hauteurs precipi-

teuses" et le "froid païsage" pour y oublier les guerres civiles de son pays, les accents sont chaleureux, mais rien n'indique que Peletier parcourt les étendues glacées... Au surplus, les Préalpes elles-mêmes offrent des paysages d'un romantisme sauvage. Rousseau les trouvait sur la route de Lyon à Chambéry... D'autre part, Simler, dans son *De Alpibus commentarius*, donne des renseignements précis et variés. Il n'avait aucune expérience directe de la montagne: sa mauvaise santé le lui interdisait (Coolidge, *op.cit.*).

31. Mais la *Stockorniade* de Jean Müller de Rellikon est en vers latins. Voir Coolidge, *op. cit.*, p. 187.

32. Voir Grand-Carteret, *op. cit.*, t. I. L'auteur s'enthousiasme de la vie que prend la montagne sous la plume de Peletier (t. I, p. 244). L'éloge est excessif. La précision souvent expressive de tel passage ne fait pas oublier la sécheresse ou le prosaïsme de certains vers.

MAURICE SCÈVE PAYSAGISTE

Existe-t-il un Scève paysagiste? Ou, plus précisément, peut-on repérer un sentiment de la nature dans l'art du poète lyonnais? Puisque Maurice Scève est un poète de circonstance dans l'*Arion* (1536), un poète essentiellement platoniste dans les *Blasons* (1536-1539), un poète bucolique dans la *Saulsaye* (1547), un poète pétrarquiste dans la *Délie* (1544) et un poète biblique et scientifique dans le *Microcosme* (1562), il paraît aisé de conclure qu'un art paysagiste ne peut trouver place que dans les 730 vers de la *Saulsaye*. Or il n'en est rien et nous allons voir que le sentiment de la nature est présent dans presque toute l'oeuvre de Scève.

Mais il faut d'abord faire allusion à deux sujets que nous ne pouvons pas traiter, si peu que ce soit, dans ce bref exposé. Avant tout, il convient de signaler que le premier impact de la nature sur Scève s'était déjà fait sentir dans sa traduction (1535-1536) du roman espagnol de Juan de Flores qui semble être, après les vers concernant la "découverte" du prétendu tombeau de Laure en 1533 (**1**), son premier labeur littéraire (**2**). Malgré son inspiration à la fois aventureuse et pychologique, cette *Deplourable fin de Flamete* est en effet riche d'allusions paysagistes, ne fût-ce que lorsqu'il mentionne le désert où Pamphile d'abord et Grimalte ensuite se réfugient (**3**). L'autre point sur lequel nous ne pouvons nous arrêter ici est le problème du cadre de la *Saulsaye*. Rappelons seulement, après les savantes querelles de Françon (**4**) et de Saulnier (**5**) et ce que nous en avons dit nous-même (**6**), que la discussion porte surtout sur le lien entre le paysage décrit par Scève et la gravure, attribuée à Bernard Salomon, qui semble représenter les deux personnages de l'églogue, Philerme et Antire. Ceci pourrait, en effet, faire l'objet d'autres recherches, et nous devons, à notre grand regret, nous borner à une simple allusion à un travail inédit qu'un de nos étudiants fit soigneusement en 1967 (**7**). Profitons de notre discours pour rappeler que jusqu'à présent aucune étude systématique du paysage chez Scève n'a été entreprise, hormis celle, inédite et parfois discutable, de Jean Vogel en 1945 (**8**), le paragraphe, incomplet lui aussi, que nous-même avons consacré au sentiment de la nature dans la *Délie* (**9**) et quelques pages d'un récent et beau livre de Dorothy Gabe Coleman (**10**).

Ceci dit, reconnaissons qu'il est difficile de repérer un sentiment de la nature dans les *Blasons*, à moins de vouloir en trouver un dans des passages comme les vers 9-10 du *Blason du Front*:

Et du costé qui se presente à l'oeil
Semble que là se lieve le soleil

ou les vers 46-46 du *Blason du souspir*:

Souspirs qui sont le souef et doulx vent
Qui va la flambe en mon cueur esmouvant.

Par contre, l'*Arion* abonde en allusions à la nature, du début:

Dessus le bort de la Mair coye, et calme,
Au pied d'un roc soubz une seche palme

jusqu'à la fin:

Donc pour plourer une si grande perte
J'habiteray ceste terre deserte,
Ou ce mien corps de peu, a peu, mourra,
Et avec moy seulement demourra
Pour compaignon sus ceste triste rive,
Un doulx languir jusqu'à la mort tardive.

Mais c'est surtout un sentiment d'immensité ou, au contraire, de recoins secrets qui berce le poète (v. 98-102):

Tant que les boys, et les roches voisines,
De leurs doulx chants par tout retondissoient,
Et près, et loing hautement remplissoient
De l'haulte Mair les grands undes salées.
Plaines, Marest et umbreuses vallées.

Laissons de côté pour l'instant (nous y reviendrons tout à l'heure) la *Saulsaye* et disons un mot sur le *Microcosme* qui a fait l'objet, ces dernières années, de plusieurs études (**11**). Le paysage joue dans ce poème fort inégal un rôle secondaire, ainsi que le reconnait Vogel qui en a dressé pourtant une statistique généreuse (**12**); il sert de toile de fond, cependant, à certains des passages les plus poétiques, tels que la fin du Livre Ier:

Parquoy Adam voyant des hauts monts jà descendre
Les ombres sur la plaine, et tout autour s'estendre
Fossoye un creux en terre, auquel ce corps transi
Il couche, et l'enterrant, son coeur enterre aussi

et le début du IIe, à l'allure virgilienne:

La nuict obscure ostoit aux choses leur couleur
Augmentant la frayeur, la tristesse et douleur
Aux deux tristes parents...

Or, c'est dans le IIe Livre, où le poète imagine un long voyage, véritable exploration de son héros, que la joie de la découverte (et non pas "le vain travail de voir divers païs") (**13**) engendre plusieurs scènes splendides de nature. Rappelons-en une seule, celle de la tempête (v. 531-550) à laquelle les sources indiquées (Virgile, Ovide, Dante) (14) n'enlèvent rien de son originalité:

Se sent tout brandiller dansant aux coups de l'onde
Sur la sable assés basse, et plus avant profonde.
Et ainsi chancellant avec rude aviron
Les flots sollicitant tournoye à l'environ.
Tente plus assuré la coste tournoyant,
Mais sans perdre de l'oeil le rivage fuyant,
Peu à peu tout expert aux vagues s'abandonne,
Où mainte onde maint hurt à son bois branlant donne
L'eau enflée le va jusqu'au ciel eslevant:
Puis soudain le descent plus bas qu'auparavant
Enseveli au fond de la bruyante vague
Ne voyant que le ciel, et le grand flot qui vague
Le remonte plus haut, et voit en bas pendant
S'ouvrir un gouffre, auquel s'en va cheoir descendant
Aventureux par trop, comme qui ne pendoit
Entre la vie, et mort, qu'à l'espesseur d'un doit.
Et ainsi perillant une onde à la traverse
Lassé de l'autre part, et mouillé le renverse
Sur la rade esbahi que tant il ayt tardé
Ou de peur, ou du tens, par ce lieu hazardé.

Bien sûr c'est la *Saulsaye* - nous y revenons très rapidement - qui semble se tailler la part du lion. Le sentiment de la nature et du paysage n'est absent d'aucune des quatre parties qui, selon nous, divisent l'églogue: la première, expositive et lyrique (v. 1-244), la deuxième, véritable interlude narratif (v. 245-467) qui conte l'histoire des Nymphes métamorphosées en saules, la troisième contenant le débat spéculatif entre l'éloge de la vie solitaire et contemplative et celui de la vie active et associée (v. 469-624) et la quatrième, s'identifiant avec l'élan lyrique par lequel le dernier mot revient à Philerme dans l'exaltation de la vie champêtre et solitaire. Le goût de la nature est tellement explicite et diffus qu'on risquerait de réécrire preque toute l'églogue si l'on voulait repérer tous les endroits où ce goût palpite. Il y a, indéniablement, une vraie participation au paysage (v. 144-149):

Lors je respans mes fleurs dessoubs ma teste,
En attendant qu'à dormir me convie
Le bruit de l'eau murmurant, comme pluye,
Qui lentement sur les arbres descend:
Ou comme autour de ces estangz on sent
Le vent souef parmi les cannes bruire.

Et ceci même du côté d'Antire (v. 575-578):

Aussi alors qu'il neige, pleut ou gresle,
Ou que la Bise avec l'Auster se mesle,

Et que l'Automne, et l'Yver pluvieux
Rendent le temps longuement ennuyeux.

Mais il faut souligner que l'exaltation de la nature et la joie du paysage deviennent de moins en moins passives et contemplatives: à travers l'exposition et l'approfondissement de sa thèse c'est sa propre personnalité que Philerme découvre et enrichit; de la simple vision du paysage il s'élève de plus en plus à une forme active et consciente de jouissance (**15**) (v.693-703):

Il a tousjours au coeur les buissons verts,
Les Papillons coulourez, et divers:
Ruisseaux bruyans, argentins, et fluides.
Les Rocz moussuz: les cavernes humides:
Les bois flouris: les poingnans Esglantiers:
Les Haultbespins parfumans les sentiers:
Les vents souefz, et les fontaines froides:
Combes aussi profondes et très roides.
Et n'ha soucy en son contentement,
Qu'a cueillir fleurs pour son esbatement,
En escoutant des oyseaux les doux sons.

Ce qui nous amène tout naturellement à la peinture du grand tableau final:

Car la nuict vient, qui desja nous encombre.
Voy tout autour le Daulphiné à l'umbre
Pour le Soleil, qui delà la riviere
S'en va coucher oultre le mont Forviere.

Nous retrouvons la colline de Forvière (ou Fourvière) dans la *Délie* qui contient maintes autres références au paysage lyonnais, parfois même dans le cadre de l'adynaton, comme dans le célèbre dizain XVII:

Plus tost seront Rhosne, et Saone desjoinctz,
Que d'avec toy mon coeur se desassemble:
Plus tost seront l'un, et l'autre Mont joinctz,
Qu'avecques nous aulcun discord s'assemble:
Plus tost verrons et toy, et moy ensemble
Le Rhosne aller contremont lentement,
Saone monter tresviolentement,
Que ce mien feu, tant soit peu, diminue,
Ny que ma foy descroisse aulcunement.
Car ferme amour sans eulx est plus, que nue.

En effet, une statistique de tous les aspects du paysage délien est aussi difficile - à cause de leur variété - que peu opportune ici. Celle qui a été dressée par Vogel (**16**) paraît excessive, puisqu'elle comprend 89 dizains; cependant l'auteur a raison d'ajouter: "Cette simple énumération des dizains dans lesquels le paysage joue un rôle dans cette immense suite de poèmes qu'on a souvent trouvé incompréhensible en dit déjà long (...) Il faudrait citer bien d'autres dizains encore que ceux dont nous donnons l'énumération. Comment oublier en effet les poèmes à la lune, image de Délie qui porte son nom? Surtout les XXII et CCLXXII" (17).

Il faudra donc laisser de côté bien des dizains purement allusifs, tel le IX où figure pourtant un détail délicieux:

> Jà hors d'espoir de vie exaspérée
> Je nourrissois mes pensées haultaines,
> Quand j'apperceus entre les Marjolaines
> Rougir l'Oeillet

ou le XLIV dont la comparaison initiale est ce qu'il y a de plus intime:

> Si le soir perd toutes plaisantes fleurs,
> Le temps aussi toute chose mortelle

jusqu'au CDXLVI:

> Quand sur la nuict le jour vient à mourir,
> Le soir d'ici est Aulbe à l'Antipode.

On verra aisément que le paysage délien n'est jamais un élément accessoire, mais qu'il est toujours un état d'âme, lié à l'histoire amoureuse du poète. Parfois il paraît s'agir d'une simple comparaison, comme dans le dizain XXVI:

> Je voy en moy estre ce mont Forviere
> En mainte part pincé de mes pinceaulx.
> A son pied court l'une et l'autre Riviere,
> Et jusqu'aux mien descendent deux ruisseaulx.
> Il est semé de marbre à maints monceaulx,
> Moy de glaçons: luy aupres du Soleil
> Ce rend plus froid, et moy pres de ton oeil
> Je me congele: ou loing d'ardeur je fume.
> Seule une nuict fut son feu nompareil:
> Las tousjours j'ars, et point ne me consume(**18**).

Mais il est facile de s'apercevoir que la comparaison n'est jamais extérieure et qu'elle va bien au-delà de toute correspondance (CLXXXV):

> Le coeur surpris du froict de ta durté
> S'est retiré au fons de sa fortune:
> Dont a l'espoir de tes glassons hurté,
> Tu verrois cheoir les feuilles une à une,
> Et ne trouvant moyen, ny voye aulcune
> Pour obvier à ton Novembre froit...

Pourtant, c'est précisément sous le signe d'une correspondance entre le paysage et le poète qu'on doit ranger les dizains relatifs au paysage. Que l'on songe au dizain LXIV, où l'on retrouve aussi un écho du v. 101 de l'*Arion*:

> Des montz haultains descendent les ruisseaulx,
> Fuyantz au fons des umbreuses vallées.
> Des champs ouvertz et bestes, et oyseaulx
> Aux boyz serrez destournent leurs allées,

Les ventz bruyantz sur les undes salées,
Soulz creux rochers appaisez se retirent.
Las de mes yeulx les grandz rivieres tirent
En lieux a tous, fors a elle, evidentz.
Et mes souspirs incessamment respirent,
Tousjours en Terre, et au Ciel residentz (19).

Et au dizain LXXIII où la description de la nature se transforme en analyse des sentiments:

Fuyantz les Montz, tant soit peu, nostre veue,
Leur vert se change en couleur asurée,
Qui plus loingtaine est de nous blanche veue
Par prospective au distant mesurée.
L'affection en moy demesurée
Te semble a veoir une taincte verdeur,
Qui, loin de toy, esteinct en moy l'ardeur,
Dont près je suis jusqu'à la mort possible (20).

Dans le dizain LXXIX c'est l'aube de la nature qui correspond à une aube spirituelle du poète, ce qui - du point de vue symbolique - nous place à un degré plus haut que le dizain CCXXIII et le dizain CCCLXXXVI (21). Si l'on descend à une correspondance plus matérielle et plus plate dans le dizain XCV - ce qui n'exclut nullement un élan lyrique (22) - on atteint en revanche une véritable compénétration dans un dizain aussi célèbre que le CXI:

Lors que le Soir Venus au Ciel r'appelle,
Portant repos au labeur des Mortelz,
Je voy lever la Lune en son plain belle,
Ressuscitant mes soucys immortelz,
Soucys, qui point ne sont à la mort telz,
Que ceulx, que tient ma pensée profonde.
O fusses tu, Vesper, en ce bas monde,
Quand celle vient mon Enfer allumer.
Lors tu verrois, tout autour a la ronde,
De mes souspirs le Montgibel fumer (23).

Dizain à côté duquel il est impossible de ne pas ranger le CCCLV:

L'Aulbe venant pour nous rendre apparent
Ce, que l'obscur des tenebres nous cele,
Le feu de nuict en mon corps transparent
Rentre en mon coeur couvrant mainte estincelle,
Et quand Vesper sur terre universelle
Estendre vient son voile tenebreux,
Ma flamme sort de son creux funebreux,
Ou est l'abysme a mon cler jour nuisant,
Et derechef reluit le soir umbreux,
Accompaignant le Vermisseau luisant (24).

Sans trop prolonger notre discours, nous pouvons constater que le rapport entre le paysage et le poète va donc d'une simple correspondance, telle qu'on la découvre, par exemple, dans des dizains aussi beaux que le CCCXCVI (**25**) et qui, même dans son expression matérielle, engendre la poésie du dizain CXXII (**26**) et du dizain CLXXI (**27**), à une véritable consonance et harmonie, voire à une authentique compénétration. Le poète lui-même en est conscient lorsqu'il apostrophe Délie (dizain CCCXLVI):

> N'apperçoy tu de l'Occident le Rhosne
> Se destourner, et vers midy courir,
> Pour seulement se conjoindre a sa Saone
> Jusqu'a leur mer, ou tous deux vont mourir?

Et on est en mesure de saisir cette compénétration, là où le paysage de la nature et celui de l'âme ne font qu'un, dans le dizain CLXIV:

> Comme corps mort vagant en haulte Mer,
> Esbat des Ventz, et passetemps des Undes,
> J'errois flottant parmy ce gouffre amer,
> Ou mes soucys enflent vagues profondes.

Parfois, il est vrai, cette compénétration est trop consciente, trop explicite, comme dans les dizains CLXXXVIII et CCLIX (**28**). Mais que dire, en revanche, d'un dizain aussi joyeux et poétique que le CXLVIII?

> Voy que l'Hyver tremblant en son sejour,
> Aux champs tous nudz sont leurs arbres failliz.
> Puis le Printemps ramenant le beau jour,
> Leur sont bourgeons, feuilles, fleurs, fruictz sailliz:
> Arbres, buissons, et hayes, et tailliz
> Se crespent lors en leur gaye verdure.
> Tant que sur moy le tien ingrat froid dure,
> Mon espoir est denué de tout herbe:
> Puis retournant le doulx ver sans froidure,
> Mon An se frise en son Avril superbe (**29**).

Nous arrêterons ici, par manque de temps, notre exposé. Nous renoncerons donc, à notre grand regret, à une analyse plus proprement esthétique de la poésie du paysage scévien et ne pourrons examiner la complexité de ses lignes, la vivacité et la tendresse de ses couleurs, le jeu des métaphores, des antithèses, des allitérations, etc. Tout cela, d'ailleurs, a déjà été fait en partie par d'autres et, structuralisme aidant, sera certainement complété tôt ou tard. Bornons-nous à confirmer ici le caractère spirituel du paysage scévien. Il s'agit, ainsi que nous croyons l'avoir montré, d'un paysage surtout intérieur, où la nature n'est pas vue et sentie comme quelque chose d'extérieur, mais devient l'âme même du poète, sa méditation et sa souffrance. Symbolisme, certes; mais, là aussi, symbolisme et non pas allégorie, symbolisme naturel et, pour ainsi dire, inné, à travers lequel le poète accomplit sa propre connaissance, son ascension spirituelle et son élévation morale. Sa poésie révèle de la sorte toute son étonnante modernité ou mieux, son universalité appartenant à tous les temps. Quatre siècles n'ont rien enlevé aux paysages spirituels de Scève: ils les ont seulement enrichis d'une patine d'ancien qui nous enchante et nous attire davantage.

Enzo GIUDICI†

(Université de Rome II)

NOTES

1. Cf. notre "Maurice Scève e la 'scoperta' della 'tomba di Laura'" dans *Quaderni di filologia e lingue romanze. Ricerche svolte nell'Università di Macerata*, 2 (1980), p. 3-70.
2. Cf. notre *Maurice Scève traduttore e narratore. Note sù "La Deplourable Fin de Flamete"*, Cassino, Garigliano, 1978.
3. Cf. par exemple, ff. 3 r-v de *La Deplourable Fin de Flamete*, Paris, Denys Janot, 1536: "Parvenu doncques en une aspre forest, cheminay par aulcuns jours sans oncques rencontrer nulle personne. Et là où je voyois la plus grand espesseur et solitaireté, là je m'en alloye, jusques à tant que aux esles d'icelle forest je voy aucuns pasteurs en une roche quasi comme une petite maisonnette.(...) Tant que plusieurs jours cheminay emmy ces fors arbres, en rencontrant malheureuses et espovantables bestes, qui me poursuivoyent.(...) Et après que toute la forest je eu bien cherché, et que je ne peu parvenir à rencontrer cest homme, comme mort je me laissay tumber à terre".
4. Marcel Françon, "Le paysage de la Saulsaye de Maurice Scève", dans *French Studies*, I, 4, oct. 1947, p. 350-352.
5. V.-L. Saulnier, *Maurice Scève*, Paris, Klincksieck, 1948, t. I, p. 313 et t. II, p. 133-134.
6. Maurice Scève, *Opere poetiche minori: Edizione critica a cura di Enzo Giudici*, Naples, Liguori, 1965, p. 299-305 (Note complémentaire: "Il paesaggio della *Saulsaye*").
7. Giuseppe Basile, *Il Paesaggio nelle opere minori di M. Scève* (mémoire présenté à l'université de Salerne), 1967. Il n'est pas inutile d'en rappeler la conclusion: "1) Il sito raffigurato nell'incisione non corrisponde al paesaggio della Saulsaye: sono due cose ben distinte e diverse; 2) I pastori raffigurati nell'incisione si trovano sulla riva sinistra del Rodano; 3) Il paesaggio della Saulsaye va posto sulla riva sinistra della Sona, a congrua distanza dalla confluenza dei due fiumi, forse anche all'altezza dell'Ile-Barbe". Autre problème: est-ce dans l'Ile-Barbe que Scève a composé son églogue?
8. Jean Vogel, *Notes sur la valeur du paysage dans l'oeuvre de Maurice Scève* (mémoire présenté à la faculté des lettres de l'université de Fribourg), 1945.

9. Enzo Giudici, *Maurice Scève poeta della "Délie"(...), II. La genesi interiore e lo spirito del poema*, Naples, Liguori, 1969, p. 90-138 et 204-265.
10. Dorothy Gabe Coleman, *Maurice Scève poet of love. Tradition and originality*, Cambridge, U.P., 1975, p. 178-196 ("Nature and Solitude").
11. En dehors de notre éd. critique (Paris, Vrin, 1976), nous renvoyons à ce que nous avons dit dans "Note sur l'édition du *Microcosme*" (dans *Quaderni di filologia e lingue romanze*, 1 (1979), p. 101-156) et dans "In margine ad alcune recenti pubblicazioni riguardanti Maurice Scève e Louise Labé" (*ibid.*, 4 (1982), p. 35-67).
12. "Au premier Livre, le paysage existe vraiment dans les vers: 25, 42-44, 50, 63, 76, 79, 86, 167-9, 283-5, 298, 349-50, 368, 373-6, 409-10, 417-8, 468-72, 609, 690-2, 772, 782, 803-4, 850-1, 862, 951-2, 997-1000.
Au Livre second: 1-4, 51, 68, 123, 135-7, 532-50, 551-2, 567, 588, 630, 645, 769-71, 848-9, 984-6, 997-1000.
Au livre tiers: 1-10, 37-8, 115-6, 580, 635-6, 643-4, 675, 830-6, 809-15, 821-2, 962" (Vogel, *op. cit.*, p. 50).
13. C'est, comme on le voit, le premier vers du sonnet liminaire du *Microcosme* (notre éd., p. 145).
14. Cf. notre éd., p. 357.
15. Cf. *notre Maurice Scève bucolico e "blasonneur"*, Naples, Liguori, 1965, p. 147-209 et notamment p. 187: (...) l'ispirazione è divenuta più vasta, il lirismo più profondo. Una volta che l'esposizione del concetto è stata ultimata in ogni particolare e ci siamo liberati dalla fatica della dimostrazione, l'elogio della natura può estrinsecarsi ariostescamente in un libero aderire alle bellezze campestri, mediante una pittura vivida e tersa. L'ultima parte dell'egloga si ricongiunge così alla prima e ne ripiglia le movenze, conducendoci in giro a farci sentire in cento modi il fascino vario della natura. Ma quanta differenza tra questo e quel "se promener": ciò che là era passività qui è azione, ciò che là era sensazione assorta e un po' stordita, qui è consapevolezza, iniziativa, gioia d'intendere e di vivere".
16. Vogel, *op. cit.*, p. 22.
17. *Ibid.*
18. Voir notre *M. S. poeta della "Délie"*, t. II, p. 91-2.
19. Cf. *ibid.*, p. 94.
20. Cf. *ibid.*, p. 108: "Semplice paragone. Apparentemente. In realtà l'assomigliare a *une taincte verdeur*. La propria vicenda spirituale quale egli ritine appaia a Délie, scaturisce da una profonda esigenza di comunione col mondo e di farsi una ragione del proprio destino; e si esplica, nel *dizain*, attraverso un giuoco di riflessi spirituali (l'amore del Poeta visto da Délie: la visione che ne ha Délie, vista da Scève) che è proprio il segno della meditazione, e dello sforzo di spersonalizzarsi e uscir fuori di sè per cogliere il segreto della verità".
21. Cf. *ibid.*, p. 96-7 et 109-10.
22. Cf. **ibid.**, p. 95.
23. Cf. *ibid.*, p. 123-5.
24. Cf. *ibid.*, p. 117-9. Pour le rapport entre le paysagisme du diz. CCCLV et celui du diz. CCCLVI, voir Doranne Fenoaltea, *"Si haulte Architecture"*.

The design of Scève's "Délie", Lexington, French Forum, 1982, p. 48-9; et sur le diz. CCCLVI, voir Joanne Dellaneva, *Song and Counter-song. Scève's "Délie" and Petrarch's "Rime"*, Lexington, French Forum, 1983, p. 59-68.

25. Cf. *ibid.*, p. 127-8.

26. Cf. *ibid.*, p. 128-31.

27. Cf. *ibid.*, p. 117: "sebbene trascurato o svalutato dai critici e a malgrado di una sua oscurità, questo dizain ha una sua unità totale, e si pone - sia pure in chiave narrativa - sulla direzione di quella corrispondenza tra lo stato d'animo e il paesaggio che è anche qui generatrice di malinconiosa poesia".

28. Cf. *ibid.*, p. 111-2 et, maintenant, notre "Honneste, honnesteté, honnestement dans le langage de la Délie de Maurice Scève", dans *Annali della Facoltà di Lettere e Filosofia dell'Università di Macerata*, XVI (1983), p. 165-209. Voir aussi Marcel Tetel, *Lectures scéviennes. L'emblème et les mots*, Paris, Klincksieck, 1983, p. 119.

29. Cf. notre *M. S. poeta della "Délie"*, II, p. 112-7. Et voir aussi Henri Weber, *La Création poétique au XVIe siècle en France: de Maurice Scève à Agrippa d'Aubigné*, Paris, Nizet, 1956, p. 204 et Dorothy Gabe Coleman, *op. cit.*, p. 182.

LES PAYSAGES ITALIENS DE CLAUDE-ENOCH VIREY

Le "voyage d'Italie" occupe une place importante dans la carrière spirituelle et mondaine d'un homme de qualité du XVIe siècle, et il serait vain de vouloir dresser la liste de ceux - gentilshommes, intellectuels, artistes - qui l'ont accompli et qui nous ont laissé le récit de leurs aventures et de leurs impressions. Ce que l'on peut retenir ici, pour entrer aussitôt en matière, c'est que l'on ne va pas toujours avec les mêmes dispositions d'esprit en Italie; témoin ce grand seigneur blasé qu'était le sieur de Montaigne, à qui on a pu attribuer les réflexions suivantes:

> (...) il fust plustost allé à Cracovie ou vers la Grece par terre, que de prendre le tour vers l'Italie (...). Quant à Rome, où les autres visoient, il la desiroit d'autant moins voir, qu'elle estoit connue d'un chacun, et qu'il n'y avoit laquais qui ne (lui) peust dire nouvelles de Florence et de Ferrare (1).

Notre communication voudrait donc attirer l'attention (par trop rapidement!) sur un voyageur français qui visita l'Italie à la fin du XVIe siècle avec une certaine disposition d'esprit. Sa relation de voyage est inédite: notre propos est de la faire connaître et de l'interpréter.

Pourtant, Claude-Enoch Virey n'est pas un inconnu, notamment pour ceux qui s'intéressent aux rapports culturels franco-italiens à la Renaissance, depuis qu'Emile Picot lui a consacré une notice dans ses *Français italianisants*, en 1907 (2); toutefois, bien qu'une partie limitée de son oeuvre ait été publiée par Louis Halphen au XIXe siècle (3), on peut encore utilement se reporter, pour une caractérisation rapide de sa personnalité, au profil qu'en a tracé le duc d'Aumale dans son *Histoire des Princes de Condé*. Sans pousser la bienveillance jusqu'à accepter la comparaison proposée par cet interprète de bonne volonté avec Cervantes et Don Quichotte, on ne saurait nier que la vie de Virey fut par moments aventureuse comme celle d'un "picaro", et l'on doit souscrire au jugement qu'il fut

> un de ces hommes formés tout à la fois par l'étude et par une vie de périls, qu'on rencontrait assez souvent alors.(...)

> Antiquaire, poète soldat, docteur en droit, homme de cour, il apportait partout le même courage, la même verve, les mêmes façons un peu rudes et, malheureusement pour ses vers, il s'embarrassait aussi peu des entraves de la prosodie et de la langue que des difficultés de la vie (4).

Né à Sassenay, près de Chalon-sur-Saone en 1566, Virey fit ses études chez les Jésuites de Dijon; il s'attacha ensuite à la puissante famille des Harlay (eux aussi d'origine bourguignonne) et c'est en compagnie de Christophe de Harlay, fils unique du premier président Achille de Harlay, célèbre pour ses démêlés avec les ligueurs, qu'il fit en 1592 son premier "voyage d'Italie", après avoir participé, dans les rangs de l'armée royale, à la lutte contre les forces de la Ligue. Immatriculé à Padoue le 11 juin 1592 parmi les "juristes" de la nation de Bourgogne, Virey séjourna en Italie jusqu'à la deuxième moitié de l'année 1594 (le 31 août il fut reçu "docteur ès droits" de l'Université de Padoue) et c'est pendant cette période qu'il parcourut la péninsule, jusqu'à Rome et Naples; de retour en France, il fut placé par les Harlay auprès du prince Henri de Condé (le futur père du Grand Condé) dont il devint le secrétaire et dont il partagea les vicissitudes. Il était à ses côtés, notamment, lors de la grave crise des rapports entre Henri IV et le premier prince du sang, provoquée par la passion sénile du roi pour Charlotte de Montmorency, la femme de Condé. Pour la soustraire aux sollicitations empressées du roi, Condé, en 1609, emmena sa femme ("enleva", dirent les chroniqueurs flagorneurs) à Bruxelles et la mit sous la protection des Archiducs qui gouvernaient les Pays-Bas; il vint lui-même se réfugier à Milan, accueilli avec empressement par les Espagnols, qui pensèrent l'exploiter pour leurs visées politiques: il y était encore en 1610 lorsque le couteau de Ravaillac trancha, de façon tragique, le noeud enchevêtré du "grand dessein" du Béarnais (5).

Après avoir été de toutes les chevauchées de son maître (en Flandre, en direction de Bruxelles; à travers l'Allemagne et la Suisse, en direction de Milan) et s'en être fait le chroniqueur, en vers latins et français, Virey finira par se retirer dans sa province natale, à la suite aussi d'autres péripéties qui n'intéressent pas ici. Il mourra à Chalon en 1636: il était - ou était devenu - assez riche pour pouvoir se faire bâtir un somptueux hôtel, qui subsiste encore de nos jours. Il laisse aussi une oeuvre importante, entièrement manuscrite (6) et en partie perdue aujourd'hui, dont on n'a publié que quelques fragments, comme on vient de le rappeler.

Deux séjours italiens, donc: le premier en 1592-4, lorsque Virey se rend à Padoue pour y poursuivre des études de droit, et l'autre en 1610, lorsqu'il se trouve engagé, à la suite du prince de Condé, dans une aventure qui pouvait avoir des conséquences politiques considérables (Henri de Condé pouvait revendiquer la succession au trône de France). Tous deux donnent lieu à des relations de voyage: en laissant de côté la randonnée fugitive de 1610 (Virey ne demeurera que quelques mois à Milan, de mars à juin; sa relation du voyage de Bruxelles à Milan est en outre l'un des rares fragments de son oeuvre qui aient été publiés jusqu'ici) (7), nous voudrions nous occuper brièvement ajourd'hui du séjour de 1592-4 et des deux poèmes inédits auxquels il a donné lieu, des *Vers itinéraires allant de France en Italie* (1118 vers) et des *Vers itinéraires allant de Venise à Rome* (1956 vers), datés respectivement de 1592 et 1594, un ensemble de plus de 2.400 vers (8).

Il s'agit bien de deux poèmes distincts, en alexandrins, offerts à deux personnages différents, Nicolas Perrenay et Guillaume Magnien, l'un comme l'autre, toutefois, d'anciens camarades d'études, devenus tous deux avocats à Chalon. Le premier poème fait le récit de la traversée de la France (parcourue par les bandes de la Ligue) et de la Suisse (Virey et son compagnon partent de Rouen, où l'armée royale est engagée dans le siège de la ville, et entrent en Italie à travers la Valtelline, par un itinéraire moins traditionnel, en évitant ainsi la Savoie), et contient la description de Brescia (70 vers), Vérone (60 vers), Vicence et Padoue (200 vers) (9). Le deuxième commence par une longue description de Venise (480 vers) et reparcourt l'itinéraire suivi par les voyageurs (cette fois-ci, Virey voyage avec trois camarades rencontrés à Padoue) en direction de Rome, à travers Ferrare, Bologne, Florence (430 vers) et Sienne (320 vers). Un morceau à part est représenté par la description de la Villa de Pratolino, en Toscane: avec ses 210 vers, il s'agit de la description la plus détaillée que nous ait laissé un visiteur contemporain de cette authentique merveille de la Renaissance italienne, qui a impressionné tous les voyageurs, y compris Montaigne. Nous savons que Virey a poussé jusqu'à Naples, et qu'il se proposait d'écrire une description de Rome: des traces de cette dernière partie de son voyage ne nous sont pas parvenues.

Homme d'épée, sans être spadassin, Virey est en plus un homme cultivé: il connaît à fond l'histoire romaine et est imprégné de culture classique, mais il connaît aussi l'histoire italienne (il a lu Guichardin et Paul Jove) et les grands écrivains de la péninsule, Dante, Boccace, Pétrarque, Arioste. Il faut aussi ajouter à la liste A.F. Doni, et ce n'est pas un mince indice. Amateur d'"antiques", il s'amuse à déchiffrer les inscriptions romaines partout où il en rencontre; il a, en outre, une véritable passion pour les médailles, dont il fait collection, et connaît par coeur Erizzo et son traité de numismatique (10). Il s'intéresse enfin aux choses de l'art et ne néglige jamais de visiter les monuments, les bibliothèques, les beaux palais et les églises des villes qu'il traverse. A l'époque de son premier voyage, en 1592, il a vingt-six ans. Pourquoi vient-il en Italie?

A l'en croire, il s'agit avant tout pour lui et pour son noble compagnon, Christophe de Harlay, de fuir les troubles qui sévissent en France:

> Lassez de voir enfin ce discord furieux
> Et d'y perdre nos ans jeunes et précieux

Pour nous mettre à l'abri de tant et tant d'alarmes
Qui font avoir toujours l'oeil et la main aux armes (**11**)

mais il ajoute aussitôt une autre raison, le désir de voyager pour s'instruire, "Pour des peuples divers en voyageant apprendre / La pratique de vivre et plus sages nous rendre". A partir de ce moment le choix de l'Italie s'impose, "Ainsi qu'on fait surtout au pays d'Italie", où il déclare s'être rendu "Pour les moeurs en apprendre et l'excellent parler", et non seulement pour y poursuivre l'étude du droit.

Dès le début donc, et sans ambages, l'Italie est un "pays de l'âme" (pour reprendre un mot d'ascendance stendhalienne), un paysage que l'on contemple dans sa réalité physique avec des sentiments divers, bien sûr, mais à travers lequel on entrevoit aussitôt une réalité seconde, beaucoup plus complexe, de nature spirituelle. L'adresse à l'Italie, qui ouvre la description des contrées de la péninsule, au moment où Virey, sorti des périls de la traversée des Alpes et de l'horreur que lui ont inspiré les précipices des Grisons, s'apprête à entrer dans le territoire vénitien, nous offre comme un raccourci significatif, une précieuse clé de lecture:

O grande Reine à qui de tout temps, de tout âge
Toutes les nations du monde font hommage
Et qui a le pouvoir des mains du Dieu des Dieux
Dedans Rome d'ouvrir la porte des hauts cieux
Chez qui les grands vertus divines et éthiques
Vont encore tenant leurs demeures antiques
Où la science et l'art de faire et discourir,
De juger, conseiller, garder et conquérir
Règne et s'enseigne fort, voy que nostre jeunesse
Pour ces perfections apprendre à toi s'addresse (**12**).

Le nom de l'Italie suscite une émotion profonde, où il entre des souvenirs d'une histoire millénaire, un frisson de nature religieuse (Virey est sincèrement catholique), un sentiment d'étonnement devant le spectacle contradictoire d'une pérennité qui se confirme à travers les contradictions et les défaillances. L'Italie est *reine* (la France de Du Bellay était "mère des arts"), la splendeur et la pompe de la régalité sont en quelque sorte les apanages naturels d'une civilisation presque inévitablement ostentatoire et "rhétorique", fondée sur l'exercice de l'intelligence et le prestige du maniement de la parole.

En écrivant à la fin du XVIe siècle, Virey ne s'embarrasse point de questions oiseuses de suprématie et ne se soucie pas le moins du monde de récupérer pour son pays des primautés qui ne l'intéressent guère: il peut d'autant plus simplement admirer les beautés de l'Italie et reconnaître la valeur de ses réalisations artistiques ou intellectuelles qu'il n'est jamais effleuré par le doute quant à la portée des réalités spirituelles et morales dont il est lui-même le dépositaire en tant que membre d'une communauté nationale définie. Et comme le prestige de la régalité peut être offusqué mais non effacé par des faiblesses ou des servitudes, ainsi la certitude de son autonomie spirituelle, l'adhésion parfaite à sa nature individuelle ne peuvent être entamées par un sentiment d'infériorité.

Cette attitude de fond nous vaudra une série de témoignages sur l'Italie de la fin du XVIe siècle d'une qualité décidément rare. Sur les contrées qu'il traverse, Virey promène un regard curieux et plein de franchise, qui va droit aux choses, où la sympathie ne fait jamais voile à l'honnêteté d'un tempérament tout en surface. C'est ainsi que ses paysages se chargent de résonances et s'enrichissent de touches qui ont la marque du vrai et du vu.

Différents registres: celui de l'émerveillement, avant tout. Les beautés de l'Italie, dans le domaine des arts et dans celui de la nature sont remarquables, mais elles se superposent à une sensation intérieure (le "paysage de l'âme"!) que le voyageur n'a pas à découvrir. C'est sans doute à cause de cela qu'elles sont remarquables. Les prises de vue séparées, de Venise, de Florence, des somptuosités des palais visités, de la richesse des collections de tableaux, des statues, des architectures hardies des églises se soudent à un sentiment préexistant pour déterminer une "mesure", la dimension spirituelle de la merveille, à l'intérieur de laquelle Virey se situe dans son approche des réalités italiennes qu'il découvre. L'Italie est une *merveille* et - étant donné les prémisses que nous venons de voir - ne peut être que cela: son voyage, tout réel qu'il est, participe en même temps toujours de la dimension du rêve. Les cris d'enthousiasme multipliés, les images hyperboliques plusieurs fois répétées sont à imputer en partie seulement à une certaine indigence de la muse -plutôt que poète, Virey est un versificateur- ils relèvent pour l'essentiel d'une attitude qui ne change pas, d'une conviction intime qui se passe de toute vérification expérimentale.

Mais un deuxième registre s'y oppose: c'est la franchise d'un tempérament, le sans-gêne un peu cavalier d'un naturel débordant de vitalité, de sympathie, de joie de vivre et d'apprendre. Ce regard-là est attentif à des réalités précises, menues parfois, qui transforment les paysages, en y introduisant des touches qui ont une portée sociale ou historique: une dominante humaine. L'héritage antique, le prestige d'une fonction transcendante, les trésors artistiques, ce défilé interminable de réalités glorieuses n'étouffe point la vie des communautés italiennes, qui sont au contraire grouillantes, pleines de spontanéité et de couleur. Virey saura placer sans effort la touche réaliste, la remarque judicieuse, la réflexion critique dans la description du spectacle plus somptueux, rutilant d'or et de marbre.

Ses paysages italiens se chargent ainsi d'une vérité humaine, civile et sociale qui leur donne une grande portée. En passant par Desenzano, une localité du lac de Garde, il constate:

> Qui en son air riant et d'autant agréable
> Qu'on y a bon accueil, lits blancs et bonne table (13).

Deux vers lui suffisent ainsi pour construire l'image spéculaire d'une correspondance mystérieuse entre le climat doux et la douceur des moeurs, entre le ciel bleu et les plaisirs du goût, les raffinements d'une civilisation fondée sur des valeurs authentiques et partant simples. La beauté de la campagne aux alentours de Vérone inspire à sa pauvre muse un vers admirable:

Et a des champs si beaux que l'air y rit d'amour (**14**)

où s'exprime avec une efficacité parfaite l'idée d'un prolongement naturel d'un paysage champêtre d'élection dans une dimension de raffinement moral.

On multiplierait facilement les exemples. La beauté de l'Italie est complexe: elle gît dans les choses que l'on voit et aussi dans ce que l'on pense, dans la portée des émotions provoquées par le spectacle des choses vues. Vérone est *belle*, *grande* et *antique*, *riche en peuple, cavaliers et temples*, remplie aussi de manifestations de l'humaine industrie (la fabrication de la soie, les riches produits des campagnes environnantes). Ce spectacle, qui est beau dans son ensemble, est comme le résultat d'une longue sédimentation: les souvenirs de l'histoire récente, qui a vu la gloire de la famille Della Scala, y jouent une part, à côté des réminiscences de l'antiquité (les arènes, aujourd'hui cadre somptueux pour joutes et mascarades):

Choses pour quoy l'on vient de loing en Italie
Et que d'y visiter par tout l'on se soucie (**15**).

Du présent au passé, le passage est spontané, une noblesse antique, sous forme de souvenir ou de reviviscence, est incorporé au paysage italien, qu'il s'agisse d'un paysage naturel, caractérisé par la beauté des sites, ou d'un paysage urbain, façonné par une série de formes de civilisation successives.

Une "mesure" classique, qui a le charme des choses antiques, est comme inhérente à la vie italienne. Assiste-t-il, à Florence, à une course de chevaux? la réflexion jaillit spontanée:

(...) ainsi qu'aux jeux antiques
En Grèce institués qu'on disoit Olympiques (**16**).

Voit-il les jeunes Siennois se battre à coups de poings pour vider leurs querelles? Il ne remarque pas seulement qu'il s'agit d'une "ancienne façon politique et civile" pour résoudre les conflits de moindre importance au sein d'une communauté, bien éloignée de la coutume française:

Ainsi qu'à escrimer nostre brave jeunesse
Pour savoir bien tuer apprend dès sa jeunesse (**17**),

il la compare aussi aux jeux du cirque de l'antiquité, aux combats des gladiateurs et des rétiaires: le passage du présent à l'antique s'accomplit sans effort.

Ce n'est pas la culture mythologique dont il est imprégné qui suinte à travers ce qu'il écrit: c'est qu'il voit toujours, dans ce qu'il contemple et au-delà de ce qu'il voit, *un autre paysage*. Contemple-t-il Venise,

sur la face de l'eau

De la flottante mer une ville élevée
Toute d'eau par canaux en ses rues pavée (**18**),

ou la place Saint-Marc, "vrai theatre du monde"? Au-delà de la beauté, il voit aussitôt le spectacle de l'Arsenal, formidable instrument de guerre, "une forêt de mâts / D'antennes, d'avirons et de rames apprestées", tout un monde d'ouvriers, d'artisans, d'homme de l'art et non seulement de gens de guerre, qui s'y rattachent, leur activité fiévreuse qui en fait une seconde ville juxtaposée à la première. Et au même moment où il reconnaît et admire la beauté et la grandeur de la Sérénissime, il note que dans cette grandeur spectaculaire se rencontre un élément de panache:

Car les Venitiens sont grands ostentateurs
Et souvent en public étallent leurs grandeurs (**19**).

Car si l'admiration de Virey est sincère, il n'est jamais aveuglé par l'enthousiasme. Son regard droit comporte aussi des jugements cinglants. Il constate que la noblesse italienne "habite toute aux villes": autrement dit, qu'elle n'a rien de la rude franchise des hobereaux français et, pour tout dire, qu'elle n'est pas une noblesse éminemment d'épée; le rôle des célèbres ambassadeurs vénitiens, que tout le monde admire et craint, est précisé sans demi-mesure ("Et séjournent trois ans en leurs Cours comme espies"). La difformité des moeurs italiennes, par rapport à celles de son pays, est toujours soulignée avec humeur: par exemple que, même dans les bals populaires,

(...) ce qui n'est pas beau, pour entrer en la dance
Il faut payer pour soi et la Done qui dance
Tant pour bal ou gaillarde autant que le danceur (**20**).

Ici encore, il faudrait multiplier les exemples (mais on attendra pour cela une occasion plus favorable). Au lieu d'être intimidé ou intérieurement provoqué par les spectacles imposants qui défilent sous ses yeux, Virey demeure sans complexes, garanti dans ses sentiments par une adéquation parfaite à sa nature et à son personnage. Sa franchise, parfois un peu brusque, le met à l'abri des attitudes réticentes, des louanges sournoises qui se transforment si facilement en blâmes.

Car il recogneut bien à l'habit d'un de nous
Aux brusques actions et langage de tous
Qu'au vrai estions François...

constate-t-il à propos des réactions d'un paysan italien qui les a rencontrés, lui et ses amis, sur le chemin de Florence. Parvenu à la fin de son voyage, lorsque du haut des monts Albains il peut enfin contempler Rome - une étape de son voyage, et non le but d'un pélerinage -, c'est en des termes très soutenus qu'il s'adresse à la Ville éternelle:

Je te salue o Rome et te fais reverence,
Rome je te salue arrivant de bien loing
Pour tout debvoir te rendre et non l'epée au poing (**21**).

Il n'arrive pas en conquérant, comme jadis les guerriers gaulois de Brennus (dont il n'oublie pourtant pas d'évoquer le nom, avec une complaisance non cachée), mais plutôt en soldat du plus grand des rois francs, Charlemagne, protecteur et sauveur de l'Eglise. S'il fait à la dignité de l'Eglise l'hommage qui lui est dû, il n'oublie pas d'ajouter, sans transition, que les Français d'aujourd'hui sont mécontents de l'attitude de la papauté, qui n'a pas encore reconnu la légitimité de l'accession au trône de France de Henri de Navarre. S'il n'a pas l'épée à la main, il la porte fièrement à son côté, comme lorsqu'il a plaidé, devant la Faculté de Sienne, la cause d'un ami qui souhaitait obtenir le bonnet de docteur en droit.

Un témoignage peu connu mais, ce qui est plus important, d'une qualité peu commune; un personnage sympathique, au-delà des attitudes quelque peu cavalières qu'il affecte. Un paysage italien qui, sans être tout à fait inédit, présente, dans le contexte des autres relations de voyage de l'époque, des traits d'une indéniable originalité.

Enea BALMAS

(Université de Milan)

NOTES

1. *Journal de voyage de Italie*, éd. Ch. Dédéyan, Paris, Belles-Lettres, 1946, p. 163-4.
2. T. II, p. 325-33 (Paris, Champion).
3. *L'Enlèvement innocent ou la Retraite clandestine de Monseigneur le Prince (...) hors de France, 1609-1610*, Paris, Aubry, 1869; *Voyage de Mgr. le Prince de Condé de Bruxelles à Milan (...)*, Paris, Jouaust, 1881. Il s'agit du récit de l'aventure milanaise du prince de Condé dont nous parlons ci-après.
4. *Op. cit.*, 1885, t. II, p. 265.
5. Sur le "grand dessein" de Henri IV les jugements des historiens ne coïncident pas. Sully affirme (*OEconomies royales*, éd. Michaud et Poujoulat, Paris, 1837, t. II, chap. CLXXV et CLXXVII notamment) que le roi se proposait de donner naissance à une "république européenne", sur des bases vaguement aristocratiques, physiocratiques et protestantes, moyennant la destruction préalable de la suprématie espagnole (et catholique). Ses dires ont été retenus, parmi les contemporains, par le cardinal de Richelieu (qui avait pu avoir accès aux documents secrets des archives de l'état), qui n'hésite pas à mettre en rapport l'initiative du roi (qui avait amassé, à la veille de sa mort, une grande armée à la frontière des Pays-Bas) avec sa passion sénile ("ainsi l'amour lui fermant les yeux lui avoit servi d'aiguillon en tout ce grand dessein": cf. *Mémoires sur le règne de Louis XIII depuis 1610 jusqu'à 1619*, Paris, 1823, t. I, p. 17-18), tandis que l'hypothèse est nettement repoussée par H. Hauser, qui exclut la possibilité même que Henri IV ait jamais partagé "le chimérique projet de république européenne que devait lui prêter plus tard l'imagination vieillie et vaniteuse de Sully" (*La Prépondérance espagnole*, P.U.F., 1948, p. 260).
6. Elle est décrite dans le détail par le P. L. Jacob, *De claris scriptoribus cabilonensibus* (Paris, Cramoisy, 1652), *passim*, et par A. Papillon, *Bibliothèque des auteurs de Bourgogne* (Paris, 1745), p. 357 et *passim.*
7. Par L. Halphen, cf. note 3. L'aventure bruxelloise du prince de Condé et de sa femme a donné lieu aux deux relations françaises déjà citées et à un poème latin de 961 hexamètres, le *Raptus innocuus (...)*, encore manuscrit. Ce dernier texte de Virey a été analysé en détail par S.F. Baridon dans son étude "L'avventura di Enrico II di Condé nella relazione di Claude-Enoch Virey", *in Studi Urbinati*, XXVIII (1954), p. 1-85.
8. Ils sont conservés dans un unique ms. de la Bibl. de l'Arsenal de Paris (n. 1051) et dans un autre ms. (apparemment une copie du premier) de la Bibl. Municipale de Chalon-sur-Saone.
9. Nous avons fait connaître cette page de l'oeuvre de Virey dans notre article "Uno scolaro padovano del 500: Claude-Enoch Virey", *in Padova*, V (1959). Au sujet de la description de Vérone, cf. M. Ronc, "Un elogio inedito di Verona", *in Annali della Facoltà di Economia e Commercio*, Vérone, 1964.

10. Le *Discorso sopra le medaglie degli antichi* de Sébastien Erizzo (1525-1585), publié à Venise vers 1570, a joui d'une renommée durable jusqu'au XVIIe siècle. On en retrouve encore un exemplaire dans la bibliothèque de Racine (cf. notre étude "L'inventario della biblioteca di Racine", *in Annali della Facoltà di Economia e Commercio di Verona*, I, 1965).
11. *Vers itinéraires de France en Italie*, v. 41-44.
12. *Ibid*., v. 601-610.
13. *Ibid*., v. 697-8.
14. *Ibid*., v. 708.
15. *Ibid*., v. 749-50.
16. *Vers itinéraires de Venise à Rome*, v. 1064-5.
17. *Ibid*., v. 1647.
18. *Ibid*., v. 170-2.
19. *Ibid*., v. 462-3.
20. *Vers itinéraires de France en Italie*, v. 989-92.
21. *Vers itinéraires de Venise à Rome*, v. 1908-1910.

LA MORT PAYSAGE:

LA REPRÉSENTATION ET SES MODÈLES

DANS LES "SONNETS DE LA MORT" DE SPONDE

"J'ay cent peintres dans ce cerveau"
Sponde

La mort moderne naît, dit-on (1), au XVIe siècle lorsque, cessant de s'échanger symboliquement, elle ne se rachète que dans le long travail du deuil. De cette nouvelle figure de la mort témoigne, entre autres signes, la nouvelle topique du paysage qui se constitue à l'âge baroque: voici que s'impose le décor macabre d'os blanchis et de crânes au rire sardonique, que se dessine le paysage funèbre, accordé à la mélancolie saturnienne, que s'ouvre l'espace infernal habité de cris et de sinistres sifflements. Sans en reprendre l'analyse, je m'attacherai plutôt aux divers modèles de représentation organisant concurremment la mise en scène des images de la mort, lorsqu'elles se disposent en tableaux. J'aurais aimé comparer trois paysages, je n'ose dire trois *pages-paysages* (2), qui ont en commun de représenter la mort à partir de ses signes naturels, l'eau dormante dont le miroir renvoie au sujet son mortel, la branche déchargée, la fleur hâlée, le tonnerre annonciateur de l'orage... L'un, que dessine la première pièce des *Stances* d'Aubigné (3), combine les modèles littéraires récents (codes bucolique et érémitique de la *Disperata*) et le modèle socio-culturel de la méditation sur un crâne pour donner "pour plaisir l'ymage de la mort", en animant de scènes cruelles un décor naturel où toute représentation s'assèche, où travaille un rêve de retour à l'inanimé. L'autre, le paysage mélancolique de la mort de Narcisse dans la huitième des *Douze Fables* de Pontus de Tyard (4), dispose en miroirs narration, description et poésie, en tentant de rendre visible le lisible, et lisible le visible. Le dernier enfin, peint dans le second des *Sonnets de la Mort* de Sponde, s'offre comme l'équivalent d'un tableau dont les couleurs seraient en voie d'effacement. C'est à ce dernier texte que je m'arrêterai, en observant que, plutôt qu'un paysage de la mort, c'est-à-dire une transcription en code naturaliste de signes dont le référent est le concept *mort*, il donne à voir une mort-paysage, construisant un espace imaginaire investi par des forces pulsionnelles antagonistes, où Eros est en lutte avec Thanatos.

Mais si faut-il mourir! et la vie orgueilleuse,
Qui brave de la mort, sentira ses fureurs;
Les Soleils haleront ces journalieres fleurs,
Et le temps crevera ceste ampoule venteuse.

Ce beau flambeau qui lance une flamme fumeuse,
Sur le verd de la cire esteindra ses ardeurs;
L'huile de ce Tableau ternira ses couleurs,
Et ses flots se rompront à la rive escumeuse.

J'ay veu ces clairs esclairs passer devant mes yeux,
Et le tonnerre encor qui gronde dans les Cieux,
Ou d'une ou d'autre part esclatera l'orage.

J'ay veu fondre la neige, et ces torrens tarir,
Ces lyons rugissans, je les ay veus sans rage.
Vivez, hommes, vivez, mais si faut-il mourir.

Dans le cycle des douze sonnets dits de la Mort, le second n'est pas le moins énigmatique: non point seulement parce que le réseau métaphorique dans les quatrains y est le lieu d'une infraction dans l'ordre des paradigmes, ni parce que l'écriture symbolique joue de l'ambivalence des signes, dans les tercets, pour produire une indétermination qui suspend le sens, mais aussi parce que le référent échappe à l'identification stable. Le texte se donne en effet pour objet de *nommer l'innommable*, non point la mort, mais le *mourir*, par les voies obliques de la représentation indirecte, en construisant, dans la succession par entassement de tableaux diversifiés, un paysage naturel habité par les signifiants de la mort. Or les représentants mis en oeuvre débordent la catégorie de signes codifiés, si bien que l'on ne saurait désigner précisément *ce* dont ils sont les représentants.

La surface rhétorique assure pourtant au discours persuasif une apparente logique. A l'intérieur d'un cadre constitué par la formule sententieuse où s'énonce catégoriquement la loi -"Mais si faut-il mourir"-, en des lieux symétriques, au premier et au dernier hémistiche, se succèdent, sur le mode de la juxtaposition, deux séries de scènes, opposées par le régime de la description: les unes projetées dans un futur qui énonce leur cacratère inéluctable, tandis que le je du présentateur s'efface devant la voix impersonnelle de la prophétie; les autres rejetés dans un passé proche, rapportées par un commentateur omniscient, capable de déchiffrer leurs signes énigmatiques comme autant d'annonces d'une rupture. Paradoxalement, la formule-cadre est, à sa première occurrence, une marque conclusive, bornant un discours tenu ailleurs, que le texte amène à son terme (5), transformant l'énoncé qui la suit en péroraison d'une *oratio* virtuelle; en son dernier lieu, la même formule porte sur le segment qui la précède, "Vivez, hommes, vivez", et elle constitue alors l'exorde d'un autre discours virtuel, poursuivi hors texte, ou actualisé dans les sonnets suivants.

Dans ce premier niveau de lecture superficielle, chaque "partie" constitutive du paysage a le statut d'un exemple, et la mimésis du paysage a la valeur d'un argument, au service de la persuasion. Toutefois, cette réduction du paysage à sa fonction de glose, commentant par l'illustration l'énoncé sentencieux des deux premiers vers: "...et la vie orgueilleuse, / Qui brave de la mort, sentira ses fureurs", n'est pas satisfaisante. Elle fait bon marché de la violence qui anime, de l'énergie qui travaille la représentation, et elle s'avère incapable de rendre compte de la récurrence du schème exaltation/retombée, tumescence/détumescence, qui traverse le réseau métaphorique. Bref, il y a ici un excès et une redondance, qui signalent que quelque chose tente de se dire, qui n'est pas réductible à un discours de type emblématique sur la mort inévitable... Aussi bien, sous la surface lisse des structures rhétoriques, qui masquent en les nappant d'une sauce discursive les arêtes du texte, divers modèles de représentation organisent et désorganisent les lignes d'un paysage investi par des forces thématico-pulsionnelles. J'en distinguerai quatre, agissant à différents niveaux de la mimésis.

1. Ceci n'est pas un tableau...

Apparemment, la description du paysage prend pour modèle la représentation picturale, affichée emblématiquement au vers 7: "L'huyle de ce Tableau ternira ses couleurs...". Elle juxtapose, dans l'espace de la page, et selon un principe de contiguïté, chaque strophe tenant lieu d'un fragment de tableau, quatre scènes, dont chacune a son unité thématique et syntaxique, composées en diptyque et fermées par le *et* qui assure la clôture de la strophe:

Les Soleils... / Et le temps (Q1)
Ce beau flambeau.../ Et ces flots (Q2)
ces clairs esclairs.../ Et le tonnerre (T1)
la neige et ses torrents (T2).

Dans les quatrains, l'écriture métaphorique dialectise le rapport de la vie et de la mort allégorisées, en le décrivant en termes de conflit, *orgueil* contre *fureur*. Le signifiant qui homogénéise la représentation est le paysage naturel, en tant qu'il est soumis à des forces antagonistes d'efflorescence, de gonflement, d'élancement, de bouillonnement, et d'assèchement, de crevaison, d'extinction, de rupture. Le postulat analogique qui soutient la mimésis en code naturaliste fonde l'équivalence des deux rapports, rapport de la *vie* à la *mort*, dans le système des comparés, rapport de la *fleur* au *soleil*, de l'*ampoule* au *temps*, du *flambeau* à la *cire*, du *flot* à la *rive*, dans le système des comparants.

Dans les tercets, le régime est celui d'une écriture symbolique: des métaphores inexpliquées, comme dit A. Boase (6), produisent un effet de rupture par rapport au système analogique des quatrains. Une série de signes, comparants sans comparés, assurent la mimésis soit en code météorologique, *esclairs / tonnerre / orage*, soit en code naturaliste et animalier, *neige / torrents / lions*. Changement de registre, modification du paysage: de l'annonce d'une fin au constat d'une rupture/ouverture.

Voilà donc un paysage organisé en tableau, dont les signifiants appelleraient un déchiffrage de type allégorique. Mais au centre de ce paysage naturel, le vers 7 est l'indice d'une infraction à l'ordre. "L'huyle de ce Tableau ternira ses couleurs": *ce Tableau* n'appartient pas au même paradigme que les autres objets de la représentation, il ne ressortit pas aux signes de la nature, mais évidemment à ceux de la culture, de l'artifice. A la différence encore des autres représentants, il est soumis à un agent d'agression, non pas externe, mais *interne* (l'huile). Mais, au moment même où s'affiche le modèle pictural de la représentation, nous avertissant que tout le texte est un tableau, et comme tel, soumis à la même activité de dégradation que les objets qu'il représente, le vers 7 déclare que ce Tableau est de l'ordre de l'*écrit*, non du *peint*: son huile est de l'encre, ses couleurs, des mots, son espace, celui de la page manuscrite où les caractères vont s'effacer. *Ce Tableau* ne désigne pas un représenté, mais un représentant. Emblématiquement, il représente, comme tous les autres signifiants, l'échec de toute vie, métaphoriquement, le paysage naturel en voie d'effacement, symboliquement le texte lui-même dans son activité de mimésis promise à l'échec. Ce Tableau n'est pas un tableau, et la représentation picturale est un leurre, prétendant donner à voir alors qu'elle donne à lire, transformant le visible "J'ay veu..." en lisible, et le paysage en emblème.

2. Est-ce un emblème?

Le modèle pictural étant ainsi à la fois exhibé et tenu à distance, il semble que le paysage s'écrive en code naturaliste, distribuant en deux classes de signes les indices de la vie, les indices de la mort. Le modèle serait alors de type emblématique: une inscription sentencieuse, un paysage-image, une glose versifiée. Toutefois, la simplicité de ce modèle se trouve mise à mal par le brouillage et l'inversion des signes.

L'inversion: par trois fois les emblèmes de la vie connotent la mort: *Les Soleils haleront ces journalieres fleurs*: image de la régénérescence dans la symbolique traditionnelle, du Jour triomphant de la Nuit, de la reprise du cycle à l'aube de toute journée, le soleil devient porteur de mort, d'une mort sèche par brûlure. *Ce beau flambeau... / Sur le verd de la cire esteindra ses couleurs*: associée à la chaleur et à l'ardeur, à la mollesse, image d'une liquéfaction heureuse dans la topique érotique conventionnelle, la cire se charge de dureté, sa verdeur éteint l'ardeur. *J'ay veu fondre la neige...*: indice habituel du renouveau printanier annonciateur de la belle saison où s'éveille le désir, la fonte des neiges devient l'indice inquiétant d'une métamorphose liée au triomphe de la mort, comme le tarissement des torrents connote, non l'été glorieux, mais la sécheresse mortelle.

Le brouillage: les tercets inscrivent l'ambivalence suspensive du sens dans les signes et dans leur interprétation. Ces éclairs, ce tonnerre, cet orage, sont-ils des signes de la mort? Ou de la vie? D'une vie porteuse de mort? Ou d'une mort annonciatrice d'une (autre) vie? Cette neige qui fond, ces torrents qui tarissent, ces lions qui cessent de rugir (7), quel message transmet leur mutation? Prometteur d'une vie qui s'entend à renaître après l'hiver? Ou annonciateur d'une mort qui signe l'échec de toute ardeur, torrentueuse et rugissante?

Inversion et brouillage des signes transforment le paysage naturel, dont le cycle saisonnier règle harmonieusement la succession de la vie et de la mort, en un paysage imaginaire miné de l'intérieur par des agents agressifs: le vent, la flamme, le flot y sont les objets *et les sujets* d'une énergie destructrice.

3. Masculin et Féminin.

Le paysage spondien est en effet le lieu où s'exerce un conflit qui a pour modèle de représentation la différence sexuelle, emblématisée par les catégories de passivité et d'activité, de solidité et de liquidité, de froideur et de chaleur; dans les quatrains, la lutte entre le principe masculin et le principe féminin sexualise le paysage en le donnant à voir dans sa bi-polarisation. Q1 oppose une figure féminine passive, *fleurs, ampoule venteuse*, emblèmes d'une fragilité menacée, à une force mâle d'agression, *soleils, temps*, emblèmes de la virilité triomphante: une pointe acérée y crève le creux dans sa vacuité venteuse. Vie féminine dans sa beauté, dans sa séduction; mort virile, dans la brutalité de son geste agressif: *Et le temps crèvera ceste ampoule venteuse...*

Mais Q2 renverse ce schéma simplificateur en construisant un paysage viril menacé par la féminité sournoise de la mort, liquéfiant le solide. Un *flambeau*, un *tableau*, des *flots* y sont *éteint, terni, rompus* par une *cire*, une *huile*, une *rive*. La vie se virilise, la mort se féminise: *Et ces flots se rompront à la rive escumeuse...*

Au terme des quatrains, vie et mort ont échangé leur sexe, et le paysage dans sa bisexualité porte la marque d'une ambivalence généralisée. L'opposition entre les quatrains, le premier décrivant le triomphe d'une énergie mâle, le deuxième, le pouvoir d'une force liquide féminine, l'une et l'autre mortifères, emblématise la lutte interne des pulsions qui travaillent le paysage imaginaire. Mais sous ce système de représentation fixé par la différence des sexes agit un autre modèle. celui de l'activité sexuelle.

4. Tumescence / détumescence.

La mort-paysage combine en effet, sans les dissocier au sein de chaque groupe strophique, deux scènes successives, ou plutôt elle donne à voir une scène de mutation, le moment où, à la tumescence représentée par ces objets symboliques, *fleurs* épanouies, *ampoule* gonflée, *flambeau* lançant sa flamme, *flots* roulants, succède la détumescence, crevaison, extinction, rupture. Aux emblèmes du désir marqués par l'érection, le durcissement, la poussée énergétique, *neige*, *torrents*, *lions*, s'opposent les emblèmes de la flaccidité, éteignant toute ardeur, neige *fondue*, torrents *taris*, lions *silencieux*. Le modèle est celui de l'activité sexuelle virile, dans son double mouvement d'*élancement* et de *retombée*, *mollesse* après *roideur*, comme dans le sonnet VIII:

> Voulez-vous voir ce trait qui *si roide s'élance*
> Dedans l'air qu'il poursuit au partir de la main?
> Il monte, il monte, il pend, mais hélas tout soudain
> *Il retombe, il retombe*, et perd sa violence.

Ainsi régi par des forces antagonistes, le paysage spondien des *Sonnets de la Mort* est le site, le psycho-site où travaillent simultanément pulsion de vie et pulsion de mort: tout objet y est le lieu d'un conflit indécis, opposant une énergie qui veut reproduire la vie et s'exerce dans une activité d'efflorescence, d'expansion, de gonflement, d'élancement, à une force cachée qui tend à rétablir un état antérieur, à retourner à l'inorganique, à l'inanimé. Partagé entre Eros et Thanatos, le paysage dans chacun de ses objets porte des valeurs opposées et complémentaires.

Plutôt que d'un paysage de la mort, on serait peut-être tenté de parler d'une *mise à mort du paysage*, car, se déconstruisant au fur et à mesure qu'il se construit dans l'entassement de ses signes, s'effaçant comme l'encre de l'écriture qui trace ses mots encore noirs sur une page encore blanche, le texte fait éclater, dans la tension qui le produit, dissonances et discordances. Ce ne serait pourtant pas tout à fait pertinent: si le modèle pictural n'est qu'un leurre, si le décor s'écrit plus en code symbolique qu'en code naturaliste, la page qui construit son espace est bien une page-paysage, investie par des forces pulsionnelles qui thématisent sa dynamique.

Dans ce discours qui prend pour modèle externe la mimésis picturale, le tableau se donne à lire comme un discours, et *comme un discours interrogatif*. Si l'énoncé sentencieux déclare, à l'ouverture et à la fermeture du texte, la victoire de la mort sur le désir, la mise en scène assure, souterrainement, la résistance d'Eros bravant Thanatos. Ce paysage cache, sous la réponse assurée -*Mais si faut-il mourir*- une question qui problématise l'assertion catégorique: *faut-il mourir?*, en écho à la question posée au Maître dans la Méditation sur le psaume XLVIII: "Si c'est bénédiction que de vivre, *pourquoy nous fais-tu mourir?*". La mort n'est plus ici regardée à l'extérieur, à l'oeuvre dans une nature soumise au cycle saisonnier, mais saisie de l'intérieur, dans le sujet qui la vit dans Eros même, et dans la détumescence qui signale le retour à l'inanimé. Soumis à la lettre, le paysage spondien se crée son espace propre, qui est celui du fantasme, fantasme de roideur élancée, dans le pôle masculin, fantasme de liquidité et de fusion, dans le pôle féminin, l'un et l'autre aimantant le désir.

Quand le visible ou le vu se transforment en lisible, le lisible pourtant ne renonce pas à donner à voir et à entendre. *Entends ce paysage*, dans le vacarme de ses dentales et le vrombrissement de ses vibrantes, dans l'éclat de sa vocalisation ouverte, et le tonnerre de ses gutturales, *vois son bruit* dans le choc des métaphores et la juxtaposition conflictuelle de ses représentants, c'est l'invitation que semble murmurer ce texte, à voir d'un *autre* oeil, à écouter d'une *autre* oreille. Eros ne s'y résigne pas à sa défaite:

O mort, dit-il alors, ta force est estouffée,
Tout ce que tu ravis, ce n'est rien que du vent:
Mais le feu dont je fay ce corps ore vivant
Je te garderay bien d'en faire ton trophée (**8**).

Gisèle MATHIEU-CASTELLANI

(Université de Paris VIII)

NOTES

1. J. Baudrillard, *L'Echange symbolique et la mort*, Gallimard, 1976, p. 221-226.
2. Que Jean-Pierre Richard me pardonne cet emprunt, d'autant plus illégitime que l'emprunteur ne signale par là que sa propre maladresse.
3. *Le Printemps*, éd. H. Weber, P.U.F., 1960, p. 172-190.
4. *In OEuvres poétiques complètes*, éd. J. C. Lapp, Didier, 1966 (S.T.F.M.), p. 270-1.
5. Voir J. Rousset, *L'Intérieur et l'Extérieur*, Corti, 1976, p. 23.
6. A. Boase, introduction à l'éd. des *Poésies* de Sponde, Genève, Cailler, 1949, p. 119.
7. Cf. *Job*, 4,10: "le rugissement des lions prend fin". Le signe est l'un de ceux qui marquent la colère de Dieu, faisant périr l'injuste.
8. J. de Sponde, "Miracle d'amour", in *OEuvres littéraires*, éd. A. Boase, Genève, Droz, 1978, p. 283.

LE SANG SOUS LES FLEURS:

RÉFLEXIONS SUR QUELQUES ÉLÉMENTS CONSTITUTIFS DU PAYSAGE RONSARDIEN

Ce titre un peu déroutant n'annonce pas un dernier né pour Série Noire; il ne renvoie pas non plus à Agrippa d'Aubigné - il est possible pourtant qu'il soit plus ou moins consciemment lié à l'épisode des *Tragiques* où les princes tentent de cacher le sang tout frais versé des victimes sous les fleurs d'une infernale fête de cour. Mon propos est ici d'observer l'élaboration dans la poésie de Ronsard d'un paysage dont l'élément prédominant est l'élément floral. Progressivement constitué à travers plusieurs textes poétiques, il finit par y fonctionner comme un emblème: il est signe de viol, de rapt et de mort. Associée aux cadres du bord de l'eau et de la verdure, la prolifération des espèces florales est maléfique: les fleurs promettent le sang. Ce paysage lié à la violence constitue donc une perversion d'éléments du *locus amoenus*.

Mes observations porteront sur quatre poèmes écrits à des moments différents de l'oeuvre de Ronsard: *La Defloration de Lede*, des Odes de 1550 (1), le *Narssis* du Bocage de 1554 (2), le *Chant Pastoral à Madame Marguerite* de 1559 (3), l'*Hylas* enfin, dans le 7e livre des Poèmes de 1569 (4).

On peut constater d'abord que trois de ces textes au moins sont mis en rapport par des marques, qui peuvent tenir lieu d'indices: la "troppe des pillardes", qui arrachent les fleurs dans la *Defloration de Lede*, est évoquée dans le *Narssis* aux vers 53-54; la préface du *Narssis* marque la tentation d'entreprendre un récit appartenant au cycle des Argonautes, projet qui trouve l'une de ses réalisations dans l'*Hylas*. Mais le signe distinctif qui permet de les considérer comme les éléments d'une série réside dans la multiplicité et dans la variété des fleurs représentées dans le paysage qu'engendre le texte poétique.

Il n'est sans doute pas inutile de rappeler ici que certains épisodes de la littérature grecque ou latine comportent une association de ce type: celui de l'*Hymne homérique à Déméter*, par exemple, où Perséphone, juste avant d'être enlevée par Hadès, cueille des fleurs avec ses compagnes les Océanides: roses, crocus, violettes, iris, jacinthes et enfin narcisse, mais au narcisse, comme chacun sait, la terre s'entrouvre. Ou encore, et parmi beaucoup d'autres, l'histoire d'Europe qui cueille avec ses compagnes le narcisse, le serpolet, l'hyacinthe, la rose, dans une prairie où Zeus, sous la forme d'un taureau, viendra bientôt l'enlever. Ce dernier récit, représenté dans les *Idylles* de Moschos et dans les *Métamorphoses* d'Ovide, nourrit d'ailleurs largement les développements de la *Defloration de Lede*. Au centre de ce poème, la "défloration", ou plutôt le viol de Léda par Jupiter métamorphosé en cygne. Arrêtons-nous un instant pour y trouver, en des développements inégaux, les éléments constitutifs du paysage que nous allons étudier:

1. *Un décor d'eau* lié aux jeux sur la rive et à la métamorphose de Jupiter en cygne. Si elle présente une certaine importance du point de vue de l'agencement du récit (puisque c'est de l'étang qu'arrive le cygne), l'eau n'occupe pratiquement *aucune place sur le plan de la description*.
2. *Les fleurs*. Neuf espèces différentes (v. 121-136) sont nommées ou désignées par des métaphores. Malgré quelques épithètes à valeur descriptive, "l'oeillet vermeil", la "rouge feuille" de l'"immortel Amaranthe", ces fleurs ne forment pas, à proprement parler, un tableau indépendant. C'est le récit du pillage qui les fait entrer en scène.
3. *La verdure*. Elle est à peine indiqués par deux notations: "les verts trésors de la plaine (v. 130), "la fuite de Léda par l'herbe" (v. 142).
4. *Le destin* que le récit et la description sont chargés de nous faire comprendre est conforme aux schémas indiqués puisqu'il entraîne la défloration de Lède.

Tous les éléments essentiels se trouvent donc ici, mais la faible étendue de la description les maintient à l'état embryonnaire. Au destin exceptionnel de Léda ne correspond pas encore un décor symbolique rigoureusement élaboré. Ne faut-il pas s'arrêter cependant à l'exubérance du monde des fleurs? Moschos, en effet, a développé la scène de la cueillette, de même qu'Ovide et Claudien (**5**), mais chez Ronsard l'épisode n'est de toute évidence ni purement et simplement ornemental, ni fortuit: au titre *La Défloration* correspond presque au centre exact du poème (v. 120-136) la destruction des fleurs sitôt jetées que cueillies (v. 133-136). Et si un doute demeurait, un cri de Lède "vergogneuse" et indignée suffirait à le dissiper:

> O ciel qui mes cris entens
> Te voir donc encores j'ose
> Apres que mon beau printemps
> *Est depouillé de sa rose* (**6**).

L'un des éléments du paysage - et un seul - est donc pourvu d'une signification symbolique assurée. Et pourtant l'écrivain a pris soin de placer au centre du poème une série de descriptions qui joue à l'intérieur du texte le rôle d'un véritable système de "signalisation": il s'agit des peintures du fameux panier de Léda (7). Déjà Moschos, suivant un procédé alexandrin, avait placé entre les bras d'Europe une précieuse corbeille d'or "travaillée avec un soin infini"; deux légendes de métamorphose (celle d'Io et celle du paon né du sang d'Argus) en constituaient l'ornement principal. Le développement minutieux et savant des détails gravés sur cet objet précieux est transposé par Ronsard en une série fort intéressante de paysages peints (8). Leur description se sépare de la ligne générale du récit par des signes de démarcation très nets (à partir du vers 73 "D'un bout du panier sortait..." jusqu'aux vers 117-8, qui marquent la clôture: "*Tel* panier en ses mains meit / Lede qui sa troupe excelle..."). A peu près isolé dans la *Seconde Prose*, le passage s'inscrit donc en marge du récit. Pourtant les scènes représentées, apparemment indépendantes et autonomes, sont en réalité profondément liées à la signification générale du récit, et même légèrement reliées entre elles. L'apparition de l'Aurore (v. 73-9), "qui couvroit le ciel de fleurs colourées", correspond à celle de Lède, la belle matineuse "studieuse des fleurs", tandis que celle du Soleil et de la Mer (cf. surtout les v. 95-6: "A chef bas se laissant choir / Jusqu'au fond de ce grand ventre") suggère l'union amoureuse qui va s'accomplir. Les trois scènes suivantes renvoient, elles aussi, allégoriquement au récit: dans la quatrième strophe (v. 96-104), le pasteur guetté par le loup mais distrait par un spectacle de la nature:

> Mais de cela ne lui chaut
> Tant un limas lui agrée
> *Qui lentement monte en haut*
> *D'un lis* au bas de la prée

est une figure plaisante de l'insouciance de Lède, inconsciente du péril que constitue le cygne, tout occupée qu'elle est à cueillir les fleurs. Les deux dernières scènes (poursuite des satyres, affrontement des béliers) annoncent d'une part le côté folâtre et lascif de la rencontre de Lède et du Cygne (v. 153-160) et d'autre part la violence de l'affrontement final (v. 169-172). Le système des *ekphraseis* faisant pressentir au lecteur la surprise, la métamorphose et le viol, il est donc averti par une série de scènes dont le signification demeure légèrement énigmatique (comme celle des songes et des oracles antiques) de l'approche du drame, et même des modalités de son déroulement (9). La nécessité de donner ce type d'avertissement prouve que le paysage où la scène se joue effectivement n'est pas encore considéré comme suffisamment révélateur par lui-même: il n'a pas encore une fonction d'emblème. Tous les éléments essentiels apportés par une gamme étendue de récits antiques sont présents dans l'ode, et la détermination du destin de Lède correspond à un certain cadre qui aurait pu être par lui-même révélateur: étang d'où vient le péril, légère teinte de verdure, multiplicité des fleurs. Mais la juxtaposition de ces éléments ne constitue pas, à proprement parler, un paysage emblématique: l'un d'entre eux seulement, les fleurs, est développé avec un peu d'insistance. Pour les autres on pourrait dire que l'auteur n'a pas encore pris pleinement conscience de leur puissance virtuelle de signification. Et c'est pour cela que Ronsard dépose entre les mains de Lède, par l'intermédiaire des peintures du panier, ce que l'on est tenté de considérer comme une sorte de mise en abyme de son destin immédiat.

Mais c'est surtout avec le *Narssis* que réapparaît le paysage d'eau claire, de verdure et de fleurs qui annonce et accompagne le drame; cette fois encore il est associé à une intervention d'un destin contre lequel Narssis ne peut rien:

> Hélas que ferait-il puisque la destinée
> Lui avait dès le bers cette mort terminée.

Comme chez Ovide, Narssis va recevoir sous nos yeux le lot qui lui a été préparé: amour insensé, mort et métamorphose. Les composantes du paysage sont ici étroitement liées au drame. Le récit et la description s'interpénètrent donc le plus souvent. Nous retrouvons cependant les mêmes éléments développés de façon plus équilibrée:

1. *L'eau de la source.* Le poète insiste sur sa limpidité et sa pureté qui sont une des conditions de l'existence de l'épisode, puisqu'elles entretiennent l'illusion de Narssis (v. 45-6 et 55-7); remède contre la soif, l'eau de la source fait naître aussi la soif plus ardente du désir amoureux. Elle est à la fois pour le héros piège, spectacle et interlocuteur muet:

> Une fonteine estoit nette, clere et sans bourbe,
> Enceinte tout au tour d'un beau rivage courbe
> Tout bigarré de fleurs: là fleurissoit l'annis,
> Là contre mont dressoit ses beaus sceptres le lis,
> Là sentoit bon le tin, l'oeillet, la marjoleine,
> Et la fleur d'Adonis, jadis la douce peine
> De l'amante Venus, qui chetif ne sçavoit
> Que le destin si tost aus rives le devoit,
> Pour estre le butin des vierges curieuses
> A remplir leurs cofins des moissons amoureuses (10).

2. *Les fleurs.* Elles occupent ici tout le "beau rivage courbe", qui forme le devant de la scène où souffre et meurt Narssis. Le poète les nomme et les décrit sans nécessité dramatique apparente (v. 47-54). Mais, ici encore, le décor floral a une grande portée symbolique puisqu'il contient, comme le panier de Lède, une indication du dénouement. C'est dans la fleur d'Adonis "qui chestif ne sçavoit / Que le destin si tost aus rives le devoit" que Narssis pourrait, s'il était plus attentif aux signes que lui prodigue la nature, apprendre à lire son destin. Ainsi les fleurs, qui forment un décor minutieusement agencé (11) par le poète, apportent leur splendeur et leur parfum, mais elles conservent aussi un secret.

3. *Le cadre de verdure.* Il est lui aussi quelque peu mêlé au drame: les forêts d'abord, que Narssis, comme le héros d'Ovide, prend à témoin de son malheur (v. 107-120), puis le cadre de la rive verte et odorante qui s'oppose au monde froid et mort des eaux:

> ...Ici l'herbe est fleurie
> Ici la torte vigne à l'aulne s'assemblant

De tous coustes épand un ombrage tremblant
Ici le verd lierre et la tendrette mousse
Fond la rive sembler plus que le sommeil douce (12).

Enfin toute la description du printemps qui constitue l'ouverture du poème (vers 4-36) et paraît se développer indépendamment de l'histoire de Narssis est en réalité un acheminement vers le décor (rive verte, fleurs) et vers le récit du drame de Narssis (mouvement de départ à l'aventure chez les dieux, les hommes et les animaux, éveil général à l'amour, traduit surtout par des exemples empruntés au monde des oiseaux, métamorphose printanière du monde).

Comme dans la *Defloration de Lede*, le poète double la description du paysage qui est par essence celui du drame d'une autre description, apparemment accessoire, mais dont la fonction réelle est ici d'apporter au drame ses prolongements et ses racines. C'est dans le vaste mouvement d'amour et de métamohpose qui emporte la nature printanière que se situe fondamentalement l'histoire de Narssis.

Ainsi le drame de Narssis trouve-t-il son plein développement dans un cadre de paysage dont les éléments fixes apparaissent déjà dans la *Defloration de Lede* (13), mais qui sont à présent plus nettement caractérisés, plus profondément mêlés à la trame du récit. Mieux que dans la *Defloration* aussi le poète a su équilibrer l'importance des éléments du décor: l'eau, les fleurs, le cadre de verdure jouent un rôle dans cette histoire dramatique, dont ils constituent en quelque sorte l'emblème.

A partir de ce texte peut-on passer à une fonction plus absolue du décor fleuri? pouvons-nous supposer que ces éléments, d'abord plus ou moins mêlés au drame, voient peu à peu s'effacer le rôle qu'ils jouaient dans l'action, tandis que leur valeur emblématique augmente, ou cessent, si l'on préfère, d'être seulement des accessoires pour devenir des signes? C'est dans cette perspective que nous examinerons le *Chant pastoral à Madame Marguerite duchesse de Savoie* et l'*Hylas*.

Par les sujets qu'ils traitent ces deux textes s'apparentent aux précédents: comme Lède - et à travers les artifices de la poésie pastorale et de l'*encomion* - Marguerite, qui s'ébat parmi les fleurs en toute liberté, est guettée par un dieu faune, enlevée, emportée vers des rivages étrangers. Comme Narcisse, Hylas va trouver la mort au milieu des fleurs, auprès de la fontaine. Les deux drames ne forment pourtant qu'un épisode dans des poèmes beaucoup plus longs: une grande partie du *Chant pastoral* est occupée par la longue déploration du départ de Marguerite et les pleurs sur la terre de France, ramenée par une série de métamorphoses régressives aux temps les plus durs de l'âge de fer. Tandis que l'*Hylas* n'est qu'un moment des aventures d'Héraclès parmi les Argonautes, la mort d'Hylas est un épisode central mais le personnage est bien pâle à côté d'Héraclès (14).

Si la fontaine tient dans le *Narssis* un rôle irremplaçable, il n'en est évidemment pas de même dans le *Chant pastoral* et l'on serait presque tenté d'y voir un élément purement ornemental (en relation par exemple avec le paysage rustique décrit au début du poème aux v. 5-12), si on n'y retrouvait le schéma qui nous est désormais familier. L'association des trois éléments, eau, verdure, fleurs, est ici parfaitement réalisée et le passage révélateur:

> Dedans le creux d'un rocher tout couvert
> De beaux lauriers, estoit un antre vert
> Où au milieu sonnoit une fontaine
> Tout à l'entour de violettes plaine,
> Là s'elevoyent les oeillets rougissants
> Et les beaux liz en blancheur fleurissans
> Et l'ancolie en semences enflée
> La belle rose avec la giroflée
> La paquerette et le passe-velours
> Et ceste fleur qui ha le nom d'amours.
> Cette fontaine en ruisseau separée
> Baignoit les fleurs d'une course esgarée
> S'entrelassans en cent mille tortis ...(**15**).

Nous reconnaissons la multiplicité et la variété des fleurs. La correction de l'édition de 1587 qui ajoute quatre nouvelles espèces végétales (safran, narcisse, "neufart", "glayeul à la queue arc-quencine") aux dix espèces de la version de 1559 manifeste sans doute un goût certain de la précision botanique et une volonté de renouveler formes et couleurs, mais ce qui importe surtout, c'est qu'elle attire notre attention sur la richesse, la diversité, et on dirait volontiers l'*étrangeté* du bouquet ainsi formé.

Une telle minutie, une telle surcharge ne peuvent être gratuites: le lecteur est invité à y voir un signe; c'est que le moment est venu d'une transgression. Marguerite n'est pas appelée comme Narssis à trouver son destin parmi les fleurs de la rive. Mais les fleurs de la rive n'en annoncent pas moins le destin tragique de Marguerite: arrachée au monde des fleurs où elle s'ébattait en liberté (v. 134), la belle dryade est emportée comme une proie (**16**) à travers rocs, neige et glace. Il ne reste plus qu'à chanter la vaste désolation de tout le monde pastoral.

Pour la première fois, le paysage étudié a joué purement et simplement le rôle de signal ou d'emblème. Confronté, à l'intérieur même du poème, à d'autres descriptions de la nature (la campagne au printemps, v. 5-29; paysage glacé de l'hiver dans les Alpes, v. 162-4 et 275-8; champs retournés à l'état sauvage, v. 200-3; paysage de l'âge d'or, v. 252-62), le paysage des fleurs au bord de la fontaine demeure exceptionnel. On ne peut le rattacher en effet à aucun topos; par son exubérance, son étrangeté et en partie sa gratuité, il surprend. Comme les dieux d'Homère qui n'arrivaient pas tout à fait à épouser les formes mortelles qu'ils empruntaient, les fleurs du bord de l'eau sont un signe imparfaitement déguisé en paysage.

C'est enfin dans l'*Hylas*, au coeur même du poème (17), que l'association fatale de l'eau, du lieu vert et des fleurs trouve son développement le plus important. Au centre du lieu vert (la forêt) et de l'action, la fontaine est assurément le lieu sacré (c'est là qu'attend la mort, v. 204); elle est connue des animaux (**18**) qui conduisent les mortels, mais se gardent bien de la souiller, respectée par les faunes, les sylvains et les pasteurs qui décorent ses rives de bouquets. Mais la surabondance des fleurs qui l'entourent vient nous apprendre qu'elle est également un lieu de mort. Pour la première fois, la valeur symbolique de ces fleurs est mise en lumière avant qu'il ne soit question de réalité botanique:

> Cette fontaine estoit tout à l'entour
> Riche de *fleurs qu'autrefois trop d'amour*
> *De corps humains fit changer en fleuretes*
> *Peintes du teint des palles amourettes* (**19**).

Odorantes et colorées, les fleurs de la fontaine d'Hylas appartiennent pourtant davantage au royaume des signes et des fantômes qu'au domaine de la réalité végétale. Et une fois de plus l'association eau-verdure-fleur vient annoncer que le destin du héros est en marche. Noyé par les Nymphes de la fontaine éprises de lui, Hylas connaîtra la mort, puis le passage à la divinité (**20**).

On mesure avec la fontaine d'Hylas l'importance qu'a prise progressivement le schéma du paysage rencontré pour la première fois dans la *Defloration de Lede*. Inégalement intégré dans l'action, à laquelle il peut participer, mais où il joue parfois seulement le rôle d'emblème, le paysage annnciateur du drame trouve une place de plus en plus considérable dans le poème, essentiellement pour sa valeur d'emblème. Il prend à l'intérieur d'un code volontairement difficile à déchiffrer et fermé à l'"indiligent lecteur" une signification précise mais secrète.

De ces constatations quelques conclusions se dégagent. Il existe bien, dans la série des lieux symboliques que comporte la poésie de Ronsard, un paysage dont la fonction est d'annoncer la rencontre d'un héros et de son destin. L'union des trois éléments eau-verdure-multiplicité des espèces florales accompagne régulièrement une transgression (enlèvement, viol d'un être mortel par une divinité, mort violente, métamorphose), à laquelle le paysage sert à la fois de décor et d'emblème.

Le poète a précisé la description des éléments naturels qui conquièrent peu à peu leur originalité. Tantôt intimement mêlés au drame (comme l'eau et les fleurs dans le *Narssis*), ils lui apportent d'indispensables accessoires; tantôt extérieurs à l'action qui se déroule, ils constituent seulement un signe, une sorte d'emblème, un peu à côté du récit, qui souligne cependant la gravité de l'événement ou encore sa solennité. Progressivement aussi le paysage a évolué et l'on est passé d'un schéma quelque peu livresque au cadre d'une histoire vécue dans le monde chargé de présences occultes et de mystères, qui est aussi celui de Ronsard. Dans l'*Hylas* la verdure est devenue forêt, l'eau fontaine des fées, les fleurs ne frappent plus seulement par leur diversité et leur multiplicité: à la limite, ce ne sont plus des espèces végétales mais le souvenir et la signature dans le monde végétal dea grands drames du monde humain. Le paysage devient alors tout proche d'une allégorie. Ce qui paraît aussi important, c'est que le paysage, d'abord doublé (comme dans la *Defloration de Lede*) d'une description destinée à faire pénétrer le sens caché de l'action qui se joue, devient finalement par lui-même un signe suffisant: par exemple les fontaines fleuries du *Chant pastoral* et de l'*Hylas* comportent une promesse de malheur et de mort sans appel.

Ainsi s'élabore un paysage-emblème, celui des rives fleuries installées tantôt au centre, tantôt en marge du texte poétique et de la narration qu'il produit. L'usage qui est fait ici des fleurs demeure complètement indépendant de la vraisemblance botanique ou de la recherche d'une continuité symbolique (celle des fleurs porteuses de maléfices, par exemple).

On ne peut les confondre avec les "fleurs des morts", dans la mesure où la présence et la multitude des espèces florales ne tendent pas à produire une zone privilégiée, intermédiaire entre la vie et la mort et éludant le triomphe total de la mort. (C'est le cas des roses déposées sur la tombe de Marie, "Afin que vif et mort ton corps ne soit que roses"). On ne saurait non plus les réduire à une symbolique de l'éphémère, celle qui relie la fleur à la mort dans une tradition anacréontique par ailleurs bien connue.

Si une analogie peut éclairer cette énigme en miniature, c'est peut-être à l'*Hylas* qu'il faut penser. En effet les noms de fleurs y désignent les grands drames du passé qu'elles reflètent et dont elles constituent, dans la trame du poème, la signature. Ces fleurs "(...) qu'autrefois trop d'amour / De corps humain fit changer en fleuretes / Peintes du sang des palles amouretes", remplissent en effet de traces sanglantes les prairies ronsardiennes: petit narcisse des rives, belle fleur "qui naquit des larmes d'Hélène la belle", rouge fleur teintée du sang d'Adonis ou d'Ajax...

Leur présence établit certes dans le texte le lien entre les drames que recompose la représentation poétique et tout un passé fabuleux et sanglant dont les fleurs demeurent éternellement le signe. Au sein d'un lieu qui ressemble à s'y méprendre au *locus amoenus*, les fleurs sont porteuses de toutes les forces qui permettent de le pervertir et de le transformer en centre d'horreur, en lieu tragique. Sans doute existe-t-il d'autres bouquets, d'autres bosquets moins chargés de maléfices (21). Il reste que ce statut ambigu des fleurs permet de retrouver une des constantes de l'univers ronsardien, qui apparaît continuellement écartelé entre les forces du Chaos et celles du Cosmos. Le règne de la "grande Eternité" n'impose que par force - et pour l'espace d'un poème - sa "tranquille unité" aux puissances intermédiaires.

Comme les étoiles, les fleurs demeurent des signes indécis; leur versatilité scintille parmi les énigmes du "fabuleux manteau".

Hélène MOREAU

(Université de Provence)

NOTES

1. Ed. Laumonier, t. II, p. 67-79.
2. *Ibid.*, t. VI, *Le Bocage*, p. 73-83.
3. *Ibid.*, t. IX, p. 174-192.
4. *Ibid.*, t. XV, *Le Septième Livre des Poèmes*, p. 234-253.
5. Laumonier (*Ronsard poète lyrique*, Paris, 1932, p. 389, n. 3) cite de nombreuses sources possibles auxquelles il ajoute Horace: Léda "studieuse des fleurs"; c'est aussi l'Eirope d'Horace "in pratis studiosa florum" (*Carmina*, III, 27, v.29).
6. *Defloration de Lede*, v. 189-192.
7. *Ibid.*, *Seconde Prose*, v. 73-120.
8. Laumonier (*op. cit.*, p. 389, n. 4) s'interroge seulement sur les sources de ces scènes, reconnaît Ovide (*Met.*, II, 63-70 et VI, 104) pour la première partie et "n'a pu trouver l'original" des scènes pastorales de la seconde partie.
9. Le procédé est déjà esquissé chez Moschos: la métamorphose d'Io et sa séduction par Jupiter gravées sur la corbeille d'or pourraient bien servir d'avertissement à Europe. Mais la richesse et la multiplicité du détail descriptif fait perdre de vue un sens général d'ailleurs incertain.
10. Ed. Laumonier, t. VI, p. 76, v. 45-54.
11. Aux fleurs champêtres et odorantes de la version de 1554 (annis, tin, oeillet, marjolaine) la variante de 1584 substitue des fleurs plus nobles ("rosiers pourprés", "glayeul" et "lis à Junon consacré"). En comparaison le petit narcisse des rives n'en paraîtra que plus modeste (cf. v. 171-6).
12. Ed. Laumonier, t. VI, p. 79, v. 122-6.
13. Un passage semble marquer la volonté du poète de relier les deux épisodes et paut-être les deux textes (cf. v. 50-4 et le rapprochement que ne manque pas de faire Laumonier à la note 4).
14. Le poète souligne plaisamment cette disproportion, cf. v. 99-100:

   Car, ô bon Roy, le moindre de tes pas
   En valloit cinq des petits piedz d'Hylas.

15. Ed. Laumonier, t. IX, p. 178-9, *Chant pastoral à Madame Marguerite*, v. 89-102.
16. *Ibid.*, v. 169-173, le présage raconté par le berger donne bien ce sens à l'enlèvement:

Or en voyant dans ces champs l'autre jour
Un pigeon blanc empiété d'un autour
Qui l'emportoit pour lui servir de proye
Dessus les monts de la haute Savoye
Je prevey bien l'infortune future.

17. Ed. Laumonier, t. XV, 1569, v. 204-248.
18. Cf. le cerf, v. 206.
19. *Ibid.*, v. 211-4.
20. V. 316-7:

(...) et d'homme malheureux
Fit à son corps une deité prendre.

21. Ceux du *Voïage de Tours*, de la *Fontaine d'Hélène*.

PAYSAGE RÉEL ET PAYSAGE IDÉAL

DANS LES SERMONS DE JOHN FISHER

SUR LE CAMP DU DRAP D'OR

Je viens de rentrer il y a une semaine d'un pélerinage d'Angers à Rome pour fêter le cinquantenaire de la canonisation, le 19 mai 1935, de deux grands humanistes anglais, Thomas More et John Fisher. C'est aussi cette année le quatre-cent-cinquantième anniversaire de leur décapitation par Henri VIII, Fisher le 22 juin 1535, et More deux semaines après, le 6 juillet.

Fisher, évêque de Rochester, est le seul évêque anglais qui ne signa pas l'Acte de Suprématie faisant du roi le chef de l'Eglise en Angleterre. Pour sa fidélité, le pape Paul III le créa cardinal, pendant que Fisher était en prison. Comme chancelier de l'Université de Cambridge pendant plus de trente ans, Fisher se montra grand humaniste. Grâce à la générosité de Margaret Beaufort, mère de Henri VII, il fonda deux collèges à Cambridge, Christ's College en 1505 et St John's College en 1516, ce dernier le fleuron du savoir humaniste en Angleterre. Un historien de cette université a écrit: "The chancellorship of Fisher marked the spring of Renaissance Cambridge, no less surely than it witnessed the Italian summer of the medieval university (1).

Et cet homme de piété et de savoir, comment se trouva-t-il au Camp du Drap d'Or, cet étalage de richesse et de magnificence sous des pavillons d'or? Que faisait-il entre les villages de Guines et d'Ardres, dans l'enclave anglaise en France, en ce mois de juin de l'an 1520, pour cette pièce de théâtre où deux rois qui se détestaient presque s'embrassaient, premièrement à cheval, puis pied en terre, et où l'empereur Charles V attendait - non loin de là - Henri VIII, mari de sa tante? C'est dans l'entourage de cette Catherine d'Aragon, femme de Henri et tante de l'empereur Charles, que fut nommé Fisher, parmi plusieurs autres évêques anglais. Ce fut peut-être son unique séjour sur le continent européen. Jean Rouschausse, dans son *Saint John Fisher: Sa vie, son oeuvre*, écrit: "Quoi qu'il en fût de son dépaysement, il put observer en toute liberté ce magnifique théâtre de plein air et noter en passant mille détails pittoresques, dont il fixa le souvenir en deux sermons de Toussaint" (2).

Dans ces sermons, prêchés pour la fête de Toussaint suivante, Fisher se sert copieusement de son souvenir du Camp du Drap d'Or et préserve ce qui est apparemment leur seule mémoire dans la littérature anglaise. A notre connaissance, ces sermons n'ont été imprimés qu'une fois en 1532, par William Rastell, neveu de Thomas More. De cette impression de 1532, on dit qu'il n'existe aujourd'hui que quatre exemplaires, trois aux Etats-Unis et un en Angleterre (3).

Puisque c'est la Toussaint, Fisher annonce au commencement de son premier sermon qu'il parlera de trois sujets: d'abord, les joies souveraines et les plaisirs du royaume du ciel, sujet tout indiqué car c'est la fête des saints qui sont maintenant avec notre Sauveur Jésus-Christ. Ensuite, les douleurs atroces que souffrent les âmes au purgatoire, sujet tout indiqué car l'Eglise fait mémoire d'elles le lendemain, fête des trépassés. Enfin, nos propres âmes, qui habitent encore en ce monde, sujet tout indiqué car l'évocation du ciel et du purgatoire nous convie à vivre ici-bas de telle façon qu'après notre départ, nous ne soyons pas arrêtés et mis dans la prison du Purgatoire, mais reçus au ciel sans grand retard (4).

Mon titre, "Paysage réel et paysage idéal dans les sermons de Fisher", se divise aussi selon ces trois sujets. Le paysage idéal suggère la vie sur terre, et le paysage réel la vie du purgatoire. Mais il existe un troisième paysage, le paysage vraiment idéal, celui du paradis. Fisher crée un paysage spirituel du ciel, avec lequel contraste constamment le paysage idéal du Camp du Drap d'Or. Ce paysage idéal du Camp est pour Fisher une contrefaçon - image bien platonicienne dans l'idée que tout sur cette terre n'est qu'une imitation de ce qui est vrai dans l'Absolu.

Commençons par le paysage idéal. Fisher ne nomme jamais le Camp du Drap d'Or, même quand il en parle: "Vous avez sans doute, dit-il à son assistance, entendu parler des mille merveilles que nous avons pu contempler outre-mer, ces derniers temps. N'était-ce pas un spectacle grandiose de voir réunis en un même lieu trois grands princes de ce monde, je veux dire l'Empereur, le Roi notre maître et le Roi de France, chacun d'eux dans toute la gloire de sa royauté, de sa richesse et de sa puissance?" (f. A3 r.).

Dans sa vie de François Ier, André Castelot écrit qu'au Camp "on ne peut regarder (le roi de France) sans cligner des yeux" (5). Des vêtements du Camp, Fisher dit: " voir toute leur noblesse en riches vêtements de soie, de velours, de drap d'or et d'autres étoffes précieuses". Puis il arrive aux trois reines: Catherine d'Aragon, "qui est pour toutes les femmes un modèle de vertu et de noblesse", la reine Claude et la reine Marie, soeur de Henri VIII et veuve de Louis XII, "et autour de chacune d'elles nombre de gentes demoiselles en toilettes somptueuses". Après avoir parlé de ces nobles habillées d'une manière magnifique, Fisher décrit leurs divertissements: "et de si jolies danses, de si belles harmonies, et si douces musarderies et tant de jeux aimables" (f. A3 r.).

Les Anglais avaient commencé à construire leurs tentes et leurs pavillons au mois de mars. On dut flotter des Pays-Bas à Calais des bois de construction trop grands pour n'importe quel bateau, et Fisher peint la scène: "des logis et des palais si extraordinaires, si richement ornés". Et les Anglais avaient envoyé de vraies montagnes d'assiettes, de couteaux et de verres (6). Fisher évoque "des menus si dispendieux pour les dîners, les soupers et les banquets; des vins si délicats, des mets de si grand prix". Et qu'est-ce qu'on a vu? "Tant de si nobles chevaliers, des pavillons si luxueux; des tournois, des joutes, des exploits guerriers sans pareils!" Bref, "ce furent là, assurément, de magnifiques spectacles pour notre monde ici-bas; on n'avait rien vu de tel depuis de longues années; on ne trouve pas de scènes plus merveilleuses dans les chroniques ou dans l'histoire; l'esprit humain a beau faire effort, il ne peut imaginer davantage de splendeurs pour notre temps" (f. A3 v.).

On a là le paysage idéal, cette scène d'or construite par l'orgueil humain, cette rencontre d'un roi français qui peut se consoler d'être un peu plus grand que l'autre roi, et d'un roi anglais qui se vante de ses mollets plus beaux que ceux de l'autre roi (7). Alors, que dit notre évêque du paysage réel? Qu'est-ce qui arrive à ce paysage idéal? Premièrement, on s'en lasse: il y a certains au Camp qui, dit-il, "auraient préféré être chez eux" (ff. A3 v. - 4 r.). Deuxièmement, dit l'évêque, "les joies du monde sont toujours mêlées de crainte car, bon gré mal gré, il faut un jour les quitter". Donc, on a peur de ce qui pourrait nous les faire quitter: la maladie, la souffrance, la proximité de la mort, tout ce qui met fin au plaisir. Quels maux accompagnent les joies du Drap d'Or? "Toutes ces splendeurs ont entraîné d'énormes dépenses; bien des grands ont vidé leurs coffres et quelques-uns ont été amenés au bord de la ruine et de la pauvreté. Et voilà qu'en leurs coeurs se gonflent les flots de la convoitise. Certains sont revenus malades et affaiblis; plusieurs y ont trouvé la mort. Les habits somptueux ont engendré tant d'orgueil qu'on ne peut plus s'en défaire et l'on voit depuis lors un débordement de luxe en Angleterre: combien ces belles toilettes ont excité de jalousies et de blessures secrètes!" (ff. A4 v. - B1 r.) (8). Troisième aspect du paysage réel: les plaisirs du Drap d'Or sont souvent interrompus. Pendant le peu de temps qu'on est là, continue Fisher, il y a tant de vent que toute l'atmosphère est pleine de poussière. "Les robes de velours et de drap d'or étaient pleines de poussière. Les riches harnachements des chevaux étaient pleins de poussière. Chapeaux, coiffes, robes étaient pleins de poussière. Les cheveux et les visages des hommes étaient pleins de poussière et, à dire bref, cheval et homme étaient si encombrés de la poussière que l'un voyait à peine l'autre. Le vent renversa beaucoup de tentes, secoua rudement les pavillons construits pour le plaisir. Quelquefois il y avait tant de pluie et de tonnerre que personne ne pouvait sortir pour voir des plaisirs. Au mieux la nuit arrive et il faut cesser de s'amuser aux joutes" (f. B1 v.).

Numéro quatre dans ce catalogue du paysage réel: "Où sont les neiges d'antan?" Les joies du Drap d'Or se terminent vite. Où sont-elles maintenant? Ce ne sont que des ombres, autre image platonicienne qui rappelle le mythe de la caverne et amène au cinquième aspect du paysage réel: toutes créations mondaines ne sont que des contrefaçons des joies célestes. On retourne maintenant au paysage idéal du Camp pour voir comment il est faux. Toute la gloire mondaine, selon Fisher, est empruntée à des créatures; ce n'est pas la gloire naturelle des hommes. L'étoffe de leurs habits vient du "dos des pauvres moutons"; les bonnes fourrures coûteuses proviennent d'autres bêtes sans raison; la soie avec laquelle les hommes couvrent leur corps est "tirée des entrailles des vers". Les couleurs vives ou du drap ou de la soie sont faites par l'art de la teinture et par le mélange des éléments divers tirés de créatures fort viles. L'or même des vêtements des hommes vient de la terre, et les pierres précieuses également sont extraites - certaines des scarabées, certaines de la mer, certaines de la terre. En ces choses consiste tout le paysage glorieux de l'homme et ce n'est pas sa propre gloire (ff. B2 r. et v.).

Le paysage idéal du Camp du Drap d'Or devient le paysage réel du Camp, une contrefaçon du vrai paysage idéal - le paysage spirituel du paradis. Les douleurs du Drap d'Or n'y existeront pas. On ne se lasse pas des réjouissances divines; on ne craint pas qu'elles s'en aillent; elles ne sont jamais interrompues, ni par la poussière, ni par le vent, ni par la pluie, ni par le tonnerre, ni par la nuit. Dans ce paysage de paradis, l'humaniste Fisher voit qu'une personne est une personne: "Enlevez le vêtement étincelant, enlevez le drap d'or, enlevez les pierres précieuses et les autres richesses vestimentaires, et quelle est la différence entre un empereur et un autre pauvre homme? Enlevez aux dames leurs toilettes de gala, leurs chaînes et leurs autres bijoux, et quelle différence y a-t-il entre leur gloire extérieure et une pauvresse?" Et le prédicateur humaniste voit la vraie gloire de l'être humain dans sa substance, et c'est en leur substance que consiste la gloire des saints et des anges, pas dans un vêtement tiré d'une bête (ff. B1 v. - B3 r.).

Il reste encore la meilleure évocation du Camp du Drap d'Or, l'évocation de sa substance ou, plus exactement, de son manque de substance. Quelle joie ce sera, s'exclame Fisher, de voir cette cour céleste où le moindre laquais est vêtu plus somptueusement que tous les rois et les princes de ce monde! Quelle joie de voir les saints, les anges, la glorieuse Vierge Marie, reine de ce royaume glorieux; mais, au-dessus de toute autre chose, de voir la glorieuse Trinité! Et où est l'évocation du Drap d'Or dans tout cela? C'est dans l'importance de l'unité de la Trinité, où il n'y a qu'un "seul Dieu parfaitement joint (9) dans une seule amitié parfaite, dans un seul amour, dans une seule volonté, dans une seule sagesse, dans une seule puissance inséparable". Les trois Princes dont il était question, continue Fisher, ne sont pas du tout comme la Trinité. Ils ont "des volontés différentes, des avis différents, et aucune amitié perdurable, comme on l'a bien vu par la suite". Ils sont mortels et muables et donc leurs volontés se changent et ne demeurent point (ff. B3 r. et v.).

Dans son histoire du Drap d'Or, Joycelyne Gledhill Russell écrit: "It would probably be fair to suggest that the intention of this 'memorable meeting' was to deceive" (10). Et à son chapitre au sujet du Camp, Castelot donne le titre "Quand deux rois se jettent de la poudre d'or aux yeux". Mais le petit évêque d'un diocèse peu important, le chancelier d'une université très importante, n'a dans ses yeux nulle poudre, ni d'or ni d'autre couleur. Il voit avec les yeux clairs le paysage idéal d'or qui devient le paysage réel de la poussière, car tout paysage temporel ne consiste qu'en ombres vues sur les murs de cette caverne mythique où les prisonniers se trompent. Le seul paysage idéal est le paysage du paradis.

Clare M. MURPHY
(Université de Rhode Island, USA)

NOTES

1. Harry Culverwell Porter, *Reformation and Reaction in Tudor Cambridge*, Cambridge, U.P., 1958, p. 6-7. "La chancellerie de Fisher ne marqua pas le printemps de la culture 'Renaissance' à Cambridge moins sûrement qu'elle ne fut témoin de l'été de la Saint-Martin de l'université médiévale".
2. Angers, Moreana, 1972, p. 80.
3. E.E. Reynolds, *St John Fisher*, Wheathampstead, Anthony Clarke, 1972, p. 85, n. 2.
4. *Here after ensueth two fruitfull Sermons, made & compyled by the ryght Reverende father in god Johan Fyssher /Doctour of Dyuynyte and Bysshop of Rochester*, Londres, W. Rastell, 28 juin 1532, f. A2 r.-v.
5. Paris, Perrin, 1983, p. 139.
6. J.J. Scarisbrick, *Henry VIII*, Londres, Eyre & Spottiswoode, 1968, p. 76-7.
7. Castelot, *op. cit.*, p. 134.
8. La traduction de Fisher jusqu'ici vient de Rouschausse, p. 80-82. (La traduction sera désormais celle de l'auteur).
9. L'anglais est difficile à traduire ici. Fisher dit que même si les membres de la Trinité sont trois personnes distinctes, elles sont parfaitement "knyt togyder" (en anglais moderne: "knit together", c'est-à-dire "nouées ensemble"). L'image de base est celle du noeud.
10. *The Field of Cloth of Gold: Men and Manners in 1520*, Londres, Routledge and Kegan Paul, 1969, p. 182 ("Il est probablement juste de dire que l'intention de cette 'réunion mémorable' était de tromper").

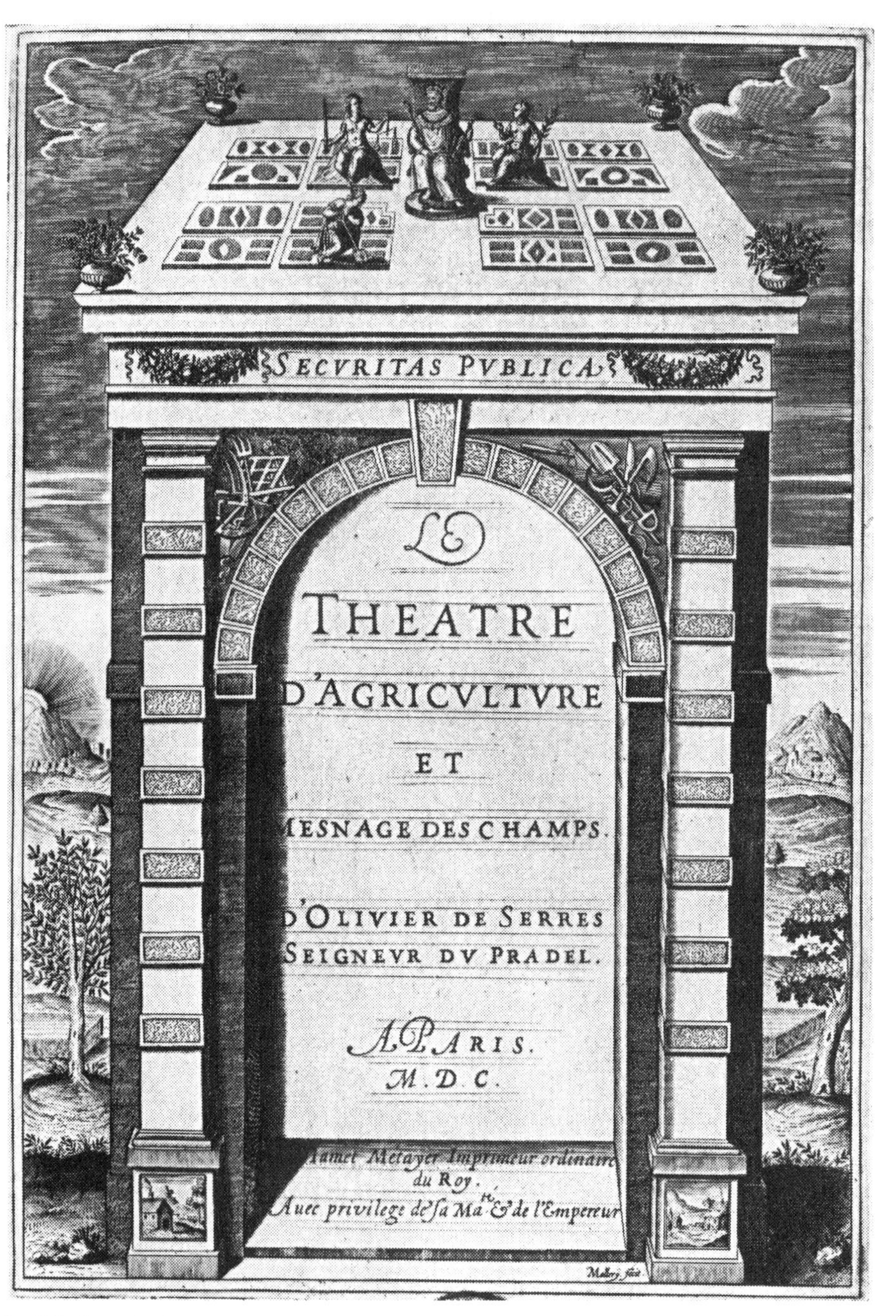

SECVRITAS PVBLICA

LE

THEATRE

D'AGRICVLTVRE

ET

MESNAGE DES CHAMPS.

D'OLIVIER DE SERRES

SEIGNEVR DV PRADEL.

A PARIS.

M.D.C.

Jamet Metayer Imprimeur ordinaire

du Roy.

Auec privilege de sa Ma^te & de l'Empereur

5. Olivier de SERRES, *Le Theatre d'Agriculture et Maison rustique* (1600), frontispice. (Serv. photo. B. N., Paris).

LES JARDINS D'ANTOINE DE MONTCHRESTIEN

Au frontispice du *Theatre d'Agriculture et Mesnage des champs* d'Olivier de Serres (1) se trouve un arc triomphal dont le sommet, en perspective, est constitué d'une vaste terrasse qui est un jardin dessiné (*fig. 5*). Deux allées se croisent, découpant quatre parterres carrés à motifs géométriques. Au croisement de ces allées est assis sur un trône un personnage couronné, dont le visage est à l'évidence celui de Henri IV. De chaque côté sur les parterres du fond se tiennent des figures féminines allégoriques, à la droite du roi la Justice, à sa gauche la Paix; sur le parterre de gauche au premier plan, une femme qui bêche figure l'Agriculture.

Singulier emblème pour présenter les jardins romanesques qui font l'objet de ces pages. Pour l'instant, la date, elle aussi emblématique, de 1600 peut réunir ces deux représentations. Aussi bien peut-on se demander ce que viennent faire ces jardins dans le huis-clos tragique, dans l'oeuvre héroïque et austère d'Antoine de Montchrestien. Ils forment, non un cadre ornemental, mais le lieu nécessaire d'une action que l'auteur, malgré le genre purement poétique qu'il adopte ici, tend déjà à dramatiser: il s'agit de son vaste poème de *Susane ou la Chasteté*, en quatre livres et plus de 1700 vers alexandrins à rimes plates; il est d'abord publié à Rouen en 1601 avec ses *Tragédies*, une *Bergerie* et des pièces déploratives, chez Jean Petit, libraire notoirement protestant. En 1604 paraît chez Jean Osmont, toujours à Rouen, une nouvelle édition beaucoup plus soigneuse et élégante. Elle comporte une nouvelle tragédie, *Hector*; les cinq autres sont profondément remaniées; Montchrestien fait le sacrifice de la *Bergerie* et de toutes les poésies diverses, mais conserve son poème de *Susane* (dont il supprime le sous-titre). Cette oeuvre est, elle aussi, fortement corrigée (2).

Montchrestien est assurément l'un des grands tragiques de son siècle. Son oeuvre dramatique est constamment traversée par la double postulation de l'héroïsme et du romanesque: c'est cette seconde tendance que nous rencontrerons dans ce poème. Ne nous attendons pas cependant à rencontrer ici un chef-d'oeuvre. Il s'agit des premiers essais d'un jeune poète, sans doute antérieurs aux tragédies; le lieu commun et la convention ne sont pas absents de ces vers, qui pourtant offrent assez souvent d'heureuses surprises. Mais précisément, dans leur relative banalité, ils permettent de percevoir une sorte de modèle moyen de l'imaginaire des jardins en ces années. Ces jardins se situent, dans le temps, à l'extrême limite de ce que l'on peut appeler "Renaissance". Ce sont en vérité des jardins "fin-de-siècle" qui doivent sans doute autant aux modes ou aux préoccupations de leur époque qu'aux fantasmes personnels de leur auteur.

L'argument de *Susane* est tiré du *Livre de Daniel*, chapitre XIII, v. 1-64. La Bible ne fournit de cette histoire qu'un schéma très sec, mais le thème en est d'une extrême popularité et connaîtra une fortune iconographique importante.

Le poème de Montchrestien comporte deux lieux pastoraux. L'un est une promenade publique où se retrouvent les jeunes amants et où Joachim va rêver: c'est là qu'il rencontre Susane. Le lieu et la circonstance sont une pure invention de Montchrestien; l'Ecriture se contente de mentionner que Joachim "avait épousé une femme nommée Susane, fille de Helcias, d'une grande beauté et pieuse, élevée selon la loi de Moïse". Le second jardin est l'expansion de deux mentions de la Bible: "Joachim était fort riche, un verger était attenant à sa maison"; "sur l'heure de midi, (...) Susane venait se promener dans le jardin de son mari" (qui va devenir dans le poème le jardin de Susane).

Le jardin est d'abord pour Montchrestien le lieu où se rencontrent nature et culture, ou plus exactement, la nature et l'art: topos évident, mais sur lequel l'auteur revient complaisamment. Cette intervention de l'art est, en apparence, à peine sensible dans la description de la promenade où Joachim rencontre Susane; il s'agit plutôt d'un lieu aménagé, fait à la convenance des amants, sorte de parc galant qu'animent l'eau courante et la verdure:

> Il s'en alla s'esbattre à la place où souloient
> Assembler vers le soir les Amans qui vouloient
> Rehumer à longs traits la poison langoureuse
> Que verse aux jeunes coeurs une oeillade amoureuse.
> Ce lieu hanté de tous après le chaud du jour,

Delices du Printemps (,) de Zephire et d'Amour,
Est ceint des moites bras de l'ondoyant Euphrate;
Autour deçà delà vogue mainte fregate...

Il s'agit bien d'un lieu tout à fait artificiel, fait pour la fête amoureuse. Cette évocation peut sembler disconvenir à la gravité d'un sujet biblique et à l'austérité du thème de la Chasteté. Mais on verra que ce n'est pas là le seul accroc poétique qui dans ce poème est fait à la chasteté. Au reste, bien que le jardin ne soit nullement un lieu tragique, on voit curieusement surgir une semblable vision pastorale délicieuse dans la tragédie des *Juifves* de Garnier, antérieure d'un quart de siècle (3) - même lieu adouci par l'eau domestiquée:

Adieu Siloé, fontaine
Dont la douce eau se pourmeine
Dans le canal de Cedron
Serpentant à l'environ... (II, v. 823-6),

même évocation de la vie galante dans la douceur des soirs:

Nous n'entendrons plus les sons
De la soupireuse lyre,
Qui s'accordoient aux chansons
Que l'amour vous faisoit dire:

Quand les cuisantes ardeurs
Du jour estant retirees,
On dansoit sous les tiedeurs
Des brunissantes soirees.

Et que ceux là dont l'amour
Tenoit les ames malades
Faisoynt aux Dames la cour
De mille douces aubades (IV, v. 1529-40).

Je ne déciderai pas si Montchrestien manifeste un goût attardé ou si Garnier anticipe sur un goût nouveau, mais je pencherais vers la seconde hypothèse.

La présence de l'intervention humaine, la préoccupation éminente de l'art deviennent insistantes lorsqu'il s'agit du jardin de Susane. Il est une première fois décrit au livre I, et l'alliance de la nature et de l'art est rappelée au début comme à la fin de cette description:

Susane s'ennuyant d'un sejour engourdi
Venoit en son verger où l'art et la nature
Ombragent de feuillage et pavent de verdure,
Et peuplent d'arbrisseaux et d'arbres differens,
Disposez au cordeau par cent sortes de rangs (...)
Bref en tout le Verger ou bien en chaque part
L'art aide à la Nature ou la nature à l'art.

Malgré la mention initiale, le jardin est ici décrit pour lui-même et Susane en est absente. Elle apparaîtra au livre II, guettée par les vieillards concupiscents, mais comme on peut s'y attendre, c'est la fontaine où elle décide de se baigner qui focalise l'attention du poète (comme celle des vieillards...). C'est une fontaine architecturale, un bassin de jaspe lui aussi minutieusement décrit, et Montchrestien se prend à rêver sur le jaspe lui-même, sur l'alliance de la matière et de la manière:

> ...nul oeil ne sçauroit discerner nulle part
> Si l'art vainq' la nature ou la nature l'art,
> Car par tout l'un et l'autre à qui mieux mieux deploye
> Ce que de plus parfait en tous les deux on voye.

On peut se demander à quelle préoccupation répond cette répétition obstinée d'un topos si banal. Plutôt que de constater une faiblesse, j'aimerais y voir le désir de constituer le jardin comme un objet porteur d'une signification. La nature sauvage des Bergeries - celle de Montchrestien en particulier - exprime la libération d'un désir déréglé, parfois brutal, qui peut toucher au tragique (comme en témoignent, par exemple, les nombreuses pastorales dramatiques sur le thème d'Isabelle). La nature domestiquée du jardin n'est pas exempte, elle non plus, d'allusions voluptueuses. Mais, en même temps qu'elle apporte un supplément de beauté, elle se soumet à un ordre quasiment moralisateur, qui ménage variété et ordonnance; le tracé "au cordeau" organise les différences, met en "cent sortes de rangs" cent sortes d'"arbrisseaux" et de combinaisons diverses.

L'esthétique du jardin de Montchrestien combine elle-même des influences diverses, mais avec une relative cohérence. Elle reste imprégnée d'un certain climat ronsardien, jamais absent chez cet auteur, même dans ses *Tragédies*, climat qui se traduit plus dans les énoncés que dans les référents eux-mêmes: rappels de rimes, citations presque littérales, choix de certains adjectifs comme "mignard" (rimant avec "feuillard")... Il évoque par exemple un bosquet

> (où) fleurit l'Aubepin et dessus ses fleurettes
> Cueillent leur doux labeur les soigneuses avettes...

et où "dégoisent" les oiseaux

> Animant les buissons de leurs airs gratieux,
> Qui font rire la terre et serener les Cieux (Livre I).

Mais la poésie de Montchrestien est aussi constituée de thèmes fondamentaux qui lui sont spécifiques, en petit nombre mais qui autorisent de riches combinaisons. Parmi ceux-ci, on retiendra ceux qui concernent plus particulièrement le jardin: la couleur, la précision florale, et surtout l'eau, le fluide, le reflet, la transparence. Le parc public déjà cité est essentiellement formé par les bras divisés d'un fleuve et les "légers esquifs" qui les parcourent sont eux-mêmes comme des fragments flottants de jardin qui jouent avec le reflet des eaux:

Autour deçà delà vogue mainte fregate,
Et maint leger esquif couvert de (verts) rameaux
Dont l'ombre voltigeant se joue au sein des eaux...

Le jardin de Susane appelle bien évidemment la présence de l'eau. Mais l'eau prend son véritable sens de refléter ou d'accueillir une présence féminine. A la chaleur du midi, Susane vient chercher la fraîcheur de ce *locus amoenus*:

(...) elle arrive
Au bord delicieux d'une ondoyante rive,
Où d'un ruisseau coulant les sillons refrisez
Sont d'un petit Zephir mollement courtisez...

La nonchalance de l'eau accompagne la nonchalance abandonnée de Susane, mimétisme qui trouve son achèvement dans le double narcissique qu'elle va enfin lui offrir:

Tantost elle regard au transparent de l'eau
Bavoler çà et là l'ombre de quelque oiseau;
Tantost elle contemple une mignarde Avette
Cueillir le miel rosin de fleurette en fleurette;
Tantost elle aperçoit un moucheron leger
Voler à ras de l'onde ou sur l'onde nager;
Et tantost, se courbant sur l'extreme rivage,
Elle voit dans les flots de sa face l'image.

Ce passage permet de mieux cerner cet art de Montchrestien; c'est un maniérisme exacerbé dans la passion du détail: la couleur du miel cueilli par l'avette, le vol rasant d'un moucheron, l'oiseau, non pas reflété, mais, redoublement et raffinement du reflet, dont l'ombre vient, à travers la transparence de l'eau, se dessiner sur le fond. Cette expansion maniériste cherche à épuiser dans de riches énumérations une variété inépuisable, par exemple, la bigarrure colorée d'un parterre de fleurs dessiné, en même temps qu'elle en isole tel détail d'une exquise précision:

On void dans les replis de ce plaisant Dedale
Le romarin espais, la sauge verte-pale,
La lavande, le thim et le jaune souci,
La marjolaine franche et la sauvage aussi,
L'odorant basilic, la double violette,
Le nard, la marguerite...

Il saura noter le croquis particulier du "souci refrangé" et ajouter encore des détails aux détails:

(...) au milieu s'estendent des allées
Que bordent tout au long les blanches giroflées,
L'oeillet rouge y deploye aux rayons du Soleil
Les chiquetés replis de son habit vermeil
Et le lis au long tige en ce lieu fait esclore
La plus belle des fleurs dont le matin s'honore.

Et pour allier encore l'art avec la nature, Montchrestien s'abandonnera à la description de la fontaine magnifique, de style italien, qui va accueillir le bain de Susane; c'est une eau pure et protégée

> Qui toute se ramasse au centre d'un vaisseau
> De jaspe bigarré fait en figure ovale.
> D'une tour eslevée en ce vaisseau dévale
> L'onde coulante en bas, par la bouche et les yeux
> De deux marlots d'airain qui regardent les Cieux.
> Cette tour est de marbre, et par les intervales
> Se bossent hors de l'eau mainte belle medalle...

Et brusquement conscient du caractère obsessionnel de cette accumulation de détails, le poète à un moment s'écrie (...assez comiquement):

> Muse ne t'eschape, arreste ici mignonne...

On reconnaîtra aussi au passage, dans la forme, des traces de la doctrine poétique de Malherbe, en particulier dans tout ce qui est effet sonore: répétitions, assonances, allitérations, dérivations... En 1604 cependant, Montchrestien a assimilé la leçon de Malherbe et pris ses distances à son égard. Il reste que cette pratique contribue à donner à sa poésie une sorte de "couleur Henri IV".

Mais le trait le plus notable de ce jardin poétique est son érotisation. Erotisme concerté, où l'appel amoureux de la nature, le chant des oiseaux "bec contre bec" ou les caresses des nobles palmiers invitent au désir:

> Là s'eslevent bien haut les Palmes genereuses
> Qui se baisent en l'air de leurs cîmes venteuses.
> Sur leurs bras les pigeons tendrement amoureux
> Goustent bec contre bec des plaisirs savoureux...

Susane elle-même sera contaminée par cet abandon voluptueux:

> (...) marchant de ce lieu contre le fil de l'eau,
> Elle vient au sourjon d'où coule ce ruisseau;
> Et là pour moderer la chaleur qu'elle endure,
> A l'ombre d'un fousteau (4) s'assied sous la verdure;
> Mais tout soudain après il lui prend un desir
> De prendre la fraischeur de l'onde à son plaisir (l.II)

Il n'est pas sûr que cet érotisme soit toujours bien contrôlé par le poète; il est parfois aussi d'une lourdeur un peu appuyée. Mais il est clair que ce lieu allusif est fait pour exprimer métaphoriquement, et peut-être même pour susciter le désir.

Cependant ce jardin offre un dernier trait singulièrement surprenant: à l'insu ou non de son auteur, c'est aussi le jardin d'un gentilhomme protestant aux dernières années du siècle, ce qu'est évidemment Montchrestien. La noblesse protestante française en cette fin de siècle a rompu avec le dédain aristocratique des activités rentables, des "occupations mechaniques", "vacations privées", et a voulu réhabiliter et promouvoir le travail, attitude qui convenait à la politique monarchique (5). Cette préoccupation se retrouve dans le gros et intéressant *Traicté de l'OEconomie politique* (6) que Montchrestien ne publiera qu'en 1615, mais aussi dans sa propre pratique, puisqu'il crée et gère une petite industrie métallurgique. C'est la même mentalité qui gouverne le délicieux *Theatre d'Agriculture* et le jardin de Susane offre d'assez curieuses ressemblances avec celui qu'Olivier de Serres prévoit et dessine pour son "bon mesnager des champs" au sixième "lieu" de son "Theatre" (*fig. 7*).

Des quatre types de jardins que le gentilhomme agronome estime nécessaires à une bonne maison, le potager, le bouquetier, le médicinal et le fruitier, Montchrestien abandonne, pour des raisons évidentes, le potager; mais l'énumération minutieuse des plantes qui composent le jardin de Susane renvoie à la conception des trois autres. Son ordonnance est celle du "jardin bouquetier", conçu, dit Olivier de Serres, "plus pour plaisir que pour profit"; on doit en tirer "les allées à lignes droites, l'assiette le permettant, mais quelle qu'elle soit, le parterre en sera uni en perfection pour l'aisance et beauté du Promenoir". Les simples et les essences que mentionne le poème de Montchrestien, assez composites, peuvent être celles d'un jardin méditerranéen auquel on a voulu joindre une pointe d'exotisme; Montchrestien, grand voyageur, a pu aussi bien les trouver dans son expérience que dans son imagination; mais enfin, elles figurent toutes parmi les plantes énumérées dans le *Theatre d'Agriculture*. Pour les bordures: basilic, lavande, thym; parmi les fleurs, outre les roses, qui méritent l'attention particulière des deux auteurs: oeillets, giroflées, violettes, soucis... Le lys, honoré aussi par Montchrestien, est pour Olivier de Serres "l'une des plus excellentes fleurs qu'on puisse eslever au jardin, dont la blancheur est incomparable". Le jardin médicinal n'est pas explicitement isolé dans le parc de Susane, mais plusieurs de ses plantes (coq, pervenche, sauge...) composent son "plaisant Dedale"; et parmi les arbres, Montchrestien mentionne surtout les arbres fruitiers qui, selon le *Theatre d'Agriculture*, délectent "particulièrement l'homme de gentil esprit": "il semble que la Nature ait publié ici son chef d'oeuvre". Le jardin de Susane semble comporter une section spéciale pour les fruitiers:

> Là se trouvent encor les fertiles poiriers,
> Les pruniers de Damas, les palles oliviers,
> Et mille arbres divers dont les fruits delectables
> Font le friand dessert des magnifiques tables...

Olivier de Serres a une prédilection pour certaines espèces et en fait un éloge quasi poétique, souvent proche du ton des *Géorgiques*. Parmi celles-ci figure le "pale Olivier" que Montchrestien privilégie lui aussi; et comme le poète, l'agronome note la "non-vulgaire couleur verte" de sa "ramure". Parmi les plus délectables et utiles arbres se trouvent les "orangers et limoniers", auxquels il consacre un développement important; il admire leur "eclatante verdure" et la "bonne qualité de leurs fruits, qui, contre la nature de tous les autres, demeurent attachés aux Arbres la plus grande partie de l'année: et ce qui en augmente la grace, est, qu'on en void à la fois, sur une mesme tige, des petits, des moyens, des grands" (etc.); détail que Montchrestien reprend littéralement:

> Voire et de mesme branche on cueille à la mesme heure
> L'orange encore verte et l'orange jà meure.

Rappelons-nous l'amoureux Palmier dont les "Palmes généreuses" "se baisent en l'air de leurs cîmes venteuses". Serres aussi fait figurer parmi les "précieux Arbres" le palmier, "la Palme, masle et femelle, s'entr'aimant tellement que, séparés l'un sexe de l'autre, ne fructifient poinct, mais assemblés portent en leur temps abondance de dattes".

Il n'est pas absolument prouvé que Montchrestien dès 1601 ait lu le *Theatre d'Agriculture* bien que ce soit très probable, mais cela devient certain pour son édition de 1604 de *Susane.*

Ces différents aspects: le souci de donner sens au lieu, l'esthétique maniériste, l'érotisme, la couleur ronsardienne et ce choix d'un jardin moralisé, réglé par l'architecture ou l'agronomie, tracé avec des préoccupations éthiques et politiques, font de ce verger de Susane un lieu complexe, qui révèle des postulations parfois contradictoires. Il peut, si l'on s'intéresse à Montchrestien, éclairer son oeuvre de dramaturge et les tensions de son monde tragique. Mais de façon plus générale, on y trouvera un reflet partiel et fuyant de cet objet si difficile à saisir qu'est (ou serait s'il existe) le "goût Henri IV".

Françoise CHARPENTIER

(Université Paris VII)

NOTES

1. Olivier de Serres, sieur Du Pradel, *Le Theatre d'Agriculture et Mesnage des Champs*, Paris, Jamet Metayer, 1600, in-fol.
2. *Les Tragedies de Ant. de Montchrestien, plus une Bergerie et un Poeme de Susane*, Rouen, Jean Petit, 1601, in-8.
3. Robert Garnier, *Les Juifves, tragedie*, Paris, M. Patisson, 1583, in-8.
4. Montchrestien, bon lecteur de Montaigne, n'a peut-être pas laissé échapper à son insu ce détail botanique et linguistique qui avait déjà exercé la verve de Montaigne. Cf. *Essais*, III,5 (éd. Villey-Saulnier, PUF, 1965, p. 856).
5. E. Sayous, "La Vie des protestants français sous Henri IV", dans *B.S.H.P.*, 1883, p. 533 sq.
6. *Traicté de l'Oeconomie politique (...) par Antoine de Montchrétien, sieur de Vatteville*, s.l.n.d. (1615), in-fol.

L'ANTIQUE DANS LE PAYSAGE

DE L'ÉCOLE DE FONTAINEBLEAU

Nous ne pouvons prétendre ici qu'à une brève présentation d'une question extrêmement riche et encore très mal connue malgré l'apparente banalité du thème: à un exposé plus programmatique que conclusif. Dans le cadre de cette enquête pluri-disciplinaire sur le paysage, où la dialectique nature-culture est apparue comme un trait constant, je me suis proposé d'analyser les diverses formes d'insertion de l'antique dans le paysage peint, dessiné ou gravé des artistes bellifontains.

Que signifie "l'antique" en l'occurrence? C'est d'abord un ensemble de monuments, d'architecture et de sculpture essentiellement, mais aussi de quelques vestiges de décors peints ou de stucs comme ceux de la *Domus Aurea* de Néron et des *ambulacra* et *vomitoria* du Colisée explorés et dessinés par les artistes italiens depuis l'époque de Sixte IV; monuments mis à jour de plus en plus nombreux sous Jules II qui acquit les trouvailles les plus prestigieuses pour son jardin de Belvédère et sous Paul III avec les découvertes faites dans les thermes de Caracalla, aujourd'hui au Musée national de Naples. Ce patrimoine a fourni un répertoire de motifs que l'on retrouve dans la peinture italienne puis européenne qui l'a adopté comme un héritage commun et précieux. C'est ensuite un ensemble de témoignages écrits sur les arts et les oeuvres de l'Antiquité, glosés et illustrés dans les éditions de Vitruve et les traités de la Renaissance qui l'utilisent ainsi que Pline ou Varron, Strabon, Lucien ou Philostrate.C'est également un troisième ensemble de matériaux: la mythologie gréco-romaine et les épopées ou chroniques grecques et latines.

L'antique apparaît donc dans le paysage peint:
-comme motif, élément formel, soit vestige, soit reconstitution dans un esprit "archéologique" ou fantaisiste;
-comme modèle artistique, pour ses proportions, sa composition, ses tendances stylistiques, voire pour les rapports qu'il figure et instaure entre les

hommes et, plus particulièrement dans le cas qui nous concerne ici, ceux entre les hommes et la nature;
-enfin comme fable, par cet extraordinaire élargissement de l'iconographie qu'ont permis les recherches humanistes sur les auteurs antiques. On s'attachera ici presque exclusivement aux fables cosmogoniques, celles qui désignent dans la nature la présence et l'action de divinités et qui expliquent les formes et rythmes de cette nature par leurs aventures fabuleuses.

Bien que fort peu étudié en tant que tel (1), le paysage a une place importante dans l'art de l'Ecole de Fontainebleau. Il oscille entre deux pôles: celui du paysage entièrement végétal, dense, boisé, aux feuillages et fleurs formant tapisserie, comme dans le grand portrait de *Diane de Poitiers en Diane chasseresse* ou le *Triomphe de Flore* du Maître de Flore (création originale de l'Ecole de Fontainebleau qu'il ne convient pas d'étudier dans le cadre de cet exposé) et celui du paysage purement architectural illustré par Jean de Gourmont et Jacques Androuet Du Cerceau. Entre ces deux extrêmes il se rencontre une grande variété de formules qui sont fonction de l'équilibre entre personnages et cadre naturel, bien sûr, mais aussi du caractère du lieu et de sa signification. Je distinguerai dans cette approche quatre groupes de paysages entre lesquels il n'y a pas exclusion réciproque, mais plutôt transitions et différences d'accent:
- les paysages naturels, à plans multiples, incluant des "fabriques" antiques: ville, édifice isolé, tronçon d'acqueduc, sarcophage réemployé en fontaine, torse ou débris de statue, fûts de colonne, chapiteaux ou fragments d'entablement parsemant l'herbe en un savant désordre;
- les paysages composés à l'antique que l'on peut regrouper en deux catégories, les villes idéales et les jardins de plaisir;
- les paysages présentés dans un encadrement à l'antique, qui sont la contribution la plus spécifique de l'Ecole de Fontainebleau;
- et les paysages hantés par les dieux antiques, divinités rustiques tels que les satyres, sylvains, nymphes, naïades et figures allégoriques des fleuves et des monts.

Dans ces quatre groupes qui seront illustrés par quelques exemples élus entre un grand nombre d'appelés, on peut voir se manifester une des tendances esthétiques du maniérisme bellifontain:
- la citation de monuments célèbres de l'Antiquité ou de formes architecturales reconnues comme parfaites par leur harmonie ou insurpassables par leur grandeur, analogue au procédé rhétorique de l'embellissement du discours par l'allusion à une figure antique illustre;
- l'émulation avec les descriptions littéraires d'oeuvres antiqus et les ouvrages topographiques de la Rome antique:
- la manipulation ludique des éléments de l'art classique de la Renaissance: démultiplication, enchevêtrement, inversion, mise en abyme;
- un double mouvement de cryptage et décryptage des fables censées expliquer un univers perçu comme un immense hiéroglyphe.

Le premier type de paysage bellifontain est la vue développée d'un espace naturel souvent complexe où la dimension temporelle est signifiée par des édifices ou fragments d'architecture à l'antique, soit qu'il s'agisse de situer la scène dans le passé, soit que l'artiste veuille instaurer un rapport (parallèle, contrepoint) entre Antiquité et temps présent. Prenons quelques exemples pour illustrer ce goût très répandu au XVIe siècle, qui déborde largement l'art de l'Ecole de Fontainebleau.

Premier type: l'antique dans le portrait allégorique et dévêtu d'une beauté, thème fameux et fréquent de ce milieu artistique. Dans un tableau intitulé *Diane de Poitiers en allégorie de la Paix* (Aix-en-Provence, musée Granet) (*fig. 8*), des ruines imposantes évoquant les thermes d'Antonin ou de Caracalla se profilent derrière la figure assise. On notera le détail de la végétation qui, reprenant ses droits sur la pierre bâtie, envahit les voûtes à demi éboulées. La figure humaine participe de cette même confrontation du vivant et de la pierre artistement taillée par sa plastique vigoureuse et son identité; car c'est en fait Vénus entourée des dépouilles guerrières de Mars.

Deuxième genre d'occurrence: l'antique dans la scène de chasse, autre thème privilégié de l'Ecole de Fontainebleau, en étroit rapport avec la raison d'être primitive du château. Ici le Maître LD a gravé d'après le Primatice *La Chasse d'Adonis poursuivant le sanglier de Calydon* (*fig. 9*). Audelà de l'étang se dresse une sorte de coupe architecturale du temple de Diane encore muni, dans la cella, de la statue en armes de la déesse. Le lien avec le paysage naturel et la scène qui s'y déroule s'opère symboliquement par les cerfs, animaux favoris de la déesse, qui cherchent protection à l'ombre du sanctuaire.

Troisième type d'utilisation: l'antique dans le poème épique grec, notamment dans l'*Odyssée* illustrée à la Galerie d'Ulysse. Dans la scène d'*Ulysse et les Sirènes* (copie de Nicolò dell'Abate conservée au château de Fontainebleau), le regard se pose d'abord sur la ronde attirante menée par ces êtres fabuleux dans un temple marin aux piles tronquées. Ici, c'est la situation même de ces vestiges immergés dans la mer vineuse hérissée de sombres récifs qui assure la liaison entre l'antique et le paysage.

Quatrième genre d'intervention: l'antique dans les scènes religieuses, qui s'autorisent de l'époque reculée où vécurent les patriarches et les personnages du Nouveau Testament pour multiplier les vues de constructions antiquisantes. Le trait est constant dans les *Saintes Familles* et *Nativités* de Primatice (Léningrad, Ermitage), Jean Mignon, Antonio Fantuzzi, Léonard Limosin. Le berceau de l'Enfant en forme de sarcophage orné de palmettes, un autel antique servent souvent à figurer le sacrifice futur du Christ. Dans le *Moïse sauvé des eaux* de Nicolò dell'Abate (Louvre), une cité antiquisante, hybride et stylisée se profile sur la rive du Nil. Là l'intégration, ambiguë, de l'antique-exotique au paysage familier est opérée par les effets de lumière qui, découpant en clair les hauts pignons triangulaires des maisons, les font ressembler aux cristaux pâles des pyramides qui leur sont étroitement mêlées.

Cinquième forme de recours: l'antique dans l'allégorie. On prendra pour exemple l'*Allégorie de la Rédemption* d'Etienne Delaune (Louvre, Cabinet des dessins) (*fig. 10*), où ce graveur ornemaniste à l'esprit accumulatif a dispersé, dans un paysage plus eschatologique que logique, les formes les plus archétypiques de l'architecture antique telle qu'elle est perçue, rêvée et reconstituée au XVIe siècle. La Nativité est abritée, en haut à droite, par la solennelle abside de ce qui semble être une basilique romaine. Des arcs en grand appareil, évoquant des portes de fortifications, enserrent étroitement la scène majeure de la Descente aux Limbes. Sur la gauche, le paysage se déploie en mouvements de terrain herbeux, isolant une scène apparemment anecdotique qui est en réalité l'illustration de la parabole biblique de l'arbre sec et stérile coupé et jeté au feu. La ville lointaine détache en silhouettes contre le ciel pur temple circulaire, pyramide et colonne cochlide. Ici donc l'antique cloisonne ou souligne l'action multiple, l'étonnante composition de l'obélisque orfévré à base renflée et godronnée s'élevant juste au-dessus du geste majeur du rachat des hommes justes morts avant la venue du Messie. Nature et antique changent de signe: la première devient signal et avertissement, le second coulisse et décor dont la surabondance nuit à la gravité. L'antique se marie encore à l'éloge des vertus chrétiennes et même lui prête ses formes dans la *Charité* de Jean Cousin (Montpellier, musée Fabre) (*fig. 12*). Dans l'échappée du paysage, bleuâtre et fondue comme une image de songe, une ville nous présente ses monuments glorieux: temple circulaire vu en coupe, porte triomphale surmontée d'un obélisque, long portique à colonnade. Quant à la figure maternelle, elle est dérivée de l'allégorie de la Terre nourricière de l'*Ara Pacis Augustae*, connu et dessiné au XVIe siècle (*fig. 13*).

Le deuxième type de paysage fait une place plus grande à l'antique qui n'est plus seulement un motif inclus à l'arrière-plan d'une scène mais constitue un ensemble inventé ou reconstruit à partir de documents figurés ou écrits. C'est le lieu de rappeler en un mot l'abondance et la variété des sources d'information sur l'architecture et la sculpture antiques en France dès le milieu du XVIe siècle: les collections de sculptures rapportées de Rome du roi et de ses ambassadeurs, les moulages réalisés des statues du Belvédère et vraisemblablement de la colonne Trajane, les réductions en bronze et les pastiches contemporains; les voyages d'artistes, leurs dessins (Etienne Dupérac ou Pierre Jacques sculpteur rémois), les gravures comme celles de Nicolas Béatrizet ou le *Speculum Romanae Magnificentiae* édité par Antoine Lafréry; les traités historiques et techniques enfin (Vitruve, Serlio) et les guides et plans de Rome et de ses monuments et collections (Fulvio, Marliani, Aldroandi, Dosio, Palladio, Cavalieri et Boissard).

En 1550, Jacques Androuet Du Cerceau publie à Orléans ses *Fragmenta structurae veteris*, caprices architecturaux qui font place aux formes les plus prestigieuses et éclectiques de la construction antique. Ces édifices, si on les extrait de leur contexte de paysage artificiel, se laissent aisément regrouper en une typologie: architectures triomphales (ars et portes, colonnes historiées commémorant une victoire), architectures funéraires (mausolées, pyramides, tumuli), architectures religieuses (temples et autels monumentaux), architectures de plaisir (palais à terrrasses, loggias, portiques, jardins). L'antique mis en scène dans la nature ou comme une nature rivalise avec elle en variété et luxe (*copia*) ou en étendue et puissance (*magnitudo*).

En 1584, dans son *Livre des édifices antiques*, Du Cerceau adoptera la tournure d'esprit nouvelle qui s'était affirmée en Italie au contact des érudits: le monument reconstitué est isolé dans la page blanche, privé de contexte paysager, la *veduta* fait place à l'archéologie naissante.

Les vues de la Rome antique idéalement reconstituée trouvent un écho en France avec Antoine Caron et ses *Massacres du Triumvirat* (Louvre), triptyque d'une érudition maniaque, qui nous présente comme sur une scène tragique à la Serlio les monuments les plus célèbres de Rome. Au centre le Colisée, le Panthéon, le Septizonium; dans l'aile gauche l'Arc de Constantin et l'antique Mausolée d'Hadrien devenu le Château Saint-Ange; à la jonction des panneaux, l'obélisque du Vatican et la colonne Trajane. Quant aux statues, Apollon du Belvédère, Hercule Commode, Dioscure du Quirinal et monument équestre de Marc-Aurèle, tout aussi emblématiques de Rome, elles sont portées à une échelle colossale qui frôle le fantastique. Paysage fascinant aux couleurs irréelles, constitué exclusivement de pierre, de modules et de tracés géométriques, cadre impitoyable des événements les plus sanglants, antiques et présents. Entre l'arène romaine et le proscenium également circulaire de l'actualité française où le soudard démesuré brandit une tête tranchée, la rime plastique, dans l'axe perspectif, établit le parallèle plastique.

Rosso Fiorentino, d'esprit indépendant jusqu'à la contradiction, bénéficie d'une connaissance directe des antiquités de Rome, mais subordonne strictement leur emploi à ses intentions narratives et stylistiques. L'antique est omniprésent à la galerie de François Ier à Fontainebleau dans les paysages des fresques comme dans les stucs qui les encadrent, sous la forme d'édifices, d'ornements, de créatures mythiques et de grotesques.

Dans la fresque de l'*Unité de l'Etat*, la place publique est bordée par une tour, une pyramide, une porte triomphale et la façade d'un palais dont les niches sont peuplées de statues. Le roi porte une cuirasse à la romaine ornée du gorgoneion et de lambrequins. Vêtements et édifices antiques insinuent métaphoriquement l'idée de l'ancienneté et de la légitimité de son pouvoir.

Chez Francesco Primaticcio, expert en oeuvres d'art antiques au service des Gonzaga de Mantoue, envoyé de François Ier à Rome pour acheter des antiques et mouler ceux du pape, le choix des exemples est difficile tant l'antique sous toutes ses formes habite et modèle son imagination. Prenons cette scène mystérieuse de *Deux vieillards devant des pyramides*, gravée par le Maître LD (*fig. 11*), où l'effet des monuments est magnifié par le dépouillement et le nocturne.

Le thème de la pyramide est central dans cette présence de l'antique au sein du paysage bellifontain car nulle forme n'y est plus fréquente. Fermée sur des secrets tenus pour redoutables et de la plus ancienne sagesse et philosophie, mal comprise dans ses fonctions, faussée dans ses proportions jusqu'à ressembler à l'aiguille d'un obélisque, elle appartient à la série des sept merveilles du monde et fascine aussi bien par l'énigme de sa construction que par ses trésors et ses hiéroglyphes (**2**). Dans une gravure de la *Cosmographie universelle* de Sébastien Münster, les trois pyramides d'Egypte sont comme trois montagnes effilées posées au bord d'un précipice. Dans celle de Philippe Galle d'après Martin van Heemskerck elles sont devenues des constructions raffinées, toutes différentes et couvertes de caractères symboliques inventés (solaire, funèbre, cosmique, sacrificiel).

La *Guerre de Troie* en six planches gravées par Jean Mignon d'après Luca Penni est prétexte à de virtuoses scénographies architecturales. La plus étonnante est le *Pillage de l'acropole de Troie* (*fig. 14*) qui montre l'écroulement du palais de Priam et la coupe instable du temple d'Athéna. Corps cuirassés, membres architecturaux épars, brandons enflammés tissent au premier plan l'image d'un cataclysme tandis que dans le fond la basse ville est déjà champ de décombres; c'est la ruine en acte, le cadre bâti devenu événement, la belle forme qui retourne à l'informe, l'antique morcelé suscitant un paysage mosaïque.

Le goût pour l'antique a donné naissance au XVIe siècle à d'autres créations unissant la nature et l'artifice érudit, qui sont reflétées dans l'art bellifontain: les jardins mythologiques, inspirés des descriptions de Pline et des fouilles comme celles menées à Tivoli pour le cardinal de Ferrare, Ippolito d'Este (qui se fit construire un hôtel à Fontainebleau), jardins peuplés de statues disposées dans les allées et les bosquets, montées en fontaines ou abritées dans de fausses grottes. Le cardinal Jean Du Bellay s'en était fait aménager un semblable sur le Quirinal et Claude d'Urfé à son retour d'ambassade en 1551 rapporta des antiques pour son jardin de la Bastie d'Urfé. Meudon et plus tard Saint-Germain-en-Laye et Wideville auront leurs promenoirs, terrasses, nymphées cryptoportiques, fontaines, statues et termes (**3**).

Regardons les dessins de Caron pour la tenture de *La Reine Artémise* ou les tapisseries de l'*Histoire de Pomone*. Les jardins à l'antique qui y sont figurés offrent une architecture idéale, sans contrainte, légère, ouverte, mêlant intimement les éléments antiquisants: termes-cariatides, treillages à caissons ajourés, pergolas à arcades, pavillons-*tempietti* et la verdure qui s'y attache et s'y enroule. Un exemple particulièrement intéressant parce que représentation d'un jardin dans un jardin est la décoration du Pavillon de Pomone dans le Jardin des Pins à Fontainebleau avec ses deux fresques mythologiques: *Vertumne et Pomone* du Rosso et *Cérès enseignant l'agriculture aux humains* du Primatice (*fig. 15*). On relève ici trois systèmes d'intégration de l'antique et du paysage naturel: dans la représentation proprement dite du sujet, par les motifs de pergolas inspirés de la peinture romaine et le terme de Priape auquel sont vouées des offrandes de fruits; dans la mise en situation de la fresque, la perspective feinte prolongeant la perspective réelle de l'allée du jardin, dans un goût de l'illusion à l'antique très raffiné; enfin dans le mythe lui-même puisque Cérès est ici montrée comme l'inventeur des jardins productifs, comme l'étaient le Jardin des Pins et le Bois des canaux adjacent.

Le troisième type de paysage, qui appartient plus en propre à l'Ecole de Fontainebleau, est le paysage serti de motifs antiquisants. Type né un peu du hasard: la décision de reproduire par la gravure les encadrements de stuc de la galerie de François Ier, entreprise menée par Antonio Fantuzzi et le Maître LD. Dans l'encadrement de la *Destruction de Catane*, avec ses barbares antiques barbus et vêtus de braies qui rappellent de façon précise les deux rois barbares prisonniers alors exposés au Capitole, un paysage accidenté, maritime, sans anecdote meuble le vide central, sans trop distraire l'attention des ornements de cuirs, putti et chutes de fruits proposés à l'imitation. Contrairement au principe classique de la hiérarchie entre tableau et cadre, c'est la bordure qui devient "historiée" et le motif central une scène vide d'acteurs. Et contrairement aux paysages précédents où l'inclusion d'un édifice autrefois ou actuellement parfait conférait à la nature dignité et harmonie, l'antique désormais caprice irrationnel n'est plus que la frange irrégulière d'un espace sans axes et sans ordonnance.

Cependant la formule, dans ses ambiguïtés (mise en valeur ou subordination du paysage, affirmation des droits du pittoresque pur ou dénonciation de l'artificialité de toute chose et même du paysage), a séduit et a été adaptée: pour les scènes édéniques de Luca Penni gravées par Jean Mignon, pour les aventures, essentiellement de plein air, de la *Conquête de la Toison d'Or* dessinées par Léonard Thiry et dans mainte édition illustrée du XVIe siècle français. Par une autre forme de renversement, le paysage envahit parfois la présentation d'un modèle sculptural à l'antique, comme dans la série de vingt *Termes* de Jean Mignon qui ajoute aux prototypes d'Agostino Veneziano des allusions paysagères: à cet *Hercule à la massue*, un terrain planté de roseaux et des grotesques en pendentifs.

Il envahit aussi les formes antiquisantes des vases d'orfèvrerie en suivant la voie tracée à Fontainebleau par Benvenuto Cellini et sa célèbre

Salière pour François Ier où les plantes et les flots d'émail coloré, les hippocampes, le bateau servant de réceptacle et les figures de Neptune et d'Amphitrite racontaient l'origine du sel. Ainsi les vases-paysages du Rosso gravés par Fantuzzi ou Boyvin, comme cette *oenochoé aux dieux marins* et aux écrevisses ou cette *coupe formant treille* où les satyres cueillent les grappes de raisin (*fig. 16*).

Le domaine où la recherche d'une hybridation entre l'antique et le paysage se fait la plus ingénieuse est celui de l'architecture "rustique", où les formes antiques du cryptoportique, de la "grotta" sont traitées à l'imitation de la nature brute: blocs non épannelés, conservant avec leur gaine de protection une apparence géologique et formant des bossages savamment grossiers, congélations et stalactites feints, fausses mousses et lichens, incrustations dans le mortier couleur de terre de galets et coquillages imitant fleurs et animaux, comme à la voûte détruite de la Grotte du Jardin des Pins. Une gravure de *façade rustique* de Fantuzzi semble traduire un projet du Primatice (*fig. 17*). Des bossages tourmentés comme des rocs émergent les têtes de satyres géants et les piédroits sont comme leurs membres informes et pétrifiés. Primatice se souvient ici de l'esprit de son collaborateur à Mantoue, Giulio Romano et de sa *Chute des Géants* au Palais du Tè, figurant les monts comme des amas de blocs énormes et les Titans ensevelis sous leurs masse. Sur l'estampe bellifontaine la vigne pousse hors des anfractuosités et des jointures des blocs et serpents et escargots y rampent. Une autre gravure du Maître LD d'après Primatice reproduit la *façade* encore conservée *de la Grotte du Jardin des Pins.* Murés dans les piédroits, des géants asservis, inspirés des Esclaves michelangélesques, figurent des forces tectoniques et architectoniques à la fois. La poutre à laquelle ils sont liés et où leurs mains s'accrochent forme imposte et leur musculature titanesque fait écho aux profils rudement ébauchés des claveaux et frontons.

Le dernier type, dont une véritable approche l'ouvrirait des perspectives dépassant de beaucoup les limites qu'il convient de nous imposer ici, est celui où l'antique est moins présence architecturale qu'allégorie figurée ou plus exactement où l'on ne sait plus très bien ce qui est la réalité profonde de la nature et ce qui n'en est que le voile ou le chiffre; quand les lauriers et les saules ont des âmes féminines prisonnières sous l'écorce; quand les fleurs, les sources, les animaux et les constellations ne sont que des mortels, des héros et des dieux métamorphosés. Toute forme du paysage de quelque beauté ou signifiance est un dieu rustique ou local et peut paraître dans la peinture ou le dessin sous sa forme humaine ou sa forme paysagère selon le goût ou l'intention de l'artiste.

Dans le *Bain de Diane* de François Clouet (Musée de Rouen), l'idylle est si harmonieuse entre la déesse et les Faunes (inspirés des Satyres de la collection della Valle moulés à Rome par Primatice), que c'est le chasseur qui fait figure d'intrus.

L'interprète le plus inspiré de ce type de paysage peuplé de nymphes et de dieux fut à Fontainebleau Nicolò dell'Abate arrivé en 1552 après une expérience déjà riche de décorateur en Emilie. Il introduisit le goût des paysages panoramiques, cadre d'aventures légendaires (Palazzo Poggi à Bologne et Rocca di Scandiano) et transfigurés par les harmonies froides des bois et des ciels et les souplesses impossibles du dessin. Deux témoignages prestigieux nous en demeurent, dont l'*Histoire d'Aristée* (Londres, National Gallery) (*fig. 18*) illustrant poétiquement la quatrième *Géorgique* de Virgile: la poursuite d'Eurydice par le berger Aristée, Eurydice morte piquée par une "hydre", Orphée charmant les animaux sauvages de ses chants, le devin Protée se métamorphosant en fleuve et Cyrène la source mère d'Aristée lui enseignant comment apaiser les nymphes et retrouver ses abeilles. Figure allégorique de fleuve, adaptation de la statue d'Ariane-Cléopâtre du Belvédère pour la nymphe étendue morte, temples, colonnes et pyramides tels des prismes captant une lumière mouvante, s'unissent si intimement aux prairies, montagnes et promontoires marins qu'ils semblent d'une même essence. Dans l'*Enlèvement de Proserpine* de Nicolò (Louvre) (*fig. 19*), les replis du paysage se prêtent à l'évocation des divers moments de la légende de l'origine des saisons: les nymphes cueillant des fleurs, Pluton ravissant Proserpine, son char aux coursiers noirs l'emportant vers les enfers à travers un défilé rocheux et la source Aréthuse témoin de l'enlèvement, tapie dans un léger mouvement du sol. Le conflit mythologique trouve ses équivalents plastiques dans le tournoiement des rochers, souligné par les gestes, qui creuse au centre l'appel vertigineux de l'horizon infini, et dans les teintes fuligineuses de l'orage. Dans le mythe cosmogonique, filtré et médité par une sensibilité intensément poétique, l'antiquité et la nature fusionnent parfaitement pour créer un paysage: paysage culturel, irréel, mental.

Nous conclurons cette brève description typologique par une remarque qui nous ramène au paysage réel. Le château de Fontainebleau lui-même se présente comme le contraire du type de paysage graphique qu'il a vu naître: la vue pittoresque enchâssée dans des grotesques à l'antique. "Quasi una nuova Roma" pour Vasari, le château est présenté par les voyageurs et les poètes contemporains comme un rêve à l'antique avec sa porte triomphale, ses façades classicisantes, ses étuves, ses pavillons et ses jardins semés de bassins et de statues, un rêve antique ceint d'une mer de verdure dense sa forêt, ses étangs, ses landes et ses terres agricoles.

Martine VASSELIN

(Aix-en-Provence)

NOTES

1. Dans les ouvrages généraux sur le paysage, on ne trouve que de brèves allusions à l'Ecole de Fontainebleau, exclusivement consacrées à Nicolò dell'Abate. Ainsi dans K. Clark, *Landscape into art*, 1949 et dans E. Carli, *Le Paysage dans l'art*, 1980. Le catalogue de l'exposition *Il paesaggio nel disegno del Cinquecento europeo*, Rome, Villa Médicis, Académie de France, 1972-3, par Mmes Bacou et Viatte, fait la place beaucoup plus belle aux dessinateurs de paysage français confrontés aux autres écoles d'Italie, de Flandres et d'Allemagne. Anne-Marie Lecoq, dans "Les Peintures murales d'Ecouen: présentation et datation", colloque *L'Art de Fontainebleau*, 1975, consacre quelques observations aux paysages bellifontains, en particulier aux rapports figures/nature. La publication récente de J.J. Levêque, *L'Ecole de Fontainebleau*, 1984, n'approrte aucune information ni réflexion nouvelle.
Sur l'art bellifontain en général, les sources essentielles demeurent le catalogue de l'exposition de Paris, Grand Palais, 1972, *L'Ecole de Fontainebleau*; A. Blunt, *Art and Architecture in France 1500-1700*, 1953 (The Pelican History of Art); B. Lossky, *Le Maniérisme en France et en Europe du Nord*, 1974 et H. Zerner, *Ecole de Fontainebleau. Gravures*, 1969.
2. Sur le motif de la pyramide au XVIe siècle et son symbolisme, on peut consulter *Le Meraviglie del mondo, PSICON Rivista internazionale di architettura*, 7, avril-juin 1976.
3. Voir Alfred Marie, *Jardins français créés à la Renaissance*, 1955.
L'auteur de ces lignes poursuit actuellement des recherches sur les sources antiques et leur utilisation dans l'art bellifontain.

8. anonyme, Ecole de Fontainebleau, *Diane de Poitiers en allégorie de la Paix* (Aix-en-Provence, Musée Granet).

9. Maître L.D. (d'après F. Primaticcio), *La Chasse d'Adonis*.

10. Etienne DELAUNE, *Allégorie de la Rédemption* (Louvre, Cabinet des dessins).

11. Maître L.D. (d'après F. Primaticcio), *Deux vieillards dans un paysage de ruines antiques.*

12. Jean COUSIN, *La Charité* (Montpellier, Musée Fabre).

13. *Ara Pacis Augustae*, Rome, "Allégorie de la Terre".

14. Jean MIGNON (d'après Luca Penni), *Le Pillage de l'acropole de Troie*.

15. Maître L.D. (d'après F. Primaticcio), *Cérès enseignant aux humains l'agriculture*.

16. Antonio FANTUZZI (d'après Rosso Fiorentino ?), aiguière et coupe.

17. Antonio FANTUZZI (d'après F. Primaticcio ?), façade rustique.

18. Nicoló dell'ABATE, *Histoire d'Aristée* (Londres, National Gallery).

19. Nicoló dell'ABATE, *L'Enlèvement de Proserpine* (Paris, Louvre)

LA TEMPORALISATION DE L'ESPACE

DANS LA PEINTURE FRANÇAISE DU XVIE SIÈCLE

La notion de "paysage" suppose un espace cohérent, unifié, infini: la valeur du détail doit s'effacer devant un sentiment global d'unité spatiale (1). L'avènement de la perspective rationnelle des théoriciens de la Renaissance devrait donc permettre la naissance du Paysage. De fait, la peinture italienne se tourne de plus en plus vers des effets de réalité: les *vedute* lointaines sont mieux intégrées à l'ensemble des plans du tableau (Giorgione...); la peinture allemande aussi (Witz, Patinir...). Pourtant au milieu du siècle le Maniérisme rompt avec la géométrisation perspective et, renonçant aux conquêtes "naturalistes" de la Haute-Renaisaance, paraît nier la spatialité (2). La plupart des commentateurs l'interprètent comme une régression (3), car on comprend mal ces retours à des procédés "archaïques". Parmi ceux-ci il en est un qui nous paraît particulièrement révélateur, celui de la succession simultanée ou pluritemporalité, qui consiste à représenter dans un même tableau divers moments d'une histoire, en y faisant figurer au besoin plusieurs fois les mêmes personnages. Or ce procédé est présenté comme déjà en voie de disparition au XVe siècle et très rare au XVIe; et de toute façon on ne lui prête qu'un intérêt narratif (4).

En fait, la pluritemporalité pose un problème historique, car loin d'être une survivance accidentelle, nous verrons qu'elle correspond à une véritable mode, caractéristique de l'Ecole de Fontainebleau et de la peinture française de 1540 à la fin du siècle. De plus, les peintres qui l'utilisent connaissent les lois de la perspective et inscrivent le procédé dans un espace apparemment unifié en "paysage". Il paraît donc intéressant de suivre l'histoire de cette résurgence chez les Bellifontains, dans la mesure où elle pose avec acuité le problème de la *représentation* de l'espace au XVIe siècle - condition de l'existence du paysage -: la cohérence spatiale y est à la fois proposée et refusée par la mutliplication d'espaces qui coexistent dans le même tableau. L'étude de cette ambiguïté nous conduira à mieux approcher le *sentiment* même de l'espace dans la mentalité du XVIe siècle.

1. La pluritemporalité et la représentation de l'espace: un nouvel élément de définition du maniérisme français.

La succession simultanée permettait au Moyen Age de représenter une narration dans ses diverses séquences, séparées par des compartiments, puis des artifices conventionnels (colonnes, arbres...), ou simplement juxtaposées (5). Cependant assez tôt on l'a utilisée non plus dans un *espace linéaire* qu'on lisait de gauche à droite sur un même plan, comme un texte écrit, mais dans un espace qui suggérait la profondeur par le décalage des séquences du fond au premier plan. Les Maniéristes bellifontaines ont exploité le procédé dans un *espace profond* qui donne l'illusion d'être unifié (c'est pourquoi nous ne parlerons plus de succession simultanée mais de pluritemporalité), et pour des sujets non plus religieux comme jusqu'alors mais mythologiques et profanes. C'est le Rosso qui inaugura la reprise du procédé dans la Galerie de François Ier en 1534-37, mais c'est vers 1550-60 que la pluritemporalité connaîtra le plus vif succès et favorisera la créativité. Parmi le peu d'oeuvres restant de l'Ecole de Fontainebleau, on a déjà noté une trentaine d'occurrences. Il nous a été impossible d'en faire un relevé exhaustif, mais le chiffre doit pouvoir être largement étendu, surtout si l'on pense aux tapisseries. Il s'éteindra après 1605, pour ne réapparaître que très exceptionnellement au XVIIe siècle dans deux paysages de Poussin, qui en sera implicitement critiqué: la pluritemporalité ne conviendra plus à l'esthétique classique, nous en reparlerons. Voyons donc l'évolution de cette mode à la cour de France.

Seul le Rosso parmi les Maniéristes italiens semble avoir été attiré par la pluritemporalité (sans doute influencé par Andrea del Sarto) (6). Néanmoins une des caractéristiques de sa peinture est de nier l'effet de réalité spatiale, comme Michel-Ange. Il ne prête attention qu'aux figures et à leur disposition dans un expace résolument pictural. Ce n'est donc pas chez lui que nous trouverons des paysages, et son influence, pour importante qu'elle soit, n'a été qu'un lointain point de départ de l'engouement, quinze ans plus tard, pour la pluritemporalité. Mais son utilisation du procédé a été un héritage précieux. Observons le tableau de l'*Education d'Achille par Chiron*: les deux personnages s'exercent à divers sports sur quatre plans et dans un espace ramassé qui accentue l'impression de violence de l'action. Il n'y a pas d'histoire ou de narration: les épisodes peuvent se succéder dans n'importe quel ordre, le regard va de l'un à l'autre et la pluritemporalité crée simplement un espace d'action où l'on a plaisir, comme au théâtre, à voir évoluer les personnages d'une activité à l'autre.

Après le Rosso, le Primatice aimera moins le procédé et ne l'utilisera que dans des parcours simples pour le regard. En revanche, les Français auront le goût des trajets de plus en plus complexes, à l'intérieur d'un espace plastique ainsi parcouru de sens (direction du regard et signification). Nous ne pouvons pas ici commenter chaque oeuvre, nous donnons seulement une série de croquis leur correspondant et montrant le trajet du regard dans la pluritemporalité. Nous voyons nettement que ce trajet a tendance à se compliquer. En effet, si la lecture normale va de gauche à droite et du premier plan au fond, on a vu très tôt des peintres qui prenaient le parti d'utiliser la pluritemporalité en sens inverse; néanmoins, le trajet marquait rarement une ligne brisée, une ligne circulaire ou même des arabesques qui s'entrecroisent: c'est tout cela que vont inventer les Maniéristes français ainsi que Niccolò dell'Abate. Ils se servent de la pluritemporalité comme d'un moyen, combiné avec d'autres (par exemple les directions des regards des personnages), pour créer un espace plastique parcouru d'orientations, de circuits pour le regard du spectateur, qui l'incitent davantage à une quête, un effort d'attention à l'espace ainsi créé qu'à la lecture linéaire d'une signification évidente... Souvent les peintres jouent d'une contradiction entre le trajet normal du regard et celui du déroulement de l'histoire, ce qui oblige le spectateur à reparcourir le tableau dans les deux sens. Le tableau devient donc un noeud de parcours, un piège à significations plastiques. La temporalisation de l'espace combine alors la technique de la pluritemporalité et la relation de lecture du spectateur au tableau, qui est un dévoilement progressif spatio-temporel de la signification (ce que Mikel Dufrenne appelle "le devenir visible du tableau") (7). Plus le spectateur est invité à suivre de parcours, plus il sent qu'il a face à lui un monde dense, riche, qui a une existence autonome. La pluritemporalité crée l'oeuvre d'art "mythique" en ce sens qu'elle devient un équivalent du mythe, conçu (même au XVIe siècle) non comme l'illustration d'un sens, mais comme un complexe de signes, capable de véhiculer divers sens métamorphosables selon l'histoire et l'occasion. C'est d'ailleurs un jeu pour les artistes du XVIe siècle de réadapter les mythes aux circonstances politiques ou événementielles de la cour. Ainsi, l'oeuvre d'art, comme le mythe, se révèle être un lieu polymorphe, lisible de diverses façons, grâce à une structure d'un dynamisme volontairement accentué par la pluritemporalité. On comprend que l'un des motifs préférés des Bellifontains soit la métamorphose.

Prenons quelques exemples. Dans la gravure de Jean Mignon (et Luca Penni) *La Métamorphose d'Actéon* (Vienne) (*fig. 20*), Actéon regarde Diane vers la droite, le spectateur rencontre le regard de Diane qui le renvoie à Actéon, doublement: parce qu'elle le regarde et parce qu'elle lui envoie un jet d'eau au coeur. Le jet d'eau redouble et souligne la structure spéculaire de la relation des deux personnages. De plus la première fois qu'on aperçoit Actéon, il est déjà en cours de métamorphose avec une tête de cerf: Diane l'a donc déjà vu et châtié; on est incité à parcourir d'autant plus rapidement le trajet jusqu'à Diane, puis à nouveau de Diane à Actéon, qui reçoit le jet d'eau vraisemblablement au moment où il est métamorphosé. Au fond, Actéon s'enfuit, puis est dévoré par les chiens. Pourtant cette fuite dans la forêt, les bras levés, ressemble plus à l'expression d'une folie émerveillée qu'à une poursuite effrayée; la série des circuits d'un regard à l'autre des protagonistes au premier plan tend d'ailleurs à recréer et prolonger l'instant miraculeux de ce regard fatal sur la beauté de Diane et, n'était la métamorphose, on pourrait croire à un jeu d'amoureux. Grâce à ces jeux sur la temporalité à l'intérieur du tableau, le sens se complique, bouge.

Le tableau *Diane et Actéon* (anonyme, Louvre, 1540-50) est intéressant aussi car il permet au spectateur d'interroger les divers moments: de droite à gauche, les femmes voient Actéon, puis partent chasser tandis qu'au fond Actéon est dévoré. La scène est très dynamique, d'autant que l'on peut se demander si la femme du premier plan, directement face à Actéon, ne serait pas Diane assise auparavant, qui se serait brusquement levée de son siège à droite pour affronter et effrayer Actéon. Un tel tableau peut paraître jouer l'invraisemblance et l'incohérence spatiale; en fait, il nécessite une vision non globale de la part du spectateur, mais progressive, comme toute oeuvre utilisant la pluritemporalité. Le spectateur est invité à suivre un parcours, et le tableau compte avec le dynamisme de son regard: il ne s'anime que grâce à lui. De tels tableaux sont "une invitation au voyage" (**8**). La pluritemporalité spatiale du tableau suscite une temporalité herméneutique de la part du spectateur. Les "paysages" de Niccolò dell'Abate sont ainsi davantage des incitations à la promenade à l'intérieur du tableau et de l'espace créé que des vues d'ensemble ou des paysages au sens moderne. *L'Enlèvement de Proserpine* (Louvre, 1560) (*fig. 19*) invite à une lecture en boucle: de la gauche à la droite en montant, puis le char oriente le regard vers la gauche, et on voit une femme seule qui paraît être Cérès cherchant sa fille et se dirige vers la droite: au premier plan, légèrement à droite on découvre enfin, comme en marge de l'histoire, une femme installée dans une sorte de grotte qui, plutôt que la nymphe des eaux (hypothèse de Sylvie Béguin) (**9**), me semble être Proserpine en déesse des Enfers, diamétralement opposée à Cérès qui la cherche dans la nappe de lumière. Même si le spectateur butte dès le départ sur cette femme couchée, il comprend que ce n'est pas la suite de l'histoire et reparcourt le tableau dans le bon sens (**10**).

Ainsi, si pour nous la pluritemporalité crée un effet de brouillage, au sens où nous percevons d'abord l'ensemble du tableau dont l'unité spatiale est ensuite mise en doute, ce brouillage pourrait bien être anachronique, car les hommes du XVIe siècle avaient une vision plus analytique, plus *itinérante.* Leur regard n'était pas perdu comme le nôtre, dans ces grands ensembles, il savait davantage se poser lors des stations sur les différents épisodes. Si paysage il y a au XVIe siècle, il ne peut donc procéder que d'une vision dynamique, d'un itinéraire à travers la spatialité, et non d'un effet de réel ou d'un effort naturaliste. Peut-être faudrait-il même réinterpréter en ce sens ce qu'on a trop souvent attribué à un goût de la surcharge décorative; la façon progressive de regarder le tableau corrigerait l'impression de foisonnement que donne une vue d'ensemble.

Les *Douze Fables de Fleuves* de Pontus de Tyard, qui datent de la même époque (1555), nous révèlent comment on concevait et lisait un tableau, et presque à chaque fois le tableau décrit est pluritemporel, les personnages apparaissent plusieurs fois (**11**). Prenons par exemple la 5e Fable du fleuve Phasis, et remarquons combien la liaison des scènes est importante: les stations sont prises dans un itinéraire, le regard va du fond au premier plan à l'intérieur d'un même paysage hivernal. La parole du poète suit cette promenade du regard d'un plan à l'autre du tableau:

> Il faudroit peindre un paysage hyvernal; et en un quartier de veue lointaine (au fond), faire Phébus avec Ocyroé: et auprès d'eux leur petit fils Phasis. Ailleurs en veue plus prochaine (plan intermédiaire) seroit Ocyroé, morte du coup de quelque glaive, et celuy qui auroit esté surpris avec elle fuiant et se sauvant à cachette: puis assez près (premier plan) seroit Phasis se précipitant en un fleuve...

Le principal souci des peintres est en effet de lier les épisodes entre eux, et les moyens qu'ils utilisent pour cela font comme une rhétorique de l'espace. Souvent un personnage fait transition en participant à deux moments à la fois. Dans le tableau *Moïse sauvé des eaux* (N. dell'Abate, Louvre), une des femmes du groupe de droite, alors que ses compagnes regardent la jeune femme apportant l'enfant, est tournée vers un moment antérieur, celui où Moïse est repêché dans le fleuve. La narration est ainsi mise à jour au profit de la structure itinérante. Le regard du spectateur est précédé ou redoublé par celui d'un personnage qui a une fonction clé dans cette structure-promenade. Nous pouvons rattacher à ce procédé du personnage-lien entre divers épisodes tous les personnages qui sont en retrait, tels des spectateurs intermédiaires entre le tableau et le spectateur (**12**).

De 1570 à 1605 on tend à simplifier les trajets du regard et à revenir à la simple narration. Pourtant Toussaint Dubreuil peint un tableau au jeu structurel complexe, *La Toilette* (1600, Louvre) (*fig. 21*). On y voit à gauche le lever d'une dame, et à droite sa toilette. L'examen des suivantes montre qu'elles ont été dédoublées systématiquement, comme si chaque personnage possédait derrière lui son ombre incarnée, s'échappant de lui et se fixant à chaque moment de ses actes. Le miroir placé au centre semble l'emblème du thème du dédoublement. Une suivante fait charnière: elle présente une étoffe et appartient au groupe de droite, pourtant son double regarde le premier groupe. Ce jeu savant sur le même et l'autre invite le regard à errer et à interroger l'espace, et marque sans doute une sorte d'angoisse de la démultiplication des êtres, un peu plus différents à chaque instant. L'espace est ici nié (par les erreurs de perspective notamment, alors que Dubreuil sait créer le sentiment de l'espace unique) (**13**), et pourtant la suivante du milieu participe des deux scènes et donc creuse une certaine spatialité. L'espace n'est pas "réel" ni "irréel", il est encore autre chose: il est criblé de questions. Le tableau engage le spectateur dans un parcours, et donc une quête, non plus d'un message divin qui l'irradierait, mais d'un univers de signes entièrement esthétique et humain.

Au XVIIe siècle, rares sont les peintres qui emploient la pluritemporalité (**14**). Poussin le fait dans deux paysages: *Orphée et Eurydice* et *Les Israélites recueillant la manne* (1649-50, Louvre). La résurgence du procédé a choqué, même si on n'en a pas clairement discerné la raison. Félibien raconte que quelque'un de l'Académie avait reproché à Poussin l'absence d'unité d'action dans le second tableau, car d'un côté les gens sont affamés, de l'autre ils recueillent la nourriture. Félibien répond que, tel le dramaturge, le peintre a le droit, en vue d'éclairer son sujet, de joindre divers moments qui sont autant de "péripéties" (**15**). Mais en ramenant ainsi la pluritemporalité à la seule fonction narrative, il marque bien la mort du procédé: en effet, celui-ci correspond à une appréhension de l'oeuvre d'art révolue. Désormais on privilégie une vision d'ensemble du tableau, quitte si on le veut à le reparcourir pour apprécier comment chaque élément se rattache au tout. On ne veut plus du déploiement spatio-temporel d'une lecture aventureuse, souvent décalée, souvent infinie. Au XVIe siècle, le spectateur acceptait et aimait une approche plus progressive de la signification, au risque de l'obscurité et au risque de l'errance. Essayons de mieux comprendre ce sentiment de l'espace.

II. Pluritemporalité et microtopie.

On a peut-être trop vite dit que la Haute-Renaissance avait unifié l'espace en théorisant la géométrie perspective. La façon même d'appréhender le tableau dans un déchiffrement progressif qu'a révélée la pluritemporalité nous induit à penser que la perception d'une spatialité infinie et cohérente à cette époque est une illusion. Nous ne parlons pas ici de l'espace comme intuition pure, forme *a priori* du sens externe, mais de l'espace *vécu* et *perçu* (**16**) à l'intérieur d'une représentation culturelle du monde: le "sentiment" de l'espace peut alors changer de manière très fine et insidieuse au cours du temps.

Pour définir la perspective, Panofsky s'appuie sur une phrase d'Alberti qui demande d'imaginer le tableau comme une fenêtre ouverte à travers laquelle on regarde ce qui est peint; selon lui, le théoricien envisagerait un espace perspectif qui pourrait dépasser les bords du tableau et s'étendre à l'infini (**17**). Mais peut-être Alberti voulait-il seulement donner un conseil technique en vue d'un effet de réel *à l'intérieur* du tableau, sans impliquer l'infini. En effet, les théoriciens de la Renaissance codifient un espace géométrique expérimental et *limité* (pensons aux "boîtes noires", au souci d'enfermer et d'immobiliser le spectateur à l'endroit d'où la perspective devait être vue...). Francastel parle judicieusement à ce sujet d'un espace cubique ou "scénographique" (**18**), qui suppose qu'on travaille des effets de réel sur des portions, des unités réduites d'espace. La perspective ne sort pas de la boîte artificielle d'expériences. D'ailleurs, elle n'a pas été accueillie comme un progrès génial par les contemporains. Robert Klein a montré que face aux systèmes d'Alberti et de ceux qui soutiennent que l'oeil du spectateur doit avoir un point fixe, d'autres peintres, dont Uccello, veulent tenir compte de la mobilité de l'oeil, qui "devrait voir partout des points de fuite centraux" (**19**). Léonard de Vinci s'intéressait à la perspective curviligne. Au XVIIe siècle l'espace est unifié, mais il l'est toujours sur le modèle théâtral: le paysage ne pourrait pas encore déborder le tableau, il a la perfection d'une allégorie de la nature (**20**), il est une mise en scène de la nature. On est passé de la pluritemporalité à l'unicité d'une pause qui condense en elle toute la signification (même la peinture baroque se déploie dans un espace statique à l'intérieur duquel elle élabore d'autres moyens de représentation du mouvement). Il faudra attendre le XVIIIe siècle et le romantisme pour goûter la sensation de l'espace infini autour de soi et en soi, et la naissance d'un vrai paysage.

Que signifie donc cette conception "scénographique" de l'espace, unie au parcours spatial que suscite la pluritemporalité? Si l'espace n'est pas unitaire, si l'infini n'est pas donné d'un seul coup à chaque instant, l'homme ne peut que se promener d'un lieu à l'autre, d'une portion d'espace à l'autre, et appréhender l'espace de façon *microtopique.*

L'homme de la Renaissance ne se sent plus sans cesse en relation verticale avec Dieu, dans un espace protégé au milieu d'une vaste étendue dangereuse et mondaine, comme l'homme du Moyen Age pour qui tout parcours était symbolique, néanmoins il se meut dans un espace peuplé d'influences astrales, de "démons"; un espace vécu sur plusieurs "dimensions" à la fois (cf. le goût des anamorphoses): physique, mondaine, divine, magique... Il y a un certain "îlotisme" dans la spatialité au XVIe siècle, comme si l'on percevait l'espace de manière plus sensuelle, plus directe, de la dimension d'une sorte de nimbe autour de son corps. On a été surpris par l'attention au détail: les récits des voyageurs qui découvrent de vastes contrées sont des catalogues de détails isolés; on ne connaît pas le panorama, ni de sentiment esthétiquepour la mer ou la montagne; les poètes se plaisent à "une vision minutieuse, un peu myope, qui n'embrasse pas le paysage d'un seul regard" (**21**) (pensons aux blasons, aux descriptions de la *Bergerie* de Belleau...). Les jardins n'ont pas d'unité d'ensemble: fontaines, coins exotiques, grottes etc. se succèdent, à chaque fois on se trouve dans un autre espace, un autre microtope, un espace creusé dans l'espace. Un détail n'est pas perçu comme un détail mais comme un monde. Ainsi, les espaces artificiels des jardins et des décors de fêtes ont une valeur de réalité plus grande: l'artifice est estompé par la vérité du microtope recreé. La portion d'espace ainsi prélevée sur le monde appartient davantage à l'homme et à sa vérité (vécue et imaginée).

L'homme erre ainsi d'un microtope à l'autre, comme le regard allait d'une station à l'autre dans les tableaux pluritemporels, sans être assuré d'une autre cohérence dans le monde que celle de ses découvertes successives et de son parcours sinueux. S'il y a un ordre, Dieu le voit, tandis que l'homme s'émerveille de la diversité de la nature; les vastes spéculations et les synthèses existent bien sûr, et depuis longtemps, mais elles ont leur domaine bien défini: la philosophie et la théologie. Dans la vie quotidienne, les microtopes se suivent, et dans les tableaux, les "moments" sont reliés dans une promenade pluritemporelle. Car le plus important est cette appréhension microtopique de l'espace réel ou plastique, c'est la mouvance d'une station à l'autre. On découvre les choses progressivement; à l'intérieur d'un univers clos et enfermé dans son propre artifice, le regard se libère et court sur la toile, ouvrant ainsi un infini de relations possibles de la toile au spectateur. La pluritemporalité du Maniérisme français rompt avec l'espace scénographique dans la mesure où elle compte avec la vie du spectateur, le dynamisme de son regard, sa participation. Si celui-ci ne se prête pas à ce parcours, le tableau reste incohérent, et l'espace incompréhensible: il y a donc un jeu sur la fiction (et la convention du procédé) d'un côté, et la vie du spectateur de l'autre. Le tableau ne vise pas un effet de réel, mais suggère en la sollicitant la vérité de la vie. Nous retrouvons ici l'imbrication compliquée et méthodique de l'imaginaire au réel, qui définit le goût maniériste selon Chastel (22). Le fait d'utiliser le dynamisme du regard et la vie du spectateur provoque aussi une équivoque entre l'espace et l'étendue, c'est-à-dire, selon la distinction de Charles Lapique (23), entre l'espace comme vide, lieu de l'imaginaire et de mon impossibilité d'action, et l'étendue comme lieu charnel de mes actions possibles: le lieu pictural d'après lui est un espace pur, par opposition au lieu "réel", où espace et étendue sont mêlés. L'oeuvre maniériste ferait éclater cette distinction art/vie. La pluritemporalité révèle donc un espace à la scénographie dynamisée, ouverte vers un intérieur vivant et mobile; elle compte avec la métamorphose des lieux et des instants. L'esthétique à laquelle elle semble correspondre est une esthétique de l'instant vécu, du trajet, par opposition à une esthétique de l'éternité et de la fixité.

L'étude du procédé de la pluritemporalité nous a permis d'essayer d'affiner notre approche du sentiment de l'espace chez les Maniéristes français. L'enjeu était, nous semble-t-il, important dans la mesure où la notion de paysage est subordonnée à celle d'un espace infini et unifié. Or nous venons de voir que, dans la conscience des hommes du XVIe siècle, l'espace n'a pas été unifié; il semble au contraire rempli de mondes hétérogènes qui se succèdent et s'imbriquent en microtopes.

La vogue de la pluritemporalité, réexploitée exclusivement par les Bellifontains, nous a paru devoir être considérée comme un nouvel élément de définition du maniérisme français. Le tableau crée un espace-promenade, qui demande au spectateur la participation du dynamisme de son regard, et se définit finalement comme un noeud de parcours et de sens. Il est un appel à la fête, à la vie parallèle: la pluritemporalité en effet apporte à la fois une circularité du regard dans un espace clos et autarcique, celui de l'oeuvre d'art qui n'est plus un substitut ou un signe mais un univers à part entière; et une interpénétration de plusieurs espaces (à l'intérieur de la toile par la pluritemporalité, et entre le monde réel et le monde imaginaire). Or il n'y a pas d'opposition, car l'oeuvre semble vouloir entraîner le spectateur dans un univers replié, intériorisé, au point que l'artifice initial découvre brusquement la vie intime de la conscience, le temps d'un parcours. Et chaque tableau a son parcours et son système, clos sur lui-même et ouvert au dynamisme du désir du spectateur. La pluritemporalité impose ses errances et ses découvertes: elle met en scène et en mouvement la contemplation esthétique.

Ainsi, si l'on s'en tient à la définition actuelle des conditions du paysage (espace infini et unifié) - et il faut bien s'y tenir pour que les mots gardent un sens -, on peut dire qu'en raison même de la façon de *lire* le tableau au XVIe siècle, le paysage n'existe pas.

Josiane RIEU

(Université de Nice)

NOTES

1. Selon les définitions d'E. Battisti, *Encyclop. Universalis*, vol. 12, p. 619, et de K. Clark, *L'Art du paysage*, Julliard, 1962, p. 15 (pour lui, la lumière unifiera l'espace vers 1420).
2. M. Raymond, *Etre et dire*, Neuchâtel, 1970, p, 127; A. Blunt, *La Théorie des arts en Italie*, Julliard, 1962, p. 97.
3. Blunt, *op. cit.*, p. 146-7; E. Panofsky, *La Perspective comme forme symbolique*, Ed. de Minuit, 1975, p. 181. Seul Jacques Bousquet pense que le Maniérisme, tout en connaissant la perspective, joue avec l'espace et en donne une représentation onirique (*La Peinture maniériste*, Ides et Calendes, 1964, p. 143)
4. P. Francastel, *La Figure et le lieu*, Denoël/Gonthier, 1980, p. 171; B. Lamblin, *Peinture et temps*, Klincksieck, 1983, p. 174 et 165. Il faudra selon lui attendre le XXe siècle pour que cet espace unitaire soit remis en question.
5. Citation de Léonard de Vinci dans K. Clark, *Léonard de Vinci*, 1967, p. 153. Nous nous réservons de revenir ailleurs sur l'histoire du procédé au Moyen Age, qui aurait débordé de beaucoup le cadre de cette communication.
6. Andrea del Sarto est l'un des rares peintres italiens à employer la pluritemporalité au XVIe siècle, dans *Récits de la vie de saint Joseph* (Flo-

rence). Citons aussi Michel-Ange, *Le Péché originel* (1509-10, Sixtine) et Véronèse, *Les Pélerins d'Emmaüs* (Louvre).
7. Préface de *Peinture et temps* de Lamblin, *op. cit.*, p. XI.
8. B. Lamblin, *op. cit.*, p. 358 (à propos de Patinir).
9. Voir *L'Ecole de Fontainebleau*, Grand Palais 1972-73, éd. des Musées nationaux, p. 8.
10. Même analyse pour *Eurydice et Aristée* (1560, Londres, National Gallery) (*fig. 18*).
11. Voir les *OEuvres poétiques* de Pontus de Tyard, "La Pléiade française", éd. Marty-Laveaux, Slatkine repr., Fables 5, 6, 7, 10, 11. Exemple cité: p. 209-10. Voir les indications de Jean Miernowski, "La Poésie et la peinture: les *Douze Fables de Fleuves ou Fontaines* de P. de Tyard", *R.H.R.*, 18, juin 1984.
12. Par exemple Maître L.D., *Diane et ses nymphes poursuivant un cerf*, gravure B.N.; Maître I.V., *Paysage dans un encadrement ornemental*, Londres: deux putti forment un lien plastico-syntaxique entre l'espace du tableau et l'espace réel. Voir catalogue cité *L'Ecole de Fontainebleau*, p. 306 et p. 296.
13. Voir *Diane implorant Jupiter*; *Femme et homme dans un paysage*, dessins, Louvre.
14. Voir Carlo Saraceni, *Naissance de la Vierge* (1585-1620, Louvre).
15. Félibien, *Entretiens sur les Vies...*, Trévoux, 1725, t. IV, 8e Entretien, p. 143. Voir aussi p. 140 à 142.
16. Kant distingue d'ailleurs espace objectif et idéal (*Critique de la raison pure*, PUF, p. 59).
17. *Op. cit.*, p. 38-39.
18. Francastel, *Etudes de sociologie de l'art*, Denoël/Gonthier, 1970, p. 194-5.
19. *La Forme et l'Intelligible*, Gallimard, 1970 ("Tel"), p. 264.
20. Félibien, *L'Idée du peintre parfaict...*, Londres, 1707, p.37.
21. Voir les excellentes remarques de Fr. Joukovsky, *Paysages de la Renaissance*, PUF, 1974, p. 43 (à propos de Lemaire de Belges) et p. 62 (à propos de Ronsard). Pour le début de la phrase, *ibid.*, p. 30, 24 et 26.
22. A. Chastel, cité par M. Raymond, "La Pléiade et le Maniérisme", *in Lumières de la Pléiade*, Vrin, 1966.
23. "Espace de la nature et espace pictural", *in La Profondeur et le rythme*, Arthaud, 1948, p. 19-21.

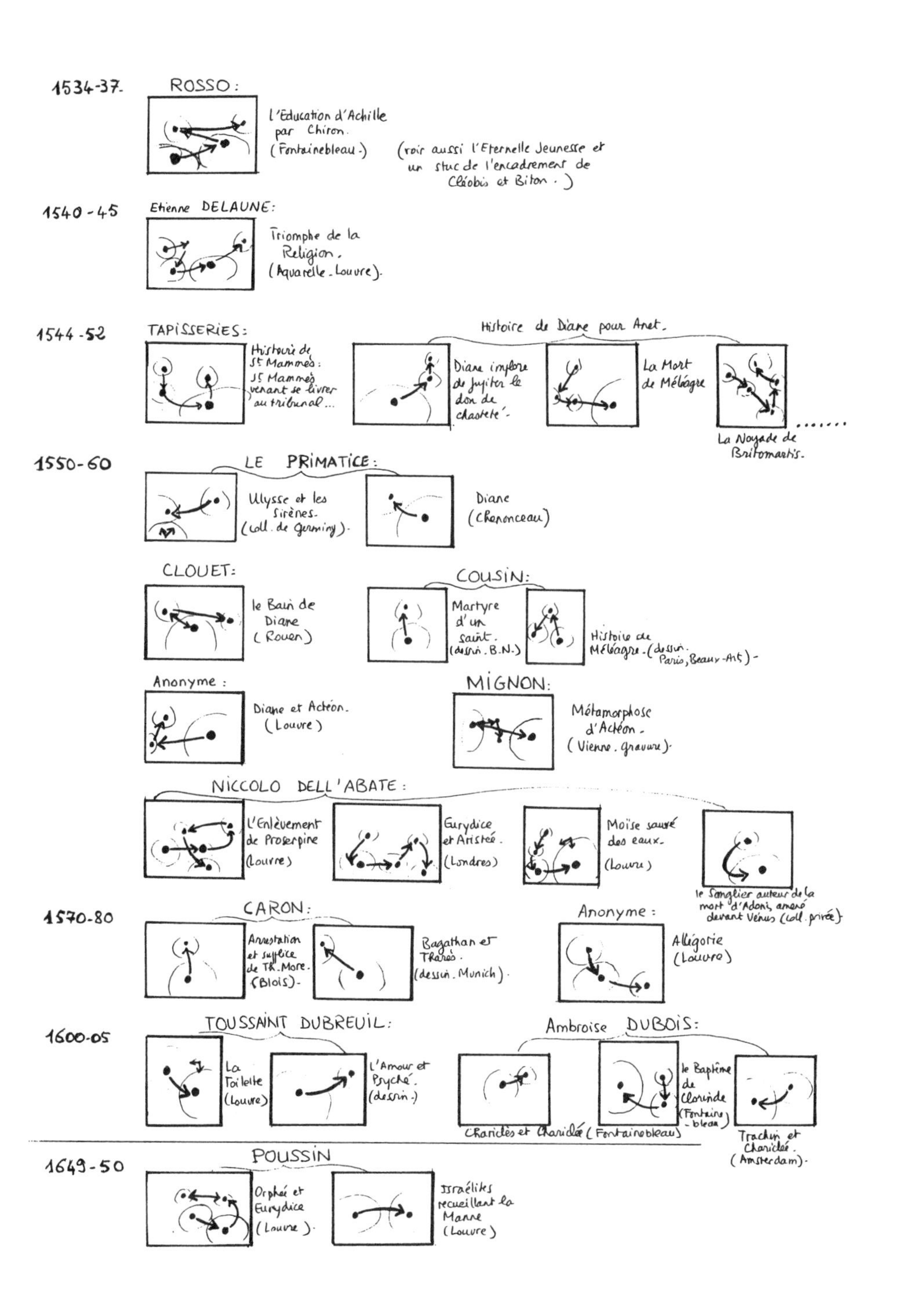

1534-37.
ROSSO :
L'Education d'Achille par Chiron. (Fontainebleau.)
(voir aussi l'Eternelle Jeunesse et un stuc de l'encadrement de Cléobis et Biton.)
1540-45
Etienne DELAUNE:
Triomphe de la Religion. (Aquarelle. Louvre).
1544-52
TAPISSERIES:
Histoire de St Mammès: St Mammès venant se livrer au tribunal...
Histoire de Diane pour Anet.
Diane implore de Jupiter le don de chasteté.
La Mort de Méléagre
La Noyade de Britomartis.
1550-60
LE PRIMATICE:
Ulysse et les Sirènes. (coll. de Germiny).
Diane (Chenonceau)
CLOUET:
le Bain de Diane (Rouen)
COUSIN:
Martyre d'un saint. (dessin. B.N.)
Histoire de Méléagre. (dessin. Paris, Beaux-Arts).
Anonyme :
Diane et Actéon. (Louvre)
MIGNON:
Métamorphose d'Actéon. (Vienne. gravure).
NICCOLO DELL'ABATE:
L'Enlèvement de Proserpine (Louvre)
Eurydice et Aristée. (Londres)
Moïse sauvé des eaux. (Louvre)
le Sanglier auteur de la mort d'Adonis amené devant Vénus (coll. privée).
1570-80
CARON:
Arrestation et supplice de Th. More. (Blois).
Bagathan et Tharès. (dessin. Munich).
Anonyme :
Allégorie (Louvre)
1600-05
TOUSSAINT DUBREUIL:
La Toilette (Louvre)
L'Amour et Psyché. (dessin.)
Ambroise DUBOIS:
Chariclès et Chariclée (Fontainebleau)
le Baptême de Clorinde (Fontainebleau)
Trachin et Chariclée. (Amsterdam).
1649-50
POUSSIN
Orphée et Eurydice (Louvre).
Israélites recueillant la Manne (Louvre)

20. Jean MIGNON, *La Métamorphose d'Actéon.*

21. Toussaint DUBREUIL, *La Toilette* (Paris, Louvre).

22. GRECO, *Vue et Plan de Tolède* (Tolède, Musée Greco).

LE PAYSAGE TOLÉDAN DU GRECO

Quand, au début du XXe siècle, le Greco "ressuscita" aux yeux des artistes, des gens de lettres, de dilettanti et des gens du monde, il apparut comme l'émanation et l'expression de Tolède. Le rapport sera jugé si étroit que Barrès, autant fasciné par la ville que par le peintre, parcourra les rues et visitera les édifices de Tolède pour comprendre le Greco et contemplera les tableaux du Greco pour que lui soit transmis "le secret de Tolède". Il est vrai que pendant les trente-sept années qu'y vécut le peintre, la ville avait atteint le sommet de sa gloire culturelle, littéraire et religieuse, avant son déclin sous les règnes de Philippe III et de Philippe IV. Dans les premières années du XVIIe siècle se retrouvaient au Cigarral de Buena-Vista les esprits les plus brillants et les plus féconds d'Espagne: Cervantes, Góngora, le Greco, Tirso de Molina, Lope de Vega, Ribadeneira (ami et mémorialiste d'Ignace de Loyola), Covarrubias (le savant jurisconsulte), sans oublier les belles Tolédanes qui, selon le mot que rapporte Barrès d'un pieux ami de Thérèse d'Avila, "disent plus en un mot qu'un philosophe d'Athènes en un livre" (1). Même la continuité des générations semble assurée si l'on tient compte que Baltasar Gracián, âgé d'une dizaine d'années en 1611, et qui passa son enfance à Tolède sous la tutelle pédagogique d'un oncle chapelain de la chapelle Saint-Pierre-des-Rois, semble avoir pu être admis, à titre d'auditeur encore balbutiant, à cette société de choix (2). En tout cas, Gracián gardera une image mirifique de Tolède. Plus de quarante ans après, le *Criticón* fera l'éloge de cette "école du bien parler", de cet "atelier de l'esprit de sagesse", de Tolède "tout entière ville" - soulignant l'essence urbanistique de ce lieu âpre et enflammé (3) -,Tolède qui, "comme garanties de ses traits d'esprit, aspire à percer les étoiles" (4): notons que le jeu de mots de Gracián, représentatif de sa propre "acuité d'esprit", renvoie aussi bien à la silhouette visuelle de la ville que nous a léguée la vision fameuse du Greco, qu'à sa réputation intellectuelle. Or si Tolède est à l'évidence devenue le lieu mental, intellectuel et spirituel du peintre crétois, et si la ville est plus que toute autre captivante par ce charme mystérieux que de nos jours a recréé Bunuel dans *Tristana* - Barrès ne confie-t-il pas qu'il y a mené "une vie toute livrée aux influences du lieu" (5) - ce n'est pas à sa représentation que le Greco a consacré la plus grande partie de son oeuvre.

Le sujet du Greco, c'est avant tout l'homme, l'homme à l'épreuve de la tension spirituelle, l'homme en proie à des aspirations vers la transcendance et l'au-delà, agité parfois jusqu'à la contorsion d'une fièvre envahissante, parfois figé jusqu'au spasme, souvent ébloui par les créatures célestes du songe et de la foi religieuse, parfois même porté à la terreur par les images des légendes maudites. Le Greco, dans un environnement de nébulosités ou d'étoffes aux plis baroques, ne peint que des corps, des visages, des mains, et l'espace qu'ils constituent se confond avec leur propre image, en dotant leur figuration du dynamisme de la volonté, de l'épreuve extatique, d'une tristesse inclinée vers un sol ténébreux, de regards éperdus vers les hauteurs, de lévitations oniriques, avec les carnations adéquates des visages résolus ou l'exténuation exsangue des chairs livides déjà sollicitées par la mort. De *L'Espolio* de la cathédrale de Tolède à *L'Enterrement du comte d'Orgaz* de Santo Tomé, l'effet est saisissant de la facture anthropomorphe, sarcomorphe, chiromorphe et surtout prosopomorphe de l'espace du Greco, si l'on peut parler de formes chez ce peintre qui préfère les larves ou les chaos de nuages aux contours arrêtés de choses distinctes et les effilements des flammes ou des mains, aux structures nettes et aux épanouissements. La vue du Greco, dont on a pu dire qu'elle était astigmate, modelée par les canons des profils byzantins, fut d'abord une vue introvertie, portée à l'expression de l'intériorité et de la spiritualité dont témoignent les mystiques de son époque. Le Greco, plus porté aux exercices de l'imagination qu'à l'attention calme envers le visible, préférant les risques destructeurs de la convulsion à la joie paisible, mais superficielles devant les somptuosités spectaculaires de la terre, ne fut pas particulièrement attiré par le "paysage", comme l'étaient les Allemands et les Flamands. Mais un jour, sans doute aux environs de 1595, celui-ci va finir par s'imposer à sa vue et par devenir objet pictural, voire le sujet patent de certaines toiles, justifiant que l'on ait pu voir en Greco "l'ultime épigone de la Renaissance" (6). Le *paysage*, dont le terme apparaît en France au XVIe siècle, comprend pourtant deux éléments: d'une part, il est le *point de vue* d'ensemble sur le *pays*, c'est-à-dire sur le lieu même (7); d'autre part, il est constitué par cette totalité visualisable et discernable qu'on peut appeler *panorama*. Or si le *lieu* - la ville de Tolède - est assurément pris chez le Greco à partir d'un point de vue voire, dans l'ensemble de ses toiles qui le représentent, d'une succession de points de vue, le panorama ne se donne pas comme Gestalt ni comme découpe statique et calme: l'image est celle d'un devenir, d'un événement, d'un moment du temps plus que d'un pan de l'espace, lequel, en ce lieu de Tolède, semble plutôt en cours de dispersion, ou dans l'attente d'un événement qu'en état de rassemblement et de totalité au repos.

Compte tenu de cette distorsion entre l'évidence d'un *point de vue* et la déhiscence d'une totalité, on peut parler de Tolède comme de ce paysage pictural du Greco, désormais fixé dans la mémoire culturelle de l'Europe, une Tolède irréelle et comme issue de quelque tension géologique et architecturale exaspérée de la Tolède géographique (8), une Tolède tourmentée sur son socle granitique raviné et calciné, une Tolède exposée aux orages d'un imminent cataclysme, une Tolède agitée à côté du plan urbain qui en exprime la géométrie impérissable, une Tolède de pierres d'où les vivants sont semble-t-il partis, mais d'où peuvent s'élever encore des êtres en lévitation rejoints par des anges et des corps célestes aux vêtements d'apparat à leur rencontre en provenance des cieux d'où ils descendent.

Tolède comme sujet pictural exhaustif est figurée dans deux toiles célèbres: *Vue de Tolède* du Metropolitan Museum de New York, et *Vue et Plan de Tolède* du Musée Greco de Tolède. A titre d'élément partiel du tableau, on la trouve dans un certain nombre de toiles: *Laocoon*, de la National Gallery de Washington, *Saint Joseph et l'Enfant Jésus*, de la chapelle San José de Tolède, la *Crucifixion avec vue de Tolède*, de la Banque Urquijo de Madrid, l'*Assomption*, du Musée de Santa Cruz de Tolède.

C'est avec la toile du Musée Greco (*fig. 22*) que le paysage tolédan est représenté à la fois par une vue pathétique et par l'imperturbable plan urbain et que la figuration se trouve expliquée, du moins partiellement, par le peintre. Topographie géographique, connotations symboliques (nuée, hôpital, moribond, corps célestes...): lignes, couleurs, texte constituent ce tableau énigmatique comme si, en lui, le Greco avait voulu expliquer sa peinture en la peignant. Le texte inscrit à côté du plan de la ville, sur le pan de la toile figurant le parchemin tenu par le jeune homme, est d'autant plus fameux et exerce d'autant plus la sagacité des historiens et des théoriciens de l'art que la postérité ne connaît que ce texte du Greco, à défaut d'un ouvrage dont l'existence est supputée, mais qui n'a jamais encore été retrouvé. L'inscription est un élément pictural sans doute unique dans l'histoire de la peinture, en ce sens que non seulement elle est intégrée à titre d'élément visuel dans la toile, mais par elle le peintre peut stipuler (non exhaustivement il est vrai) les principes pratiques et théoriques particuliers pour la composition et la facture de sa toile qui, du coup, se révèle être le produit d'un système de représentation comportant avec la figuration la méditation, avec l'image le concept, avec le visible les principes d'intelligibilité, avec l'apparence du paysage la pensée qui s'y abîme.

Nous pouvons lire ces indications sur la toile: "Il a été inévitable de représenter en forme de *modèle (modelo)* l'hôpital de Don Juan Tavera qui non seulement venait cacher la porte de Visagra mais dont la coupole montait de manière qu'elle surpassait la ville. Et l'ayant ainsi posé comme modèle et déplacé de son lieu, il m'a paru préférable de montrer la façade plutôt qu'une autre partie. Quant au reste, la façon dont il se présente dans la ville se verra sur le plan. Pareillement avec l'histoire de Notre Dame qui porte la chasuble à saint Ildefonse, pour lui remettre son ornement. Et, du fait que ce sont des corps célestes, en faisant grandes les figures, je me suis d'une certaine manière tiré d'affaire, comme nous le voyons à propos des lumières qui, vues de loin, pour si petites qu'elles soient, nous paraissent grandes" (**9**).

Ces lignes qui ont paru obscures à Barrès (**10**) font comprendre la conception du tableau par l'énoncé des procédés de figuration symbolique et allégorique, bien que celui-ci, sans doute parce que le procédé va de soi et qu'il n'a pas besoin d'être mentionné (ainsi le symbole de la nuée, familier à l'art de cette époque) ne soit pas énumératif. L'inscription elle-même, prise dans sa propre déclaration, n'est pas davantage justifiée, alors qu'elle pose la question de la spécificité de la représentation picturale par rapport à l'écriture.

Le *modèle* dont il est question joue trois fonctions: une fonction de modification topographique et d'altération du relevé géométrique du plan urbain, une fonction d'agrandissement de l'apparence par rapport aux données optiques de la perception visuelle empirique et une fonction d'autonomisation de la représentation artistique de la ville par rapport aux nécessités des lois de la nature. Un triple effet s'ensuit: la ville peinte n'a pas la même composition que la ville géographique: le phénomène de déplacement brise l'apparente nécessité du relevé; le phénomène d'agrandissement défie la perspective dans le champ même de celle-ci et la décision de rendre autonomes des éléments dans l'espace par rapport à l'environnement dont ils sont pourtant solidaires récuse, pour l'espace de la représentation, la loi de la pesanteur. Ainsi, dans la *Vue de Tolède* de New York, on peut observer, sans inscription particulière pour désigner le procédé de l'art, la commutation de la cathédrale et de l'Alcazar, le rajout d'une seconde tour à la cathédrale et la suspension de celle-ci sur le pont d'Alcántara. L'art ne copie pas le réel. Produit de la liberté, comme le définira Kant, il cherche à rendre le libre jeu de l'imagination, même par rapport aux concepts intellectuels de la causalité physique. La mention expresse, dans *Vue et Plan de Tolède* du Musée Greco, de certains procédés effectifs de composition du tableau et de représentation du sujet, atteste donc que le peintre a voulu dissiper toute éventuelle confusion sur la fonction représentative d'un "paysage" de peinture. Si la peinture représente un "paysage", celui-ci, a priori produit de l'art, donc projecteur de l'imaginaire dans le visible, ne peut être que *composé*, comme les peintures de la Renaissance, depuis Patinir et Altdörfer l'ont voulu et réalisé. Le Greco est issu de cette conception résolument volontariste de l'art du paysage; il faudra sans doute attendre Corot pour que l'artiste à l'instar du photographe ne se trouve pas floué par le soin respectueux et méticuleux qu'il mettra à peindre ce qu'il voit sans toucher à la composition de la vue empirique; la composition du "paysage" aura pour tâche de rendre de façon scrupuleuse par le pinceau l'apparence optique: le paysage sera *découvert* (**11**). Au moment où peint le Greco, il ne peut s'agir que de *composer* un "paysage". La Tolède *vue* par le Greco n'est donc représentée que comme ville imaginaire, ce qui explique sans doute que débarrassée des liens de la géographie et de l'histoire, "Tolède" figure dans des tableaux aux sujets fort divers: remplaçant Troie pour le *Laocoon* et Jérusalem pour la *Crucifixion*. Toutefois, le *lieu* n'est-il pas malgré le statut imaginaire de la ville, appréhendé comme s'il était un espace immobile dans lequel elle se situe et dont les aspects changent selon l'angle de prise de vue, la distance, la hauteur et la direction? D'une certaine manière on peut répondre affirmativement. L'ensemble des toiles représentant Tolède contient cette diversité toute aristotélicienne des conditions de la perception visuelle: le haut, le bas, la droite, la gauche, le léger et le lourd et pourrait-on même ajouter le sec et l'humide (pour la toile de New York, où la verdoyance jouxte les masses calcinées). Pourtant la *Physique* d'Aristote, dont on doit rappeler ici que le Greco en avait un exemplaire dans sa bibliothèque, nous semble, tout en servant de cadre théorique à la perception du peintre, particulièrement mise à l'épreuve pour ce qui concerne la théorie même du lieu, thème qu'il n'est pas possible d'éluder dès lors qu'on représente une vue sur lui, objet immédiat du "paysage".

Examinons à cet égard le tableau du Musée Greco. La pratique de la manipulation topographique ouvre la voie à une iconographie plus fine que celle qu'alimenterait le simple relevé descriptif des éléments figurés: ciel, nuages, monuments de Tolède, rivière, escarpements rocheux, promontoire proche (pour adopter un "point de vue") etc. Il s'agit pour le peintre de rendre le lieu contingent par rapport à l'objet qui l'occupe ou qui pourrait l'occuper: que l'hôpital Tavera soit ici ou là, comme ailleurs la cathédrale puisse occuper la place de l'Alcazar et inversement, pourrait laisser le lieu même intact. Celui-ci n'est-il pas, selon la définition d'Aristote, "la limite immobile immédiate de l'enveloppe" (**12**), de sorte qu'"il n'est rien de la chose" (**13**) complètement dissociable de la limite de son enveloppe? Aussi en se livrant aux commutations, le peintre met-il à l'épreuve la résistance de la thèse de l'immobilité indemne du lieu. Or en séparant le corps de son lieu antérieur, la construction d'un site sans asservissement aux indications de la perception compromet l'imperturbabilité même de la limite enveloppant immédiatement le corps dans son site. Chez Aristote le jeu commutatif n'altère en rien le lieu car il y a une limite absolue dans un monde centré (**14**). Avec le Greco le schéma de l'immobilité est démoli par le mouvement même de l'objet, l'espace est compromis dans les commutations plastiques et les décisions topographiques. L'éternité du monde s'effondre dans le changement, le mouvement circulaire (ovoïde par un effet de perspective), défini par les lignes courbes qui vont de la ville au moribond et du jeune homme à la ville, mouvement renforcé par l'invitation à suivre la topographie en se promenant (**15**) dans la ville à partir des références du plan, comme le recommande le Greco, ce mouvement donne une dynamique giratoire au site: la ville tourne, non sur un centre imperturbable, mais en emmenant le site avec elle. L'immobilité du lieu n'a résisté ni à la manipulation du site ni à la recherche délibérée de l'effet pictural de mouvement et de lignes courbes. Rien n'est plus significatif que cet élément iconographique banal qu'est, au premier plan à gauche, la jarre couchée sur le flanc et d'où sort son contenu (vin, traînée de céréales?). Une secousse sismique a dû se produire pour séparer le contenu du contenant. Or c'est l'action même de la jarre en train de se vider qui est figurée, non le résultat du mouvement. Dès lors que cette unité que constituait la jarre de vin se disperse, le lieu qu'elle occupait ne se répand-il pas avec le vin qui en sort? Un peu avant, c'était ce tout qui, se trouvant à l'intérieur de lui-même, comme dit Aristote, coïncidait, à la limite justement, avec le lieu qui l'enveloppait. Maintenant, le lieu même s'écoule en quelque sorte: les corps ne renvoient plus à quelque limite immobile où ils seraient discernables. Peindre la ville pour le Greco, c'est s'essayer à la rendre en fonction des cadres que la *Physique* d'Aristote avait consignés; mais la *vue* sur le lieu entraîne son immobilité à la dérive: la jarre de vin compromet maintenant l'espace qu'elle occupe; cette physique est transgressée par ses propres principes (**16**). D'où, saturant la toile, ces effets de masses volcaniques soulevées et comme boursouflées d'incandescences sous-jacentes; d'où la matière des cieux prise dans la mouvance des nuages; d'où dans cette épaisseur mate où ciel et terre entrent en confusion pour former comme des magmas, ces traînées cotonneuses d'étoupes de flamme amorties par la densité environnante et qui choient au lieu de monter, comme les corps célestes ne montent ni ne descendent, défiant les données archaïques de l'apparence du monde: confusion des qualités et déhiscence du lieu naturel. Toute chose sort d'elle-même et absorbe les minceurs d'une impossible superficialité. Les couleurs ne brillent pas en surface comme chez Corrège où le glacis avait atteint la perfection en rendant le volume par la somptuosité délicate de la superficie. Les couleurs du Greco assurent le mouvement des masses et donnent à la profondeur la légèreté de l'apparence, sans que pour autant celle-ci devienne spectrale. Loin d'induire la contemplation des formes, elles expriment et appellent la méditation. Tolède n'est pas, du moins pendant la durée de la vue qui en est prise, l'objet d'un spectacle, mais le sujet d'un frémissement devant son destin, lequel absorbe le sujet même qui voit la ville. Le détachement de *modèles* indique que sous l'aspect impérissable de la ville, quelque chose va changer ou est en train de changer. Deux éléments iconographiques expriment ce changement:

a) l'hôpital de Tavera, déplacé hors de la ville, et la nuée qui le porte. L'hôpital est le lieu de la maladie, de la souffrance, de la fragilité de la créature et du risque mortel, mais aussi de sa résistance par le soin - la *cura* évoquée par Sénèque -. En le représentant en façade, le peintre entend permettre de l'identifier en invitant le spectateur à réfléchir, en regardant ce *modèle*, aux dangers de la vie humaine. Hors des murs de la ville, l'hôpital met celle-ci en regard de la menace qui le guette. Quant à la nuée, il n'est plus à établir que pour la peinture renaissante et baroque, elle est le support figuratif d'une hiérophanie ou même de l'Apocalypse: c'est un connotant biblique (17). L'agrandissement de la nuée supportant l'hôpital permet ainsi au Greco de porter au carré l'indice du changement par un code de superlativité où le changement connoté par l'hôpital est multiplié par celui signifié par la nuée, où le risque d'une déstabilisation de l'existence est exposé au changement ultime en lequel elle se mue, c'est-à-dire son anéantissement dans la mort, avec cette nuance d'avertissement sacré et solennel que montre la nuée, capable ici de fréquenter les bas quartiers de la ville où elle semble camper et qu'elle recouvre en tout cas de son brouillard épais et invincible.

b) De son côté, l'agrandissement du parchemin tenu par le jeune homme et qui, en marge du plan urbain, comporte l'inscription citée ci-dessus, atteste implicitement que la *vue* de Tolède est indissociablement, bien que diplopiquement, prise et sur la représentation géographique du lieu et sur sa figure géométrique, sur la représentation de son apparence et sur celle de son essence. Si vous percevez que ce que vous voyez là-bas, semble se dire intérieurement le jeune homme, c'est cela même qui est figuré ici, vous apercevrez l'identité mais aussi la différence de l'apparence et de l'essence: la ville défie le plan de la ville, la topographie altère la topologie, le phénomène le structure, laquelle est en passe de subir par comparaison avec la topographie, si ce n'est même avec l'altération visible de son support destructible (le parchemin), sa propre négation. La comparaison vous donnera à penser que l'éternité n'est pas de ce monde et que le temps, où le lieu des hommes est repérable, n'est de cette éternité, selon la célèbre formule, que l'image mobile. Or cette comparaison n'est pas abstraite, elle suggère l'urgence de sa prise en compte: la nuée est suivie d'effet, car déjà les flammes rougissent la matière, la vierge et les anges portent la chasuble de *grandeur* à saint Ildefonse, l'hôpital ne laisse plus entrevoir la guérison puisqu'il est porté lui-même par la nuée. Le hère, au premier plan à gauche, déjà roussi par la lumière étrange venue de profil (caravagisme spécifique du Greco, pour ainsi dire, et adapté à la situation), attend l'échéance et fixe son regard déjà caverneux sur la nuée, tandis que deux tortues faméliques sortent de leur réserve pour observer dans l'hébétude le moment proche de la fin (à moins que ce ne soient des fruits déjà récoltés et mûrs exposés eux aussi au rayonnement lugubre), et que l'atmosphère se vide. La nuée du bas-fond semble désormais nettement déchiffrable dans ce réseau de signes figuratifs et iconographiques comme nuée apocalyptique. *Vue et Plan de Tolède* est donc comme la conscience de l'imminence eschatologique.

Tolède est ainsi passée, pour le Greco, du statut de milieu de vie et de culture à celui de signe eschatologique. Mais quand la ville induisait les pensées et incitait à la peinture des corps, des visages et des aspirations de ses habitants, elle restait invisible sur la toile, Et quand le peintre, accédant à sa figuration, l'inclut dans la représentation, c'est pour marquer la confusion des lieux dans la transgression des limites et la fin catastrophique des temps.

Or cette fonction métaphysique de la peinture de Tolède qui semble en action dans le tableau du Musée Greco est confirmée par l'insertion de cette toile dans la série dont Tolède est le sujet et dont l'ordre d'intelligibilité, voire l'ordre chronologique de la production des toiles, peut être fondé sur l'interprétation guidée par l'idée eschatologique.

En effet, si l'on compare les diverses vues prise de Tolède par le peintre, la différence tient d'abord à leur angle respectif, lequel varie selon la hauteur, avec comme corrélatifs propres, un horizon de la ville et une position présumée du spectateur (ou du peintre). Or ce préalable de l'angle, simple opérateur de différenciation de la vue, dans la mesure où un axe vertical semble le régler, témoigne d'un mouvement vertical formant une succession temporelle autant qu'un changement spatial du lieu de la vue. On peut donc considérer, compte tenu de la figuration même de la ville de Tolède, des personnages qu'elle comporte, de leur expression et de la symbolique iconographique dont nous avons rencontré un spécimen avec la toile du Musée Greco, que le lieu le plus bas de cette vue correspond au premier moment de la prise de vue, voire de la prise de conscience par le Gréco de la figure de la ville et de sa signification métaphysique, et le lieu le plus haut au dernier, non pas tant selon un temps chronologique de la méditation du peintre que selon les données d'une perception de la succession intrinsèque du temps comme acheminement eschatologique. Dans cette hypothèse nous construirons la série ascensionnelle des vues de Tolède, en ménageant, avec les toiles qui leur correspondent, quatre moments successifs.

Premier moment: la prise de vue est faite de telle sorte que Tolède surplombe l'horizon, le peintre se trouvant au bord du Tage, sur un petit promontoire de la rive. Une lumière irréelle inonde les verdures soudain blémies sous un ciel menaçant contrasté de froideurs polaires et de fumées incendiaires: c'est la *Vue de Tolède* du Metropolitan Museum. N'avons-nous pas avec cette toile la figuration de l'approche eschatologique?

Deuxième moment: comme si le peintre avait enfin découvert Tolède, mais l'ayant découverte comme menacée par quelque apparence prémonitoire de la fin, son objectif est maintenant de l'étudier, de la contempler pour elle-même, elle qui a failli rester à jamais cachée dans ses habitants. Le Greco va analyser la structure de la ville à l'aide d'une réticulation attentive: c'est le *Laocoon* de Washington. Car nous pouvons noter que le serpent maudit enroule son souple contour en arc, encadrant un pan de la ville comme le *lituus* de l'augure discernait dans le ciel ou l'espace le *templum*, signe et réceptacle visible du destin. Le serpent de *Laocoon* est l'analogue plastique du *lituus* augural: organe de con-templation. Mais la contemplation ici induite et figurée n'est possible que par l'initiative du sacrilège. Si ce sont Apollon et Arthémise qui contemplent, à droite du tableau, Tolède livrée à la convoitise, ou même Adame et Eve, on peut dire que le moment de la contemplation est celui de la profanation du *templum*, de l'apparition du mal et de l'enroulement de l'espace dans le territoire conquis. Peut-être ici la figuration rend-elle sensible la concupiscence de la vue, l'attachement honteux que depuis saint Augustin une certaine tradition religieuse et théologique a pu y déceler, rendant du même coup sacrilège l'expérience de la peinture en tant que démiurgie du visible et appréhension du "paysage" dans la délectation que l'attention contemplatrice suscite chez le spectateur. Mais il est à noter qu'au moment de la contemplation, l'observateur voit la ville dans son propre horizon, ni plus haut, ni plus bas: la contemplation présente l'adéquation et la convenance entre le paysage et la vue; ce qui en d'autres contextes constitue la stase du Beau, mais qui, chez le Greco, ne correspond qu'à un moment de la série eschatologique, moment imprégné des contorsions fébriles et des ciels apocalyptiques où la beauté ne peut consoler la réticulation attentive, car du promontoire de la vie et de la chair divine des corps outragés par la force souple et insidieuse du mal, cette beauté n'est plus de ce monde.

Troisième moment: l'observateur est encore monté, le lieu de la ville est sensiblement en contrebas, les corps célestes sensiblement en surplomb, l'horizon étant occupé par cet espace mitigé où le feu descend et la croûte terrestre monte: c'est *Vue et Plan de Tolède*, du Musée Greco, le moment où, juste sur le point de parvenir au dernier instant, la vue abandonnée au regard convoiteur s'intériorise par la figuration de l'inéluctable, où la contemplation se retourne en méditation sur la destinée.

Quatrième moment: Tolède est maintenant perdue dans les bas-fonds; on l'aperçoit comme d'un avion qui vient de décoller. Le spectateur est aux pieds de l'ange en lévitation qui accompagne la vierge dans les cieux; la hauteur se remplit d'espaces cossus de draperies, de visages célestes, de corps en adulation, et se meuble d'une épaisse contrebasse à cordes comme pour porter la musique grave et profonde d'ici-bas jusqu'aux plaines d'un monde léger et gracieux, où les ailes des anges frôlent les densités célestes illuminées au-dessus des noirceurs ou des soleils blafards de la terre: c'est l'*Assomption de la Vierge* du Musée de Santa Cruz. Le processus ascensionnel des points de vue sur la ville est en cours d'achèvement. Le spectateur a quitté la surface terrestre. On pressent que dans quelques instants (c'est-à-dire un peu plus haut), la vue de Tolède ne donnera plus figure mais fond, ne sera plus paysage mais abîme, que le regard sera perdu dans le regard, *facie ad faciem*, dans l'harmonie et l'illumination béatifiante. Cependant, ce que la figuration présente ici ne permet pas de décider si le Greco illustre le thème platonicien de l'anabase, de la montée vers la patrie céleste ou le thème chrétien de la résurrection des corps glorieux. La symbolique (la Vierge, la colombe de l'Esprit-Saint) est chrétienne, mais la vue proposée, bien que les fumerolles du bas laissent présumer la consomption de la terre et l'absorption imminente de Tolède dans les ténèbres, ne se donne pas d'emblée comme eschatologique.

Deux autres toiles peuvent servir à saisir la signification de la série des vues de Tolède, parce qu'elle lient, tout en représentant ainsi Tolède, la figure du Christ au thème de l'ascension: *Saint Joseph et l'Enfant Jésus*, de la chapelle San José de Tolède, où les personnages figurés se situent sur le fameux promontoire au-dessus de Tolède, laquelle est aisément identifiable sur la toile. Les visages sont tolédans à souhait, du moins selon les canons du Greco. Des personnages célestes descendent, dans un dévergondage de corps extatiques, abandonnés à l'ivresse paradisiaque, apporter la couronne de laurier au Sauveur. Le ciel, plutôt giratoire, épaissit sa matière en s'assombrissant aux approches de l'horizon de la ville. La geste divine dont

Joseph, véritable géant humain, illustration parfaite du *modèle* évoqué plus haut, est le témoin - Joseph qui semble protéger l'enfant contre quelque vision effrayante que celui-ci, à suivre la direction de son regard, semble prendre à quelque spectacle caché au spectateur - se concrétise au-dessus de Tolède. Car le deuxième tableau à considérer ici, *Crucifixion avec vue de Tolède*, de la banque Urquijo de Madrid, présente le Christ en croix sur ce même promontoire au-dessus de Tolède. Jésus est en train d'expirer. Le ciel plombé est sombre et monochrome. des larves phosphorescentes y apparaissent, la ville devient spectrale sous l'arc aveuglant d'une clarté suspecte et livre la structure carbonisée de sa géométrie et de sa géographie. Au pied de la croix gît un squelette tandis que des chevaux sveltes et puissants semblent vouloir escalader les remparts. N'est-ce pas le moment d'un renversement entre la vie et la mort, ce moment de l'agonie qui est aussi, par le don du Christ, celui de la résurrection? Le thème ascensionnel commun aux deux séries de toiles ne devient donc significatif qu'en relation au thème christologique: l'homme ne monte que par le sacrifice de la croix; encore faut-il que le Très-Haut descende ici-bas, ce que la mystique platonicienne n'aurait pu admettre (18). L'anabase vers les hauteurs est donc autant incarnation (figurée au stade inchoatif par les larves ectoplasmiques et au stade souverain par la figure de Jésus), qu'allègement, mais la rédemption signifiée n'opère que sur fond de catastrophe et de mort. Au-dessus de Tolède - et au pied de l'immense croix - la limite est atteinte et dépassée, dans le spasme du dernier instant.

La figuration du paysage trouve donc bien son expression iconographique profonde dans la représentation de la structure eschatologique du temps, selon la symbolique de la rédemption chrétienne. Par conséquent, la prise de conscience chez le Greco de la direction eschatologique du temps serait la condition d'intelligibilité de la série des toiles où Tolède est figurée (19).

L'observateur attentif au paysage s'apprête donc à le quitter quand il relève en celui-ci les signes annonciateurs de la fin. Si bien que sur l'élévateur de prise de vue où le hisse sa propre temporalité, il passe de l'annonce à la découverte, de la contemplation mesurée et réticulée à la méditation lucide; et celle-ci semble lui donner la vision de la pâque, du passage sans retour. Alors, désormais livré à la verticalité aspirante où le pousse aussi l'énergie de la vie qui se dépasse, tandis que l'espace s'abîme et que le temps implose, sa vue, ou ce qui reste de vue dans la pâque ultime, est absorbée par les étoffes et les apparats d'un autre monde. Il n'est plus qu'une âme ascensionnelle; et l'image de Tolède, tout en bas, va disparaître comme un songe sans consistance, cependant que les ravinements du socle castillan qui paraissaient assurer la solidité impérissable de l'espace de la civilisation ne sont désormais - et irréversiblement - que la trace qui s'estompe du passage des hommes.

Michel PRIEUR

(Université de Nice)

NOTES

1. Barrès, *Greco ou le secret de Tolède* (1923), Plon, 1958, p. 47.
2. Les biographes considèrent comme plausible cette hypothèse. Voir par ex. A. del Hoyo dans sa *Vie de Gracián, Obras completas de Gracián*, Madrid, Aguilar, 1967, p. XVI.
3. *Criticón*, I, X, *OC*, éd. Aguilar, p. 613.
4. *Ibid.*, II, II, *OC*, p. 685. Taladrar las estrellas; *taladrar* signifie aussi, au sens figuré, "comprendre" (percer par l'esprit).
5. Barrès, *op. cit.*, p. 56.
6. Cossío, *El Greco*, cité par P. Guinard, *Tout l'oeuvre peint du Greco*, Flammarion, 1971, p. 12.
7. Cf. F. Dagognet, "Philosophie du paysage", *in Mort du paysage*, Champ Vallon, 1982, p. 10. Dagognet précise que le vocable "accompagnerait autant les relevés et les cartes des premiers géographes régionaux que les 'campagnes' militaires, axées sur les sites inexpugnables d'où l'on voit venir: le seigneur et ses armées surveillent et contemplent (sécurité, possession, exercice du pouvoir et de la domination). La religion aussi, avec quelques sanctuaires ou chapelles haut perchées, l'a favorisé: *l'homme se rapprocherait du ciel, s'élevant* (moralement) *en même temps qu'il quitterait ses lieux d'occupation*": cette dernière remarque que nous avons soulignée s'applique parfaitement, croyons-nous, à l'attitude spirituelle et religieuse du Greco devant Tolède, comme nous allons l'établir.
8. G. Marañon produit, dans son livre *El Greco y Toledo* (4e éd., Madrid, Espasa-Calpe, 1963, p. 265), une vue photographique de la Tolède du XXe siècle, à côté d'une image de la toile du Metropolitan Museum: l'effet de déformation topographique et de dramatisation est saisissant. La comparaison n'est cependant pas des meilleures, car la prise de vue de la photographie au niveau du Tage l'est à un niveau légèrement plus bas que la vue où est censée avoir été prise celle du peintre. La remarque de Marañon est

donc à prendre plus comme une suggestion que comme une démonstration rigoureuse.

9. Nous avons traduit ici le texte reconstitué par G. Marañon, *op. cit.*, p. 273. Nous ne pouvons suivre entièrement la traduction laborieuse et tarabiscotée de Barrès (p.114-115) qui ne rend pas possible la compréhension du texte, que d'ailleurs il transcrit incorrectement, pour un lecteur ne pratiquant pas la langue castillane. Sans doute l'inscription demande-t-elle quelque explication, mais son contenu n'est pas si impénétrable que le laisserait penser la version de Barrès. Trois éléments sont à relever: **1**) le mot *modèle (modelo)*, terme courant de la pratique picturale (et architecturale, dans le sens de maquette; ne pas oublier que le Greco était aussi architecte et que sa bibliothèque comportait un grand nombre de livres d'architecture). Le contexte et la manière figurative montrent que le Greco entend ici par modèle un motif placé devant les yeux du peintre plus près qu'il n'est, ou qu'il pourrait paraître s'il devenait visible, dans la réalité empirique de l'espace, soit pour dégager la vue du paysage géographique (cas de l'hôpital de Tavera), soit pour connoter la grandeur ontologique des corps célestes par un effet défiant la perspective optique. **2**) le mot *pareillement (también)*, qui indique que le peintre a *aussi* (traduction littérale) dû placer à titre de modèle les corps célestes, pour la raison que nous venons d'indiquer. **3**) la comparaison avec l'apparence des corps lumineux lointains permet au Greco de justifier la *grandeur* des corps célestes sur la toile. L'analogie s'ordonneen une sorte de syllogisme: Les lumières lointaines paraissent grandes. Or les corps célestes sont (comme) des lumières lointaines. Donc les corps célestes doivent paraître grands et ainsi être posés comme *modèles*. De plus, et c'est la mise à l'épreuve de la *grandeur* de l'apparence, les corps lumineux, même petits, paraissent grands même vus de loin. Or les corps célestes sont lumineux, en raison de leur nature (tradition patristique néo-platonicienne et augustinienne), et lointains (du fait de leur transcendance). Cette nature les rend *grands* en eux-mêmes: a fortiori leur représentation picturale doit-elle donner l'apparence visuelle de cette grandeur. Il y a donc une analogie ontologique entre la luminosité céleste et l'apparence picturale des corps spirituels. L'adéquation de l'analogie n'est cependant pas parfaite. Ce n'est que "d'une certaine manière", écrit le Greco, qu'il s'est "tiré d'affaire". Le peintre est lecteur de la *Hiérarchie céleste* du Pseudo-Denys l'Aréopagyte (le livre figure dans l'inventaire de sa bibliothèque) qui préfère l'*inadéquation des images* relativement aux essences angéliques et célestes (cf. *op. cit.*, 145 a b, trad. fr. de Gandillac, *Oeuvres complètes du Pseudo-Denys*, Aubier-Montaigne, p. 194-5) non sans relever "la tendance des facultés visuelles à s'élever... vers les lumières divines"(*ibid.*, 332 a, p. 238).

10. Barrès, *op. cit.*, p. 116.

11. Qu'on songe aux paysages de Corot, véritables clichés optiques pour la prise de vue desquels l'artiste est d'autant plus grand qu'il s'efface devant la splendeur de ce qu'il voit réellement. Cf. par ex. *L'Eglise de Marissel* du musée du Louvre (1866). Corot pour peindre ce tableau se faisait accompagner par le photographe Herbert. La photographie atteste que le site est

scrupuleusement représenté par Corot, sauf que le peintre a transformé le ruisseau encaissé du premier plan en une mare: mais c'est pour mieux pouvoir faire refléter les données visuelles effectivement photographiables.
12. *Physique*, IV, 212 a 20.
13. *Ibid.*, 211 a.
14. Il n'est pas indifférent de savoir qu'aussitôt donnée la définition du lieu, Aristote indique la conséquence sur la structure du monde: éternité de la stase du centre du ciel, éternité du mouvement circulaire.
15. Cette indication de perceptions en mouvement est donnée par l'inscription qui précise qu'on verra avec le plan comment on trouve dispersé le reste dans la ville ("como viene en la ciudad", littéralement: comme ça vient dans la ville) quand on la parcourt.
16. Nous n'avons pas cru pouvoir éviter le rapprochement entre cet élément iconographique et la méditation par Aristote sur l'amphore de vin dans le chapitre sur le lieu (*Physique* IV 210 b). Tout se passe pour le Greco comme si la peinture de Tolède servait d'épreuve à la théorie aristotélicienne du lieu; et l'épreuve lui est fatale. L'art baroque n'est-il pas la conséquence du dépérissement, par la dérive du monde, de la physique des qualités sensibles? Aristote avait considéré que "l'amphore de vin est à l'intérieur d'elle-même", dans le tout que le contenant constitue avec le contenu. Or il n'y a que ce tout qui puisse être ainsi à l'intérieur de lui-même: ce n'est, quelle que soit leur implication réciproque, ni l'amphore ni le vin qui le sont, sinon l'un serait l'autre. La distinction et la discernabilité du contenant et du contenu renvoie à la limite immobile qui enveloppe le tout. Faites partir l'un de l'autre, ce qu'Aristote n'avait pas envisagé, si ce n'est à titre accidentel et sans préjudice pour l'essence du tout, et vous mettrez le tout en mouvement.
17. Voir par ex. H. Damisch, *Théorie du nuage*, Seuil, 1972, *passim*, en particulier p. 76 sq.
18. Ce que nous avons appelé, à la suite de Marañon, le thème ascensionnel de la peinture du Greco, n'est donc pas uniquement lié à la représentation des corps et visages en verticalité, ni même à la figuration de personnages montant vers le ciel et tournant des regards éplorés vers ces hauteurs invisibles. Il faut faire intervenir la médiation christologique, du moins la médiation mosaïque, sans doute plus fondamentale encore chez le Greco sur lequel l'influence judaïque est plus marquée que celle du mysticisme catholique du XVIe siècle, quoi qu'en pense Claudel, car ce dernier mysticisme témoigne d'une expérience, tandis que le mysticisme juif exprime une imploration misérabiliste à la manière des prophètes: nul ne peut nier que cette expression domine sur les visages du Greco. La tension ignatienne de la volonté est patente, mais elle s'appuie sur ce fond de misère. Ajoutons que le symbole de l'*Assomption*, figurée sur la toile du musée de Santa Cruz, enrichit celui de l'*Ascension* et redouble la médiation christologique pour rendre sensible la puissance ascensionnelle et le passage du temps à l'éternité. Rappelons aussi qu'à partir du XVIIe siècle s'est fait jour l'idée, considérée comme hérétique, que la Vierge Marie n'était pas morte, mais seulement *remontée* au ciel, par la toute-puissance de Dieu. En supposant

que le Greco ait été un des premiers à partager cette idée, l'*Assomption*, renvoyant à l'*Ascension*, rendrait l'épouvante de la mort intrinsèquement étrangère à l'idée de fin dernière et au passage du temps à l'éternité: elle serait l'expression la plus manifeste de la destinée eschatologique: d'où la date tardive du tableau du musée de Santa Cruz (voir note suivante), comme prise de conscience aiguë d'une théologie satisfaisante du moment eschatologique et délivrance de la mort après la crainte que celle-ci avait pu inspirer. Le misérabilisme judaïque s'est-il dépassé en théologie mariale et le spasme s'est-il détendu en repos béatifique? Mais le Greco n'est pas Novalis, qui écrira: "En mille tableaux je Te vois, Marie, adorablement peinte; Mais nul ne te saurait montrer Telle que T'entrevoit mon âme. Je sais seulement que le bruit du monde s'est évanoui, depuis, comme un songe, et que l'immensité d'un ciel tout de douceur ineffable à jamais se repose en mon coeur" (15e des *Chants religieux*, trad. fr. A. Guerne, *in* Novalis, *O.C.*, vol. I, p. 302). Toujours est-il que la théologie mariale amène la symbolique du paysage à son aboutissement comme peut-être la théologie judaïque avait conduit la symbolique des postures et des visages à sa plus extrême densité.

19. Si l'on met à part *Saint Joseph et l'Enfant* et *Crucifixion* qui jouent une fonction herméneutique expresse par rapport à la série des vues de Tolède, on peut donc reconstituer en son ordre logique cette série selon les moments que nous avons distingués. La question qui subsiste est alors de savoir si cet ordre correspond à l'ordre chronologique des toiles. En prenant les fourchettes proposées par Tiziana Frati pour la datation des toiles (*Tout l'oeuvre peint du Greco*, p. 98 sq.) et en intégrant toutes les toiles où figure Tolède, 1595 serait la première date où cette double série apparaît en 1614 la dernière (à la mort du peintre). On aurait alors les ordres chronologiques suivants:

A- en prenant les premières dates des fourchettes:

1. 1595 *Vue de Tolède* (New York)
2. 1597 *St Joseph et l'Enfant Jésus*
3. 1605 *Crucifixion et vue de Tolède*
4. 1607 *Assomption*
5. 1608 *Vue et Plan* (Musée Greco)
6. 1610 *Laocoon.*

Dans cette hypothèse, l'ordre chronologique retenu ne recoupe qu'en partie l'ordre logique, mais on peut noter que les deux toiles christologiques se suivraient.

B- en prenant les dernières dates des fourchettes:

1. 1595 *St Joseph*
2. 1610 *Crucifixion*
3. 1610 *Vue* de New York
4. 1613 *Assomption*
5. 1614 *Laocoon*
6. 1614 *Vue et plan* (Musée Greco).

A noter: 1) que dans les deux cas, la *Vue* de New York est la première des toiles non christologiques; et qu'on peut donc la considérer, chronologiquement et logiquement, comme celle de la prise de conscience du paysage par le Greco selon la dimension eschatologique. 2) Les toiles avec le Christ se suivent. Mais si l'on voulait faire coïncider les deux ordres, il faudrait estimer que le peintre a fourbi les outils d'interprétation avant d'avoir produit les paysages, ce qui est peu vraisemblable. 3) La date de l'*Assomption* fait problème dans cette hypothèse de datation. C'est pourquoi il est préférable d'utiliser l'espace de chaque fourchette au lieu de leurs dates limites: on peut alors rendre compatible l'ordre chronologique des toiles avec l'ordre logique, c'est-à-dire l'ordre de l'expérience intellectuelle et spirituelle du peintre avec la structure intelligible de la séquence des points de vue sur la ville. On aurait alors l'ordre suivant:

1. *Vue* de New York — 1er moment
2. *St Joseph*
3. *Crucifixion*

Dans toutes les hypothèses, ces toiles se suivent.

4. *Laocoon* — 2e moment
5. *Vue et Plan* — 3e moment
6. *Assomption* — 4e moment

Il serait donc vraisemblable, si l'*Assomption* ne peut dépasser 1613, ainsi que s'accordent à le penser les historiens, que *Laocoon* se rapproche davantage de 1610 que de 1614 et *Vue et Plan* soit plutôt de 1611-12 que de 1610 ou de 1614.

LE PAYSAGE A LA RENAISSANCE:

EXPOSE DE SYNTHESE

Une des raisons qui expliquent la réussite de notre colloque vient d'être énoncée par Josiane Rieu: *le paysage n'existe pas*; beaucoup parmi nous étaient arrivés avec de claires définitions du paysage, mais, au cours du débat, l'on a vu peu à peu les différences s'affirmer, le doute s'instaurer, et nous repartons avec un chaos d'idées éblouissantes. C'est la preuve que nous avons fait un travail sérieux; nous ne repartons pas avec des idées toutes faites, avec des thèses, mais avec les enseignements de ce qui est devenu peu à peu un combat d'hypothèses.

Si l'on voulait chercher un point où se rencontrent les différentes conceptions qui ont été exposées, on pourrait avancer que le paysage est un fragment de nature, qui est défini illusoirement et provisoirement.

1. Fragment défini

Le paysage est d'abord *dé-fini*, c'est-à-dire que l'homme a imposé des *limites*, un cadre à la nature, et F. Tateo a bien montré qu'il y avait une fonction spécifique de cette finitude du paysage. Mais, selon un autre sens de la "définition" (celui qui s'applique aux récepteurs de télévision, par exemple), la définition est le nombre de lignes par lequel l'image est analysée. Or nous avons analysé l'image générique du paysage selon un nombre de lignes qui, finalement, n'est pas très élevé, Il est remarquable que, parmi les vingt-huit communications, il n'y ait guère que quatre lignes essentielles qui s'imposent.

2. Fragment illusoire

Ici encore une leçon a été tirée pratiquement de la première à la dernière communication. L'*illusion*, ce sont tous ces jeux, tous ces rapports avec un regard qui joue. Une jouissance esthétique naît précisément de ces limites, de ces "définitions", dans ce que le paysage a de limité, mais aussi du fait que ses limites sont métamorphiques. Cette jouissance peut être la volupté d'organiser les jeux de la beauté à partir du donné de la Création. Mais, comme l'a montré A. Govindane, ce peut être la jouissance aussi de retrouver le jeu du regard observateur: regard de l'intellectuel, à la Hallyn, regard utilitaire, à la Lestringant, ou regard naturellement épicurien, à la Pérouse; regard alangui à la Joukovsky, esthétique à la Rieu, métaphysique à la Mathieu-Castellani: des jeux subtils peuvent jouer de l'illusion même.

3. Fragment provisoire

Du paysage, on ne peut donner que des définitions *provisoires*, parce que les définitions du paysage font toujours référence à l'aperception d'une autre réalité; or cette référence varie entre l'infini d'une nature, que l'on voudrait saisir dans son immensité, et l'aspiration à jouir de merveilleux détails, délicieusement fugitifs dans leurs métamorphoses.

I. Une nature ordonnée par la curiosité

1) Une attente culturelle

La nature donnée à l'homme est infinie, mais elle est ordonnée parce que l'homme est curieux. Il existe, dans la perception de tous les paysages dont on a parlé, une attente, une attente culturelle. Il n'y a pas de regard naïf sur le paysage. Une nature n'est ni offert ni découverte; cette remarque est importante quand on parle de Jacques Cartier ou autres Christophe Colomb. Une nature est toujours reconnue. Le paysage correspond à un modèle de la représentation. Il y a dans ces paysages, comme l'a bien dit C. Liaroutzos, un ressassement, qui précède même la découverte. On a analysé une typologie (Fr. Tateo), une topique baroque (G. Mathieu); tout espace paysager est défini par le *topos*, voire par ces épithètes de La Porte qu'Y. Bellenger a qualifiées de poncifs; il est vrai que des paysages-poncifs donnent lieu à une "rhétorique du paysage", qui est une rhétorique de l'éloge, soumise aux exigences de l'amplification (Fr. Tateo). Il arrive même que le paysage puisse se vouloir pédagogique: la description est toujours analyse à partir d'un modèle culturel. Quand l'homme de la Renaissance arrête son regard sur la nature, ce qu'il perçoit, ce sont des paysages antiques: de Ch. Béné à Geneviève Demerson, on a retrouvé Virgile, Stace, l'*Odyssée*; on a même vu un Jacques Cartier humaniste; et R. Ouellet a discerné toute une richesse culturelle dans le regard de ceux qui allaient découvrir le Canada. Ovide apparaît à côté de Virgile dans le paysage scévien (E. Giudici). Les toutes premières discussions ont mis en limière le fait qu'il n'y a pas de nature en dehors d'une culture qui la fait exister; dans le paysage - et c'est ce qui est typique de la Renaissance - la nature n'existe que parce qu'une culture l'attend, sinon elle ne serait pas perçue.

2) Nouvelles sensations

Donc, le paysage est reconnu, il est attendu, mais en même temps, cette attente est pressentiment de l'inouï. La perception s'accompagne toujours d'une sensation de nouveauté: on a l'impression que cette nature créée par le regard érudit doit engendrer à son tour un spectacle nouveau qui concurrence celui des schémas que la tradition avait imposés. Le paysage renaissant révèle une esthétique sous-jacente de la surprise: il est frappant que les orateurs qui faisaient valoir l'érudition et l'attente culturelle aient toujours été questionnés au nom des valeurs de la surprise, de la nouveauté, du rêve. E. Balmas rappelait que, pour Montaigne, il n'existe pas de paysage romain, puisque Rome est connue de chacun; il faut, pour que surgisse le paysage, l'apparition de quelque élément nouveau. Donc, l'attente, qui est le fait de la mémoire, est à la fois concurrencée et vivifiée par une certaine tension qui provient de l'imagination. Cette attente et cette tension définissent la qualité d'attention à la nature qui caractérise toute présentation du paysage à la Renaissance. Le modèle littéraire ne suffit pas à créer le paysage. Une tension, dont nous avons vu qu'elle était inter-culturelle, et intra-culturelle aussi, fait que ce paysage reconnu est recomposé, intégré et désintégré à la fois.

3) L'homme artiste

Dans cette recomposition apparaît la personnalité de l'*homo artifex*, qui manifeste la tension de sa volonté créatrice dans la constitution du paysage; l'*homo artifex* est à la fois l'artisan et l'artiste: voilà encore une des leçons de ce colloque. Geneviève Demerson a montré chez Gambara le rôle de toute une dialectique entre *vidi, aspexi, conspexi*; il ne s'agit plus de venir et de vaincre, mais de prendre une vue de l'extérieur et d'acquérir une vision globale.

Le paysage est une création artisanale. La *Jérusalem délivrée* permet bien de noter une jeu perpétuel entre le "locus horridus" et le "locus amoenus". Le topos du "locus amoenus" ne garde sa vigueur que parce qu'il permet au regard artisan d'imposer sa vision; mais cette affirmation de la victoire de l'ordre ne peut témoigner de sa valeur qu'en maintenant vive la mémoire du "locus horridus", qui se reconstitue dans le texte; ainsi est manifestée toute une fine dialectique: la nature, dénaturée par l'*homo artifex*, retourne, par l'artifice même de la création artistique, à un état antérieur à sa soumission à l'art victorieux.

Donc, le paysage existe du fait d'une volonté de puissance de l'homme. Le paysage de la Renaissance, dans une certaine mesure, évacue le sacré ou, s'il réintègre le caractère sacré de la vision primitive, il se distingue rationnellement d'une nature hantée par les forces divines. Le "paysage-jardin", ainsi, ne se limite pas au décor académique ou aimablement bucolique qui frappe les lecteurs superficiels. L. Terreaux a montré que, très exactement, très littéralement, le paysage exorcise la monstruosité de la nature élémentaire. Les quatre éléments, dans le paysage, ne peuvent plus subsister dans leur chaos primordial; ils sont dépouillés de ce qu'ils avaient de monstrueux. La poésie de Peletier révèle une volonté d'exorciser la peur. Paysage-jardin, paysage de fontaines (D. Alexandre), paysage où l'agriculteur est présent (K. Kupisz): pour celui qui le découvre, le paysage n'est pas agréable s'il n'est pas susceptible d'une exploitation agricole (P. Carile, à propos de Champlain).

II. Structure de l'espace paysager

1) Paysage et architectures

Mais ce paysage-jardin enclôt toujours une construction archiecturale qui l'oriente, qui le modèle, qui marque matériellement ces limites qui sont essentielles à sa définition. M. Vasselin a clairement analysé les fonctions de la présence d'une architecture dans le paysage renaissant: non seulement l'architecture est un élément thématique autour duquel cristallisent les notions de connu et de reconnu, mais c'est un modèle d'ordonnance. La substance de plusieurs communications permet de vérifier la pertinence de cette analyse. Mais surtout, l'architecture est, plus qu'un élément constitutif, une sorte de modèle stylistique: un modèle qui donne le *sens global* d'un paysage perçu comme architecturé par l'*homo artifex.* Cette fonction structurante explique le charme de ces palais inattendus, de ces villas construites sur le modèle médicéen, voire de l'architecture militaire; l'arsenal de Venise est une forêt de mâts, forêt qui a poussé pour faire un deuxième étage à la ville. E. Balmas, après M. Daumas, a insisté sur l'importance, qui ne doit pas surprendre, des constructions militaires; ajoutons qu'il ne faut pas oublier le rôle, à cette époque, du paysage observé par les espions. L'Italie était parcourue par les espions français qui, avant l'invention des microfilms, rapportaient dans leurs mémoires des paysages; la façon de voir un paysage est parfois celle de l'espion qui en a transmis la description.

L'architecture, le jardin soumettent la nature à des limites provisoires, celles d'un espace enclos; naturellement on a beaucoup parlé de l'espace-grotte, qui manifeste la hantise du refuge, pour reprendre la formule de R. Ouellet. Ces limites finissent par provoquer une sorte d'étouffement dans la perception du paysage, et l'aspiration à une évasion vers un ailleurs, vers l'au-delà du paysage réel. Les historiens de l'art ont bien illustré le fait que le paysage n'est pas le "cuadro", restreint dans son sujet, contraint dans sa manière; mais le paysage n'est pas non plus l'immensité infinie sur laquelle errera le regard d'un Lamartine. Le paysage est un espace qui est ordonné par l'*otium*, comme l'a démontré P. Galand. L'otium suppose la plénitude de l'attente culturelle qui caractérise l'homme cultivé; le paysage est un fond de tableau pour l'activité humaine, selon l'analyse de Bernardin de Saint-Pierre qui était sous-jacente à la communication d'A. Govindane; cet aspect-ci de la mentalité de la Renaissance a traversé les siècles.

Or la vision de ce paysage architecturé a un centre générateur: c'est la ville; plusieurs communications, en particulier celle de H. Neveux ont repris cette idée, qui n'est pas un paradoxe. La nature est vue par l'homme actif, qui impose son point de perspective. Ici l'on voit bien la différence entre la topographie et la topologie (exposé de P. Larivaille). Le paysage est intégré à l'activité humaine; F. Charpentier a montré comment chez Montchrestien le cadre n'est pas ornement mais fait partie intégrante de l'action dramatique. Le paysage ne doit pas être compris comme une ambiance colorée et pittoresque qui serait simplement juxtaposé à l'action humaine.

2) Dialectique de l'espace

Donc la volonté esthétique de l'homme artiste ordonne la création en la soumettant à une *tension* intellectuelle: *Tenor*, ce système constitutif interne que Ficin discernait dans tout effort spirituel, et qui conduit l'intellect à dominer le chaos des perceptions naturelles pour aboutir à l'Unité de la vision en Dieu. L'homme artiste joue de cette tension qui guide son intelligence au-delà de l'action utilitaire. On nous a présenté des exemples émouvants d'une telle perception déjà spiritualisée de la nature: même des explorateurs affamés, perdus dans un environnement étrange, étaient sensibles à la beauté, respectant la vie d'un cerf malgré leur faim, parce que le cerf était beau. Le paysage est le découpage de la nature par un homme qui ne se contente pas de manipuler la nature, qui est au-delà de l'agriculteur, de l'agrimenseur, du navigateur, du géographe; la présentation d'un paysage ajoute un "plus" au travail de celui qui a fait un itinéraire ou une carte, et ce "plus" est d'ordre sensuel (M. Daumas).

3) Perspectives

Ces considérations permettent de comprendre la raison de ce foisonnement de détails sur lequel de nombreux orateurs sont revenus, le jugeant caractéristique du paysage à la Renaissance: ces détails s'organisent toujours comme s'ils étaient aimantés, selon des champs de forces; ils ne donnent jamais une impression de juxtaposition, de poussière, de mosaïque (cf.l'analyse du paysage de Peletier par L. Terreaux). Lorsqu'un détail inattendu surgit, accaparant l'attention du spectateur, c'est parce que ce détail se révèle comme point de perspective organisateur; Fr. Joukovsky montre comment le monde entier s'est reconstruit à partir d'une rose - et c'est effectivement une perception tout à fait typique du paysage à la Renaissance.

Donc, à partir de ce point perspectif, les sensations diverses reconstituent un paysage. Si l'on observe les représentations figurées, on remarque très souvent, vu de dos, un promeneur, un flâneur qui s'est posté à l'endroit où travaillait le peintre ou le dessinateur. C'est ainsi que l'artiste indique quel est son point de perspective; le spectateur est ainsi amené à comprendre selon quelles lignes les détails s'ordonnent en un paysage. Les analyses de Fr. Lestringant définissent bien la différence entre le paysage et la carte: le paysage est perçu selon une perspective, une vue cavalière, et non plus défini par un regard surplombant, situé à la perpendiculaire. Pour Jacques Cartier, comme l'a vu R. Ouellet, le Mont Royal est l'équivalent du Mont Ventoux pour Pétrarque; c'est un point où le regard a tendance à se perdre dans une perspective lointaine et fascinante; mais la vision se ressaisit, se redéfinit sur une perspective proche parce que l'intelligence exige l'ordre; le regard de Cartier était orienté par la recherche d'un passage, par le souci de l'itinéraire, n'acceptant pas que les images diverses demeurent à l'état de mosaïque.

III. Le paysage comme construction esthétique dans le temps

1) La halte

Nous aboutissons ainsi à la deuxième ligne de convergence de nos analyses; sur ce point, il suffit de se reporter à l'étude claire et convaincante de J. Rieu. Le paysage de la Renaissance n'est pas essentiellement inscrit dans l'espace; il ressortit à la catégorie du temps. C'est une idée qui a progressé au cours du colloque, et qui donne une leçon importante pour l'esthétique de la Renaissance. La manipulation esthétique du paysage vient de ce que c'est la catégorie du temps qui a été employée pour dominer la nature. C'est pour cela que beaucoup de ces paysages renaissants sont des escales, des étapes, des archipels. Il est révélateur qu'on décrive les hameaux de montagne en termes qui conviendraient à des habitations du bord de mer. J. Rieu décrit comme spécifique d'une époque ce sentiment de la "pluritemporalité". L'espace devient ce qu'il est dans le paysage parce qu'il s'organise en différents moments. L'artiste joue de la dispersion dans la pluritemporalité pour la surmonter et l'organiser en "microtopes", portions d'espace entre lesquelles le regard est invité à se déplacer; on pourrait rapprocher ce concept opératoire de celui de "chronotope" que met en jeu le critique russe Bakhtine pour définir, notamment chez Rabelais, des catégories d'organisation de l'espace et du temps selon une vision épique. A la Renaissance, le regard du spectateur, comme la pensée du lecteur, est sollicité pour participer à la dynamique de la création artistique. Corrélativement, tout paysage est voué à être vécu comme une promenade; le paysage est un arrêt provisoire qui fait prendre conscience d'une marche, voire d'une espèce de tourisme (Ch. Liaroutzos); au fur et à mesure donc que le regard progresse, la découverte change de point perspectif; R. Ouellet montre la différence entre le cartographe, qui ordonne le paysage selon les points cardinaux, et l'artiste, qui décrit un paysage et qui, naturellement, parle de la gauche et de la droite, comme un promeneur.

2) Le territoire

Donc, le paysage, arrêt provisoire en un cheminement de ville en ville, de grottes en grottes ou de plaines en plaines, a pour limites, selon la définition de Furetière, tous les objets "jusqu'où la vue peut porter". Il offre la vision des lointains, mais de lointains toujours différés, horizon qu'il n'est pas question d'atteindre (Ch. Liaroutzos); l'horizon qui le borne, ce peuvent être les lointaines limites du pouvoir royal, selon la leçon d'une des premières communications. La montagne est donc plus qu'un simple élément du paysage, comme cela ressort des communications de L. Terreaux et d'Y. Bellenger: la montagne, qui forme un cadre naturel, est en même temps investie d'une valeur d'appel pour les âmes sensibles à la poésie de l'absence et du lointain. Mais ces bornes éloignées ont pour rôle de mettre en valeur tous les éléments qui s'imposent au regard mais dont la proximité se révèle casuelle et fragile; en cette proximité des choses rassemblées pour former un paysage, le regard lutte contre l'éparpillement, la destruction. Là encore, on retrouve ce "territoire", le domaine confié en propre, selon Ronsard, aux investigations de la philosophie, qui arpente la terre, bois, monts, fleuves, cités... (F. Lestringant). Cette exploration du regard philosophique est déjà le travail de la "caméra" évoquée par P. Galand. Pour K. Kupisz, ce n'est pas la couleur qui caractérise le paysage, mais au contraire cet itinéraire que doit retrouver chez Kochanowski le lecteur bienveillant; itinéraire entre les différentes saisons, itinéraire qu'est le cours d'eau, itinéraires que sont ces "axes" - souvent une rivière selon Fr. Joukovsky - que l'on a cherchés chez plusieurs écrivains; H. Moreau a montré d'ailleurs que le paysage-emblème se constitue par avancées de l'esprit investigateur, non seulement dans le déroulement d'un même texte mais tout au cours de la carrière d'un même poète: les lecteurs retrouvent avec un sentiment de familiarité le même paysage qui se développe dans toute l'oeuvre selon un schéma idéal, comme c'est le cas chez Ronsard.

Ainsi, le paysage suppose un cheminement de l'esprit; il ne se constitue pas par énumération, par juxtaposition; il est un territoire qu'on arpente (P. Carile), un territoire où le lecteur-spectateur est un hôte à qui l'on offre de nouvelles perspectives, à qui, avec familiarité, on fait faire le tour du propriétaire; symétriquement, l'auteur y organise des cheminements familiers, qu'il craint de voir brouillés par l'intrusion d'un étranger: la seule façon pour Ronsard d'arrêter le bras d'un bûcheron, c'est de présenter la forêt natale comme un paysage poétique. Construction esthétique dans le temps, le paysage, par sa pluritemporalité, exige un effort herméneutique de la part du spectateur.

3) Itinéraire spirituel

Donc le *locus* de la Renaissance ne se complaît pas dans l'attitude descriptive de type médiéval (D. Alexandre), mais est étudié dans son devenir (P. Larivaille); ce paysage recherche sa signification fonctionnelle dans une éthique, qui est celle de l'épopée, une éthique qui porte à mépriser toutes les jouissances que l'on pourrait avoir à s'arrêter; le paysage de la Renaissance ne laisse pas au spectateur le loisir de s'arrêter. C'est pourquoi la définition du Beau, catégorie qui a suscité mainte discussion au cours du colloque, la définition du Beau dans le paysage est liée à la notion d'un itinéraire, donc à une notion de temps - on a analysé un plaisir de *profiter* de la générosité de la nature, un plaisir d'*aimer* ce qui nous convient (E. Balmas) - on a vu aussi le plaisir d'*écrire* un paysage - mais la plus grande volupté est celle du *parcours*; le Beau Paysage est celui que l'on aime reparcourir parce qu'on en profite, parce qu'on le rappelle. Selon la belle formule d'E. Balmas, le vers est devenu *itinéraire*.

IV. Présentation et représentation

Quatrième et dernière ligne, le paysage de la Renaissance est écartelé entre deux tendances, selon une esthétique assez paradoxale, entre la topologie et la topographie: l'appel d'un volontarisme intellectualiste, qui tente de soumettre la nature à des schémas abstraits, s'oppose à un hédonisme tenace qui, lui, jouit de la nature: F. Hallyn ou Fr. Lestringant ont décrit ces jeux entre la représentation et l'imitation.

1) Le paysage, ostentation et offrande des êtres de la nature

Le paysage arrête le regard sur la nature signifiée. Nombre de communications révèlent comment l'art renaissant utilise le *document* brut, le journal de bord de Pierre Martyr par exemple, en un *monument* poétique; "présenter" la nature, c'est non seulement la rendre "présente", mais l'offrir; telle est l'attitude de Thevet (R. Ledwige); et c'est bien le sens de *praesentia* chez Gambara (G. Demerson). Pour le voyageur, il y a dans le paysage une nature tentante, utile, qu'il représente par le verbe *grapheïn*; mais le paysage est plus que la carte: il est au-delà de la carte, il se situe entre la chorographie nordique et la scénographie italienne; Fr. Lestringant évoquait ce détail ajouté par le peintre et permettant de différencier le paysage de la carte. le paysage de la Renaissance est dans ce coup de pinceau qui apporte des objets épais, des objets colorés, outre le trait d'encre du cartographe. M. Prieur a donné une vivante illustration de cette opposition du plan au paysage dans le tableau de Tolède: le "modelo", le plan de la ville en parchemin est exhibé par un jeune homme devant la représentation du paysage urbain.

Cet arrêt sur une nature signifiée, donnée, présente, ne peut que mettre en lumière cette fameuse "diversitas" qui définit la nature et qui se retrouve toujours dans le paysage; D. Alexandre, A. Govindane, Ch. Béné, H. Moreau (avec la profusion des fleurs ronsardiennes), Fr. Charpentier (avec le paysage de Montchrestien réduit à l'état de fragments flottants) concourent à affiner la compréhension de la percepion visuelle de la nature à la Renaissance: le paysage est au même niveau dialectique que la sensation et que la nature, c'est-à-dire au niveau le plus bas, celui du chaos que surmonteront les efforts de la raison et l'intuition suprême de l'Unité; dans la mesure où il est "naturel", l'homme jouit de cet amoncellement, de cet encombrement des lignes toujours fuyantes vers le ciel qu'elles n'atteignent jamais. Ce sont les jouissances, les métamorphoses où F. Hallyn situe le domaine de l'homme. Il se complaît à retrouver le réel confus et même à se rappeler que le réel a été chaotique avant que Dieu ne le donne à l'Homme.

2) Une prise de distance par rapport au réel

R. Ouellet analyse bien la spécificité de l'art paysager: selon sa formule, il y a paysage quand le plaisir de voir fait oublier un moment la hantise du passage. Il y a une joie esthétique à recenser des signes, à jouir de ces signes; on ne cherche plus à dominer la nature matérielle quand on a fait quelque chose de plus important, l'oeuvre d'art. Le plaisir artistique consiste à montrer par des signes très nets que l'esprit prend ses distances par rapport à la nature (Fr. Joukovsky). Le paysage n'est jamais pur amoncellement des signes de la *diversitas*: il témoigne d'une observation qui a su prendre du recul; le "paysage-tableau" de G. Mathieu, à la fois exhibé et tenu à distance, représente bien l'attitude de l'artiste qui désigne un paysage, qui ne l'offre qu'après l'avoir inclus dans un cadre artificiel, avec ses encadrements de cuirs bellifontains où, parmi les guirlandes de fruits et de lourds feuillages, on distingue parfois le pinceau et la plume; la main de l'homme avoue ses limites pour signifier que l'homme est artiste; une formule empruntée à Alain Roger par un des intervenants a obtenu un succès mérité: "le paysage est au pays ce que le nu est à la nudité"; le paysage n'est ni plus beau ni plus abstrait que cette nature que l'on touche, dont on jouit, le paysage est devenu exactement "académie": il manifeste l'allégresse proprement culturelle de percevoir l'activité signifiante de l'artiste en train de s'exercer selon des traits d'école, en des gestes d'école; l'exemple pris par G. Mathieu révèle comment l'activité de *mimésis*, parce qu'elle se manifeste dans une représentation du paysage, devient un "sujet" littéraire; ainsi, dans l'oeuvre d'art, le paysage non seulement échappe au réalisme "documentaire", mais au moment où il devient "monument" grâce à la culture, il finit par constituer un "argument" intellectuel.

3) La mise en évidence des signes

Fr. Joukovsky et F. Hallyn montrent que la ressemblance suppose toujours une prise de distance, prise de distance qui peut être ironique, mais qui se manifeste par l'allégresse de l'invention de signes; plusieurs exposés évoquent la magie des noms, ces signes sonores (Y. Bellenger), qui permettent de nommer l'innommable (G. Mathieu); le paysage littéraire renaissant préfigure les paysages de France évoqués par Aragon, et qui ne sont rien d'autre que des enfilades de beaux noms de villages français. P. Galand discerne une rhétorique et une poétique dans le paysage de la Renaissance, que l'on vient de définir comme un "piège à significations". Le paysage ressortit au domaine de la signification plus qu'au genre de la description.

L'activité esthétique de découpage et de restructuration finit même par conférer à ces signes beaucoup plus que leur sens intellectuel, un sens spirituel: dans les sermons de Fisher sur le Drap d'Or, la nature arrive à détruire les éléments d'un paysage orgueilleux qui avait été fabriqué de main d'homme (Cl. Murphy). Un tel paysage n'existe que parce qu'il est déconstruit, que parce que la victoire finale de la Nature est là pour rappeler que l'imposition des signes comptait plus pour le regard que la présence fugace des choses.

4) Un univers de signes

Le sensible se voit imposer un sens, une "perspective". C'est la Nature qui imite la rationalité de l'artiste censé la mimer (P. Larivaille). L'harmonie générale qui caractérise le paysage renaissant, le "synopton" (F. Lestringant) définit un principe organisateur au travail dans la mise en oeuvre de ces signes (C. Liaroutzos, J. Rieu). Dans la perception du paysage renaissant, on retrouve la "sensation d'univers" qui, selon Valéry, définit l'"état poétique": "tous les objets possibles du monde ordinaire (...), les êtres, les événements, les sentiments et les actes, demeurant ce qu'ils sont d'ordinaire quant à leurs apparences, se trouvent tout à coup dans une relation indéfinissable, mais merveilleusement juste, avec les modes de notre sensibilité générale. C'est dire que ces choses et ces êtres connus - ou plutôt les idées qui les représentent - changent en quelque sorte de valeur. Ils s'appellent les uns les autres, ils s'associent tout autrement que selon les modes ordinaires; ils se trouvent (...) comme harmoniquement correspondants".

Une image de l'homme se devine toujours dans les linéaments de cet univers clos que sont les paysages de la Renaissance; les paysages anthropomorphes qui nous ont été présentés sont une figure grossière, parfois caricaturale de cette grande intuition: le paysage naturel révèle un univers spirituel, présentation de Pan bien plus que vertige de Narcisse. Tout paysage renaissant est anthropomorphe. L'homme n'est ni perdu en son sein, comme chez Rousseau ou chez les Romantiques, ni étranger à ce paysage, comme Boileau représentant son jardin d'Auteuil en dialoguant avec le jardinier. L'homme est agissant dans la nature. A la différence de l'esthétique moderne, l'esthétique de la Renaissance exige que l'univers de la représentation ait ses limites, ses structures définies, ses perspectives variables.

A propos de Scève, E. Giudici a montré que le rapport du paysage et du poète est un rapport de compénétration. Cette pertinente formule pourrait tout aussi bien s'appliquer au peintre, au voyageur, au créateur d'un univers théâtral, épique, romanesque... En discernant en l'âme de l'artiste un paysage qui a ses saisons, E. Giudici condensait toutes les grandes notions qui ont été mises en valeur lors de ce colloque: le passage, la prise de distance, la jouissance esthétique, en même temps que ce plaisir dû à la mise en évidence de l'activité signifiante, témoignage de la domination de l'esprit sur la matière.

Guy DEMERSON

(Université de Clermont-Ferrand)

DISCUSSIONS

Communication de M. LESTRINGANT

G.Demerson- Le terme "forma" signifie-t-il vraiment "contour"? Ce serait plutôt "structure": un choix préliminaire permettant de prendre un point perspectif.

R.Ouellet- Vous avez bien montré comment Cardan prônait une disposition structurale et poétique des données. C'est poser implicitement le problème de la hiérarchisation de ces données: voyez la carte de Champlain.

F.Lestringant- D'accord avec G.Demerson. R. Ouellet a raison: il faudrait étudier ce problème de la hiérarchisation des données. J'ai surtout insisté sur la volonté de fabriquer un bel assemblage; mais un autre principe organisateur est à l'oeuvre, celui qui vise à satisfaire les besoins des divers destinataires, qui remplit telle fonction spécifique: carte maritime, par exemple, où les côtes et les contours insulaires sont majorés au détriment des "terres continentes", cartes itinéraires privilégiant les étapes au long d'une ligne, en négligeant les profondeurs latérales.

Y.Bellenger- Le mot "paysage", d'après le *F.E.W.*, n'a-t-il pas d'abord désigné la représentation picturale avant la perception directe?

F.Lestringant- Ce n'est pas sûr. En tout cas, dès le XVIe siècle, le mot renvoie au "pays".

F.Charpentier- De qui est la citation "Les bois, les collines, les rivières font les beaux paysages"?

F.Lestringant- De Furetière.

F.Charpentier- On peut donc signaler qu'il y a là un topos iconographique très perceptible dans des oeuvres plus modestes que la peinture: les fonds des emblèmes sont le plus souvent constitués de ces trois éléments: eaux, collines, bois. Il peut s'y ajouter une habitation ou une trace archéologique: obélisque, pyramide.

G.Mathieu- Quand vous avez parlé de l'anthropomorphisme dans la représentation cartographique, on pouvait penser aux planches anatomiques qui, à l'inverse, juxtaposent éléments de paysage et tables (des muscles,etc.) et qui, d'autre part, "paysagisent" le corps humain (p. ex. un "tronc" humain comme un "tronc" d'arbre ébranché). Cela ne pose-t-il pas quelques questions quant à la place de la *ressemblance* dans l'épistémologie et quant au statut du modèle dans la théorie de la représentation?

Communication de M. NEVEUX

H.Weber- Pouvez-vous préciser le rapport numérique entre paysans et habitants des villes?
H.Neveux- En France, la population paysanne représente entre 85% et 95% de la population totale. Il faut préciser que certains paysans habitent les villes.
Ch.Béné- La description de certaines "mirabilia", type "Fontaine ardente" près de Grenoble, ne doit-elle rien à la littérature ancienne ou chrétienne?
H.Neveux- Le texte ne comporte ni références anciennes ni patristiques, mais un souvenir de ces sources est tout à fait possible sous la plume de magistrats.
G.Pérouse- Pour ce qui concerne le paysage urbain du XVIe siècle, n'y aurait-il pas intérêt à étudier de près les plans scénographiques?
H.Neveux- Certainement.

Communication de Mme LIAROUTZOS

M.Tomas- L'analyse que vous nous donnez de l'appréhension du paysage dans les guides routiers, dans la mesure où elle montre l'image du pays comme moyen pour faire aimer la patrie, évoque *Le Tour de France par deux enfants* de 1877. Comme il s'agit là de l'une des définitions plutôt contemporaines du terme de paysage, pensez-vous que les auteurs des guides avaient vraiment cette intention? Utilisent-ils d'ailleurs ce terme?
C.Liaroutzos- Le terme de paysage n'est en effet pas utilisé dans les guides, mais il apparaît déjà dans les descriptions un sens que l'on pourrait assimiler à l'amour de la patrie.

Communications de MM. LESTRINGANT et NEVEUX

P.Larivaille- Il est nécessaire 1) de se méfier d'anachronismes pouvant dériver de la projection sur l'époque de la Renaissance de la conception actuelle du paysage; 2) d'être attentif à la chronologie: la cartographie du milieu du XVIe siècle est différente de ce qu'elle était au début. Il y a une hésitation entre symbolisation et figuration, science et esthétique peut-être pas étrangère à l'affirmation du maniérisme (du moins en Italie), de la scénographie maniériste telle qu'elle s'exprime également dans l'art des jardins (micro-mondes semés de "mirabilia", paysages construits).
F.Lestringant- Il faut être attentif aussi aux différences de culture: Nord et Midi, Flandres et Italie, où conceptions (et réalisations) de paysages sont très différentes. Voir le mépris de Michel-Ange pour les paysages flamands (rappelé par S. Alpers).

Communication de M. HALLYN

G.Demerson- Chez Ronsard, on note un anthropomorphisme où le fantastique est *subi*: il ne peut s'empêcher de voir la femme dans les éléments du

paysage. Cela amène à un classement des analogies: -réalisme ficinien (les éléments de la nature sont dans l'homme, et vice versa); - analogies pédagogiques dans la chorographie (la ressemblance est encore réelle -étiologies-mais discernée par une intelligence "ironique"); - analogies *créées* de toutes pièces pour obliger le spectateur à participer à la création artificielle (anamorphoses, devinettes,etc.).
Geneviève Demerson- N'y aurait-il pas une parenté entre les éléments du paysage anthropomorphe et les créations d'Ovide dans les *Métamorphoses* (dieu anthropomorphe, statue du dieu, dieu-élément: montagne qui est un dieu dont les cheveux sont des arbres, qu'il écarte pour mieux écouter, par exemple)?
F.Hallyn- D'accord avec ces observations.
P.Larivaille- Il faut signaler une île anthropomorphe dans un des derniers poèmes de Laurent le Magnifique (allégorie moteur de l'anthropomorphisme) et un exemple de Christ-paysage hivernal chez l'Arétin (*Passione di Gesù*), quelques années après le séjour à Venise de Rosso Fiorentino, auteur lui aussi de personnages-paysages. Questions: 1) N'assiste-t-on pas, au XVIe siècle, simplement à une multiplication considérable de procédés de tout temps? à une simple montée en puissance des jeux (analogies, similitudes, métaphores) qui constitue un des aspects les plus connus du maniérisme? 2) On a parlé d'anthropomorphisme et, en sens inverse, de personnages-paysages. Il existe chez Léonard de Vinci, entre autres, des cas de thériomorphisme appliqué à des personnages. Connaît-on des cas de paysages thériomorphes?
F.Hallyn- 1)La multiplication des procédés employés de tout temps et la recherche quasi systématique de l'analogie sont effectivement caractéristiques de cette époque. C'est un élément de la modernité de l'époque, d'autant qu'il s'accompagne d'une mise en question du signe. 2) Peut-être. Il doit y avoir quelques cas chez les Flamands.
M.-L.Launay- A propos de la critique de la fonction cognitive des tropes, il semble que la figure a très tôt deux fonctions possibles: 1) de forme (*forma* aristotélicienne), véritable structure de l'objet perçu; 2) de trope ou collusion de deux "formes" par le principe d'analogie. La première fonction ne se place pas sur le plan de la ressemblance. Cf. les études de P. Lardet (du CNRS) sur Scaliger dans *Histoire, Epistémologie, Langage* (1983) et dans les actes du Colloque sur la *Poétique* de Scaliger (1984) ("Figure" chez J.-C. Scaliger: une plastique du discours).
F.Hallyn- Depuis les travaux de Foucault sur la ressemblance, on n'a cessé d'avancer la date de cette critique du signe.

Communication de Mme JOUKOVSKY

H.Weber- 1)Vous vous êtes limitée sagement aux *Odes* en ajoutant le célèbre passage de l'*Hymne de l'Automne*: "Je n'avais pas quinze ans...". On pense à la liaison du paysage avec l'inspiration poétique par les "Muses", la vision des fées, le vagabondage de la marche et celui de l'inspiration. 2) A propos de "gras limons", ne s'agit-il pas de louer la fertilité du paysage plutôt que de l'expression personnelle d'un fantasme sensuel?

Fr.Joukovsky- 1) Le paysage de l'*Hymne de l'Automne* montre la variation de Ronsard sur les paysages familiers. Il n'est jamais satisfait de ce qu'il a déjà écrit. 2) Si le "gras limon" est une expression que l'on rencontre dans les chorographies, c'est sa place parmi d'autres éléments qui confirme son rôle dans la sensualité esthétique de Ronsard.
G.Mathieu- J'ai beaucoup apprécié cette communication qui montre que le poète fait accéder le lieu non à sa réalité, mais à sa vérité. Une toute petite question quant à l'interprétation de "Tu seras vive": vif-vive n'a-t-il pas ici un sens quasiment technique? La "*vive* représentation", le fait de "pourtraire *au vif*" sont des effets de la mimésis lorsqu'elle prend pour objet quelque chose ou être du monde naturel. Je lirais "tu seras vive" comme "Je te peindrai comme tu es 'naturellement'..., je te ferai accéder non à ta réalité, mais à ta 'vérité'".
G.Pérouse- En écoutant Mme Joukovsky à propos de la présence ("structurante") du poète aux tableaux de nature, je pense à Montaigne lorsqu'au sujet des voluptés naturelles (celle du paysage est du nombre) il écrit que l'âme s'y associe "non pour s'y perdre, mais pour s'y trouver". Peut-être serait-il utile de s'interroger sur les quelques passages où des écrivains du XVIe siècle cherchent justement à "se perdre"...
Fr.Joukovsky- Cette question, très intéressante, mériterait d'être posée à part, sur une base textuelle différente.
F.Hallyn, à propos de l'homme perdu dans la nature, cite les tableaux de Breughel.
F.Lestringant- Est-ce que la présence du sujet dans le paysage et des formules comme "je veux..., je vois..., tu seras vive" ne relèveraient pas du procédé rhétorique de l'hypotypose?

Communications de MM. CARILE et OUELLET

H.Neveux- Est-ce que dans les descriptions de la Nouvelle France, ce qui donne le sens de ces descriptions n'est pas moins les adjectifs utilisés, qui se réfèrent à des stéréotypes, que la sélection et l'organisation de ceux-ci?
R.Ouellet- Il faut aller plus loin. Les différences entre les descriptions viennent aussi de cette sélection et de cette organisation comme le montrent les diverses façons de traiter un même objet (un arbre, une plante, etc.) par les auteurs, en particulier Champlain et Sagard.
M.Tomas- Toute description ou relation de voyage pose le problème de la perception de l'observateur, et P. Carile a bien montré qu'il était essentiel de connaître la position sociale de ce dernier pour comprendre la vision qu'il nous fait partager. Cela étant, dans les relations auxquelles on a affaire, les termes employés sont ceux de "terre", de "pays", de "séjour", de "campagne", et jamais de "paysage", alors que ce terme existait déjà. Si le mot de "paysage" n'est pas utilisé, peut-on émettre l'hypothèse que les auteurs étaient déjà, même inconsciemment, pénétrés du concept, dans la mesure où l'homme établit une distance entre lui et le monde, ce qui lui permet de l'observer, éventuellement de le reconstruire en spectacle où se mêlent mythe et réalité?

R.Ouellet- C'est vraisemblable, mais peut-être pas pour le frère récollet Sagard, qui s'immerge tellement dans la nature qu'il la voit par petits détails, pas osmose, si je puis dire. On ne retrouve pas chez lui de vue panoramique, de prise de possession comme on aurait chez Champlain, par exemple.
F.Lestringant- La différence entre le Canada de Cartier et la Floride de Laudonnière est la charge mythique dont la seconde est d'emblée pourvue. Les Espagnols ont, une décennie plus tôt, recherché la Fontaine de Jouvence en Floride et ont dénommé un fleuve de la côte le Jourdain. C'est vers ce *Jordanis flumen* que s'oriente la quête du huguenot Laudonnière, dans son projet de fonder un refuge sur les terres du Nouveau Monde, d'où l'intérêt littéraire et mythologique, à mes yeux supérieur, de l'*Histoire notable* sur le *Brief Récit.*
G.Pérouse- La question, déjà plusieurs fois apparue, de savoir si ce qui est "beau" pour un homme du XVIe siècle (par exemple un voyageur) est "beau" parce qu'agréable aux sens ou parce qu'utile, cette question semble largement vaine. Elle se pose pour les gens du XXe siècle "développé" que nous sommes tous. Pour un homme du XVIe siècle, en revanche, homme qui, dans sa patrie, connaissait les disettes et qui, a fortiori, au cours de ses voyages, faisait l'expérience du froid, du chaud, de la soif etc., c'étaient les *mêmes* objets qui étaient "utiles" et sensuellement plaisants.
R.Ouellet- Dans l'ensemble, je suis d'accord, mais sans penser que cette identité soit vraiment constante.

Communication de Mme LEDWIGE

F.Lestringant- Vous avez très bien montré la valeur prospective de la description des Terres Neuves par Thevet. Quelque chose de nouveau peut-être apparaît dans ces textes des années 1580 que sont l'*Histoire de deux voyages* et le *Grand Insulaire et Pilotage* qui, dans un projet de colonisation hardi, envisagent de transformer la nature du Nouveau Monde en projetant en quelque sorte les paysages d'Europe d'un bord à l'autre de l'Atlantique. C'est ainsi que l'île plate et déserte d'Anticosti pourra devenir un excellent polder analogue à ceux qui ont été aménagés, dès cette époque, en Hollande. Thevet anticipe, dès ce moment, mais sur un mode plus délirant, les rêves prospectifs de Champlain et Lescarbot.

Communication de M. BENE

K.Kupisz- Vous avez mis en parallèle Rabelais et Cartier. Voulez-vous suggérer une influence ou plutôt des rapprochements?
Ch.Béné- Au cours de mes recherches, j'ai pu constater des convergences.

Communication de M. DAUMAS

G.Pérouse- Si Palerne, voyageant dans le delta du Nil, dit qu'il voit des rives "en tout temps vertes", ce n'est pas un "paysage", mais une construction de l'esprit. En effet, il voit ces rives à *un* certain moment et non pas "en tout temps".

Fr.Charpentier- Puisqu'il ne s'agit, en cette brève discussion, que de remarques ponctuelles et limitées, je ferai celle-ci à propos du jardin "moralisé", destiné à la nourriture et à l'entretien: cette préoccupation de rendre les jardins à la fois "plaisants" et "utiles" me semble particulièrement marquée dans cette fin du XVIe siècle. J'aurai à en parler dans une autre perspective dans ma communication.
M.Daumas- Mais il faut faire attention qu'ici, ce sont les jardins des Turcs.
Fr.Charpentier- Précisément, il est frappant que cette même préoccupation se retrouve, de quelque jardin qu'il s'agisse...
M.Vasselin- A propos de la remarque de M. Daumas que J. Palerne, en décrivant les jardins productifs du Sultan à Constantinople, semblait reprocher aux Valois leur goût du luxe inutile, rappelons que les jardins français, royaux ou nobles, consistaient en majeure partie en vergers, vignes et autres petites productions agricoles (comme on le voit clairement sur les plans de J. Androuet Du Cerceau). Les Valois à Fontainebleau, avec le jardin des Pins et le bois des Canaux, reprennent cette tradition française, qui existe aussi en Italie (les villas des cardinaux à Rome sont d'ailleurs appelées des "vignes"). Ce goût de l'"autarcie" consommatrice des grands bourgeois et des gentilhommes se voit déjà chez L.B. Alberti (*I Libri della famiglia*); ce qui ne préjuge en rien des intentions polémiques de Palerne.

Communication de M. GOVINDANE

G.Demerson- A propos des fruits que chacun peut manger sans que personne l'en empêche, notons que ce motif de l'Age d'Or ovidien nous rappelle que le paysage est souvent conçu comme un Eden enfin retrouvé.

Communication de Mme BELLENGER

F.Lestringant- Je voudrais ajouter deux ou trois remarques à l'excellent exposé d'Y. Bellenger. A la liste des occurrences littéraires représentant la montagne comme un obstacle, il faudrait ajouter l'adage d'Erasme *Athos, AEtna*, qui associe deux éminences particulièrement gênantes, la première pour la navigation, la seconde pour les ravages que ses éruptions occasionnent. Par ailleurs, si la montagne est présentée sous un jour généralement défavorable au XVIe siècle, il convient de mettre à part les montagnes sacrées (Sinaï, Liban, Agios Oros ou Mont Athos) qui, en vertu d'un renversement des apparences conforme à l'esprit de l'Evangile, se métamorphosent en *loci amoeni*. On rencontre ce paradoxe chorographique dans un certain nombre de relations de voyage au Levant. Il est exposé en toutes lettres dans l'*Epitome topographica* du réformateur J. Vadianus (1535), qui oppose la fertilité spirituelle du Sinaï à la stérilité morale de l'Egypte, féconde comme l'on sait sur le seul plan matériel. Enfin, et cette observation vaut également pour la communication de Mme Alexandre, il faudrait souligner la liaison qui existe entre l'architecture et le paysage, non seulement pour la nature reconstituée et ordonnée des jardins, mais également pour la représentation des paysages naturels, tels qu'on les figure dans la plastique de la Renaissance. En effet, J.-P. Nardy a récemment montré ("Réflexions sur l'évolution historique de la perception géographique du relief terrestre", *L'Espace géographique*, 1982, 3, p. 224-232) que la notion de "relief" géographique est d'abord associée à l'idée de construction architectonique. En témoignent, par exemple, les tableaux de Mantegna et de Léonard, de Jérôme Bosch ou de Dürer, où la roche et le végétal se modèlent selon des formes architecturales: pilastres, arches, entablements,etc.

H.Weber– 1)Vous n'avez pas eu le temps d'évoquer les Pyrénées dans *Le Printemps* d'Aubigné, ascension symbolique, comme celle de Pétrarque au mont Ventoux, mais avec des détails très réalistes.

2) Chez Pétrarque, le couronnement de l'ascension est un panorama réel que l'on peut comparer au plaisir éprouvé par Villamont après son ascension qui n'a plus de valeur symbolique.

Y.Bellenger- Villamont, lui, néglige toute valeur symbolique: il s'arrête au seul plaisir esthétique.

M.Vasselin- Cette communication pourrait constituer un commentaire à l'évolution des représentations picturales de la montagne du XIVe au début du XVIIe siècle. A propos de l'absence de conscience spécifique de la montagne, on peut rappeler les préceptes de Cennino Cennini: pour peindre une montagne, dessiner un caillou vu de près. A propos de la montagne comme punition: c'est le lieu privilégié des thèmes de pénitence et d'érémitisme, soit histoire de Jean-Baptiste (Giovanni di Paolo, Domenico Veneziano), soit de saint Antoine à saint Paul (Niklaus Manuel Deutsch, Grünewald), soit de la Madeleine (Breughel, dessin). A propos de l'ascension de la montagne-rocher de la vertu, le thème d'Hercule à la croisée des chemins avec son paysage bipartite (Raphaël), celui de l'Amour sacré et de l'Amour profane de Titien (Même opposition montagne-plaine) et, comme le rappelle Y. Giraud, le thème de la montagne de Cébès. Enfin, à propos de l'évolution vers le goût pittoresque du paysage montagnard accidenté, déchiqueté, vertigineux, les tableaux ou dessins de R. Savery, Mathieu et Paul Bril.

O.Millet- Il y a des textes latins humanistes suisses et en particulier zurichois qui décrivent des ascensions, des paysages alpins, et qui exaltent à la fois leur beauté sublime et l'élévation spirituelle qu'ils promettent aux ascensionnistes. Voir Theodor Collins, *De Monte Utliaco*, éd. H. Schmitz, Zurich, 1978 (avec d'autres textes suisses du XVIe siècle sur les Alpes).

K.Kupisz- Y a-t-il d'autres textes que celui de Marguerite de Navarre où l'image des montagnes, grandioses et majestueuses, évoque la grandeur de Dieu?

G.Pérouse- L'"horreur" de la montagne ne provient-elle pas (outre l'âpreté, le froid) d'une raison métaphysique plus ou moins consciente? La montagne, c'est une excroissance de la terre des hommes, montant "superbement" vers le ciel des dieux (titanomachie hésiodienne). Le bel *ordre* séparant les deux domaines est compromis par cet espace intermédiaire, foncièrement inquiétant.

Y.Bellenger- Je n'en disconviens pas, mais cela n'appartient pas à la problématique du "paysage" qui était la mienne.

G.Pérouse– Au sujet des impressions de Villamont qui, des sommets des Alpes, se réjouit de voir le Piémont et la Lombardie, je ne pense pas que

ce soit là une preuve de goût pour les paysages de montagne: il me semble que, tout au contraire, Villamont est heureux de voir enfin des *plaines* où il va bientôt descendre!
Y.Bellenger- Je pense que Piémont et Lombardie sont entendus avec leurs parties septentrionales montagneuses.
H.Weber- Parmi les textes sur la montagne que vous n'avez pas eu le temps de mentionner, il faudrait citer dans *Le Printemps* d'Aubigné les stances XX "Quand je voy ces monts sourcilleux...". Il s'agit de l'allégorie d'un amour audacieux qui vise trop haut, mais le paysage des Pyrénées y est décrit avec une certaine précision, avec la rage de ses torrents, les sources sulfureuses, le chaud soleil qui fait fondre les neiges. L'allégorie amoureuse de l'ascension des Pyrénées se retrouve aussi dans les *Constantes Larmes de S.D.C.* (Soffrey de Calignon), publiées dans *Les Muses ralliées.*

Communication de Mme GALAND

H.Weber- Votre exposé me paraît pouvoir éclairer certains paysages de Ronsard, l'alliance de l'architecture et du paysage dans la grotte de Meudon. Mais pour une question plus précise, l'antre est-il lié aux Muses chez Politien comme chez Ronsard?
P.Galand- L'antre chez Politien est lié à l'inspiration poétique, parce que le berger s'y repose et y compose des vers, mais les Muses n'y sont pas associées directement.
D.Alexandre- Quel est le terme latin qui désigne chez Politien la montagne selon un aspect favorable?
P.Galand- Mons.
D.Alexandre- Cela est surprenant, parce que pour les Italiens de cette époque, une connotation favorable n'est possible qu'avec un diminutif ("monticelli") lorsqu'il s'agit de décor "réaliste".
P.Galand- Il s'agit toujours en fait d'une montagne symbolique et difficile à gravir.
D.Alexandre- Dans ce cas, il n'y a plus rien de surprenant.
F.Lestringant- Une simple remarque pour mettre l'accent sur un point particulier: le principe de la *collection* ou même de l'*énumération* qui caractérise mainte description de jardin pose un problème épistémologique remarquable, qu'a abordé de manière plus générale Jack Goody dans son livre sur *La Raison graphique* (éd. de Minuit, 1976). A l'origine de toute littérature narrative ou descriptive est la liste. Comment, dans cette hypothèse, passe-t-on de cette nomenclature d'objets à la structure d'un paysage ou d'une description ? Le texte de Politien tel que vous l'avez analysé pose, entre autres, cette question.
Geneviève Demerson- Est-ce que les paysages évoqués par Politien de manière virgilienne ne sont pas déjà virgiliens dans leur conception même?
P.Galand- Bien sûr, la conception même des villes médicéennes est virgilienne, puisque le but avoué de Laurent le Magnifique et de son entourage était de recréer dans la réalité florentine contemporaine un monde conforme à celui des *Bucoliques* et des *Géorgiques.* Toutefois, l'insertion dans

un décor naturel d'éléments architecturaux recherchés et luxueux évoque également les descriptions de Stace.

Communication de M. TERREAUX

H.Neveux- Retrouve-t-on chez Peletier des "légendes de fondation", en particulier de flux et reflux des glaciers? Et, question marginale, peut-on savoir pourquoi certains sommets portent un nom?

L.Terreaux- A la première question, la réponse est négative. A la seconde: de nombreux sommets portaient des noms locaux. On ne peut pas savoir pourquoi Peletier a retenu celui-ci plutôt que celui-là. Cependant il faut remarquer que certains étaient escaladés depuis au moins le XIVe siècle, comme la Rochemelon sur laquelle on avait bâti une chapelle.

Communications de MM. KUPISZ et GIUDICI

G.Pérouse- A propos de Scève, de Marguerite, peut-être aussi de Kochanowski, une question de fond paraît se poser. Tout se passe, à ce colloque, comme s'il était admis implicitement que les "paysages spirituels" sont de "mauvais" paysages, ou du moins des paysages auxquels on ne peut attribuer la même perfection "pittoresque" qu'à tel ou tel autre tableau de nature. Nos orateurs le soutiendront-ils?

K.Kupisz et E.Giudici- Nous sommes certains au contraire que certains paysages "spirituels" sont parmi les plus beaux paysages littéraires.

(Les communications de M. BALMAS et de Mmes MATHIEU-CASTELLANI et MOREAU n'ont pu, faute de temps, être suivies de discussions)

Communication de Mme CHARPENTIER

G.Mathieu- Je suis frappée par les similitudes dans le traitement du paysage entre Montchrestien et la génération de 1620-40 (Théophile, Saint-Amant, Tristan). Est-ce que l'analyse qu'a faite Mme de Mourgues du pointillisme du paysage libertin ne serait pas aussi pertinente pour ce poète? Les fragments "flottants" en ce jardin font penser aux reflets "flottants" chez Saint-Amant et Théophile.

F.Charpentier- Ce jardin de Montchrestien forme en effet un *terminus a quo* du jardin libertin et on peut noter sa date précoce. Le terme "flottant" lui-même est présent dans le texte en d'autres passages que j'ai cités. Cette esthétique pointilliste n'est pourtant dans ce poème qu'à l'état d'ébauche ou de prémonition.

Communication de Mme VASSELIN

H.Weber- Peut-on avoir une idée de la chronologie des tableaux de Nicoló dell'Abate?

M.Vasselin- On n'a pas de dates précises; les tableaux montrés sont peints entre 1558 et 1570. Mais en Italie Nicoló dell'Abate, dans sa première période, avait peint des effets analogues.

Communication de Mme RIEU

F.Lestringant- Parallèlement au corpus d'oeuvres picturales que vous avez si brillamment analysé, l'on observe que la pluritemporalité est abondamment utilisée dans les recueils ou collections de gravures de propagande religieuse ou politique des années 1570-90 (Perrissin et Tortorel, Verstegen, Théodore de Bry). Mais à l'opposé de ce trajet complexe du regard que sollicite la peinture de la seconde Ecole de Fontainebleau, le trajet de lecture de ces gravures didactiques est univoque, comme le souligne la présence dans le tableau de lettres (A,B,C,D,etc.) qui prescrivent un ordre de lecture obligatoire. Ces recueils de gravures renouent alors avec l'exposition simultanée, procédé largement utilisé dans l'iconographie médiévale, tout en empruntant au langage cartographique (et c'est là une nouveauté remarquable) le lettrage et le légendage.

M.Soulié- L'analyse de la pluritemporalité qui vient d'être faite me paraît très pertinente pour expliquer l'élégie à Marie Stuart de Ronsard, promenade d'un portrait animé à travers les allées de Fontainebleau et vision de la galère qui se forme à partir du voile de la reine.

J.Rieu- Oui, effectivement, il y a de nombreuses correspondances entre les tableaux et les textes poétiques.

P.Larivaille- Est-ce que le problème essentiel, plus que celui de la pluritemporalité, n'est pas celui des modalités de la pluritemporalité? Quelle analogie éventuelle avec le "parcours" de la statuaire décrit par Panofsky: de la vue frontale classique à la spirale maniériste,etc.?

Communication de M. PRIEUR

H.Weber- La chronologie idéale correspond-elle à la chronologie historique?

M. Prieur- Elle ne coïncide peut-être pas, mais en raison de la fourchette d'incertitude sur la datation des tableaux et les dates limites fournies par les historiens, j'ai cru pouvoir les faire coïncider. Mais ne coïncideraient-elles pas que les moments correspondant aux prises de vue n'en subsisteraient pas moins comme éléments de la pensée du Greco.

(Discussions transcrites par Colette DEMAIZIERE)

BIBLIOGRAPHIE

1. Géographie et Voyages

- J. BECKMANN, *Literatur der älteren Reisebeschreibungen*, Goettingue, 1807-1809, 2 vol.
- A. BARBEAU, *Les Voyageurs en France depuis la Renaissance jusqu'à la Révolution*, P., 1885.
- E. BONNAFFE, *Voyageurs et voyages de la Renaissance*, P., 1898.
- G. CHINARD, *L'Exotisme américain dans la littérature française du XVIe siècle*, P., Hachette, 1911.
- G. ATKINSON, *La Littérature géographiques française de la Renaissance*, P., Picard, 1927-1936, 2 vol.
- M. BLOCH, *Les Caractères originaux de l'histoire rurale française*, P., 1931.
- G. ROUPNEL, *Histoire de la campagne française*, P., 1932.
- R. DION, *Essai sur la formation du paysage rural français*, P., 1934.
- Ch. ESTIENNE, *La Guide des chemins de France*(1553), p.p. J. Bonnerot, P., Champion, 1936, 2 vol.
- F. de DAINVILLE, *La Géographie des humanistes*, P., Beauchesne, 1940.
- Ch.-A. JULIEN, *Les Voyages de découverte et les premiers établissements*(...), P., P.U.F., 1948.
- L. OLSCHKI, *Storia letteraria delle scoperte geografiche*, Florence, Olschki, 1936.
- F. FIORENTINO, *Dalla geografia all'autobiografia*, Padoue, Antenore, 1982.
- E. BALMAS, *La Scoperta dell'America e la letteratura francese del '500*, Milan, Viscontea, 1971.
- J. PALERNE, *Voyage en Egypte* (1581), Le Caire, I.F.A.O., 1971.
- R. LE MOINE, *L'Amérique et les poètes français de la Renaissance*, Ottawa, Ed. Univ., 1972.
- N. BROC, *La Géographie de la Renaissance, 1420-1620*, P., Bibl. Nle, 1980.

- J. EPSTEIN, *Paysages, formes du regard et topographie cognitive*, thèse Paris, 1981.
- C. DE SETA (éd.), *Il Paesaggio*, Turin, Einaudi, 1982 (*Storia d'Italia, Annali*, 5).
- coll., *Mort du paysage*, Champ Vallon, 1982.
- P. SANSOT, *Variations paysagères: invite au paysage*, P., Klincksieck, 1983.
- J.-R. PITTE, *Histoire du paysage français*, P., Tallandier, 1983, 2 vol.
- coll., *Lire le paysage, lire les paysages*, Saint-Etienne, Publ. de l'Univ., 1984 (Travaux XLII).

2. Art

- J. RUSKIN, *Lectures on Landscape*, Londres, 1897.
- F. BENOIT *et al.*, *Histoire du paysage en France*, P., 1908.
- K. GERSTENBERG, *Die ideale Landschaftsmalerei*, Halle, Niemeyer, 1923.
- C.L. HIND, *Landscape Painting from Giotto to the present*, Londres, 1923-24, 2 vol.
- C. ZERVOS, *Paysages français du XVe siècle*, P., Cahiers d'art, 1927.
- J. MAGNIN, *Le Paysage français, des enlumineurs à Corot*, P., Payot, 1928.
- R. BUSCAROLI, *La Pittura di paesaggio in Italia*, Bologne, 1935.
- S. SAKANASHI, *An Essay on Landscape Painting*, Londres, 1935.
- P. JAMOT, *Sur la naissance du paysage dans l'art moderne: du paysage abstrait au paysage humaniste*, P., 1938.
- A. LHOTE, *Traité du paysage*, P., Floury, 1939.
- P. HOFER, *Die italienische Landschaft im 16. Jhdt*, Berne, 1946.
- K. CLARK, *Landscape into Art*, Londres, Murray, 1949, 1979. Trad. fr.: *L'Art du paysage*, P., Julliard, 1962. Voir du même auteur l'article "Paesaggio" dans *Enciclopedia universale dell'arte* (cf. ci-après à GARBINI).
- H. KIL - D. NERI, *Paesaggi inattesi nella pittura del Rinascimento*, Milan-Florence, 1952.
- G.L. MONCARELLO, *L'Arcadia*, Florence, Olschki, 1953, 2 vol.
- A.V. GIARDINI - E. BAGGIO, *Paesaggi della pittura italiana*, Rome, Enit, 1953.
- H. v. HOOGEWERFF, *Het landschap van Bosch tot Rubens*, Anvers, 1954.
- G. GARBINI *et al.*, "Paesaggio", *Encicl. Univ. dell' Arte*, Venise-Rome, 1963, vol. X.
- R.A. TURNER, *The Vision of Landscape in Renaissance Italy*, Princeton, U.P., 1966, 1974.
- H.G. FRANZ, *Niederländische Landschaftsmalerei im Zeitalter des Manierismus*, Graz, A.D.V.A., 1969, 2 vol.
- R. ASSUNTO, *Il Paesaggio e l'estetica (I Natura e storia - II Arte, critica e filosofia)*, Naples, 1973.
- W. KOSCHATZKY, *A. Dürer: Die Landschaftsaquarellen*, Vienne, Jugend und Volk, 1973.

- C. GOULD, *Space in Landscape*, Londres, Nat. Gall., 1974.
- C. BROWN, *Dutch Landscape Painting*, Londres, Nat. Gall., s.d.
- S. SUSINO, *La Veduta nella pittura italiana*, Florence, Sansoni, 1974.
- M. SCHEFOLD, *Bibliographie der Vedute*, Berlin, Mann, 1976.
- N.G. MICHAUD, *The Grotesque Landscape*, California, U.P., 1977.
- M. LEVI D'ANCONA, *The Garden of the Renaissance*, Florence, 1977.
- T. COMITO, *The Idea of the garden in the Renaissance*, New Jersey, Rutgers, 1978.
- G. ROMANO, *Studi sul paesaggio*, Turin, Einaudi, 1978.
- M. FAGIOLO *et al.*, *Natura e artificio*, Rome, Officina edizioni, 1979.
- B. JEFFARES, *Landscape Painting*, Oxford, Phaidon, 1979.
- E. CARLI, *Il paesaggio. L'ambiente naturale nella rappresentazione artistica*, Milan, Mondadori, 1980. Tr. fr.: *Le Paysage dans l'art*, P., Nathan, 1980.
- G. HARTMANN, *Die Ruine im Landschaftsgarten*, Worms, Werner, 1981.
- M. ROSENTHAL, *British Landscape Painting*, Oxford, Phaidon, 1982.

Catalogues d'exposition:

- *Incisioni e disegni di paesaggio* (Rome, Gab. nle delle stampe), 1911.
- *Stampe e disegni del paesaggio italiano* (Rome, Gab. nle delle stampe), 1912.
- *Le Paysage français de Poussin à Corot* (Petit-Palais, 1925), 1926.
- *Landscape in French Art* (Londres, Royal Academy), 1949.
- *La Forêt dans la peinture ancienne* (Nancy, Musée des Beaux-Arts), 1960.
- *L'Ideale classico del Seicento in Italia e la pittura di paesaggio* (Bologne, Museo civico), 1962.
- *Il Paesaggio, Immagine e realtà* (Milan), 1973 et 1977.
- *Il Paesaggio nel disegno del 500 europeo* (Rome, Villa Médicis), Del Borgo, 1973.
- *Architettura, scenografia, pittura del paesaggio* (Bologne, Museo civico), 1980.
- *Mit dem Auge des Touristen* (Tubingue, Eberhart-Karls-Universität), 1981.
- *G. Dughet und die ideale Landschaft* (Düsseldorf, Kunstmuseum), 1981.
- *Il Paesaggio italiano nel disegno dal 16 al 18 secolo* (Rome, Del Borgo), s.d.

3. Littérature

- A. WEIDINGER, *Die Schäferlyrik der französischen Vorrenaissance*, Munich, 1893.
- J. VOIGT, *Das Naturgefühl in der Literatur der franz. Renaissance*, Berlin, 1898.
- Vte. de BROC, *Paysages poétiques et littéraires*, P., Plon, 1904.

- C. BECK, "Le Voyage de Montaigne et l'évolution du sentiment du paysage. Essai de psychologie sociale", *Mercure de France*, XCII, 1912, p. 298-317.
- A. MUEHLHAEUSER, *Die Landschaftsschilderung in Briefen der ital. Frührenaissance*, Berlin, 1914.
- N.H. CLEMENT, *Nature and country in 16. and 17. cy. French poetry*, P.M.L.A., XLIV, 1929, p. 1005-1047.
- J. VIANEY, "La Nature dans la poésie du XVIe siècle", *Mélanges P. Laumonier*, P., 1935, p. 171-188.
- W.B. CORNELIA, *The Classical Sources of the Nature References in Ronsard's Poetry*, New York, Columbia U.P., 1934.
- E.R. CURTIUS, "Le paysage idéal"(chap. X), *La Littérature européenne et le Moyen Age latin* (1948), P., P.U.F., 1956.
- D.B. WILSON, *Ronsard poet of nature*, Manchester, U.P., 1961.
- A. SCAGLIONE, *Nature and Love in the Late Middle Ages*, Los Angeles, 1963.
- E.W. TAYLER, *Nature and Art in Renaissance Literature*, New York, Columbia U.P., 1964.
- D.B. WILSON, *Descriptive Poetry*, Manchester, U.P., 1967 (chap. IV).
- P. PICHLER, *The Visionary Landscape. A study in medieval allegory*, Londres, Arnold, 1970.
- D. PEARSALL - E. SALTER, *Landscapes and Seasons of the medieval world*, Londres, Elek, 1973.
- F. JOUKOWSKY, *Paysages de la Renaissance*, P., P.U.F., 1974.
- R. MORTIER, *La Poétique des ruines*, Genève, Droz, 1974.
- M. PRAZ, *Il Giardino dei sensi*, Milan, Mondadori, 1975.
- A. RITTER (éd.), *Landschaft und Raum in der Erzählkunst*, Darmstadt, Wiss. Buchgesellschaft, 1975 (Wege der Forschung CCCXVIII).
- G. MATHIEU, *Les Thèmes amoureux dans la poésie française 1570-1600*, P., Klincksieck, 1976 (p. 349-398).
- K. GARBER (éd.), *Europäische Bukolik und Georgik*, Darmstadt, Wiss. Buchgesellschaft, 1976 (Wege der Forschung CCCLV) (avec une importante bibliographie, p. 483-529).
- W. KRAUSS, "Über die Stellung der Bukolik in der aesthetischen Theorie des Humanismus", *ibid.*, p. 140-164.
- K. VOSSLER, "Tassos Aminta und die Hirtendichtung", *ibid.*, p. 165-180.
- coll., *Iconologia letteraria. La retorica della descrizione*, Actes du colloque de Bressanone, 1979.
- G. SAVARESE - A. GAREFFI, *La Letteratura delle immagini nel Cinquecento*, Rome, 1980.
- M. TISON-BRAUN, *Poétique du paysage (Essai sur le genre descriptif)*, P., Nizet, 1980.
- M. FLINTOFT, *Landscape of desire and menace. A literary study of medieval French garden imagery*, Melbourne, 1982.

TABLE DES ILLUSTRATIONS

TABLE DES MATIERES

TABLE DES MATIERES

Reihe SEGES/Collection SEGES (Neue Folge - Nouvelle série)

1. Jan Kochanowski - Ioannes Cochanovius (1530-1584). Materialien des Freiburger Symposiums 1984. Herausgegeben von Rolf Figuth. 284 Seiten. (1987)
2. Thematologie des Kleinen. Petits thèmes littéraires. Herausgegeben von Edgar Marsch und Giovanni Pozzi. 212 Seiten. (1986)
3. Le Paysage à la Renaissance. Etudes réunies et publiées par Yves Giraud. 360 pages. (1988)

UNIVERSITÄTSVERLAG FREIBURG SCHWEIZ
ÉDITIONS UNIVERSITAIRES FRIBOURG SUISSE

Reihe SEGES/Collection SEGES

Lieferbare Bände der ersten Serie
Volumes disponibles de la première série

1 F.-M. COQUOZ: *L'évolution religieuse de Jacques Rivière.* 230 pp. (1963)
2. M.-A. FRAGNIÈRE: *Bernanos fidèle à l'enfant.* 156 pp. (1964)
3. K. MÜLLER: *Konrad Weiss, Dichter und Denker des «Geschichtlichen Gethsemane».* 226 S. (1965)
4. W. SOMM: *Hermann Broch - Geist, Prophetie und Mystik.* 128 S. (1965)
5. J. WOLF: *Josef Leitgeb - Leben und Werk.* 140 S. (1966)
6. F. KRÄMER: *Thomas Carlyle of the Scottish Bar* (1803–1855). 120 S. (1966)
7. M. DEVAUD: *Albert Thibaudet, critique de la Poésie et des Poètes.* 304 pp. (1967)
8. J. JURT: *Les attitudes politiques de Georges Bernanos jusqu'en 1931.* 360 pp. (1968)
9. D. RAUENHORST: *Annette Kolb, ihr Leben und ihr Werk.* 169 S. (1969)
10. G. BECK: *Die erzählende Prosa Albert Ehrensteins (1886–1950).* Interpretation und Versuch einer literarhistorischen Einordnung. 164 S. (1969)
11. NIKLAUS OBERHOLZER: *Das Michelangelo-Bild in der deutschen Literatur.* Beitrag zur Geschichte der Künstlerdichtung. 220 S. (1969)
12. W. RÖSSLE: *Die soziale Wirklichkeit in Arthur Millers Death of a Salesman.* 129 S. (1970)
13. LIONET POITRAS: *Henri Bosco et la participation au monde.* 328 pp. (1971)
14. ALOIS B. ZIEGLER: *Thomas Wilson, Bischof von Sodor und Man (1663–1755).* Ein Beitrag zur Geschichte der englischen Literatur des 18. Jahrhunderts, 212 S. (1972)
15. P. FEDELI: *Il Carme di Catullo.* 144 S. (1972)
16. P. LAMBERT: *Réalité et ironie: les jeux de l'illusion dans le théâtre de Marivaux.* 203 S. (1973)
17. GIOVANNI POZZI: *La rosa in mano al professore.* 190 pp. (1974)
18. JOSEF VONLAUFEN: *Studien über Stellung und Gebrauch des lateinischen Relativsatzes unter besonderer Berücksichtigung von Lukrez.* 206 S. (1974)
19. ROMUALD MATTMANN: *Studie zur handschriftlichen Überlieferung von Ciceros «De inventione».* Die Schweizer Handschriften mit «De inventione» im Verhältnis zu den ältesten Codices. 191 S. (1975)
20. G. COUTON et Y. GIRAUD: *Le Père Hercule. Lettre à Philandre (1637–1638).* 108 pp. (1975)

21. YVES GIRAUD: *Bibliographie du roman épistolaire en France.* Des origines à 1842. 140 pp. (1977)
22. DORIS JAKUBEC: *Sylvain Pitt ou les avatars de la liberté.* Une vie à l'aube du XXe siècle, 1860–1919. 352 pp. (1979)
23. WOLFGANG LEINER: *Bibliographie et index thématique des études sur Eugène Ionesco.* 193 pp. (1980)
24. ALESSANDRO MARTINI: *La letteratura negata.* Saggio sulla critica di parte cattolica nel secondo ottocento italiano attraverso le riviste. 273 pp. (1981)
25. PIERRE-HENRI SIMON: *Sagesse de Paul Verlaine.* Texte établi, présenté et commenté par PIERRE-HENRI SIMON de l'Académie française avec une étude sur Pierre-Henri Simon et des notes complémentaires sur «Sagesse» par ALAIN FAUDEMAY.
26. J. CHRISTOPH BÜRGEL: *Steppe im Staubkorn.* Texte aus der Urdu-Dichtung Muhammad Iqbals. 194 S. (1982)

UNIVERSITÄTSVERLAG FREIBURG SCHWEIZ
ÉDITIONS UNIVERSITAIRES FRIBOURG SUISSE